MACHADODEASSIS
CORRESPONDÊNCIA
TOMO II | 1870~1889

MACHADO DE ASSIS
CORRESPONDÊNCIA

TOMO II | 1870-1889

COORDENAÇÃO E ORIENTAÇÃO DE SERGIO PAULO ROUANET

REUNIDA, ORGANIZADA E COMENTADA POR IRENE MOUTINHO E SÍLVIA ELEUTÉRIO

Rio de Janeiro / São Paulo 2019

© **Academia Brasileira de Letras, 2019**
2ª Edição, Global Editora, São Paulo 2019

Jefferson L. Alves - **diretor editorial**
Gustavo Henrique Tuna - **gerente editorial**
Flávio Samuel - **gerente de produção**
Sandra Brazil - **coordenadora editorial**
Célia Nascimento - **revisão**
Victor Burton - **capa**

ACADEMIA BRASILEIRA DE LETRAS

Marco Lucchesi - **presidente**
Merval Pereira - **secretário-geral**
Ana Maria Machado - **primeira-secretária**
Edmar Bacha - **segundo-secretário**
José Murilo de Carvalho - **tesoureiro**

Diretorias
Cícero Sandroni - **diretor da *Revista Brasileira***
Alberto Venancio Filho - **diretor das Bibliotecas**
José Murilo de Carvalho - **diretor do Arquivo**
Geraldo Holanda Cavalcanti - **diretor dos Anais da ABL**
Evaldo Cabral de Mello - **diretor da Comissão de Publicações**

Membros da Comissão de Publicações
Alfredo Bosi
Antonio Carlos Secchin
Evaldo Cabral de Mello

Coordenação das Publicações da ABL
Monique C. F. Mendes

CIP-BRASIL. CATALOGAÇÃO NA PUBLICAÇÃO
SINDICATO NACIONAL DOS EDITORES DE LIVROS, RJ

A866c
2. ed.
v. 2

Assis, Machado de
   Correspondência de Machado de Assis : tomo II - 1870-1889 / Machado de Assis ; coordenação e orientação Sergio Paulo Rouanet ; reunida, organizada e comentada por Irene Moutinho, Sílvia Eleutério. - 2. ed. - São Paulo : Global ; Rio de Janeiro : Academia Brasileira de Letras, 2019.
   568 p. ; 21 cm.

   Inclui bibliografia
   ISBN 978-85-260-2486-1

   1. Cartas brasileiras. I. Rouanet, Sergio Paulo. II. Moutinho, Irene. III. Eleutério, Sílvia. IV. Título.

19-59572
CDD: 869.6
CDU: 82-6(81)

Vanessa Mafra Xavier Salgado - Bibliotecária - CRB-7/6644

Direitos Reservados

global editora e distribuidora ltda.
Rua Pirapitingui, 111 – Liberdade
CEP 01508-020 – São Paulo – SP
Tel.: (11) 3277-7999
e-mail: global@globaleditora.com.br
www.globaleditora.com.br

Colabore com a produção científica e cultural.
Proibida a reprodução total ou parcial desta obra sem a autorização do editor.

Nº de Catálogo: **4428**

 Prefácio

Uma cartografia

Cada um de nós traz uma ideia de Machado. Ideia vaga, talvez, difusa, mas eminentemente sua, apaixonada e intransferível. Como se guardássemos um fino véu a se estender sobre a cidade do Rio de Janeiro. Paisagem pela qual vamos fascinados e diante de cuja natureza suspiramos. Todo um rosário de ruas e de igrejas – Mata-Cavalos, Santa Luzia, Latoeiros e Candelária. Nomes-guias e sonoridades perdidas. Morros derrubados. Praias ausentes. Tudo o que perdemos move-se ainda nas páginas de uma cidade-livro. Cheia de árvores e de contradições, por vezes dolorosas. Chácaras e quintais compridos. Aqueles mesmos quintais que assistiram aos amores de Bentinho e Capitu e dentro de cuja educação sentimental nos formamos.

Machado nos vem desde a escola – com "A Cartomante" ou a "Missa do Galo" – até a revelação inesperada de Brás Cubas; quando já consideramos nossa aquela terra ficcional, totalmente nossa, legado de não poucas gerações. E assim aprendemos a ver as coisas que nos cercam.

Herdamos parte essencial de sua língua. O corte da frase. A espessura do substantivo. A parcimônia de atributos. Mas, acima de tudo, o modo de sondar a extensão de nosso abismo. Sabemos que o Cruzeiro do Sul está muito alto *para não discernir os risos e as lágrimas dos mortais*. Mas acreditamos que *alguma coisa escapa ao naufrágio das ilusões*. Esse fraseado lapidar salta dos livros e cria instrumentos de sentir. E não são apenas as frases. As personagens também se deslocam do papel e vagam incertas pelas ruas do Rio. Tal como as criaturas de Dostoiévski em São Petersburgo. Sabemos onde moram e para onde vão.

Mas há também seres de carne e osso, contemporâneos de Machado, que lhe habitam as páginas, adquirindo foros de eternidade ficcional, como o *ateniense* Francisco Otaviano. A longa tristeza de Alencar no Passeio Público. As mãos trêmulas de Monte Alverne, apalpando o espaço que não podia ver. As meias de seda preta e os calçados de fivela do porteiro do Senado.

Para Machado de Assis, a História podia ser comparada aos

> [...] fios do tecido que a mão do tecelão vai compondo, para servir aos olhos vindouros; com os seus vários aspectos morais e políticos. Assim como os há sólidos e brilhantes, assim também os há frouxos e desmaiados, não contando a multidão deles que se perde nas cores de que é feito o fundo do quadro.

O centro e o fundo. As cores vivas e desmaiadas. A trama singular. Machado de Assis terá fixado o sentimento exato daqueles dias, que parecem ultrapassar o próprio tempo, como se fossem o patrimônio da memória coletiva e quase atemporal.

A fixação do sentimento daqueles dias adquire novo baricentro, com a edição monumental das cartas de Machado, organizada por Sergio Paulo Rouanet, subsidiado pelas pesquisadoras Irene Moutinho e Sílvia Eleutério. Trata-se de um marco fundamental na bibliografia machadiana, em regiões ainda fragmentadas, com vazios e fraturas quase insuperáveis e que, no entanto, em tanta parte se completam maravilhosamente agora.

O trabalho de exegese mostrou-se exemplar, não apenas na ampla expansão do *corpus*, como também na correção de rumos e lacunas, outrora incertas, as quais adquirem rosto, sobrenome e endereço ao longo destes volumes.

Uma pesquisa de alta qualidade, sob qualquer ângulo, do *close reading* aos mais fecundos panoramas, abrindo de par em par janelas de uma futura biografia de Machado. Nenhum arquivo ficou de fora e, não raro, boa parte corrigido na catalogação. Outros, foram descobertos, nas vísceras e labirintos das bibliotecas, além de novas doações, havidas em sincronicidade junguiana.

Igualmente modelar, a rede finíssima de notas, de ordem histórica e filológica, estética e filosófica, biográfica e poética, incisivas e iluminantes em sua delicada expressão. Poderiam subsistir independentes do rodapé, como um ente separado, tal a oportunidade e a força que cada fragmento oferece para a inteligência do processo textual, como se fossem breves monografias, em ato ou potenciais. Não sei o que mais apreciar, se a abundância das informações, se o refinamento metodológico, se as divagações oportunas de extração filosófica.

A cartografia inacabada do autor de *Dom Casmurro* sofre com esta edição um déficit expressivo. Desenha-se um Machado algo mais nítido, menos descontínuo, com larga diminuição de pontos cegos e temas suspensos. Mais que um ponto de chegada, temos um ponto de partida, desde uma base hermenêutica segura e estruturada.

A edição de Sergio Paulo Rouanet, com sua conhecida erudição e sensibilidade, percepção histórica e filosófica, empresta, devolve ou aprimora contorno e nitidez à vida/obra de Machado de Assis, ao completar 180 anos de nascimento. Com este gesto brilham os "fios do tecido que a mão do tecelão vai compondo, para servir aos olhos vindouros".

Uma estética do olhar, portanto, um convite que demanda a inserção multifocal de um vasto patrimônio da leitura e da memória em língua portuguesa.

MARCO LUCCHESI
Presidente da ABL no biênio 2018-2019
Rio de Janeiro, outubro de 2019

Apresentação

Este volume, dedicado à correspondência de Machado de Assis no período 1870-1889, também incorpora várias cartas da década de 1860. Existe assim um começo antes do começo, no bom estilo de *Memórias Póstumas*. Mas, a subversão temporal tem seus limites. Para não interferir demasiado na ordem cronológica, decidimos colocar, num caderno suplementar, as cartas abertas do conde de la Hure (1866) e uma carta inédita de Machado a Salvador de Mendonça (1868), descoberta na Casa de Rui Barbosa.

A presença de cartas abertas de 1866 numa coletânea consagrada aos anos 70 e 80 já tinha sido justificada. Cito a apresentação do Tomo I: "Cada vez que imaginávamos que nosso trabalho estivesse concluído, [uma das cartas abertas] acenava para nós, toda chorosa, implorando o privilégio de entrar em nosso livro, em vez de dormir um sono eterno nas páginas de *O Futuro* ou do *Diário do Rio de Janeiro*. Não posso jurar que todas as cartas abertas estejam aqui. Suspeito um pouco de que muitas só vão aparecer depois que o volume em que deveriam figurar estiver impresso, mas elas podem ter certeza de que bem ou mal seu apelo acabará sendo ouvido."

Foi o que aconteceu com as cartas do conde de la Hure, dirigidas a Machado de Assis quando este, praticamente sozinho à frente do *Diário do Rio de Janeiro*, precisava dar destaque à Exposição Nacional, destinada a preparar a participação do Brasil na Exposição Universal de Paris, prevista para 1867. Como as suplicantes gregas, elas pediram e obtiveram santuário, mas em nosso segundo volume, e não no primeiro. Há três razões para essa hospitalidade.

A primeira, a mais óbvia, e que a rigor dispensaria as outras, é que havíamos decidido incluir em nossa coletânea toda a correspondência machadiana, qualquer que fosse a sua natureza.

A segunda tem a ver com a própria personalidade do missivista. Sabe-se pouco sobre esse francês, residente no Brasil e autor de várias obras sobre temas brasileiros, arroladas na *Bibliographie Brésilienne*, de A. L. Garraux. Diz-se, além disso, que de la Hure teria participado de uma mistificação, que envolvia a descoberta de uma laje com supostas inscrições fenícias. Mais tarde se verificou que as inscrições eram falsas, e teriam sido forjadas a fim de desmoralizar o Instituto Histórico e Geográfico Brasileiro, como vingança contra a falta de apoio a pesquisas arqueológicas que vinham sendo empreendidas pelo conde, cujo nome real era V. L. Baril. Não nos julgamos no direito de subtrair à curiosidade do público personagem tão pitoresco, tanto mais que na primeira carta [53 A] ele declara ter combinado com Machado de Assis a publicação de suas minuciosas observações e, na última [62 A], se evidencia o contato pessoal entre ambos. É nesta que se indica a suspeita sobre a possibilidade de ter sido de la Hure "O amigo da verdade", pseudônimo do autor das cartas abertas [35] e [38], publicadas no Tomo I.

A terceira razão tem a ver com o conteúdo das cartas, todas dedicadas ao tema da Exposição Nacional. De la Hure descreve pormenorizadamente todos os pavilhões, abrangendo uma enorme variedade de atividades econômicas, desde a arte da tipografia até a fabricação de cerveja, desde a moda feminina à indústria de armas. A publicação desse inventário meticuloso pode servir de matéria-prima para os historiadores e especialistas em artes aplicadas, que talvez se surpreendam com a variedade de produtos já manufaturados no Brasil, em plena fase agroexportadora. E pode fascinar aqueles que, na linhagem de Walter Benjamin, conheçam a importância das exposições universais como vitrines da modernidade e como templos da mercadoria-fetiche, mas talvez não soubessem o papel desempenhado nessa rede mundial por um país como o Brasil, situado na periferia do capitalismo.

Vamos agora à correspondência do período que nos interessa mais de perto neste volume, o de 1870-1889. São 188 documentos entre cartas, cartões e telegramas, distribuídos entre 72 missivistas, além do próprio Machado de Assis. Podemos dividir esses documentos em grupos, conforme as características de cada correspondente.

Um primeiro grupo é constituído pelas cartas familiares e as trocadas com amigos.

Um destaque especial deve ser dado, nesse grupo, às cartas recebidas do cunhado Miguel de Novais, que viajara a Paris em 1878 e voltara a residir em Portugal em 1881. Pintor nas horas vagas, generoso e dotado de um robusto bom-senso, o irmão de Carolina parece ter sido um dos poucos interlocutores com quem Machado se desfazia de suas reservas, comunicando-lhe seus projetos literários, o que não fazia com seus amigos mais íntimos. Assim, em carta de 1889, Miguel refere-se a dois livros que o cunhado "trazia na forja", quase certamente *Quincas Borba* e *Várias Histórias*. [278]. E pasmem! Machado escrevia sobre política, ele que evitava conscienciosamente tocar nesse assunto escabroso, mesmo com Nabuco ou Magalhães de Azeredo. Em carta de 2 de novembro de 1882, Novais diz, respondendo a uma carta de Machado: "Li com interesse a parte que se refere à política brasileira, e creio bem na semelhança que encontra na política dos dois países-irmãos." E, a julgar pela continuação da carta, as opiniões de Machado sobre a política nacional deviam ser as menos lisonjeiras possíveis: "Penso porém que a patifaria por cá é maior ainda; agora estão as câmaras fechadas, não há questão nenhuma importante a resolver-se e o futuro ano parlamentar será apenas um cavaco entre amigos." [214]. Em 6 de agosto de 1888, nova carta de Novais, da qual podemos deduzir que em carta anterior Machado tinha se manifestado sobre várias questões da atualidade política, como a Lei Áurea e suas possíveis consequências para o futuro da monarquia. Visivelmente, Machado estava encantado com a abolição, mas temia que ela acelerasse o advento da República. Nisso, suas opiniões difeririam um pouco das de Novais, tão abolicionista quanto Machado, mas partidário da República, desde que se aguardasse, para proclamá-la, a morte do Imperador. Tudo indica, entretanto, que Machado foi mais lúcido que Novais, prevendo que a Lei Áurea levaria ao fim quase imediato da realeza.

Em geral, as cartas de Miguel de Novais são noticiosas e pitorescas. Seu relato sobre a Exposição Universal de 1878, em Paris [157], deve ser lido em conjunção com as cartas do conde de la Hure, sobre a Exposição brasileira de 1866. Suas análises da política portuguesa são preciosas, e não deixam de ter algum valor histórico. O relato sobre as disputas entre regeneradores e progressistas permite entender o que ocorria na política portuguesa durante essa fase da monarquia constitucional. Também aprendemos, por exemplo, que durante a epidemia de cólera-morbo, em certas linhas de caminho de ferro, em Portugal, havia empregados especiais que recebiam uma gratificação somente para desejar boa-noite aos passageiros. Eram médicos militares contratados para submeterem os viajantes a um rigoroso exame médico, e em vez disso limitavam-se a dizer boa-noite, embolsando a gratificação correspondente.

Miguel tem um senso de humor irresistível, ainda que de um gênero bem pouco machadiano. Ele se divertia especialmente com sua enteada Julieta, de quem diz numa carta que está "nas mãos de um calista que lhe escama os pés". [202]. Em outra, a moça "continua tocando piano sempre mal e atrapalhadamente, muito contente quando tem visitas, sem saber o que há de fazer quando estas lhe faltam, medindo-se todos dias na esperança de achar diferença na altura, mas sofrendo um desapontamento de cada vez que se mede, satisfeita quando se vê junto de alguma senhora mais pequena, descontente quando as vê mais altas e magras e assim vai indo, cada vez mais criança e mais preguiçosa". Às vezes a própria mulher de Novais, senhora de grande fortuna e que fora casada em primeiras núpcias com o conde de São Mamede, torna-se vítima desse humorismo um tanto peninsular. Segundo Miguel, Joana trabalha "sempre como um mouro, ralha com Julieta pela manhã, de tarde e à noite, e deita-se sempre fatigada de tão grande labutação." [206].

Ainda dentro do mesmo grupo, vale a pena salientar a correspondência com Salvador de Mendonça, um dos mais antigos e constantes interlocutores de Machado de Assis. Ele é o destinatário de uma carta de 7 de março de 1876, em que Salvador de Mendonça, nomeado cônsul em Nova York, relata seu namoro com uma americana, Mary Redman, com quem viria a casar-se. A moça tinha "lábios em que o inglês parecia italiano." Encontrou-a na casa de uma família da Nova Inglaterra. Com uma desenvoltura que só as moças americanas se permitiam, Mary foi visitá-lo no dia seguinte e disse-lhe que se interessava por ele "excepcionalmente". Depois confessou-lhe que tinha se apaixonado por seus "olhos de corça". Ela começou a dar-lhe aulas de inglês, e breve ele fez grandes progressos. E várias vezes foram ao teatro sós! A moça era linda, com um pequeno buço que a tornava mais morena, e além disso escrevia formosíssimos versos ingleses, lia Virgílio e Horácio como sua Bíblia, desenhava e cantava. Apesar de tantos dons, Mary era essencialmente doméstica e seu ideal era ter muitos filhos. Diante de tantas perfeições, só restava a Salvador "sucumbir com glória", casando-se. [141]. Machado reagiu com bom humor, e depois de felicitar o amigo, disse que já tinha reparado em seus olhos de corça, mas recomendou-lhe: "é preciso que ela não fique o tempo todo embebida neles," e produza belos frutos, com o colaborador que a fortuna lhe deparou. [142].

Um segundo grupo de cartas é ligado à carreira de escritor de Machado de Assis. São as que documentam seu esforço para projetar-se fora das fronteiras do Brasil [108], [119], ou as que atestam sua importância crescente na cultura brasileira, como o convite que lhe foi dirigido por Catulle Mendès para que ele assumisse a tarefa de promover a filiação do Brasil à Sociedade Internacional de Poetas, [128], [129], [130]; sua escolha por Ernesto Chardron para proteger os interesses autorais de Eça de Queirós no Brasil, [158]; a fundação em Itajubá de uma biblioteca com seu nome, [220], [224], [225], [227], [237], [251], [264]; e o Banquete que o homenageou por ocasião do 22.º aniversário da publicação das *Crisálidas*, [254], [255], [256], [257], [258], [259], [260], [261], [262], [263].

Num terceiro grupo, há as cartas ligadas à sua carreira de funcionário público. São as enviadas por Buarque de Macedo, que se tornou Ministro da Agricultura, Comércio e Obras Públicas em 1880, nomeando Machado seu oficial de gabinete, [138], [139], [167], [174]; as cartas e bilhetes mandados por Pedro Luís, amigo de Machado e seu chefe, quando assumiu o Ministério da Agricultura, em consequência da morte de Buarque de Macedo, [192], [193], [194], [195], [197], [198], [199], [200], [201], [203]; e duas cartas, uma do panfletário e advogado cearense João Brígido, levantando dúvidas quanto à integridade pessoal e funcional de Machado de Assis [273], e outra de Machado [277], defendendo-se dessa acusação. Podemos incluir nesse grupo uma curiosa carta de Francisco Otaviano, pedindo que o oficial de gabinete Machado de Assis exercesse sua influência junto ao Ministro para obter a nomeação de um protegido do signatário. É claro que não se trata de um pedido de empenho, explica Otaviano, mas de permitir que o recomendado "se exercite no que aprendeu." [188].

A apresentação diacrônica adotada em nossa coletânea relativiza o que pudesse haver de excessivamente sistemático em nossa classificação. Mostrando que num mesmo período os três grupos de cartas podem ocorrer simultaneamente, o critério cronológico flexibiliza as fronteiras temáticas.

Que contribuição trazem essas cartas para um melhor conhecimento de Machado de Assis?

Há um risco de circularidade nessa pergunta. O que sabemos sobre um escritor é constituído pelo exame metódico de todas as fontes, entre as quais está a correspondência. Nesse sentido, é claro que existe sempre um jogo de espelhos entre biografia e correspondência, a primeira construída em parte pela segunda, a segunda confirmando a primeira. Mas essa circularidade não é inevitável. Toda biografia é uma narrativa, e mesmo que a leitura da correspondência não revele fatos biográficos novos, ela pode sugerir novas grades de interpretação, que no limite autorizem uma versão nova da narrativa, no todo ou em parte. E podem, sim, surgir novos dados biográficos, resultantes de uma leitura mais atenta de cartas já conhecidas, ou do aparecimento de cartas desconhecidas.

Mesmo que não trouxessem novos dados sobre a vida de Machado de Assis, essas cartas constituiriam documentos vivos, cujo manuseio tornaria mais vibrantes e mais reais os acontecimentos relatados nas biografias de Machado. Uma coisa é acompanhar num livro, bocejando, as vicissitudes de sua carreira burocrática, outra é ler, carta após carta, o desespero provocado pela morte trágica de Buarque de Macedo, a aflição de Pedro Luís, o zelo angustiado do funcionário modelo, e a estafa produzida pelo excesso de trabalho.

Mas nosso trabalho pretende ser mais que isso. Julgamos ter contribuído para trazer informações novas. Por exemplo, muitos autores acharam que quando Machado e Carolina se ausentaram da corte, em 1882, tinham ido para Friburgo. Foi o caso de Fernando Nery. Outros mencionam Petrópolis. A correspondência prova que eram estes que estavam com a razão. É o que fica evidente em carta de Miguel de Novais de 21 de maio de 1882, que começa de modo inequívoco: "Amigo Machado de Assis. Tenho presente a sua carta de 21 de março, de Petrópolis." [206].

Outro dado: Magalhães de Azeredo e Nabuco, não cessavam de insistir com Machado em que ele visitasse a Europa. Machado respondia invariavelmente com evasivas ou com negativas diretas. Mas pode-se depreender da correspondência com Miguel de Novais que Machado teria chegado a formular um projeto de viagem. [234], [269], [270].

Finalmente, a correspondência problematizou algo que era relativamente pacífico entre os biógrafos: os endereços de Machado de Assis.

Assim, na carta de Gonçalves Crespo, de 6 de junho de 1871, [105], há duas anotações de endereços no envelope: o endereço sobrescrito por Crespo – rua de D. Luísa; e uma anotação justaposta ao sobrescrito, de mão desconhecida, em lápis de cor azul e letras graúdas, indicando – Santa Luzia 54. Tradicionalmente entre os biógrafos de Machado, não há registro de que tenha morado na rua de D. Luísa (atual Cândido Mendes). Segundo o consenso, no ano de 1871, ele morava na rua dos Andradas 119. Desse ponto de vista, um possível equívoco que resultasse na troca de Santa Luzia por D. Luísa estaria descartado, porque Machado e Carolina só teriam se mudado para a rua de Santa Luzia 54, em 1873. Surgem então algumas hipóteses. A primeira é que, apesar dos biógrafos, o casal morou na rua de D. Luísa neste período. A segunda é que Machado e Carolina moravam na rua de Santa Luzia antes de 1873, e a anotação justaposta seria apenas uma retificação do endereço. A terceira é que a carta, embora de 1871, só tenha chegado a seu destinatário muito depois, quando este já morava em Santa Luzia 54.

Um problema do mesmo gênero é suscitado pelo telegrama de 27 de junho de 1880, [174], que o ministro Buarque de Macedo enviou de Barra do Piraí a Machado de Assis, seu oficial de gabinete, para que este tomasse diversas providências em sua ausência. O que nos chamou atenção neste pequeno telegrama não foi tanto seu conteúdo, mas seu endereçamento: rua do Catete 284. Até então, as biografias diziam que o endereço de Machado em 1880 era a rua do Catete 206. Mas devemos agora considerar a hipótese de que ele também pudesse ter morado, por um algum tempo, na mesma rua do Catete, só que no 284. Ou seria o endereço de algum conhecido, a cujos cuidados ficou o telegrama, para ser entregue a Machado de Assis?

Enfim, em carta de 27 de maio de 1883, Miguel de Novais afirma: "Diz-me a Carolina em uma carta que me escreveu ultimamente que já têm casa na rua do Marquês de Abrantes." [226]. Neste caso, a expressão *ter casa* deve ser interpretada no sentido de "conseguir uma casa". A dúvida de Miguel não é se Carolina e Machado mudariam, mas se já teriam efetuado a mudança. A ida para a rua Marquês de Abrantes estava definida, mesmo que não houvesse materialmente ocorrido, tanto que conclui a respeito dos mosquitos que atormentavam as redondezas da nova casa: "Oxalá que a casa que vai ocupar ou que já deve estar ocupando esteja isenta dessa praga." Como um acordo de aluguel nesse tempo não se revestia de grandes formalidades legais, pois muitas vezes bastava que locador e locatário ajustassem as condições e estava feito o negócio, é possível que o casal tenha residido ali nesse ano de 1883 até a transferência para o Cosme Velho no início de 1884.

Mas além de contribuírem para um melhor conhecimento biográfico de Machado de Assis, poderiam as cartas lançar uma nova luz sobre sua obra?

Elas podem, em todo caso, fornecer elementos para reconstruir a gênese e a recepção dessa obra, vale dizer, sua pré e pós-história.

Recorde-se, antes de entrarmos no assunto, que os dois decênios abrangidos por este volume estão entre os mais significativos da obra de Machado de Assis. Cada um deles é assinalado por um corte e por uma abertura.

No primeiro decênio (1870-1879) Machado rompe com sua trajetória até então, aventurando-se num gênero novo, o romance. Todos os romances de sua primeira fase se situam nesse período, começando com *Ressurreição* (1872), prosseguindo com *A Mão e a Luva* (1874) e *Helena* (1876), e encerrando-se com *Iaiá Garcia* (1878). Na poesia, é o decênio em que publica *Falenas* (1870) e *Americanas* (1875). É nele, também, que Machado produz algumas de suas mais famosas páginas de crítica e de análise literária, como "Instinto de Nacionalidade" (1873), e a resenha de *O Primo Basílio*, de Eça de Queirós (1878).

No outro decênio (1880-1889), dá-se um segundo corte, ainda mais decisivo: o que separa as duas maneiras de Machado de Assis, os dois Machados, se quiserem, o ficcionista talentoso que fazia romances psicológicos, dentro de uma estética ainda tradicional, do criador genial de Brás Cubas. São os romances da fase "shandiana", inaugurada com *Memórias Póstumas* (1881), às quais se seguiria *Quincas Borba*, que sairia em livro na década seguinte (1891), mas cuja primeira versão foi publicada em *A Estação*, a partir de 1886. É nessa segunda década, igualmente, que aparecem alguns dos seus melhores contos, como os enfeixados em *Papéis Avulsos* (1882) e em *Histórias sem Data* (1884).

Quase todas essas obras deixaram rastros na correspondência de Machado de Assis.

Quanto a *Falenas*, talvez a referência mais precoce esteja numa carta em que Joaquim Serra cobra de Machado o envio do livro. É o documento [93], de janeiro de 1870, o mesmo mês e ano em que o livro, editado pela Garnier, chegaria às livrarias da Corte.

O livro breve atravessaria o Atlântico. Em 4 de agosto do mesmo ano, Araújo Porto-Alegre, então Cônsul-Geral do Brasil em Lisboa, agradece Machado de Assis por ter-lhe enviado o volume, por intermédio de Artur de Oliveira. Os elogios foram incondicionais. "Dou-lhe parabéns, e dou-os ao Brasil. Gonçalves Dias deixou um digno sucessor! A sua Musa é delicada, canta melodias que me encantam pela forma e pela emoção delas." [102].

Ainda em Portugal, o publicista Júlio César Machado escreveu para a revista lisboeta *América* uma resenha muito favorável, que Machado de Assis agradeceu em carta de 23 de junho de 1871, porque "uma voz benévola que nos vem de tão longe só não cativaria um ingrato." [108].

O mesmo Artur de Oliveira, que fora portador do exemplar destinado a Porto-Alegre, pede em carta de 7 de fevereiro de 1874 que Machado lhe empreste o livro por alguns dias, para um trabalho que estava escrevendo sobre os poetas nacionais. [127].

Em 1872, Machado de Assis entra em terreno novo, como se disse, publicando um romance, *Ressurreição*.

A primeira manifestação epistolar desse acontecimento está numa carta de Gentil Homem Braga, datada de São Luís e escrita em 19 de junho de 1872. [114]. Braga explica que fora Joaquim Serra que lhe mandara aquele "lindo romance", e acrescenta: "A crítica já o recebeu como devia, festejando o aparecimento e congratulando-se com as letras pátrias por mais esse delicadíssimo fruto do seu formoso talento. De mim só posso dizer que cada vez mais o admiro. No seu livro há perfeito estudo de caracteres; e o mimo da linguagem em nada desdiz da segurança da vista do observador." Há porém um problema, observa o missivista, com tristeza. Também ele está tentando esboçar um romance. "Mas como desempenhar a tarefa depois de *Ressurreição*?"

As felicitações chegam também da América. Em carta de 22 de setembro de 1872, José Carlos Rodrigues, jornalista brasileiro emigrado para os Estados Unidos, congratula Machado pelo "brilhante sucesso da sua *Ressurreição*" e promete que escreverá sobre o livro num dos próximos números da revista *Novo Mundo*, da qual era editor, em Nova York. A carta tem um fecho pouco usual: "Muita saúde e as mais bênçãos cristãs." [118]. É que Rodrigues, que viajara para os Estados Unidos acusado de fraude, tinha se convertido ao protestantismo. A consequência é que o artigo em que avaliava *Ressurreição*, publicado na edição de 23 de dezembro de 1872 da revista, a par de grandes elogios, estava cheio de reservas morais. Machado não se deu por achado: ou por diplomacia ou por partilhar em grande parte o puritanismo de Rodrigues, ele concordou com as críticas. "Vejo que leu o meu livro com olhos de crítico, e não hesitou em dizer o que pensa de alguns pontos, o que é para mim mais lisonjeiro que tudo... Não deixarei de lhe dizer desde já que as censuras relativas a algumas passagens menos recatadas são para mim sobremodo salutares. Aborreço a literatura de escândalo, e busquei evitar esse escolho no meu livro. Se alguma coisa me escapou, espero emendar-me na próxima composição." [121].

Mas os esforços de Machado para obter reconhecimento no exterior não se limitam aos Estados Unidos. Em carta a Júlio César Machado, ele pergunta se recebera um exemplar do romance, levado por mãos de José Feliciano de Castilho. [119].

O principal trabalho ensaístico de Machado de Assis, no início dos anos 1870, foi "Notícia da Atual Literatura Brasileira — Instinto de Nacionalidade". Como se sabe, nesse artigo Machado se defende dos críticos nacionalistas que cobravam do escritor maior atenção a temas e paisagens brasileiras, contribuindo assim para completar, no plano intelectual, a independência política alcançada em 1822. Machado argumenta que o que torna um escritor nacional é um certo "sentimento íntimo" que o torna homem do seu país e de sua época, mesmo quando trata de temas remotos no tempo e no espaço.

A origem desse ensaio pode ser reconstruída no presente volume. Na mesma carta em que felicita Machado pelo sucesso de *Ressurreição*, José Carlos Rodrigues lhe encomenda um estudo sobre a atual literatura brasileira [118], e na carta de 25 de janeiro de 1873, Machado anuncia que o estudo estava pronto. [121]. O trabalho saiu na edição de 22 de setembro de 1873 da revista *O Novo Mundo*.

Uma carta de Taunay, de 1873, mostra o cuidado com que Machado de Assis se preparou para compor seu livro seguinte, *Americanas* (1875). Nessa carta, Taunay responde a uma consulta de Machado sobre o nome mais adequado para uma heroína guaicuru que Machado estava criando: Machado pensara em Nanine, como estava na fonte por ele utilizada, mas graças ao seu conhecimento de línguas indígenas Taunay propôs Nianni, que significa moça frágil, franzina. [125]. Quando o poema foi publicado em livro, dois anos depois, Machado reconheceu em nota sua dívida a Taunay.

Em carta a Salvador de Mendonça, de 24 de dezembro de 1874, Machado anuncia estar-lhe enviando um exemplar das *Americanas*: "Publiquei-as há poucos dias e creio que agradaram algum tanto. Vê lá o que isso vale; lê se tiveres tempo, escreve-me as tuas impressões." [140]. Na carta seguinte, Salvador de Mendonça diz ter recebido as *Americanas*, que todas lera "com sumo deleite", e anuncia que escreveria mais tarde sobre o livro. É verdade que Salvador confessa estar mais interessado, no momento, em sua Americana – alusão à americana, Mary Redman, que o viúvo estava namorando, e com quem se casaria. [141]. Mas a paixão não o impediu de cumprir a promessa feita ao amigo, e de fato publicou uma resenha em O Novo Mundo, no segundo semestre de 1876. A reação de Machado, em carta de 13 de novembro de 1876, foi de profunda gratidão: o "belo artigo" que Salvador escrevera "está como tudo que é teu: muita reflexão e forma esplêndida. Cá ficará entre as minhas joias literárias." [145].

Não encontrei menção, nas cartas, ao segundo romance de Machado, A Mão e a Luva, publicado em 1874, silêncio aliás semelhante àquele com que a imprensa recebeu a obra, que teve uma acolhida discreta, limitada a alguns breves comentários. Mas saiu uma resenha, bastante severa, na revista O Novo Mundo, de autoria de um dos correspondentes de Machado, o Cônego Fernandes Pinheiro.

Em outubro de 1876, Machado de Assis escreve a Salvador de Mendonça, enviando-lhe o terceiro romance, Helena. Machado explica que o livro fora publicado em folhetins no jornal O Globo, e acrescenta: "Dizem aqui que dos meus livros é o menos mau; não sei; lá verás". [145]. De fato, as resenhas tinham sido numerosas e favoráveis, vindas de jornais do Rio e de São Paulo.

Em 2 de abril de 1878, Machado publicou em O Cruzeiro, com o pseudônimo de Eleazar, o conto "Um Cão de Lata ao Rabo", um deslumbrante exercício de virtuosismo estilístico. A primeira reação veio de Roma, numa carta de Luís Guimarães Júnior, datada de 24 de junho: "O *humour* do [folhetim] que se intitula Um cão de lata ao rabo era digno de ser vazado em molde francês e lido em Paris, pátria adotiva de H. Heine." [155].

A impressão causada em Miguel de Novais por esse pastiche genial era ainda forte quase dez anos depois: "Lembra-me agora, parece-me que ainda não foi publicado em livro aquele seu belo conto O cão de lata ao rabo (sic) que penso foi publicado na Gazeta de Notícias (sic) e aqui transcrito em outros jornais – é preciso não o perder." [241]. O conto acabou sendo incluído no volume póstumo *Novas Relíquias*.

Também em *O Cruzeiro*, no mesmo mês, no mesmo ano e sob o mesmo pseudônimo de Eleazar, Machado de Assis envolveu-se em uma das poucas polêmicas de sua vida, travada com Eça de Queirós. Em 16 de abril de 1878, escreveu um artigo em que acusava *O Crime do Padre Amaro* de ser um plágio de *La faute de l'abbé Mouret*, de Emile Zola, e arrasava *O Primo Basílio*. Este seria um espetáculo "dos ardores, exigências e perversões físicas", e seus personagens seriam meros fantoches, sem nenhuma verdade psicológica, como Luísa, "antes um títere que uma pessoa moral". Em 30 de abril, Eleazar voltava à carga em novo artigo, na mesma publicação.

A reação de Eça está numa carta de 29 de junho, que começa com um misterioso ato falho: em vez de datá-la de 1878, Eça a data de 1870. No mais, a carta é escrita com urbanidade e elegância. Eça louva o talento e elevação com que Machado escrevera sua crítica, e permite-se divergir apenas no tocante à avaliação negativa que Machado fizera da escola realista, que para Eça constituía "elevado fator de progresso na sociedade moderna". [156]. Não menciona a acusação de plágio, mas não a perdoara, como fica óbvio no prefácio à segunda edição do *Crime do Padre Amaro*, em que diz que "só uma obtusidade córnea ou má-fé cínica" poderia assemelhar os dois livros.

A crítica de Machado de Assis foi considerada excessivamente severa pelos admiradores de Eça de Queirós no Brasil (vide nota 10, em [156]), mas houve quem a apoiasse. Em 24 de junho de 1878, Luís Guimarães Júnior escrevia de Roma: "Quanto à tua crítica ao livro de Eça de Queirós, só tenho que te dizer uma coisa e é que te beijo de todo meu coração e com um glorioso entusiasmo. É pena que um talento da ordem do Eça de Queirós se filie numa escola brutal como um murro e asquerosa como uma taberna. Os outros fazem brilhar suas joias num diadema; ele prefere atirá-las a granel dentro do lodo. A tua crítica cerrada, serena, forte, é de um grande poder sobre nós, os poucos que ainda acreditamos no ideal, essa alma da arte, esse passaporte dos poetas, que pensam em seguir viagem à posteridade, de preferência aos alcouces." [155].

O próximo episódio na história das relações entre os dois escritores está na declaração, estampada na segunda edição de *O Primo Basílio* e na primeira de *A Capital*, de que a propriedade literária dessas obras no Brasil pertenciam a Machado de Assis. Reproduzimos, neste volume, carta de 27 de julho de 1878, do editor de Eça, Ernesto Chardron, pedindo autorização de Machado para a referida declaração. [158]. Esse fato é usado pelos admiradores dos dois romancistas para provar que eles teriam esquecido as divergências, movidos pela admiração mútua. Tudo indica, ao contrário, que essa ideia tenha sido uma iniciativa unilateral de Chardron, esperançoso de que tal expediente pudesse coibir as edições clandestinas das obras de Eça. Não há notícia, em todo caso, de que Machado haja movido uma palha para defender os interesses do seu confrade português.

Seja como for, é certo que Machado não hesitaria em elogiar Eça em sua correspondência posterior (vide terceiro volume) e redigiu quando soube de sua morte um comovido obituário.

Nesse mesmo ano de 1878, Machado de Assis publica *Iaiá Garcia*, quarto e último romance da primeira fase. Quase não há eco deste livro na correspondência. Tanto quanto sei, existe apenas uma carta de 10 de setembro de 1878, de Joaquim de Melo, estabelecendo uma curiosa equivalência entre prazer literário e prazer gastronômico: "Recebi e muito lhe agradeço o exemplar que me ofertou da sua interessante *Iaiá Garcia*. Sinto deveras não poder retribuir com mimo de igual importância: rogo-lhe, porém, que se console desta impossibilidade provando desses ovos moles aveirenses que acabam de chegar." [161].

A década dos 1880 começa para Machado com a representação, em 10 de junho de 1880, na presença do casal imperial, da peça em um ato: *Tu Só, Tu, Puro Amor...*, a propósito do tricentenário da morte de Camões. Um mês depois, em 21 de julho, Macedo Soares daria sua opinião sobre a peça: "Está muito gracioso e, escusa de acrescentar, bem escrito, o *ato camoniano*, que aliás só na cena pode ser bem apreciado, ao lume da rampa, ao calor da plateia, na atmosfera de entusiasmo do dia. Parabéns pelos seus triunfos literários, a que sabe com quanto gosto me associo." [178].

No ano seguinte, a peça é editada em livro. De Portugal, chega um eco de Miguel de Novais: "Se acaso tiver algum volume da comédia *Tu só tu puro amor* – além do que tenciona mandar ao [Gomes de] Amorim, fazia-me favor em remeter-mo também. É um pedido do Castiço [marido de Lina, enteada de Miguel] que eu desejaria satisfazer, podendo ser. Ele leu-o aqui, gostou muito e pediu-me para obter-lhe um exemplar." [205].

Mas a nova década é importante, sobretudo, porque testemunhou a maior revolução de nossa história literária: a publicação de *Memórias Póstumas de Brás Cubas*, primeiro nas páginas da *Revista Brasileira*, em 1880, e depois em livro, em 1881. Houve uma reação positiva, embora um tanto atônita, por parte da crítica, e uma incompreensão geral por parte do público. A reação positiva está bem refletida na correspondência de Machado com seu cunhado Miguel de Novais. Miguel gosta tanto do livro, que numa carta de 2 de novembro de 1881 pede a Machado que envie um exemplar a Gomes de Amorim, biógrafo de Almeida Garrett. Suspeitaria Novais das afinidades "shandianas" entre *Memórias Póstumas* e *Viagens na Minha Terra*? [202]. Em outra carta, de 21 de julho de 1882, Novais consola o amigo pelas incompreensões dos leitores. "Parece-me não ter razão para desanimar e bom é que continue a escrever sempre. Que importa que a maioria do público não compreendesse o seu último livro? Há livros que são para todos e outros que são só para alguns. O seu último livro está no segundo caso e sei que foi muito apreciado por quem o compreendeu. Não são, e o amigo sabe-o bem, os livros de mais voga os que têm mais mérito". [209]. E em carta de 2 de novembro de 1882, o irmão de Carolina escreve: "Estimei saber que o seu *Brás Cubas* estava sendo traduzido para o alemão – são poucas as composições em língua portuguesa que recebem essa honra." [214].

A hesitação do público e da crítica vinha em grande parte da dificuldade de classificar a obra. Que seria esse livro que não se parecia com nenhum outro? A que gênero pertencia? Seria um romance? Como, nesse caso, encaixá-lo no único tipo de romance que o público brasileiro conhecia, o romance realista de Balzac e Flaubert? As cartas refletem bem essa perplexidade.

Em 21 de julho de 1880, antes, portanto, do aparecimento em livro, Macedo Soares envia carta em que só elogia um dos poucos capítulos que poderiam caber num romance psicológico convencional, o da partilha dos bens do velho Cubas. "Já o cumprimentei pelo capítulo 47 (46, na edição definitiva) do seu *Brás Cubas*, cito de memória, mas é da 'partilha amigável', que deixa os co-herdeiros brigados. O episódio vale um livro pela verdade dos fatos, singeleza no contá-los, sobriedade nos acessórios e mais partes que distinguem os grandes escritores." [178]. São elogios que poderiam ter sido dirigidos a um romance de Octave Feuillet: verdade dos fatos, narrada numa forma singela.

Capistrano de Abreu confessa não entender o livro, mas pelo menos tem o mérito de não tentar reduzi-lo às categorias estéticas do romance sentimental ou realista. Em 10 de janeiro de 1881, escreve: "Hoje às 7 horas da manhã, poucos minutos antes de tomar o trem de Rio Claro para Campinas, me foi entregue com a sua carta de 7 o exemplar de *Brás Cubas* que teve a bondade de me enviar... A impressão foi deliciosa, e triste também, posso acrescentar. Sei que há uma intenção latente, e não sei se conseguirei descobri-la. Em São Paulo, por diversas vezes, eu e Valentim Magalhães nos ocupamos com o interessante e esfíngico X. Ainda há poucos dias ele me escreveu: o que é *Brás Cubas* em última análise? Romance? dissertação moral? desfastio humorístico? Ainda o sei menos que ele." [185].

E no entanto esses dois correspondentes de Machado fazem-nos vislumbrar pistas interessantes.

Quanto a Macedo Soares, Machado informa no prólogo da terceira edição de *Memórias Póstumas*: "Em carta que me escreveu por esse tempo, Macedo Soares me recordava amigamente *Viagens na Minha Terra*, de Almeida Garrett." Infelizmente, não conseguimos localizar esta carta. Seria nela que Macedo Soares enviou os cumprimentos mencionados na carta de 21 de julho de 1880? Em todo caso, a julgar pelo prólogo da terceira edição, nessa carta perdida Macedo Soares fez algo de muito valioso: chamou atenção para mais um "ancestral" de Brás Cubas — Almeida Garrett — que se soma desse modo aos modelos reconhecidos pelo próprio defunto-autor — Sterne e Xavier de Maistre. Com isso, Macedo Soares parece ter percebido, para além da questão banal da influência do humorismo inglês, que Machado tinha se filiado a uma forma "cosmopolita", abrangendo, além do irlandês Sterne e do saboiano Xavier de Maistre, o português Almeida Garrett. É a forma que chamei de "shandiana".

No que diz respeito a Capistrano de Abreu, a carta citada tem uma continuação estimulante. Depois de ter dito que não sabia se o livro era um romance, uma dissertação moral ou um desfastio humorístico, acrescenta Capistrano: "A princípio me pareceu que tudo se resumia em um verso de Hamlet de que me não lembro agora [bem], mas em que figura *the pale cast of thought* [a sombra pálida do pensamento]. Lendo adiante, encontrei objeções e... *je jette ma langue aux chiens* [desisto de resolver o mistério]." [185]. Capistrano não precisava ter desistido. Sua intuição fora certeira. O solilóquio de Hamlet alude ao grande tema do barroco, a meditação melancólica, e a melancolia, aliada ao riso ("a pena da galhofa e a tinta da melancolia") é uma das características estruturais da forma shandiana, chave para a leitura de *Memórias Póstumas*.

Em 1882, Machado de Assis lança *Papéis Avulsos*. Já se tem dito que esta antologia representa, para o conto, uma revolução semelhante à que *Memórias Póstumas* representou para o romance. É uma coleção de obras-primas, entre as quais "O Alienista", "Teoria do Medalhão", "A Sereníssima República" e "O Espelho". Há vários traços deste livro na correspondência.

O primeiro registro epistolar deste livro está numa carta de Machado a Franklin Dória, que elogiara a obra mas a quem aparentemente Machado se esquecera de enviar um exemplar. Penitenciando-se, escreve Machado em 20 de novembro de 1882: "Agradeço-lhe as boas palavras, boas e valiosas pelo juiz que as profere. Devia remeter o meu livro a quem tão dignamente figura nas letras da nossa Pátria, ao mesmo tempo que me distingue com a sua constante afeição." [215].

Em carta de 14 de abril de 1883, Machado envia o livro a Nabuco, chamando atenção para a nota em que salienta que um dos contos, "A Chinela Turca", fora escrito para *A Época*, revista quinzenal, dirigida por Nabuco, que circulou em 1875 e 1876. "Não é propriamente uma coleção de escritos esparsos", explica Machado, "porque tudo o que ali está (exceto justamente *A chinela turca*) foi escrito com o fim especial de fazer parte de um livro. Você me dirá o que ele vale." [221].

Em 6 de dezembro de 1884, Gomes de Amorim envia uma carta de Lisboa, agradecendo a remessa do livro: "Em tempo recebi o seu excelente livro *Papéis Avulsos*, que teve o poder de me fazer passar menos amargamente algumas horas de minha triste vida." [240].

A publicação seguinte foi *Histórias sem Data* (1884). É uma nova coleção de obras-primas, como "A Igreja do Diabo", "Singular Ocorrência", e "As Academias de Sião". Franklin Dória elogia o livro, e Machado agradece, em carta de 22 de agosto de 1884: "Aceito, e muito cordialmente, as boas palavras de Vossa Excelência na carta que tenho presente acerca das minhas *Histórias sem Data*. Vou fazendo como posso esses meus livros, e um pouco também como no-lo permitem as nossas circunstâncias literárias..." [236].

Como sempre, o cunhado fiel não deixa de manifestar-se. Em carta de 5 de janeiro de 1885, escreve Miguel de Novais, com sua habitual mistura de argúcia e ingenuidade: "Já li duas vezes suas histórias sem data. O meu amigo adotou um gênero, de que eu aliás gosto muito, que pode agradar a muitos como agrada, mas que não fará de Machado de Assis um escritor popular. Se fossem essas as suas ambições não seria aquele o caminho de realizá-las, mas o amigo mira alto e chega com certeza ao que deseja... Gosto destas suas histórias porque vejo nelas muito estudo, muita observação e muito engenho na urdidura. Naqueles pequenos contos, à primeira vista singelíssimos, há muita filosofia — *A Igreja do diabo* — acho magnífico e bem feito duma vez. *As Academias de Sião* têm também a meu ver grande[s] mérito[s] e percebo estes, como percebo outros muitos, dos contos de que se compõe o volume." [241].

Infelizmente, não sobrevivem cartas relativas ao restante da produção machadiana no decênio, como os contos magistrais publicados na *Gazeta de Notícias* em 1885 ("Só", "Causa Secreta", "Uns Braços", "O Cônego ou a Metafísica do Estilo", entre outros), ou "Casa Velha", em folhetins publicados no período 1885-1886, em *A Estação*, ou a primeira versão de *Quincas Borba*, também publicada na *Estação*, em folhetins, o primeiro dos quais em junho de 1886.

Como o volume anterior, o atual deve tudo à erudição, à competência e à capacidade de trabalho de Irene Moutinho e Sílvia Eleutério. Elas continuaram fiéis à sua vocação, amplamente evidenciada no primeiro volume, de grandes localizadoras de cartas extraviadas e de excepcionais identificadoras de pessoas desconhecidas.

Entre inúmeros exemplos de cartas achadas por Irene, recorde-se a já citada, de 9 de agosto de 1868, que apesar de mencionada no catálogo da Exposição Machado de Assis, de 1968, dormia há 70 anos o sono dos justos nos arquivos da Casa Rui Barbosa. [77 A].

Uma de suas proezas foi identificar um dos personagens mais obscuros da epistolografia machadiana, L. de Almeida, autor de uma carta de 27 de julho de 1877, tão curta que podemos transcrevê-la na íntegra: "Ilustre amigo Senhor Machado de Assis. O nosso amigo Queirós combinou com o Artur e Luís de Resende irem amanhã jantar em nossa casa à rua de Olinda n.º 4, esperando a honra de sua amável companhia e a de sua Excelentíssima Senhora, sou com a maior estima / amigo obrigado / L. de Almeida." [150]. Irene não somente conjeturou, *preu-*

ves à l'appui, que esse L. de Almeida seria Laurindo de Avelar e Almeida, grande cafeicultor de Vassouras, como também identificou todos os personagens: Queirós era Francisco Gonçalves Queirós, Artur era o pianista Artur Napoleão, e Luís de Resende era um joalheiro famoso.

Um dos melhores trabalhos de Irene foi o que ela realizou em torno do documento [213], de 7 de setembro de 1882. É um cartão em papel verde, com duas hastes montadas, uma das quais conserva, intato, um par de folhinhas, e contém treze palavras – "Ao distinto Senhor Machado de Assis – oferece o seu admirador / Doutor C. Ferraz." Recorrendo às memórias de Rodrigo Octavio, ela nos revela que o signatário era o Dr. Fernando Francisco da Costa Ferraz, membro da Academia de Medicina, e muito conhecido por seu método de embalsamamento, que garantia a total incorruptibilidade do cadáver. Ele teve clientes ilustres, como João Caetano, Caxias, José do Patrocínio e Floriano Peixoto. Irene se diverte especulando se ao mandar sua oferenda vegetal a Machado, apenas dois anos depois da publicação de *Memórias Póstumas*, Ferraz não estaria pensando no cliente que lhe escapou, Brás Cubas, cujo corpo, em vez de ser embalsamado segundo as regras da arte, foi abandonado ao verme que lhe "roeu as carnes frias".

A carta [235], de junho de 1884, oferece uma nova ocasião para que Irene demonstre seu dom de fazer identificações engenhosas. É uma carta de Machado de Assis, incluída no livro *Liceu Literário Português*, edição comemorativa da inauguração da nova sede da entidade. Machado exalta os esforços dos portugueses em prol da cultura e, advogando a compatibilidade do ofício de comerciante com a dedicação às letras, lança a frase admirável, muito citada: "há um arrabalde em Cartago para uma aula de Atenas." Mas o nome do destinatário não era conhecido. Oficialmente, a carta era dirigida "a um amigo". Irene descobriu o nome do amigo: tratava-se de Luís de Faro, que integrava a diretoria do Liceu, e que sobre ele escreveu uma notícia histórica. Por fim, mencione-se a suposição de ser o conde de la Hure o autor de cartas abertas que traziam, como assinatura, "O amigo da verdade." [62 A].

Foi Sílvia Eleutério que realizou as pesquisas sobre os endereços machadianos não arrolados pelos biógrafos. Sua argumentação cerrada e clara, resumida anteriormente e contida por extenso nas notas, é um modelo de lógica e de seriedade científica.

Outro achado importante de Sílvia foi a identificação da destinatária de uma carta de 9 de setembro de 1881 [196], em que Machado de Assis comunicava a uma senhora até então desconhecida que em vista das altas qualidades do seu falecido marido — *meu chorado amigo*, diz ele —, o Centro da Lavoura e do Comércio havia aberto uma subscrição em favor da família do finado. Cruzando dados textuais, Sílvia argumentou com um alto grau de plausibilidade que a "senhora sem nome" era D. Lidia Cândida de Oliveira Buarque, viúva do Ministro Buarque de Macedo, com quem Machado de Assis trabalhara diretamente.

Desde o início de nossos trabalhos, Sílvia interessou-se particularmente por Miguel de Novais. As suas pesquisas trouxeram à luz do dia um personagem muito singular, que entre outras realizações traduziu um dos livros favoritos de nossos avós, o *Cuore*, de Edmondo De Amicis, obra que Sílvia fez questão de consultar, naturalmente na tradução de Novais. O exame das cartas de Miguel revelou que durante três décadas ele fora o interlocutor privilegiado de Machado de Assis. Não temos as cartas de Machado para Miguel; mas, nas cartas deste para Machado, Sílvia montou um jogo especular-discursivo, no qual o leitor pode inferir a parte que falta desse diálogo mutilado, a partir do seu eco nos comentários de Miguel de Novais.

Por fim, recomendo a leitura dos comentários de Sílvia à carta [110], na qual Ladislau Neto disserta sobre o quadro de Pedro Américo a propósito da Batalha de Campo Grande, episódio final da Guerra do Paraguai, pintura que em 1871 suscitou uma grande discussão pela imprensa. Feita essa leitura, o leitor não terá remédio senão fazer uma visita ao Museu Imperial de Petrópolis, para ver o quadro de Pedro Américo, usando como guias a carta e as notas.

Agradecemos à imprensa e ao público pela reação altamente positiva ao primeiro volume e renovamos nosso apelo para que nos encaminhem críticas, sugestões e eventualmente indicações que nos levem à descoberta de novas cartas.

Ao Setor de Publicações, dirigido pelo acadêmico Antonio Carlos Secchin, agradeço a eficiência e a dedicação que permitiram trazer à luz este segundo tomo.

E reitero, sobretudo, os meus agradecimentos ao Presidente da ABL, Cícero Sandroni, com quem debati todas as etapas do trabalho e de quem recebi não somente apoio material como valiosos estímulos intelectuais.

SERGIO PAULO ROUANET
Tiradentes, maio de 2009.

Nota Explicativa

As soluções adotadas para o estabelecimento dos textos nortearam-se pela busca da maior fidelidade possível ao documento de base e pelo mínimo de intervenções, considerando ao mesmo tempo o conforto do leitor.

Este volume compõe-se de textos oriundos de manuscritos originais, fac-símiles de manuscritos originais, transcrições de manuscritos originais, de impressos em jornais de época e de impressos em edições *princeps*. Para cada um desses tipos, consideradas as suas especificidades, conferiu-se um tratamento, que em linhas gerais pode ser resumido nos seguintes pontos:

- As abreviaturas foram desenvolvidas segundo os critérios da ecdótica, ou seja, numa palavra abreviada a sua parte estendida figura em itálico: B^{ão} de Inf^{a} / B*atal*h*ão* de Inf*antari*a; V. M.^{ce} / V*ossa* M*er*cê. Só mantiveram-se abreviadas as assinaturas dos missivistas que assim se apresentaram.

- Por não se tratar de uma edição diplomática, optou-se pela atualização ortográfica dos textos: *Chrysalidas / Crisálidas*; *rythmas / rimas*.

- A pontuação do original foi respeitada, mesmo que pareça ao olhar contemporâneo um desvio da norma-padrão da língua portuguesa escrita no Brasil. Apenas no caso dos impressos, em que os equívocos fossem claramente tipográficos, foram feitas alterações: o Teatro de São; Pedro / O Teatro de São Pedro.
- As intervenções realizadas no interior do vocábulo, no plano da frase ou no da pontuação, foram sempre assinaladas por colchetes:

tenho en[contrado]

notícias tua[s]

Eu conto [com] a sua benevolência

[1887]

Rio de Janeiro [,]

...desenhados com suma perfeição [.] V*ossa* Ex*celênci*a terá notado que...
- As partes ilegíveis e/ou danificadas foram marcadas por pontos entre parênteses:

... *Tempora mutan*(...).

(...) má figura o filho
- Nos cabeçalhos, há sempre o registro do início do movimento epistolar:

PARA: cartas escritas por Machado de Assis.

DE: cartas recebidas por Machado de Assis.
- Os nomes acompanhados de asterisco indicam correspondentes no presente tomo (com verbete após o conjunto das cartas), bem como alguns correspondentes da década de 1860.
- A responsabilidade pelas diferentes notas é identificada pelas iniciais do respectivo autor (SPR, IM, SE).

Sumário

AS CARTAS
1870-1889

[91]	De:	JOSÉ JOAQUIM PEREIRA DE AZURARA *Guaratiba, 25 de janeiro de 1870.*	3
[92]	De:	ARTUR DE OLIVEIRA *Pernambuco, 31 de janeiro de 1870.*	5
[93]	De:	JOAQUIM SERRA *[Rio de Janeiro, 02-29 de janeiro de 1870.]*	6
[94]	De:	JOSÉ JOAQUIM PEREIRA DE AZURARA *Guaratiba, 3 de fevereiro de 1870.*	8
[95]	De:	GENTIL BRAGA *São Luís, 20 de fevereiro de 1870.*	10
[96]	De:	JOSÉ JOAQUIM PEREIRA DE AZURARA *Guaratiba, 18 de março de 1870.*	11
[97]	De:	HENRIQUE FLEIUSS *[Rio de Janeiro, até 1.º de abril de 1870.]*	13
[98]	De:	JOSÉ JOAQUIM PEREIRA DE AZURARA *[Rio de Janeiro,] 1.º de abril de 1870.*	13
[99]	De:	GENTIL BRAGA *São Luís, 4 de abril de 1870.*	15
[100]	Para:	ÂNGELO TOMÁS DO AMARAL *Rio de Janeiro, 14 de junho de 1870.*	16

[101]	De:	PEDRO W. MELO E CUNHA	18
		São Paulo, 14 de junho de 1870.	
[102]	De:	ARAÚJO PORTO-ALEGRE	19
		Lisboa, 4 de agosto de 1870.	
[103]	De:	JOSÉ TITO NABUCO DE ARAÚJO	20
		Rio de Janeiro, 5 de abril de 1871.	
[104]	De:	MANUEL DE ARAÚJO	21
		[Sem local,] 15 de maio de 1871.	
[105]	De:	ANTÔNIO GONÇALVES CRESPO	22
		Coimbra, 6 de junho de 1871.	
[106]	De:	JOSÉ TITO NABUCO DE ARAÚJO	24
		Rio de Janeiro, 20 de julho de 1871.	
[107]	Para:	SALVADOR DE MENDONÇA	25
		Rio de Janeiro, 20 de julho de 1871.	
[108]	Para:	JÚLIO CÉSAR MACHADO	34
		Rio de Janeiro, 23 de julho de 1871.	
[109]	Para:	CÔNEGO FERNANDES PINHEIRO	35
		Rio, 20 de outubro de 1871.	
[110]	De:	LADISLAU NETO	36
		Rio, 27 de outubro de 1871.	
[111]	Para:	LADISLAU NETO	54
		Rio de Janeiro, 10 novembro de 1871.	
[112]	Para:	ROCHA MIRANDA E OUTROS	58
		[Rio de Janeiro, até 1871?]	
[113]	Para:	LÚCIO DE MENDONÇA	59
		Rio de Janeiro, 24 de janeiro de 1872.	
[114]	De:	GENTIL BRAGA	63
		São Luís, 19 de junho de 1872.	
[115]	Para:	FELIPE LOPES NETO	64
		[Rio de Janeiro,] 1.° de julho de 1872.	
[116]	De:	JOSÉ JOAQUIM PEREIRA DE AZURARA	76
		Paquetá, 4 de agosto de 1872.	

[117]	De:	VISCONDE DE BOM RETIRO – LUÍS PEDREIRA DE COUTO FERRAZ	77
		Rio de Janeiro, 11 de setembro de 1872.	
[118]	De:	JOSÉ CARLOS RODRIGUES	78
		New York, 22 de setembro de 1872.	
[119]	Para:	JÚLIO CÉSAR MACHADO	79
		Rio de Janeiro, 23 de outubro de 1872.	
[120]	De:	JOAQUIM NABUCO	81
		[Rio de Janeiro, 1872.]	
[121]	Para:	JOSÉ CARLOS RODRIGUES	82
		Rio de Janeiro, 25 de janeiro de 1873.	
[122]	De:	JOSÉ TITO NABUCO DE ARAÚJO	83
		Rio de Janeiro, 1.º de abril de 1873.	
[123]	Para:	LÚCIO DE MENDONÇA	85
		[Rio de Janeiro,] 16 de abril de 1873.	
[124]	De:	LUÍS GUIMARÃES JÚNIOR	86
		Santiago do Chile, 6 de junho de 1873.	
[125]	De:	ALFREDO D'ESCRAGNOLLE TAUNAY	87
		Rio de Janeiro, 15 de outubro de 1873.	
[126]	De:	JOAQUIM SERRA	88
		[Rio de Janeiro, 1873.]	
[127]	De:	ARTUR DE OLIVEIRA	89
		Rio de Janeiro, 7 de fevereiro de 187[4].	
[128]	Para:	FRANKLIN DÓRIA	90
		Rio de Janeiro, 28 de março 1874.	
[129]	De:	FRANKLIN DÓRIA	92
		[Rio de Janeiro, 28 de março de 1874.]	
[130]	Para:	FRANKLIN DÓRIA	93
		Rio de Janeiro, 23 de abril de 1874.	
[131]	De:	LUÍS GUIMARÃES JÚNIOR	94
		Londres, 22 de julho de 1874.	
[132]	De:	LUÍS GUIMARÃES JÚNIOR	96
		Londres, 9 de novembro de 1874.	
[133]	Para:	SALVADOR DE MENDONÇA	97
		Rio de Janeiro, 04 de março de 1875.	

[134] De: JOAQUIM SERRA 97
Rio de Janeiro, 11 de maio de 1875.

[135] Para: BARÃO DE SANTO ÂNGELO –
ARAÚJO PORTO-ALEGRE 99
Rio de Janeiro, 30 de julho de 1875.

[136] Para: JOSÉ TOMÁS DA PORCIÚNCULA 100
Rio de Janeiro, 20 de agosto de 1875.

[137] De: SALVADOR DE MENDONÇA 105
New York, 30 de outubro de 1875.

[138] De: BUARQUE DE MACEDO 107
Rio de Janeiro, 12 de novembro [de 1875.]

[139] De: BUARQUE DE MACEDO 108
[Rio de Janeiro,] 20 de novembro de 1875.

[140] Para: SALVADOR DE MENDONÇA 109
Rio de Janeiro, 24 de dezembro de 1875.

[141] De: SALVADOR DE MENDONÇA 112
New York, 7 de março de 1876.

[142] Para: SALVADOR DE MENDONÇA 119
Rio de Janeiro, 15 de abril de 1876.

[143] De: SALVADOR DE MENDONÇA 122
New York, 25 de agosto de 1876.

[144] Para: VISCONDE DO RIO BRANCO – JOSÉ MARIA
DA SILVA PARANHOS 123
Rio de Janeiro, 30 de setembro de 1876.

[145] Para: SALVADOR DE MENDONÇA 124
Rio de Janeiro, 13 de novembro [de] 1876.

[146] Para: FURTADO COELHO 125
Rio de Janeiro, 22 de novembro de 1876.

[147] Para: FRANCISCO RAMOS PAZ 127
Rio de Janeiro, 14 [de] dezembro [de] 1876.

[148] Para: O BISPO CAPELÃO-MOR 128
[Rio de Janeiro, 1.º de janeiro de 1877.]

[149] De: CONSTANÇA ALVIM CORREIA 133
Petrópolis, 22 [de] março [de] 1877.

[150]	De:	L. DE ALMEIDA	134
		Rio de Janeiro, 27 de julho de 1877.	
[151]	Para:	SALVADOR DE MENDONÇA	135
		Rio de Janeiro, 8 de outubro de 1877.	
[152]	De:	JOSÉ DINIZ VILLAS BOAS	137
		Rio de Janeiro, 28 de novembro de 1877.	
[153]	De:	VITORINO DE BARROS	138
		Rio de Janeiro, 4 de dezembro de 1877.	
[154]	Para:	SALVADOR DE MENDONÇA	139
		Rio de Janeiro, 2 de março de 1878.	
[155]	De:	LUÍS GUIMARÃES JÚNIOR	139
		Roma, 24 de junho de 1878.	
[156]	De:	EÇA DE QUEIRÓS	141
		Newcastle-on-Tyne, Inglaterra, 29 de junho de 187[8].	
[157]	De:	MIGUEL DE NOVAIS	144
		Paris, 7 de julho de 1878.	
[158]	De:	ERNESTO CHARDRON	150
		Porto, 27 de julho de 1878.	
[159]	Para:	FRANCISCO DE CASTRO	152
		Rio de Janeiro, 4 de agosto de 1878.	
[160]	De:	ARTUR DE OLIVEIRA	156
		Rio de Janeiro, 10 de agosto de 1878.	
[161]	De:	JOAQUIM DE MELO	157
		[Rio de Janeiro,] 10 de setembro de 1878.	
[162]	Para:	CARLOS LEOPOLDO DE ALMEIDA	158
		[Rio de Janeiro, outubro de 1878.]	
[163]	De:	FRANKLIN DÓRIA	159
		Rio de Janeiro, 17 de novembro de 1878.	
[164]	Para:	FRANKLIN DÓRIA	160
		Rio de Janeiro, 17 de novembro de 1878.	
[165]	Para:	FRANKLIN DÓRIA	161
		Rio de Janeiro, 18 de novembro de 1878.	
[166]	De:	JOAQUIM ARSÊNIO CINTRA DA SILVA	163
		Rio de Janeiro, 28 de fevereiro de 1879.	
[167]	De:	BUARQUE DE MACEDO	164
		[Rio de Janeiro,] 29 de abril de 1879.	

[168]	De:	ARTUR NAPOLEÃO	165
		[Rio de Janeiro, sem data.]	
[169]	De:	ARTUR NAPOLEÃO	167
		[Rio de Janeiro, sem data.]	
[170]	De:	ARTUR NAPOLEÃO	168
		[Rio de Janeiro, sem data.]	
[171]	De:	ARTUR NAPOLEÃO	168
		Rio de Janeiro, 25 de dezembro de [...].	
[172]	De:	JOAQUIM SERRA	169
		[Rio de Janeiro, sem data.]	
[173]	Para:	L. P. DE MAGALHÃES CASTRO	171
		[Rio de Janeiro,] 7 de maio de 1880.	
[174]	De:	BUARQUE DE MACEDO	172
		[Barra do Piraí, 27 de junho de 1880.]	
[175]	De:	LUDGERO CRUZ	173
		Rio de Janeiro, 21 de julho de 1880.	
[176]	Para:	CAPISTRANO DE ABREU	174
		Rio de Janeiro, 22 de julho de 1880.	
[177]	De:	CAPISTRANO DE ABREU	175
		[Rio de Janeiro,] 23 de julho de 1880.	
[178]	De:	ANTÔNIO JOAQUIM DE MACEDO SOARES	176
		Mar de Espanha, 21 de julho de 1880.	
[179]	Para:	CAPISTRANO DE ABREU	179
		Rio de Janeiro, Sexta-feira, 30 julho de 1880.	
[180]	Para:	EDUARDO DE LEMOS	180
		Rio de Janeiro, 2 de agosto de 1880.	
[181]	De:	A. A. SANTOS SOUSA	182
		[Rio de Janeiro, 16 de agosto de 1880.]	
[182]	De:	MONSENHOR PINTO DE CAMPOS	182
		Paris, 18 de agosto de 1880.	
[183]	De:	PEDRO LUÍS	186
		[Rio de Janeiro,] 4 de novembro de 1880.	
[184]	Para:	UM AMIGO E COLEGA	186
		Rio de Janeiro, 9 de novembro de 1880.	
[185]	De:	CAPISTRANO DE ABREU	188
		Campinas, 10 de janeiro de 1881.	

[186]	Para:	ARTUR DE OLIVEIRA	190
		[Rio de Janeiro,] 18 de janeiro de 1881.	
[187]	De:	JOSÉ LOPES PEREIRA BAHIA JÚNIOR	190
		Corte, 1.º de maio de 1881.	
[188]	De:	FRANCISCO OTAVIANO	191
		[Rio de Janeiro,] 22 de maio de 1881.	
[189]	De:	PEDRO LUÍS	193
		[Rio de Janeiro,] 30 de maio de 1881.	
[190]	Para:	SALVADOR DE MENDONÇA	194
		Rio de Janeiro, 25 de julho de 1881.	
[191]	De:	MIGUEL DE NOVAIS	195
		Lisboa, 27 de agosto de 1881.	
[192]	De:	PEDRO LUÍS	197
		[Rio de Janeiro, até 29 de agosto de 1881.]	
[193]	De:	PEDRO LUÍS	198
		[Rio de Janeiro,] 29 de agosto de 1881.	
[194]	De:	PEDRO LUÍS	199
		[Rio de Janeiro,] 3 de setembro de 1881.	
[195]	De:	PEDRO LUÍS	200
		[Rio de Janeiro,] 7 de setembro de 1881.	
[196]	Para:	UMA SENHORA	201
		Rio de Janeiro, 9 de setembro de 1881.	
[197]	De:	PEDRO LUÍS	203
		Rio de Janeiro, 29 de setembro de 1881.	
[198]	De:	PEDRO LUÍS	206
		[Rio de Janeiro,] 3 de outubro de 1881.	
[199]	De:	PEDRO LUÍS	207
		[Rio de Janeiro, 1.º de setembro – 3 de novembro de 1881.]	
[200]	De:	PEDRO LUÍS	209
		[Rio de Janeiro, 1.º de setembro – 3 de novembro de 1881.]	
[201]	De:	PEDRO LUÍS	210
		[Rio de Janeiro, 1.º de setembro – 3 de novembro de 1881.]	
[202]	De:	MIGUEL DE NOVAIS	211
		Lisboa, 2 de novembro de 1881.	
[203]	De:	PEDRO LUÍS	213
		[Rio de Janeiro,] 4 de novembro de 1881.	

[204] Para: JOAQUIM NABUCO 214
       Rio de Janeiro, 14 de janeiro de 1882.

[205] De: MIGUEL DE NOVAIS 216
       Lisboa, 19 de janeiro de 1882.

[206] De: MIGUEL DE NOVAIS 219
       Lisboa, 21 de maio de 1882.

[207] Para: JOAQUIM NABUCO 223
       Rio de Janeiro, 29 de maio de 1882.

[208] De: CAMPOS DE MEDEIROS 225
       [Rio de Janeiro,] 3 de junho de 1882.

[209] De: MIGUEL DE NOVAIS 226
       Benfica, 21 de julho de 1882.

[210] De: ARTUR DE OLIVEIRA 229
       Rio [de Janeiro], 28 de julho de 1882.

[211] De: ARTUR DE OLIVEIRA 230
       [Rio de Janeiro,] 10 de agosto de 1882.

[212] De: ARTUR DE OLIVEIRA 231
       [Rio de Janeiro, 14 de agosto de 1882.]

[213] De: COSTA FERRAZ 232
       [Rio de Janeiro,] 7 de setembro de 1882.

[214] De: MIGUEL DE NOVAIS 233
       Benfica, 2 de novembro de 1882.

[215] Para: FRANKLIN DÓRIA 238
       Rio de Janeiro, 20 de novembro de 1882.

[216] De: MIGUEL DE NOVAIS 239
       Benfica, 21 de janeiro de 1883.

[217] De: JOAQUIM SERRA 241
       Nova Friburgo, 22 de janeiro [de 1883.]

[218] De: MIGUEL DE NOVAIS 243
       Benfica, 19 de fevereiro de 1883.

[219] De: JOSÉ VERÍSSIMO 246
       Pará, 4 de março de 1883.

[220] De: JOÃO DALLE AFFLALO 247
       Itajubá, 14 de abril de 1883.

[221] Para: JOAQUIM NABUCO 249
       Rio de Janeiro, 14 de abril de 1883.

[222]	De:	MIGUEL DE NOVAIS	252
		Lisboa 17 de abril de 1883.	
[223]	Para:	JOSÉ VERÍSSIMO	254
		Rio de Janeiro, 19 de abril de 1883.	
[224]	De:	JOÃO DALLE AFFLALO	256
		Itajubá, 2 de maio de 1883.	
[225]	De:	JOÃO DALLE AFFLALO	257
		Itajubá, 23 de maio de 1883.	
[226]	De:	MIGUEL DE NOVAIS	258
		Lisboa, 27 de maio de 1883.	
[227]	De:	JOÃO DALLE AFFLALO	261
		Itajubá, 4 de junho de 1883.	
[228]	Para:	FRANKLIN DÓRIA	262
		[Rio de Janeiro,] 9 de junho de 1883.	
[229]	De:	JOAQUIM DE MELO	263
		[Rio de Janeiro,] 5 de setembro de 1883.	
[230]	Para:	FRANCISCO RAMOS PAZ	264
		[Rio de Janeiro,] 1.º de outubro de 1883.	
[231]	Para:	MEMBROS CORRESPONDENTES DO CLUBE BEETHOVEN	265
		[Rio de Janeiro, provavelmente 1883.]	
[232]	Para:	"LULU SÊNIOR" – FERREIRA DE ARAÚJO	267
		[Rio de Janeiro,] 13 de março de 1884.	
[233]	Para:	FRANCISCO RAMOS PAZ	269
		[Rio de Janeiro,] 30 de março de 1884.	
[234]	De:	MIGUEL DE NOVAIS	270
		Lisboa, 22 de junho de 1884.	
[235]	Para:	UM AMIGO	273
		[Rio de Janeiro, junho de 1884.]	
[236]	Para:	FRANKLIN DÓRIA	277
		[Rio de Janeiro,] 22 de agosto de 1884.	
[237]	De:	JOÃO DALLE AFFLALO	278
		Itajubá, 11 de setembro de 1884.	
[238]	De:	MIGUEL DE NOVAIS	280
		Lisboa, 16 de setembro de 1884.	

[239]	De:	CONSTANÇA ALVIM CORREIA *[Sem local,] 4 de dezembro de 1884.*	283
[240]	De:	GOMES DE AMORIM *[Lisboa,] 6 de dezembro de 1884.*	284
[241]	De:	MIGUEL DE NOVAIS *Lisboa, 5 de janeiro de 1885.*	287
[242]	Para:	VALENTIM MAGALHÃES *[Rio de Janeiro, 21 de fevereiro de 1885.]*	290
[243]	Para:	DOMINGOS LOURENÇO LACOMBE *[Rio de Janeiro,] 11 de maio de 1885.*	293
[244]	De:	JOAQUIM SERRA *Friburgo, 22 de maio [de 1885.]*	294
[245]	De:	CAPISTRANO DE ABREU *[Rio de Janeiro,] 16 de julho de 1885.*	298
[246]	Para:	ENEIAS GALVÃO *[Rio de Janeiro,] 30 de julho de 1885.*	299
[247]	Para:	VALENTIM MAGALHÃES *[Rio de Janeiro, 7 de novembro de 1885.]*	301
[248]	Para:	VALENTIM MAGALHÃES *Corte, 7 de novembro de 1885.*	302
[249]	De:	MIGUEL DE NOVAIS *Lisboa, 23 de novembro de 1885.*	303
[250]	Para:	LÚCIO DE MENDONÇA *Corte, 4 de março de 1886.*	310
[251]	De:	SEBASTIÃO MAGGI SALOMON *Cidade de Itajubá, 9 de junho de 1886.*	312
[252]	De:	GUIMARÃES JÚNIOR *Lisboa, 21 de junho de 1886.*	313
[253]	Para:	LUÍS LEOPOLDO PINHEIRO JÚNIOR *[Rio de Janeiro, 1886.]*	314
[254]	De:	CIRO DE AZEVEDO *[Rio de Janeiro, até 6 de outubro de 1886.]*	316
[255]	De:	RAIMUNDO CORREIA *[Vassouras, 6 de outubro de 1886.]*	320
[256]	De:	LÚCIO DE MENDONÇA *[Valença, 6 de outubro de 1886.]*	321

[257]	De:	ALBERTO DE OLIVEIRA	321
		[Rio de Janeiro, 6 de outubro de 1886.]	
[258]	De:	ROCHA de CAMPINAS	322
		[Rio de Janeiro, 6 de outubro de 1886.]	
[259]	Para:	LÚCIO DE MENDONÇA	322
		Corte, 7 de outubro de 1886.	
[260]	Para:	RAIMUNDO CORREIA	323
		Corte, 7 de outubro de 1886.	
[261]	De:	JOAQUIM DE MELO	324
		[Rio de Janeiro,] 7 de outubro de 1886.	
[262]	De:	"SÍLVIO DINARTE" – ALFREDO D'ESCRAGNOLLE TAUNAY	324
		Rio de Janeiro, 7 de outubro de 1886.	
[263]	Para:	"SÍLVIO DINARTE" – ALFREDO D'ESCRAGNOLLE TAUNAY	325
		Rio de Janeiro, 7 de outubro de 1886.	
[264]	De:	SEBASTIÃO MAGGI SALOMON	326
		Itajubá, 18 de outubro de 1886.	
[265]	Para:	FERREIRA VIANA	327
		[Rio de Janeiro,] 12 de fevereiro de 1887.	
[266]	Para:	RODRIGO OCTAVIO	327
		Cosme Velho, 29 de março de 1887.	
[267]	De:	MIGUEL DE NOVAIS	329
		Lanhelas, 19 de agosto de 1887.	
[268]	De:	MIGUEL DE NOVAIS	335
		Foz do Douro, 26 de dezembro de 1887.	
[269]	De:	MIGUEL DE NOVAIS	338
		Lisboa, 4 de março de 1888.	
[270]	De:	MIGUEL DE NOVAIS	340
		Lanhelas, 6 de agosto [de] 1888.	
[271]	Para:	RODRIGO OCTAVIO	343
		[Rio de Janeiro, 11 de outubro de 1888.]	
[272]	De:	ALFREDO D'ESCRAGNOLLE TAUNAY	344
		Petrópolis, 31 de março de 1889.	

[273] De: JOÃO BRÍGIDO DOS SANTOS 345
            Ceará, 1.º de junho de 1889.

[274] De: MAGALHÃES DE AZEREDO 347
            São Paulo, 2 de junho de 1889.

[275] De: MAGALHÃES DE AZEREDO 349
            São Paulo, 3 de julho de 1889.

[276] Para: FRANCISCO RAMOS PAZ 350
            [Rio de Janeiro,] 3 de julho de 1889.

[277] Para: JOÃO BRÍGIDO DOS SANTOS 351
            Rio de Janeiro, 16 de agosto de 1889.

[278] De: MIGUEL DE NOVAIS 353
            Lisboa, 27 de dezembro de 1889.

[279] Para: MAGALHÃES DE AZEREDO 361
            [Rio de Janeiro, sem data.]

CADERNO SUPLEMENTAR

[53 A] De: CONDE DE LA HURE 365
            Rio, 19 de outubro de 1866.

[53 B] De: CONDE DE LA HURE 371
            Rio de Janeiro, 23 de outubro de 1866.

[53 C] De: CONDE DE LA HURE 377
            Rio de Janeiro, 27 de outubro de 1866.

[54 A] De: CONDE DE LA HURE 382
            Rio de Janeiro, 31 de outubro de 1866.

[55 A] De: CONDE DE LA HURE 395
            Rio de Janeiro, 10 de novembro de 1866.

[55 B] De: CONDE DE LA HURE 402
            Rio de Janeiro, 10 de novembro de 1866.

[56 A] De: CONDE DE LA HURE 410
            Rio de Janeiro, 12 de novembro de 1866.

[57 A] De: CONDE DE LA HURE 416
            [Rio de Janeiro, 22 de novembro de 1866.]

[59 A]	De:	CONDE DE LA HURE	424
		Rio de Janeiro, 25 de novembro de 1866.	
[59 B]	De:	CONDE DE LA HURE	430
		[Rio de Janeiro, 25 de novembro de 1866.]	
[62 A]	De:	CONDE DE LA HURE	437
		Rio de Janeiro, 19 de dezembro de 1866.	
[77 A]	Para:	SALVADOR DE MENDONÇA	445
		Rio, 8 de agosto de 1868.	

CORRESPONDENTES NO PERÍODO 1870-1889	447
POSFÁCIO	495
BIBLIOGRAFIA	497
CADERNO DE IMAGENS	507

Correspondência de Machado de Assis
Tomo II — 1870-1889

[91]

De: JOSÉ JOAQUIM PEREIRA DE AZURARA
Fonte: Fundação Casa de Rui Barbosa. *Semana Ilustrada*, 1870. Biblioteca São Clemente. Coleção Plínio Doyle. Impresso original.

Guaratiba, 25 de janeiro de 1870.[1]

I*lustríssi*mo *Senho*r Redator da Semana Ilustrada[2],

Tendo V*ossa* S*enhoria* honrado o meu romance – *Angelina ou Dois acasos felizes* – meu tentâmen de escritura, com o seu tão sábio quão sincero juízo crítico, o que muito me lisonjeou – fiz tenção de sujeitar ao sábio juízo e correção de V*ossa* S*enhoria* todo e qualquer escrito meu que, em forma de livro, pretenda publicar, se a isso V*ossa* S*enhoria* não se negar.

Animado pelo conselho que me V*ossa* S*enhoria* deu naquele número da – *Semana* – em que saiu publicado seu juízo – (se V*ossa* S*enhoria* julgasse que o cocque (*sic*) tem deveras mais poesia e exprime-se melhor do que o meu romance di-lo-ia, não é assim?...) então não devo crer na opinião do folhetinista do *Diário do Rio*; ele mostra que só aprecia aquilo que tem algo de francês!... Depois de ter lido o meu romance, ele estabeleceu o seguinte silogismo: "Tudo o que não tem algo de francês não tem beleza nem expressão; ora o romance de Azurara não tem algo de francês (galicismos); logo o romance de Azurara não tem poesia nem expressão" – estou no propósito de continuar a escrever, estudando para escrever bem.

Acabo de escrever a última fala de uma comédia minha, a que dei o nome de – *Como isto é bonito!* – e, para ser coerente com o que disse, ou com o que tenciono, peço a V*ossa* S*enhoria* que, com a franqueza que o distingue, me dê o seu juízo sobre ela, para eu conhecer se devo ou não publicá-la.

Peço permissão para assinar-me.

De Vossa Senhoria admirador muito grato,
José Joaquim Pereira de Azurara.

Post Scriptum: Indo eu à cidade apresentar-me-ei a Vossa Senhoria.³

---

1 ∾ Carta publicada no n.º 480, de 20/02/1870, com a seguinte introdução do irônico "Dr. Semana":

"Recebi duas comédias acompanhadas de duas cartas assinadas pelo Sr. José Joaquim Pereira de Azurara. / A primeira comédia se intitula *Como isto é bonito!* e a segunda *Eu não gosto de limão* (sic). / O Sr. Azurara é o mesmo autor do romance *Dois acasos felizes* de que falei há algumas semanas. Mas serão estas cartas autênticas? Será realmente o autor do romance o mesmo autor das comédias? ou acaso alguém que deseja, à sombra de um nome já conhecido, mostrar suas obras? / As comédias são boas e eu as publicaria na *Semana* com toda a vontade. Mas ignorando se o autor será o mesmo, o mais que faço desta vez é publicar a primeira carta, esperando que o autor me procure e confirme a autenticidade dela."

Confrontamos as transcrições de Magalhães Jr. (2008) com as duas cartas estampadas no mesmo periódico, ou seja, esta e a [94], de 03/02/1870, corrigindo alguns enganos, inclusive a data em epígrafe, que aparecia como "2 de janeiro". (IM)

2 ∾ O missivista ignorava a identidade do redator, no caso, o "Dr. Semana", que assinava a seção "Badaladas". Também é a este que envia as cartas [94] e [96]. Só se dirige, efetivamente, a Machado de Assis em I.º de abril (ver em [98]). Deve-se a Magalhães Jr. um grande comentário sobre o ingênuo professor Azurara, que não percebeu a galhofa mais que óbvia nas críticas "às avessas" assinadas pelo redator da *Semana Ilustrada* desde 26/12/1869. Nessa ocasião, o cronista assim se referira autor de *Angelina ou Dois Acasos Felizes* (Rio de Janeiro: Domingues Luís dos Santos, 1869):

"Não era Temístocles que dizia a propósito de uma estreia literária: *Lopaios ei naliparomenoskota pieri de desfrutaveioras ai li rapazineios?* / E quem não conhece a resposta dada a Temístocles pelo filósofo Tales? / *Leta calendas vilaraipeidoraneos manias?* / Efetivamente assim é. A Literatura será loucura (manias) mas é uma loucura sublime." (IM)

3 ∾ O redator acrescentou:

"Aí fica transcrita a carta. / Posso afirmar ao autor que as comédias são boas, principalmente a primeira *Como isto é bonito!* e estimaria muito poder dá-la na Semana."

O desfecho desse convite encontra-se em [97], bilhete sem data (até 01/04/1870), e em [98], carta de 01/04/1870. (IM)

[92]

> De: ARTUR DE OLIVEIRA
> *Fonte:* Manuscrito Original, Arquivo ABL.

Pernambuco[1], 31 de janeiro de 1870.

Meu prezado Machado de Assis.

A precipitação da minha [via]gem e os mil óbices que se me apresentaram nos últimos dias passados no teu Rio de Janeiro, obrigaram-me malgrado meu, não despedir-me de um dos melhores amigos — o poeta das *Crisálidas* — o cantor das *Falenas* e o mais belo manifesto da mocidade estudiosa e inteligente.

Espero [,] contudo, que o meu amigo levará em conta de perdão a boa intenção e estas letras escritas muito às pressas e com muito trabalho, [por]que é, [—] desculpa-me a expressão —, uma nesga da manhã roubada ao sono semirrestaurador das minhas forças quase esgotadas num estudo que ou me dará as palmas da vitória ou o sono eterno do além-túmulo, vá [lá,] em estremeções e sacudidelas de nervos estes protestos tumulares. Espero da tua amizade ao Furtado[2], o recomendar-me e pedir-lhe perdão de não escrever-lhe pois que estou de baraço ao pescoço como sabes e quase a subir ao cadafalso da intempestiva Reforma do *Senhor* Paulino, — quero dizer com isto que tenho de sofrer todos os 9 exames que se exigem hoje com todo o rigor recomendado pelo *Senhor* Ministro[3] ao Diretor da Escola. Antes assim, do que com dilúvios de proteções e indulgências miseráveis de estultos! Espero em pouco o part[ici]par-te de todas as ocorrências; [a]té lá, recebe o coração saudoso do mais fervoroso dos entusiastas das *Crisálidas* que me ficaste de dar e das *Falenas* que vais me mandar.

Teu amigo
Artur de Oliveira

Post Scriptum: Envia a tua carta à *Rua da Aurora*⁴ *n.º 36*. Se não for incômodo ao poeta mandar as *Crisálidas* e as *Falenas*, o amigo importuno [o p]ede, protestando-lhe por mais de uma vez a sua eterna gratidão.

---

1 ∾ O gaúcho Artur de Oliveira tinha então 18 anos e conquistara a simpatia de Machado de Assis ao defendê-lo de ataques publicados por Joaquim Garcia Pires de Almeida (1869). Ao escrever esta carta, pretendia ingressar na Faculdade de Direito de Recife, cidade que designa como Pernambuco. Em carta ao pai (07/02/1870), inteiramente absorvido pelos estudos, comentaria: "Conheço tanto Pernambuco como antes de nascer, conheço-o menos que um hotentote..." (Oliveira, 1936). (IM)

2 ∾ O ator e empresário português Furtado Coelho*. (IM)

3 ∾ Reforma efetuada no gabinete conservador do visconde de Itaboraí pelo ministro Paulino José Soares de Sousa (1834-1901), ampliando o número de matérias para habilitação nos exames. Em carta ao pai (26/01/1870), Artur informava: "Para alcançar o que mais ambiciono hoje, levanto-me às 6 da manhã, vou para a aula de geografia às 6 e meia e volto para filosofia, retórica, inglês, aritmética, geometria e latim." (Oliveira, 1936). (IM)

4 ∾ Da carta ao pai (26/01/1870): "[...] nada tenho visto, à exceção do luar perene e das águas espelhadas que tenho diante de mim, na formosíssima Rua da Aurora." (Oliveira, 1936). (IM)

[93]

De: JOAQUIM SERRA
Fonte: Cartas de Joaquim Serra a Machado de Assis.
Revista da Academia Brasileira de Letras, III,
Rio, 1911.

[Rio de Janeiro, 02-29 de janeiro de 1870.]¹

Machado de Assis,

Aí fica o livro do Gentil²; é uma linda coisa!

Escreve sobre ele; lembra-te que estás em falta para com o Gentil (que é teu amigo) desde a publicação da *Eloá*³!

Esse livro tem grande merecimento; as páginas intituladas *O caçador de pacas*; *Carlotinha da Mangueira*, e *Singela recordação* são inimitáveis. Tudo o mais é bom e pede um bom artigo. Escreve-o na próxima *Semana*, como fizeste com os *Corimbos*[4].

E as *Falenas*[5]?

Vai conversar na *Reforma*[6].

O am*igo*
Serra.

---

1 ∾ A carta foi escrita após 02/01/1870 e antes de 30/01/1870, como se depreende das notas 2 e 4. (IM)

2 ∾ Atendendo a Serra, Machado publicou na *Semana Ilustrada* (n.º 477, de 30/01/1870) um longo e elogioso artigo intitulado "Um poeta – *Entre o céu e a terra*, por Flávio Reimar", assinando-se "M". Destacamos o seguinte trecho:

"Flávio Reimar desceu um dia das regiões da poesia para entrar na vida prática das coisas públicas. Figurou no parlamento geral e provincial, aquele repolhudo orçamento anual com que as câmaras brindam o contribuinte e o fisco. E não morreu este poeta, e escapou ao orçamento, ao parlamento e ao esquecimento, e ressurge tão vivo, tão galhardo, tão rapaz como dantes – apenas realçado por um toque de filosofia melancólica, que o caracteriza melhor, que lhe dá uma feição mais poética e original. / Flávio Reimar é o nome literário. O nome civil do poeta é Gentil Homem de Almeida Braga. O segundo nome faz lembrar um cavalheiro distinto, como o primeiro recorda o talentoso escritor. Grande felicidade está em merecer estima como poeta e como homem." (IM)

3 ∾ Em [73], tomo I, Serra recomenda: "pelo correio receberás a *Eloá*, traduzida pelo Gentil. [...] Aprecia-o." Machado manteve silêncio sobre a tradução de Gentil Braga* do poema de Vigny. Não teria gostado? Ver em [95], de 20/02/1870. (SE)

4 ∾ Livro de poesias, de Guimarães Júnior*, publicado no final de 1869. Machado dedicara extenso e afetuoso comentário na *Semana Ilustrada* (n.º 473, de 02/01/1870), onde, aliás, cita a mesma reflexão de Mme. de Staël que apresentara na primeira carta a Carolina*. Ver em [81], tomo I. (IM)

5 ∾ *Falenas* foi publicado por B. L. Garnier, no início de 1870; essa foi a única edição independente do livro; quando reeditou parte do que nele estava contido, Machado o fez no livro das *Poesias Completas*, em 1901. (SE)

6 ∾ O jornal *A Reforma* surgiu em defesa do programa liberal, mas evoluiu daí para a causa republicana, tornando-se mais adiante uma voz em favor do fim da monarquia. Talvez por isso Machado de Assis tenha relutado em colaborar e, ao fazê-lo, o fez modestamente, apesar dos laços de amizade com Serra. A sua primeira edição, de 12/05/1869, abriu com um manifesto assinado por nomes de peso da causa liberal: Tomás Nabuco de Araújo, Zacarias de Góes e Vasconcelos, João Lustosa da Cunha Paranaguá, Teófilo Ottoni, Francisco Otaviano*, Bernardo de Sousa Franco e outros; a maioria já anteriormente reunida no chamado Clube da Reforma. Em 1870, Serra já estava escrevendo no jornal e, ao longo da existência daquela folha, tornou-se seu diretor, alma e esteio. Registre-se ainda que, no *Almanaque Laemmert*, de 1869 a 1879, na seção "Periódicos que se publicam na Corte", encontraram-se referências ao jornal até 1877, a partir daí o seu nome desaparece, o que faz supor o seu fechamento em fins de 1876 ou no princípio de 1877. (SE)

[94]

De: JOSÉ JOAQUIM PEREIRA DE AZURARA
Fonte: Fundação Casa de Rui Barbosa. *Semana Ilustrada*, 1870. Biblioteca São Clemente. Coleção Plínio Doyle. Impresso Original.

Guaratiba, 3 de fevereiro de 1870.

Ilustríssimo Senhor Redator da *Semana Ilustrada*[1],

Talvez Vossa Senhoria me considere importuno por exigir que Vossa Senhoria leia e corrija os meus escritos; porém peço-lhe que tal não me considere, porque eu, carecendo de mestre como o cego de guia precisa, o procuro para aprender.

É minha mira colocar o meu nome entre os dos que constituem a ingente república das letras; mas decerto ficarei muito aquém dela, se não encontrar quem condolentemente me ensine o caminho que tenho de seguir para a ela chegar, caminho bem emaranhado, e escuro para os ignaros como eu! Negar-se-á Vossa Senhoria a isso?...

Com razão plausível desconfio de mim!... faleço de erudição... meu entendimento precisa ser iluminado pelo fogo vivo dos livros... e dificilmente ele o iluminará!... No Brasil, custa ainda muito caro um livro!... E onde vivo eu?... Onde são espessas as trevas da ignorância; tão espessas que privam de esclarecer em pequeno âmbito a minha lamparina!...

Adiante!...

Acabo de escrever uma comédia a que dei o seguinte título: *Eu não como sem limão!* Queira Vossa Senhoria dispensar um momento de sua atenção para lê-la, a fim de dizer-me o bom e o ruim dela (tenho a petulância de crer que alguma coisa boa ela tem).

Creia que lhe serei muito grato!...

Permita-me que me assine.

De Vossa Senhoria
Criado admirador muito atento,
José Joaquim Pereira de Azurara

---

1 ∞ Carta publicada no n.º 481, de 27/02/1870, com a seguinte apresentação do "Dr. Semana":

"Ainda não recebi a visita do Sr. Pereira de Azurara. Sinto bastante porque desejava dar aos nossos leitores a comédia *Como isto é bonito!*, que é um verdadeiro primor. Entretanto publico a segunda carta que ele me dirigiu, remetendo a comédia *Eu não gosto de limão!*" (IM)

Pequenas discrepâncias entre a transcrição de Magalhães Jr. (2008) e o texto da *Semana Ilustrada* foram corrigidas. Observe-se, também, que Machado ("Dr. Semana") troca sistematicamente o título da comédia, *Eu não como sem limão* por *Eu não gosto de limão!* Talvez ele não gostasse mesmo de limão. (IM)

[95]

De: GENTIL BRAGA
Fonte: Manuscrito Original, Arquivo ABL.

São Luís, 20 de fevereiro de 1870.

Meu caro Machado de Assis,

Muito lhe agradeço o mimo, que me fez de seu belíssimo volume dos versos intitulado — *Falenas*. Li-o sofregamente e o passei logo ao comum amigo e seu admirador sincero Joaquim de Sousa Andrade[1]. Ando com umas cócegas de escrever sobre o seu livro e desejo possuir com o seu *cachet* a coleção das *Crisálidas*. Posso esperá-la da sua bondade?

Como lhe hei de agradecer o que de tão bonito e lisonjeiro escreveu na *Semana* sobre o — *Entre o céu e a terra*[2]? Fazendo-lhe duas promessas: 1.ª que vou escrever um romance; 2.ª — que lho oferecerei, pondo-o a correr mundo debaixo do seu valiosíssimo patrocínio.

Estimo-o deveras e admiro com verdadeiro prazer os frutos do seu formoso talento.

Aperte a mão do
seu amigo afet*uoso*
Gentil H. de Alm. ᵈᵃ Braga

---

1 ∾ Joaquim de Sousa Andrade (1832-1902), Sousândrade, poeta maranhense cujo reconhecimento se deu tardiamente. De origem abastada, entre 1853-1856, viajou pela Europa e estudou em Paris. Em 1857, estreou com *Harpas Selvagens*. Em 1870, na companhia da filha Maria Bárbara, viajou pela América do Sul; no ano seguinte, mudou-se para Nova York, onde se tornou redator de *O Novo Mundo*, de José Carlos Rodrigues*, no qual Machado publicará, em 24/03/1873, o ensaio "Instinto da Nacionalidade". Ao retornar no período da proclamação da República, apesar de republicano, não foi favorecido pelo novo regime. O seu conhecimento do grego, no entanto, permitiu ao governo da província fazê-lo professor do Liceu Maranhense de São Luís, a fim de lhe garantir a sobrevivência, pois estava arruinado. A familiaridade com uma tradição poética pouco disseminada entre seus pares, à exceção de Odorico Mendes (aliás, festejadíssimo por Machado), talvez seja um dos fatores que explique a

singularidade da sua produção. Desconhecido em seu tempo; nos últimos anos de vida, foi considerado um homem estranho e arredio, cujos passeios pela cidade, de fraque e cartola, eram acompanhados da algazarra dos moleques, antecipando, como se fosse um modelo vivo, o célebre Rubião de *Quincas Borba* (1891). Publicado em Nova York, o *Guesa Errante* (1874-1877) é um longo poema, que se realiza por meio de metáforas e neologismos surpreendentes, como no trecho:

"Canicular delírio! Paroxismos / Do amazônio sarau! – pulam, suavam, / Na cintura fantástica brandiavam / Como a magnetização ante os abismos."

A sua obra saiu da obscuridade reapresentada por Fausto Cunha (1954) e, no início de 1960, por artigos dos irmãos Campos no *Correio Paulistano*. Registre-se ainda que a referência de Gentil Braga "e o passei logo **ao comum amigo** e seu admirador sincero" não deixa dúvida de que Machado conhecia Joaquim de Sousa Andrade; além disso, é lícito supor que o tenha lido como articulista de *O Novo Mundo*; entretanto não se conhece por parte de Machado referência à obra do poeta. (SE)

2 ∾ Folhetim tornado livro (1869), por Flávio Reimar. Curiosamente, no prefácio à obra de Vigny, ou como ele diz, "tradução parafrástica" de *Eloá*, feita em 1867, ao explicar o equívoco na tradução de um versículo do sexto capítulo do *Gênesis*, Gentil Braga refere-se a um poema de Byron – "O Céu e a Terra" – nome do romance comentado por Machado na *Semana*. Registre-se também que a tradução de *Eloá* foi oferecida "à menina Maria Bárbara de Sousa Andrade", filha do poeta Sousândrade, citado nesta carta. A crônica a que se refere saiu na *Semana Ilustrada* de 30/01/1870. Ver em [93]. (SE)

[96]

De: JOSÉ JOAQUIM PEREIRA DE AZURARA
Fonte: Manuscrito Original, Arquivo ABL.

Guaratiba, 18 de março de 1870.

Ilustríssimo Senhor Redator da *Semana Ilustrada*,

Ao ler uma carta que me escreveu meu mano[1], datada de 13 do corrente, foi que soube que Vossa Senhoria publicara a segunda carta que tive a honra de a Vossa Senhoria dirigir, dirigindo-me, nessa ocasião, Vossa

Senhoria muito lisonjeiras palavras, pela minha comédia *Eu não como sem limão!* – Exultei por tal saber![2] Quisera muito ir agora agradecer a Vossa Senhoria o grande obséquio que me está prestando, tirando meu humilde nome da obscuridade em que vive; porém não posso presentemente fazê-lo por não (...)[3] ocasião propícia (...) junto com esta a Vossa Senhoria será entregue um romance que estou escrevendo, (...) gostaria de lhe enviar para julgá-lo; peço-lhe [en]carecidamente que se digno aceite a sua dedicatória, que é filha da sinceridade do (*meu*) reconhecimento a Vossa Senhoria por mim votado.

Eu desejo muito ver publicados os meus escritos; porém não tenho dinheiro para mandar imprimi-los por minha conta, a vista do que quero vender o meu direito de propriedade sobre eles. (...)-me (...) a honrosa qualidade de (...) desejo que (...) *Semana* ma quer comprar e quanto ela dá; e no caso negativo, se Vossa Senhoria digna-se a vendê-las a outrem. Refiro-me à propriedade das duas comédias e do romance, ao qual faltam dois capítulos, que lhe enviarei muito breve.

Quisera Vossa Senhoria corrigir os meus escritos como entender, pois que o considero como meu mestre!

(...) a resposta de Vossa Senhoria, se puder ter (...) se não puder (...) autorizarei a meu mano (...) celebrar (...)

Concluo esta assinando-me

De Vossa Senhoria

Criado atento, admirador obrigado,

José Joaq^{im} Per^a d'Azurara

---

1 ∾ O professor João José Pereira de Azurara, autor de obras pedagógicas. (IM)

2 ∾ Ver em [94].

3 ∾ Esta e as demais lacunas se devem à ilegibilidade do manuscrito original, muito danificado. Em Magalhães Jr. (2008), aparecem apenas trechos da carta. (IM)

[97]

De: HENRIQUE FLEIUSS
Fonte: Manuscrito Original, Arquivo ABL.

[Rio de Janeiro, até 1.º de abril de 1870.]

Machado.

O portador é o Professor Azurara¹ a quem desejo, depois de tê-lo apresentado a Vossé², a felicidade de achar em ti o protetor que ele precisa para as suas publicações. Fala com ele e depois faça o que entenderes.

Teu do *Coração*
o H. Fleiuss

---

1 ༄ Bilhete sem local nem data, mas muito provavelmente redigido entre 31 de março e 1.º de abril. Fleiuss, editor da *Semana Ilustrada*, livra-se do ingênuo José Joaquim Pereira de Azurara*, encaminhando-o a Machado de Assis, o "Dr. Semana", responsável pelo imbróglio. Ver em [91], [94] e [96]. Aliás, tal encontro não ocorreu, como se verifica em [98], carta de 01/04/1870. (IM)

2 ༄ Alemão, Fleiuss veio para o Brasil com 35 anos. A adoção tardia de um novo idioma talvez explique singularidades ortográficas, como este *Vossé*, evidente em seu bilhete manuscrito. (IM)

[98]

De: JOSÉ JOAQUIM PEREIRA DE AZURARA
Fonte: Manuscrito Original, Arquivo ABL.

[Rio de Janeiro,] 1.º de abril de 1870.¹

*Senh*or Machado de Assis².

Animado pelo muito crédito que dei às seguintes palavras da ilustre redação da *Semana Ilustrada,* falando da minha comédia *Eu não como sem limão* – "esta comédia tem algum espírito e é primorosa. Recebemos uma outra etc. Aguardamos a visita do autor para publicá-la" – vim à cidade, sem poder fazê-lo, contando obter a publicidade do meu trabalho e algum dinheiro p*ar*a regressar contente ao lugar... em que ganho o pão. E no entanto... aqui estou preso porque nem tenho dinheiro p*ar*a voltar para junto de minha família!... Há animações que estragam!...

Visto que a *Semana Ilustrada* não me quer dar nem 50$ pela propriedade de meus escritos, rogo a V*ossa Senhoria* o obséquio de mos vender, digo, de mos mandar, p*ar*a que eu os venda, ainda que por dez-réis de mel coado! Mas continuarei a escrever! Sou teimoso!...[3]

Sou o

De V*ossa Senhoria*
Admirador e Cri*ad*o At*en*to
José Joaq^{im} Per^a d'Azurara

---

1 ∽ A carta, muito danificada, foi escrita no Rio de Janeiro; o dia não está mais legível. Seguiu-se a data apresentada por Magalhães Jr. (2008), uma vez que este autor teve acesso ao manuscrito quando o mesmo estava em melhor estado (1981). (IM)

2 ∽ Pela primeira vez, aparece o nome de Machado de Assis, anteriormente designado como "Redator da *Semana Ilustrada*". O bilhete de Henrique Fleiuss [97] esclarece tal identificação. (IM)

3 ∽ No ano de 1870, a revista não se referiu mais a Azurara, voltando a mencioná-lo, sempre em tom de caçoada, em 1871 e 1872. Em setembro de 1871, n.° 563, diria seção "Badaladas":

"Ia começar a análise da obra do Sr. José Azurara quando me chegaram às mãos as nossas folhas do Pará, e com elas um importantíssimo assunto. / Não é certamente menos importante o romance do distinto professor de Paquetá; mas um livro de imaginação pode esperar pela crítica, sem quebra de interesse, ao passo que uma discussão parlamentar, se não é servida logo ao sair do forno, perde todo o seu valor. Visto que se parece com os jantares: / *Um dîner rechauffé n'a valu jamais rien.* / Ganha com a demora o próprio escritor, porque uma semana mais de estudo poderá melhorar a análise que vou fazer do seu livro, e contribuir para que a verdadeira opinião o perfilhe e laureie."

O texto de 1872 vai comentado em [116], carta de 04/08/1872. (IM)

[99]

De: GENTIL BRAGA
Fonte: Manuscrito Original, Arquivo ABL.

São Luís, 4 de abril de 1870.

Meu caro Machado de Assis.

Por intermédio do nosso Joaquim Serra vieram-me às mãos a sua querida carta de 14 do *próximo passado* e o lindo volume de seus primeiros versos[1]. Grato lhe fico sendo por estas duas preciosidades.

Em breve darei conta de mim, ao respeitável por excelência, o público, escrevendo sobre o apreço em que tenho a sua individualidade literária, uma das mais distintas dentre a mocidade laboriosa do tempo, que vai correndo, e que numa certa medida é nosso. Há muito que o tenho em lembrança; e com vê-lo na manifestação progressiva do seu belo talento bastante que se me tem regozijado o coração no amor da arte.

Como sinal da amizade em que o tenho, envio-lhe aqui dentro a tradução de uma canção árabe, que *Você* me fará o favor de guardar entre os seus papéis. É uma coisinha, que, não sei por quê, me agrada[2].

Aperta-lhe ambas as mãos o seu

Muito afeiçoado,
Gentil H. de Alm.ᵈᵃ Braga

---

1 ∾ Os "primeiros versos" seriam *Crisálidas* (1864). Mas vale lembrar que *Falenas* (1870) foram saudadas por Joaquim Serra* no jornal *A Reforma*, em 29/01/1870. (IM)

2 ∾ A resposta veio na *Semana Ilustrada* (n.º 489, de 24/04/1871), sem assinatura. Graças a esta carta, inédita, foi possível **identificar Machado de Assis como o autor anônimo do seguinte comentário:**

"Vou cometer uma indiscrição, que os leitores me hão de agradecer e louvar. Mandaram-me confidencialmente uns versos, como lembrança de amizade; mas eu entendo que isto de guardar versos é como engaiolar-se passarinhos. O que lhes faz bem é deixá-los abrir as asas por esses espaços fora, respirar livremente os ares da publicidade. / Um punhado de verdades queria Fontenelle que se devesse guardar com recato. Não diria o mesmo de um punhado de versos... mas de bons versos, que os maus deviam ficar no ventre que os concebeu, em vez de nos andarem aí aos cestos por essas ruas. / Direi o nome do autor? Não estou autorizado a isto, o mais que lhes posso dizer é que é uma *gentileza* de Flávio Reimar; gentileza é expressão de Pietro Castellamare (outro pseudônimo). Gentis são os versos, gentil é o autor; leiam-mos e apertem-me as mãos."

"Flávio Reimar" e "Pietro Castellamare" eram, respectivamente, os pseudônimos de Gentil Braga e de Joaquim Serra* (ver também [93] e [95]). Do poema "O Desafio" (canção árabe), publicado na íntegra por Machado, transcrevemos os versos finais:

"Eu sou um raio dourado / do sol; que brilha no céu / tornando quente, animado, / quanto calor recebeu. / Para avivá-lo, querida, / beijarei teu coração; / dá-nos amor nesta vida / raio do sol no verão." (IM)

[100]

Para: ÂNGELO TOMÁS DO AMARAL
Fonte: Fundação Biblioteca Nacional. *Jornal da Tarde,* 1870. Setor de Obras Raras. Microfilme do impresso original.

Rio de Janeiro, 14 de junho de 1870.

Excelentíssimo Senhor[1].

Era resolução minha, de acordo com o recado que de V*ossa* E*xcelência* recebi, por intermédio de nosso comum amigo D*outor* França[2], esperar a chegada do S*enho*r Oliveira[3], para nos entendermos todos [os] três a respeito do trabalho que ora faço para o *Jornal da Tarde* como tradutor de folhetim[4]. Nisto atendia eu à consideração devida para com os dignos proprietários do *Jornal da Tarde.*

Sobreveio porém uma circunstância que me obriga a modificar aquela resolução, e a dizer a V*ossa* E*xcelência* que não posso continuar a traduzir o folhetim, como até agora fazia. Não querendo pôr em embaraços o *Jornal da Tarde* continuarei a tradução até sábado, 18. Não me demorarei em dizer a Vossa Excelência com que pesar sou obrigado a interromper este trabalho que eu fazia com maior vontade que aptidão; temo que se possa confundir um sentimento verdadeiro com uma fórmula de ocasião.

Qualquer que seja porém este meu pesar, não pode influir nas circunstâncias que me determinam.

Considere-me Vossa Excelência, como sempre
Afetuoso amigo e obrigado criado
Machado de Assis.

---

1 ∾ Nesta carta a um dos proprietários do *Jornal da Tarde*, o deputado Ângelo Tomás do Amaral, Machado desfaz-se da responsabilidade pela tradução de *Oliver Twist*, publicada sem assinatura, em folhetim de 23 de abril a 18 de junho, ou seja, do 1.º ao 28.º capítulo. Ainda não ficaram esclarecidos os motivos nem o que ocorreu depois; se foi substituído ou se voltou atrás completando a tarefa, já que o romance foi integralmente publicado. Este é um ponto controvertido entre os biógrafos. Sobre a tradução, Massa (1971) afirma que foi feita a partir da versão francesa de Alfred Gérardin (1864), que por sua vez traduzira do original, com autorização de Dickens (1812--1870). Numa tarefa de minuciosa comparação, Massa garante que a correspondência entre o folhetim machadiano e a tradução de Gérardin é absoluta. Registre-se ainda que, coincidentemente, Dickens falecera poucos dias antes, em 08/06/1870. (SE)

2 ∾ O comediógrafo e jornalista Joaquim José da França Júnior (1838-1890) conheceu Machado de Assis no *Diário do Rio de Janeiro*, na década de 1860. As suas comédias, filiadas à tradição brasileira do costumbrismo, fizeram enorme sucesso, porque aliavam à crítica dos hábitos sociais e políticos muita graça, bom humor e irreverência. Na Academia Brasileira de Letras, é patrono da Cadeira 12, por escolha do fundador, Urbano Duarte. (SE)

3 ∾ Eduardo Augusto Oliveira, também proprietário do *Jornal da Tarde*. O periódico circulou de 26/11/1869 a 28/06/1872, no Rio de Janeiro e, antes da aquisição por Amaral e Oliveira, pertenceu a Manuel Pacheco da Silva Jr. e Alberto de Vivaldi. (SE)

4 ∾ *Oliver Twist* surgiu primeiramente em folhetins semanais em 1838 no *Household Words* e, só depois, foi publicado nas *Obras Completas*. O romance é a narrativa das aventuras e desventuras de um jovem órfão que luta para sobreviver em condições extremamente adversas na Londres do século XIX. (SE)

[101]

De: PEDRO W. MELO E CUNHA
Fonte: Manuscrito Original, Arquivo ABL.

São Paulo, 14 de junho de 1870.

Ilustríssimo Senhor Machado de Assis

A Redação da *Imprensa Acadêmica*, tendo em alta conta os talentos de Vossa Senhoria, e desejando ter nessa Corte um Correspondente, vem por meio desta rogar-lhe que aceite esse lugar. Como Vossa Senhoria já tem honrado, em anos anteriores, as páginas da *Imprensa*, a *redação* acredita que o seu pedido não será olvidado.

Com todo respeito assino-me
De Vossa Senhoria atento Venerador
e Criado
Pedro W. de Melo e Cunha
Secretário da Redação da
Imprensa Acadêmica[1]

---

1 ∾ Não há notícia nem documento que atestem a resposta de Machado de Assis à redação paulistana em 1870. Sabe-se, contudo, que em 1864 ofereceu cinco colaborações àquele periódico, sob o pseudônimo de "Sileno". Em 1868, voltou a escrever por curto período, sob o pseudônimo de "Glaucus"; depois disso, parece não ter retornado às páginas da revista. Ver em [25], tomo I. (SE)

[102]

De: ARAÚJO PORTO-ALEGRE
Fonte: MAGALHÃES JR., Raimundo. *Vida e Obra de Machado de Assis.* Rio de Janeiro: Record, 2008. vol. 2.

Lisboa, 4 de agosto de 1870.

Meu caro poeta.

Pelo S*enho*r Artur de Oliveira, que logo seguiu para o norte[1], recebi as *Falenas*[2]. Dou-lhe parabéns, e dou-os ao Brasil. Gonçalves Dias deixou um digno sucessor! A sua Musa é delicada, canta melodias que me encantam pela forma e emoção delas.

Eu fico tão ufano quando vejo o meu país enriquecer-se, e orgulhoso aqui, de poder apresentá-lo à admiração dos homens superiores e sinceros. Desgraçado é o país que vive do passado; é necessário que tudo melhore e se enriqueça ao sair da base. O nosso relógio de glórias vai dando horas muito boas e assim exornando o tempo que edifica a nossa grandeza.

Agradeço, agradeço, louvo e louvo, e rogo um *Continue*.

Aqui anda agora em voga a poesia satírica, que sai de um grupo portuense. É uma espécie de bebedeira germânica, feita com a espuma da cerveja somente. Esta caricatura de tudo tem às vezes certos rasgos; mas não irá longe por ser corrilho literário, e sociedade de elogio mútuo. Esta gente, não podendo negar-nos a mesma origem, está na demência de se crerem brâmanes, saídos da cabeça de Deus, e nós dos pés, cortesãos inferiores em tudo. São raros os que pensam o contrário, e esses raros são as melhores inteligências[3].

Do seu velho do *Coração*
Porto Alegre.

1 ∾ Artur de Oliveira*, jovem amigo de Machado, passaria quase dois anos na Europa (Paris, Berlim e Paris). (IM)

2 ∾ Porto-Alegre era então cônsul-geral do Brasil em Lisboa. (IM)

3 ∾ Expressivo comentário sobre as consequências da chamada "Questão Coimbrã" (1865), notadamente a polêmica entre o velho Antônio Feliciano de Castilho e o moço Antero de Quental, que escrevera o folheto *Bom Senso e Bom Gosto, Carta ao Exmo. Sr. Antônio Feliciano de Castilho*, defendendo a liberdade dos escritores jovens e atacando de forma irreverente o respeitado escritor português. (IM)

[103]

De: JOSÉ TITO NABUCO DE ARAÚJO
Fonte: Manuscrito Original, Arquivo ABL.

Rio de Janeiro, 5 de abril de 1871.

Amigo e Senhor

Ainda não tive resposta de uma carta que lhe dirigi acompanhando uma insignificante produção minha[1], ignorando portanto se lhe chegou às mãos.

Publicando o presente trabalho que a esta acompanha[2], era impossível que não lhe remetesse um exemplar em prova da consideração e estima que lhe consagro.

Ainda um favor: rogo-lhe de fazer chegar às mãos dos nossos amigos Muzzio, Varejão[3], Cardoso de Meneses[4], Félix Martins[5] e Bocaiúva os exemplares que lhes vão dirigidos.

Saúde, paz e felicidade lhe deseja o amigo atento
J. Tito Nabuco.

---

1 ∾ A comédia *Casta Susana*; ver em [106], carta de 20/07/1871. (IM)

2 ∾ Nota anônima na seção "Publicações" da *Semana Ilustrada* (n.º 539, de 09/04/1871) informa:

"Publicou-se o drama em um prólogo e três atos do Sr. J. Tito Nabuco de Araújo *Os Filhos da Fortuna* que já no tempo de sua apresentação, no Teatro São Luís, foi bem acolhida pelo público. Atualmente podem os leitores ainda melhor apreciar as belezas do estilo e a combinação artística, que hão de granjear ao autor mais um ramo de louros na sua já tão espessa coroa literária." (IM)

3 ∽ Antônio Aquiles de Miranda Varejão (1834-1900), bacharel em direito, advogado, professor e I.º oficial da Secretaria de Negócios da Justiça. Aquiles Varejão foi também homem de letras, essencialmente dramaturgo, obtendo relativo sucesso no século XIX. (SE)

4 ∽ João Cardoso de Meneses e Sousa (1827-1915), futuro barão de Paranapiacaba (1883); formado em direito em 1871, foi oficial de gabinete do ministro da Justiça em 1873, mais tarde foi nomeado para a Diretoria Geral do Tesouro Nacional; foi também musicista, jornalista e dramaturgo. (SE)

5 ∽ Antônio Félix Martins (1812-1892) formou-se em medicina pela Faculdade do Rio de Janeiro, foi catedrático de Patologia Geral, cirurgião do 4.º Batalhão da Guarda Nacional, provedor da Saúde do Porto do Rio, inspetor do Hospital Marítimo, presidente da Junta Central de Higiene Pública, vereador e presidente da Câmara Municipal da corte. Também foi membro do Conservatório Dramático do Rio de Janeiro (1860-1863 e 1871). Escreveu ensaios acadêmicos e poesias; foi membro do Instituto Histórico e Geográfico Brasileiro e presidente da Sociedade de Medicina do Rio de Janeiro. Recebeu o título de barão de São Félix. (SE)

[104]

De: MANUEL DE ARAÚJO
Fonte: Manuscrito Original, Arquivo ABL.

[Sem local,] 15 de maio de 1871.

Meu querido Machado.

Chegou o momento de anunciar-te o nascimento de uma filhinha, o qual teve lugar em a noite de sábado, 13 do cor*re*nte, com a maior felicidade.

Rogo-te o favor de comunicares esta mesma notícia a tua Excelentíssima Senhora, para quem, tanto eu como a Augusta enviamos os nossos respeitos¹.

Apetece-te iguais felicidades, o
Teu do Coração
Manuel de Araújo

---

1 ∽ Manuel de Araújo (ver tomo I, [78] e [79]) era um dos portugueses a quem Machado de Assis se ligara na juventude. Uma carta a Machado, enviada de Portugal (c. 1905) pelo visconde de Taíde*, faz referência à moléstia e à morte da filha dos amigos comuns "Manuel de Araújo e Sra. D. Augusta", também lá residentes. (IM)

[105]

De: ANTÔNIO GONÇALVES CRESPO
Fonte: Manuscrito Original, Arquivo ABL.

Coimbra, 6 de junho de 1871

Couraça de Lisboa *número* 93.

Excelentíssimo Senhor Machado de Assis:

Enviei há 15 dias a Vossa Excelência o meu primeiro livro¹.

Não lhe escrevi então, o que agora faço. O livro teve aqui bom acolhimento, e foi saudado espontaneamente, o que me admira em extremo, porque eu não era português e não andava envolvido nestas tricas de compadrios, que por aqui – dizem as más línguas – abundam.

Foram quatro os escritores meus patrícios a quem tive a honra de enviar o meu livro: Vossa Excelência, Pinheiro Guimarães, Alencar e Macedo². Foi aconselhado pelo autor do *Colombo*³, que desde a minha publicação me distingue com a sua amizade, que eu fiz os tais oferecimentos. A Vossa Excelência, já eu conhecia de nome há bastante tempo. De nome e por uma secreta simpatia que para si me levou quando me disseram que era... de cor como eu.

Será? Se o não é nem por isso me deixa de ser agradável travar conhecimento com Vossa Excelência, e assinar-me aqui com toda a efusão de uma sincera simpatia e afetuoso respeito.

De Vossa Excelência
Patrício e humilde respeitador,

G. Crespo
D. Luísa[4] 54
2.º andar
Cidade do Rio de Janeiro
Machado de Assis
Brasil[5]

---

1 ∾ *Miniaturas* (1870), livro de poesia publicado em 1871. (SE)

2 ∾ Sobre Pinheiro Guimarães, ver em [36], sobre Alencar*, ver em [74]; ambos no tomo I. Quanto ao terceiro nome, trata-se do escritor, professor e dramaturgo, Joaquim Manuel de Macedo (1820-1880). (SE).

3 ∾ Poema de autoria de Araújo Porto-Alegre*, diplomata brasileiro acreditado em Lisboa. (SE)

4 ∾ Segundo *A Nova Numeração dos Prédios da Cidade do Rio de Janeiro* (1965), feita em 1876-1878, a rua de Dona Luísa, hoje Cândido Mendes, tinha esta denominação desde 1848. Começava na rua da Glória e terminava na rua do Aqueduto (atual Joaquim Murtinho, e seu prolongamento, Almirante Alexandrino), no morro de Santa Teresa; foi aberta nas terras do major João Cesarino Rosa, atrás da chácara de sua filha Dona Luísa Clemente da Silva Couto. (SE)

5 ∾ Esse endereçamento consta no envelope. Aliás, há duas anotações de endereços: o sobrescrito por Gonçalves Crespo – rua de D. Luísa 54; e o outro, uma anotação justaposta transversalmente ao sobrescrito, de mão desconhecida, em lápis de cor azul e letras graúdas, indicando – Santa Luzia 54. Tradicionalmente entre os biógrafos de Machado, não há registro de que tenha morado na rua de D. Luísa. Segundo consenso, no ano de 1871, ele morava ainda na rua dos Andradas 119. Desse ponto de vista, um possível equívoco que resultasse na troca de Santa Luzia por D. Luísa estaria descartado, porque Machado e Carolina só teriam se mudado para a rua de Santa Luzia 54, em 1873. O que então explicaria o dado textual? A primeira hipótese é que, embora os biógrafos não tenham registro, o casal morou na rua de D. Luísa neste período. A segunda é que Machado e Carolina morassem antes de 1873 na rua de Santa Luzia,

e a anotação justaposta seria apenas uma retificação do endereço. A terceira é que a carta, embora de 1871, só tenha chegado a seu destinatário muito depois, quando este já morava em Santa Luzia 54. Registre-se ainda que no romance Iaiá Garcia, quando Estela decide não levar adiante o romance com Jorge, já que a mãe do rapaz, Valéria, não vê o relacionamento com bons olhos, o narrador diz: "Foi assim que Estela, ao cabo de algum tempo de residência na casa de Valéria, regressou à casa do pai, na **Rua de D Luísa**." (SE)

[106]

De: JOSÉ TITO NABUCO DE ARAÚJO
Fonte: Manuscrito Original, Arquivo ABL.

Rio de Janeiro, 20 de julho de 1871.

Ilustríssimo Senhor Machado de Assis.

Confiando na amizade e intimidade com que fui tratado por Vossa Senhoria quando nos encontráramos no Teatro de São Luís[1], tive a honra de dirigir-lhe duas cartas[2], uma acompanhando o meu drama – *Os filhos da fortuna* – com alguns exemplares para diversos amigos, e outra acompanhando uma comédia – *Casta Susana*, tudo com endereço para *Semana Ilustrada*. Até agora nenhuma resposta tive nem de uma nem de outra carta, assim espero merecer ao menos o favor de mandar dizer-me Vossa Senhoria onde poderei encontrar ao menos a resposta de uma delas para meu governo[3].

Estimo sua saúde e prosperidade a suas obras (...)

De Vossa Senhoria
Atento Venerador e Criado Obrigado
J. Tito Nabuco

---

1 ∾ Teatro São Luís, com a fachada principal para a Rua São Francisco de Paula, número 37-C (atual Rua do Teatro) e uma outra fachada para a Rua do Cano (atual Rua Sete de Setembro), com a entrada de acesso para o Imperador. O local hoje é ocupado

por uma loja de eletrodomésticos. O teatro foi fundado pelo advogado Francisco Carlos A. Brício, um dos signatários do Manifesto Republicano de 1870. Depois, teve sucessivos donos, entre eles: o ator Furtado Coelho*; a atriz Ismênia dos Santos (1875); José Feliciano de Castilho* (1876-1877); Dr. Joaquim Luís de Oliveira Castro (1877) e a atriz D. Emília Adelaide Pimentel (1877). (SE)

2 ∽ A primeira não foi ainda localizada; e a segunda é a [103]. (SE)

3 ∽ Ao que parece, o missivista ignorou a nota publicada na *Semana Ilustrada*. Ver em [103]. (IM)

[107]

Para: SALVADOR DE MENDONÇA
Fonte: Fundação Biblioteca Nacional. "Carta a Salvador de Mendonça". *A Reforma*, 1871. Setor de Obras Raras. Microfilme do original impresso.

Rio de Janeiro, 20 de julho de 1871.

Não, meu caro Salvador[1], não é uma análise de Luís XI[2], é apenas um grito de admiração. A melhor análise, concisa embora, já tu a fizeste, com esse estilo castigado e brilhante da tua carta a Francisco Otaviano[3]. Ou, então, se alguém mais devia fazê-la, porque não retiveste na arena literária o egrégio escritor em cujos lábios a natureza pôs "o sal e o mel de Atenas" e que a política nos levou para si? Lograste arrancá-lo às lutas do areópago para trazê-lo às palestras da Academia. Era muito; devia ser. Devíamos guardá-lo cá entre as musas que tão suas foram sempre, que o amam apesar de ingrato, e que afinal tudo perdoam como boas damas que são.

A esse ou a outro, devias cometer o encargo de analisar o Luís XI, que o Rossi[4] evocou do túmulo para assombrar, não já a um escasso número de nababos, mas a uma plateia compacta e ofegante. A mim não, meu querido poeta. Eu, por mais que me iluda a vontade, não passo de um férvido admirador do belo. Alguma vez, e não rara, fiz aí críticas e análises; mas tão elevada e séria me parece esta função de julgar, que (custa pouco a dizê-lo) sempre me achei abaixo do papel.

Um grito de admiração, isto sim, é só o que posso dar a esse feiticeiro insigne, para quem não há morte nem séculos, que entra pela história dentro, — pela história, ou pelo purgatório, talvez, — e traz nas mãos, real e viva, a figura do terrível Valois; grito de admiração, e de agradecimento também, porque um homem que nos tem feito viver em plena e grande poesia, um homem que nos levanta desta prosa formalista e chata, não é só um gênio criador, é também um gênio benfeitor.

Esse Luís XI, cuido eu, é a obra capital do grande artista. A mais escabrosa era, decerto, já pela extrema dificuldade do caráter, já porque às leis do teatro deviam juntar-se as lições da história, e depois de meditadas, comparadas, convinha dar-lhes esse cunho de idealidade, que é o último grau da interpretação. Não recuou o grande ator diante desta vasta tarefa. A intimidade de Shakespeare deu-lhe abençoados atrevimentos. Ao poeta inglês, se bem me recordo, chama Victor Hugo mau vizinho. Para os inventores será. Para os intérpretes, dizia Garrick[5], que era uma condição indispensável de perfeição.

Não era, todavia, neste sentido que eu dizia uma noite, a um amigo, depois de ouvir *Otelo*: sem Shakespeare não tínhamos Rossi. Parecia-me ver então entre ambos uma afinidade intelectual, tão exclusiva e absoluta, que o ator nunca seria maior na intimidade de outro poeta e que era esse a sua musa, por excelência, e as suas obras a atmosfera mais apropriada ao seu gênio. Esta opinião, se em parte subsiste, alterou-ma profundamente o Rossi, com a longa série de triunfos até chegar a Luís XI e Rui Blas[6]. Não tem clima seu; pertencem-lhe todos os climas da terra. Estende as mãos a Shakespeare e a Corneille[7], a Alfieri[8] e a Lord Byron; não esquece Delavigne, nem Garrett[9], nem Victor Hugo, nem os dois Dumas. Ajustam-se-lhe ao corpo todas as vestiduras. É na mesma noite Hamlet e Kean[10]. Fala todas as línguas: o amor, o ciúme, o remorso, a dúvida, a ambição. Não tem idade: é hoje Romeu, amanhã Luís XI.

Tu, que és sabedor de história e tens alma de poeta, viste bem o que vale essa reprodução do herói de Delavigne. Ressurreição lhe chamaste e chamaste bem. Aprenderia ele com o seu imortal patrício o caminho daquela "selva oscura" que leva à eternidade? Esse Luís XI não é um sujeito parecido com o velho rei; é a pessoa mesma do rei, tal como a história no-la transmitiu. A ti parece-te que já não é o Luís XI de Delavigne, mas o de Commynes[11] e Walter Scott[12]. Eu direi antes que é o de todos três. O intérprete foi a todas as fontes, interrogou e comparou — colaborou enfim na obra do seu poeta, que outra coisa não é, nem pode ser, o dever do intérprete consciencioso.

Nem seria o Rossi tamanho artista se não soubesse e pudesse preencher essa regra, mas também uma faculdade de espírito, e ninguém a tem em mais alto grau. Não lhe bastaria[m] as qualidades com que a natureza o dotou — e tantas são — se lhe houvesse negado essa que as domina todas, as dirige, as afeiçoa, as completa.

São coisas que melhor se percebem do que se expõem. Citarei, todavia, um exemplo desse mesmo Luís XI. Lembras-te da cena entre Maria e o rei, no segundo ato? O rei olha para Maria, passa-lhe a mão pelo rosto e, pouco a pouco, com aquele belo gesto impossível de referir, impossível de estampar, traduz o despeito e a mágoa que lhe inspira tão viçosa[13] juventude. Este gesto, tão característico, não está indicado na obra de Delavigne. Mas o ator leu estas primeiras palavras do rei e Marta[14], no seguinte ato — *Comment faites-vous donc pour vous porter si bien?*[15] — leu-as e viu-lhes o sentido, a preocupação constante do velho rei que há de, no 4.º ato, pedir ao santo ermitão mais vinte anos de existência. Aquele gesto é, pois, uma pura invenção de Rossi, mas uma invenção lógica, natural, não estranha ao caráter, mas complemento dele; é uma colaboração do intérprete na obra original. Um artista que reproduzisse aquele gesto, com a mesma felicidade, mas por advertência do autor, seria digno do fervoroso aplauso; não seria, porém, tão criador como Rossi.

Longe iria se quisesse lembrar todas as passagens, em que o ilustre trágico se mostra assim, colaborador de seu poeta. A cena da confissão, por exemplo, por mais enérgica e viva que no-la pintasse o autor, quem poderia supor que fosse aquela soberba página, não direi a melhor, mas das melhores que o Rossi tem escrito nos livros dos seus triunfos? Quem suspeitaria, lendo os versos de Delavigne, aquela situação terrível e bela em que o rei treme debaixo do punhal de Nemours? A entrada no segundo ato? A morte no último? Cem exemplos, enfim, em que esse imenso artista, sem deixar de ser fiel à obra do poeta, e por isso mesmo que o é, faz-se poeta ele próprio, e dá ao caráter que representa a vida e a realidade histórica.

Há simpleza, decerto, em repetir uma verdade tão comezinha; mas é necessário lembrá-la quando se trata de um artista como este, cuja faculdade interpretativa me parece de primeira ordem. Não aduzo provas que a tua esclarecida razão terá descoberto. Olha Shakespeare. Nenhum poeta imprimiu vitalidade própria nas páginas dos seus dramas; nenhum parece dispensar tanto o prestígio do tablado. E contudo poderia o Rossi, poderia ninguém reproduzi-lo com tanta verdade se se limitasse a ler e decorar-lhe os caracteres? A vida que a esses caracteres imortais deu à nossa imaginação, sentimo-la em cena quando o gênio prestigioso de Rossi os interpreta e traduz não só com alma, mas com inteligência criadora.

Não te falo de Hamlet, de Otelo, de Cid[16], de todos esses tipos que a posteridade consagrou, e que o Rossi tem reproduzido diante do nosso público, fervente de entusiasmo. Um deles, o Hamlet, nunca o tinha visto pelo nosso ilustre João Caetano. A representação dessa obra a meu ver (perdoe-me Villemain[17]), a mais profunda de Shakespeare, afigurou-se-me sempre um sonho difícil de realizar. Difícil era, mas não impossível. Vem realizar-mo o mesmo ator que sabe traduzir a paixão de Romeu, os furores de Otelo, as angústias do Cid, os remorsos do Macbeth, que conhece enfim toda a escala da alma humana. O que ele foi naquele tipo eterno de irresolução e de dúvida, melhor do que eu poderia dizer, já outros e competentes disseram nos jornais. Para mim era antes quase uma quimera, hoje é uma indelével recordação.

Anuncia-se já o termo da visita que o Rossi em tão boa hora nos fez. Que recordação levará ele daqui? Não lhe faltaram merecidas ovações, mas escasseou-lhe o público. Tristes devem ser, não para ele, que viu o seu talento compreendido; triste para nós[18].

Embora! Regozijemo-nos, meu caro Salvador, com as delícias que uma boa fortuna depara aos amantes do belo, trazendo às nossas terras os gênios sumos da arte universal. Da Itália nos veio, há dois anos, a Ristori[19]; da Itália nos veio agora o Rossi. A natureza os fadou para traduzir na sua bela língua, as grandes paixões da arte teatral, para dar movimento e ação às obras máximas que a imortalidade bafejou. Fora triste que nos deserdassem da glória de os ter aplaudido.

Há talvez uma diferença entre eles; se o gênio de ambos é igualmente profundo, o de Rossi me parece mais vasto. Alguns dirão, talvez que, conquanto não haja para nenhum deles fronteiras de escola, a Ristori parecia amar especialmente a arte clássica, ao passo que o Rossi tem particular afeto à arte romântica. Decidam os competentes essas coisas que não são para mim; decide-as tu se vale a pena, escrevendo o artigo de despedida ao nosso hóspede.

O que eu desejava, meu caro Salvador, sabes tu o que era? Eu desejava uma coisa impossível, um sonho imenso. Era vê-los os dois, e não só eles, mas também esse outro[20], que a fama apregoa, e que os nossos irmãos do Prata estão ouvindo e vendo, era vê-los todos três juntos, a combaterem pela mesma causa e a colherem vitórias comuns[21]. Imagina Otelo, Hamlet, Iago, Cordélia, Desdêmona, Lear, Shylock[22], todo o Shakespeare, enfim; imagina Horácio, Camila, Fedra, Mirrah[23], Luís XI, Frei Luís de Sousa, Stuart, que sei eu? Imagina todos esses grandes caracteres evocados pelos três italianos no mesmo prazo, no mesmo tablado, perante nós!

Quel rêve! Et ce n'est pas notre destin![24]

Não, não é, porque seria impossível. O gênio é águia, dizem os poetas. E das águias escreve Buffon[25] que vivem assaz afastadas umas das outras, para que, no espaço que lhes fica, achem sempre amplo alimento. O alimento do gênio é a glória.

Machado de Assis.

---

1 ∾ Em *Coisas do Meu Tempo* (1913), no artigo sobre o jornal *A República*, Salvador de Mendonça diz:

"Chegara à Capital do Império Ernesto Rossi, primeiro ator de seu tempo, e fora representar o seu excelente repertório diante de casas vazias no antigo Teatro Provisório da hoje Praça da República no qual já brilhara a Ristori. Em uma carta dirigida a Francisco Otaviano, pela *República*, chamei a atenção para o fato tão deprimente do nosso bom gosto e civilização. Francisco Otaviano respondeu-me pelas colunas da *República*; repliquei-lhe, chamei a Machado de Assis para o pleito; Machado de Assis acudiu, chamei depois Joaquim Serra, e durante dois meses, junho e julho de 1871, pusemo-nos todos a fazer a crítica do gênio dramático de Rossi, e despertada a atenção pública, enchemos-lhe o teatro."

No microfilme de *A República* da Biblioteca Nacional, as cartas abertas dos espetáculos de Rossi situam-se em agosto, setembro e outubro. Quando se anuncia a carta de Machado, os números 150 e 153, de outubro, não constam do microfilme, aliás, nos créditos, a equipe técnica assinala o fato. (SE)

2 ∾ Esta peça do dramaturgo Casimir Delavigne (1793-1843), representada pela primeira vez em Paris, a 11/02/1832, focaliza os últimos dias de Luís XI. Apesar de apavorado com a perspectiva da morte próxima e da danação eterna, o rei não hesita em exercer o poder até o final, do modo traiçoeiro e tirânico que sempre caracterizara a sua política. Entre os personagens, há o duque de Nemours, embaixador de Carlos o Temerário, inimigo figadal do rei, e Maria, filha do cronista e cortesão Commynes, e noiva secreta de Nemours. Além de sua missão oficial, Nemours acalentava um projeto próprio, vingar a morte do pai, que fora executado por Luís XI. Apesar de prometer a Maria poupar a vida de Nemours, o rei ordena a sua morte, quando sabe da derrota militar de Carlos o Temerário. A peça é baseada na figura histórica de Luís XI, o Prudente, (1423-1483), rei da França (1461-1483), da dinastia dos Valois, que era filho do rei Carlos VII e de Maria de Anjou. Na sua história pessoal, o conflito sem tréguas com o pai marcou a sua personalidade e, certamente, forjou os traços posteriormente explorados pela dramaturgia. Desde os três anos, o pai o manteve recluso no castelo de Loches; e aos onze, foi viver com a mãe em Amboise. Aos dezesseis, uniu-se à revolta (La Praguerie) encabeçada por grandes vassalos da França e, enquanto foi delfim, envolveu-se em diversos combates

e disputas, sempre em posição contrária à do pai. Tornou-se inimigo dos Armagnac-Nemours, associando-se ao "bastardo dos Nemours", Pierre de Morvilliers. (SPR/SE)

3 ✢ Em 05/07/1871, Francisco Otaviano*, "o egrégio escritor", respondeu pelo jornal *A Reforma* à carta de Salvador, de 20/06/1871. Na presente carta, modesto, Machado diz que Salvador deveria tê-lo retido na arena literária, a fim de continuar o debate. Da carta de Otaviano, eis o trecho que motivou o comentário de Machado:

> "Quando ofendido em teus sentimentos de poeta e de artista pela indiferença do nosso público em assunto de poesia e arte, me assinalaste na arena, em que lutavas, um lugar a teu lado, não podias, meu caro Salvador, prever a angústia a que me condenavas. / Já comecei a descer os degraus da vida e, se às vezes volvo os olhos para cima, posso ainda sorrir à geração nova, animá-la em seus esforços, aplaudir os seus triunfos, mas não posso mais acompanhá-la, nem oferecer-lhe auxílio, porque me falece a energia, essa flor da mocidade que só vive uma estação." (SE)

4 ✢ O italiano Ernesto Rossi (1827-1896) foi um dos primeiros atores não ingleses a aventurar-se no teatro shakespeariano, tendo levado à cena *Hamlet*, *Otelo* e outras peças. Representou também textos de Corneille, Molière, Schiller, Victor Hugo e Alexandre Dumas. Conhecido por ideias originais em matéria de estética teatral, dizia que um grande ator não dependia do autor, porque a essência do sentimento não residiria no verso ou na prosa, e sim no acento em que se exprime. Já o tom exultante desta carta relaciona-se ao fato de ser a primeira vez em que um texto shakespeariano era encenado no Brasil e não uma adaptação feita por Jean-François Ducis (1733-1816), que reescrevia as obras do escritor inglês atendendo às exigências do teatro neoclássico. Também na *Semana Ilustrada*, n.º 550, de 25/06/1871, Machado de Assis escreveu sobre as apresentações de Rossi; já havia encenado *Hamlet*, *Otelo*, *Romeu e Julieta*, *Macbeth*, ainda faria *Rei Lear*, *Coriolano* e, possivelmente, o *Mercador de Veneza*. (SPR/SE)

5 ✢ David Garrick (1717-1779) foi um grande ator inglês, que se tornou conhecido desde 1741 ao encarnar o papel principal de *Ricardo III*, de Shakespeare. Foi diretor do Teatro *Drury Lane*, em Londres (1747-1777), onde levou à cena várias outras peças shakespearianas. Está enterrado na Abadia de Westminster. (SPR)

6 ✢ Drama romântico de Victor Hugo (1802-1885), publicado em 1838 e encenado no Teatro da Renascença em 08/11/1838. O protagonista, Rui Blas, valete de D. Saluste de Bazan, marquês de Finlas, faz uso de sua eloquência para denunciar e humilhar a oligarquia que monopolizou os bens do estado espanhol. A sua intenção, ao fazer uso de sua inteligência, é mostrar-se digno do amor que devota à rainha de Espanha, D. Maria Neubourg; mas essa voz do povo, iluminada pelo amor, ainda assim é refém da sua condição de serviçal e de um senhor com medo de perder a rainha ao lhe dar um lacaio como amante. O drama, apesar de romântico, combina elementos trágicos ao mostrar o protagonista ainda submetido a forças das quais não consegue escapar embora tente. (SE)

7 ∾ Pierre Corneille (1606-1684), autor dramático francês do século XVII, embora tenha escrito comédias, tornou-se mais conhecido por suas tragédias, sobretudo por *Le Cid, Cinna, Polyeucte* e *Horace*. (SE)

8 ∾ Escritor italiano, Vittorio Alfieri (1749-1803) foi poeta trágico e dramaturgo de transição, fortemente influenciado tanto pela cultura clássica quanto bafejado pelo espírito romântico. Os temas de suas tragédias são desenvolvidos tanto pelas figuras legadas pela antiguidade quanto pelas figuras históricas da história moderna. Entre as peças que escreveu, estão *Antígona, Saul, Polinice, Agamemnon, Virgínia, Orestes, Maria Stuart, Mirrah, Don Garcia, A Conjuração dos Pazzi, Felipe II, Rosamundo, Otávia*. Aliás, esta última tragédia foi publicada no Rio de Janeiro, em 1869, por J. Villeneuve & Cia, e dela há um exemplar na Biblioteca Nacional do Rio de Janeiro. (SE)

9 ∾ João Batista da Silva Leitão (1799-1854), mais tarde visconde de Almeida Garrett. Em 1816, matriculou-se na Universidade de Coimbra; terminado o curso de direito (1820), já com o sobrenome aristocratizante, ingressou na burocracia. Em 09/07/1823, depois da revolução de Vila Francada, que aboliu a constituição de 1822, Garrett empenhou-se inutilmente em favor da moderação; com a perseguição agravada, terminou por refugiar-se na Inglaterra, onde se iniciou na cultura daquele país e na literatura romântica. A Inglaterra exercerá sobre seu espírito a mais duradoura influência. (SE)

10 ∾ Peça de Alexandre Dumas (1802-1870), *Kean* ou *Désordre et Génie*, escrita em 1836, tem como inspiração o ator romântico britânico, Edmund Kean (1787-1833), que teve uma carreira triunfal na Europa, terminando, no entanto, a vida na miséria. (SPR)

11 ∾ Philippe de Commynes (1447-1511), estadista e cronista, que escreveu as *Memórias* (8 v.), que fazem dele uma das principais fontes para a história medieval. A primeira parte, escrita entre 1489 e 1491, trata do reino de Luís XI. (SPR)

12 ∾ No romance *Quentin Durward*, de Walter Scott, o herói é membro da guarda escocesa do rei Luís XI. (SPR)

13 ∾ Em *Machado de Assis, Páginas Esquecidas* (1939) e nas *Transcrições* da ABL, fontes de consulta inicial, "viciosa" é o vocábulo registrado, o que não fazia sentido, pois o rei sentia inveja do viço da pele jovem de Maria. No microfilme do jornal em que a carta foi publicada pôde-se confirmar a hipótese de equívoco das cópias: no jornal a forma estava correta. (SPR/SE)

14 ∾ Na peça, Marta é uma jovem camponesa paga pelos cortesãos para dar ao monarca a impressão de que ainda é forte e viril. (SPR)

15 ∾ Como fazeis, então, para passar tão bem? (SE)

16 ∾ O *Cid* de Pierre Corneille, cuja trama começa quando D. Diego e o conde Gormas decidem unir seus filhos, Rodrigo e Ximena, que aliás, se amam. Apesar disso, o conde, enciumado por ser preterido ao posto de preceptor do príncipe, já que o

escolhido fora o velho D. Diego, dá uma bofetada em seu rival. D. Diego, fraco pela idade e incapaz de vingar-se por si mesmo, deixa a vingança nas mãos de seu filho Rodrigo, que, dilacerado entre o amor e o dever, termina por ouvir a voz do sangue, matando o pai de Ximena num duelo. A moça tenta renegar o seu amor e pede ao rei a cabeça de Rodrigo; porém o ataque dos mouros ao reino dá a Rodrigo a ocasião de redimir-se e obter o perdão do rei. Mais do que nunca, apaixonada por ele, Ximena permanece insistindo num duelo entre D. Sancho e Rodrigo, prometendo casar-se com o vencedor. Eles se batem; e Rodrigo, vitorioso, recebe do rei a mão de Ximena. (SE)

17 ∾ Abel François Villemain (1790-1870) foi um político e escritor francês. Entre suas obras mais conhecidas estão um *Curso de Literatura Francesa* e *Estudos de Literatura Antiga e Estrangeira*. (SPR)

18 ∾ Ernesto Rossi já viera ao Rio de Janeiro muitas vezes, tendo inclusive diversos amigos na cidade. Em 1871, projetou para abril uma temporada de repertório variado (dramas shakespearianos, dramas românticos e comédias de entreato) no Teatro Lírico Fluminense, que, parece, andou à beira do fracasso. Em *A República*, nos anúncios a partir de 30/03/1871, além da sua Companhia Dramática Italiana, mais duas disputavam em condições de igualdade do ponto de vista da grandiosidade dos espetáculos: a Lírica Italiana e o Alcazar Lyrique. A Companhia Lírica Italiana chegaria também em abril para uma temporada no Teatro de D. Pedro II, com um repertório muito apreciado do público (*Guilherme Tell, O Trovador, O Guarani, Baile de Máscaras, Norma, A Traviata* e outras). Já no Alcazar Lyrique, Joseph Arnaud pontificava com sua *troupe parisienne*, apresentando *La Meurtrier de Théodore; La Fille du Régiment,* "avec Mlle. Arnal, la première chanteuse"; *Orphée aux Enfers; La Belle Hélène* e outras do repertório ligeiro. Nos três dias da semana em que o jornal saía, as companhias divulgavam anúncios de 10cm x 8cm, muito bem elaborados. Talvez por todas essas razões ou mesmo por excesso de oferta, as apresentações de Rossi mantiveram-se pouco frequentadas. Entretanto, apreciado por vários jornalistas, foi favorecido nas colunas dos jornais por Salvador de Mendonça*, Francisco Otaviano*, Joaquim Serra*, Augusto Zaluar e Machado de Assis, que sustentaram, durante três meses, uma forte campanha de divulgação. Além disso, Rossi pronunciou diversas conferências sobre a arte de compor um personagem shakespeariano, no Teatro São Luís e na Livraria de Frederico Thompson. Tudo larga e fartamente comentado na imprensa. (SE)

19 ∾ Adelaide Ristori (1821-1906) foi uma grande atriz trágica italiana. Ver em [54], tomo I. (SE)

20 ∾ Alusão ao ator Tommaso Salvini (1829-1915), que se encontrava em Buenos Aires naquele momento. Oriundo de uma família de atores, Salvini estreou aos 14 anos no papel de Pasquino, na peça de Carlo Goldoni (1707-1793), *Donne Curiose* (1753). Em 1847, já na companhia da Ristori, obteve o primeiro sucesso como ator trágico, com *Orestes* (de Alfieri) no Teatro Valle di Roma. Representou na Europa, nos Estados

Unidos e na América do Sul, deixando a cena em 1890. Registre-se que após a malsucedida temporada de Rossi no Lírico Fluminense, Salvini esteve no mesmo teatro, numa temporada menor, começada em 23/09/1871, em que apresentou as peças *Gladiador, O Filho das Selvas, Milton* ou *O Monarca e a República* e *Hamlet*. (SE)

21 ∾ Ernesto Rossi, Adelaide Ristori e Tommaso Salvini. (SE)

22 ∾ Personagem da peça *Mercador de Veneza*, de William Shakespeare. (SE)

23 ∾ *Mirrah*, tragédia de Alfieri, sobre a qual Machado teceu comentários, sob o pseudônimo de "Platão", na série de folhetins do *Diário do Rio de Janeiro*, que celebrou a vinda de Adelaide Ristori ao Brasil em 1869. (SE)

24 ∾ Que sonho! E este não é o nosso destino! (SE)

25 ∾ Georges-Louis Leclerc, conde de Buffon (1707-1788). Formado em direito (1726), tornou-se naturalista, matemático e escritor; foi intendente do *Jardin du Roi*, hoje, *Jardin des Plantes* (1739-1788), em Paris. Autor de uma monumental obra de história natural, publicada em 36 v. (1749-1789). (SE)

[108]

Para: JÚLIO CÉSAR MACHADO
Fonte: OLIVEIRA. Mário Alves de. Duas Cartas Inéditas de Machado de Assis. *Revista Brasileira*, VII, 50, Rio de Janeiro, 1.º trimestre, 2007.

Rio de Janeiro, 23 de julho de 1871.

Meu caro Júlio César Machado.

Não sei de que modo lhe agradeça o magnífico e mais que benévolo artigo da *América*[1] a respeito das minhas *Falenas*[2]. De longe, e há muito, admirava o seu talento vivaz e brilhante. Era, porém, uma homenagem do espírito[3]. Fala-lhe agora a voz do coração, de um coração que é seu, porque uma voz benévola que nos vem de tão longe só não cativaria um ingrato, e não o é nem o será nunca este seu admirador

Machado de Assis.

1 ◈ O artigo saiu em março de 1871 na publicação lisboeta. (SE)

2 ◈ Sobre *Falenas* ver em [93].

3 ◈ Júlio Machado é um dos folhetinistas mais importantes do século XIX em Portugal, dono de um humor ágil, que certamente agradava Machado de Assis. (SE)

[109]

> Para: CÔNEGO FERNANDES PINHEIRO
> *Fonte:* Fac-símile do Manuscrito Original.
> Arquivo-Museu da Literatura Brasileira, Fundação Casa de Rui Barbosa.

Rio, 20 de outubro de 1871.

Ilustríssimo Reverendíssimo Senhor Cônego Doutor J. C. Fernandes Pinheiro[1],

Estou de posse da coleção de Revistas, que o Instituto Histórico e Geográfico Brasileiro, a pedido do seu ilustrado 3.º vice-presidente, o Senhor Doutor Joaquim Norberto de Sousa e Silva[2], resolveu me fosse remetida. Rogo a Vossa Senhoria queira transmitir à ilustre associação, de que é muito digno secretário, os meus cordiais agradecimentos[3].

Aproveito a ocasião para oferecer a Vossa Senhoria os meus fracos préstimos, e assino-me

De Vossa Senhoria

Admirador e servo muito obrigado,

J M Machado de Assis[4]

---

1 ◈ Machado saudara o *Manual do Pároco* do cônego Fernandes Pinheiro, bem como a coletânea de poemas *Meandros Poéticos* por ele organizada "para uso da mocidade nos colégios" (*Diário do Rio de Janeiro*, 14 e 22/11/1864). Posteriormente, sob o pseudônimo de "Araucarius", o cônego comentaria *Histórias da Meia-Noite* e *A Mão e a Luva*, em *O Novo Mundo* (sobre esta revista, ver em [118], carta de 22/09/1872). A respeito do segundo romance machadiano, diz a crítica:

"Mostrou-se ainda uma vez o ilustre romancista esmerado cultor da forma, mantendo foros dum de nossos primeiros estilistas; a substância porém não condiz com esse primor externo cultor da forma; visto como não parecem estar nas notas do seu diapasão temas de longo fôlego. Fracos são os caracteres [...]."

Seguem-se reparos, e o cônego conclui: "Pelo que respeita à moralidade [...] podem os pais dar às filhas sem leitura prévia." (IM)

2 ∞ Joaquim Norberto de Sousa e Silva* (1820-1891), poeta, romancista, crítico literário, historiador, jornalista, foi membro e presidente do Instituto Histórico e Geográfico Brasileiro – IHGB. (SE)

3 ∞ Machado conservou em sua biblioteca 42 volumes da *Revista* do IHGB, sendo 26 anteriores a 1871, possivelmente aqueles que motivaram o agradecimento. Sobre o assunto, João Cezar de Castro Rocha (2001) escreveu um excelente estudo. (IM)

4 ∞ O manuscrito original acha-se arquivado no IHGB. (IM)

[110]

De: LADISLAU NETO
Fonte: Biblioteca da Associação Comercial do Rio de Janeiro. "Variedades". *Jornal do Comércio*, 1871.
Impresso original.

A batalha de Campo Grande
QUADRO DE PEDRO AMÉRICO
A Machado de Assis

Rio, 27 de outubro de 1871.[1]

Meu prezado amigo.

Disse-me, não me lembra agora quem, ser por pouco esperado um trabalho de sua fecunda e mimosa pena sobre o último quadro do Pedro Américo[2].

A ser isso verdade, muito prazer terei se do artigo que junto lhe remeto puder Você[3] utilizar-se como de fracos aprestos ou de ligeiros apontamentos para essa produção, que desde agora aposto nos há de sair do mais fino e do mais custoso lavor.

Deve-lhe ser, cuido eu, ainda presente à lembrança quanto, naqueles bons tempos de há 12 anos passados, andava eu diligente a lidar na faina das artes e das letras, das letras particularmente, em que V*ocê*, no incompleto ainda dos seus 20 anos, tinha já um renome invejável, e era dentre nós todos o primeiro[4].

Pois bem; daqueles agradáveis torneios, que eu, por fraco e mau lutador, em breve abandonei, são vagas recordações as linhas que para aqui deixo escritas.

Grande ousadia, certamente, é a minha de meter mãos intrusas num domínio em que fio pouquíssimo de meus recursos e haveres; mas, autorizado que fosse a lavrar também a minha jeirazinha nesse campo, não me sobrariam ócios para curar das flores que me ela desse, que das flores da natureza, tão perfumadas e donosas, como as produz a fecunda vegetação de nossa terra, me fico eu, dias e dias, a cuidar, de tudo o mais descuidoso.

Se deste voluntário e aprazível desterro em que vivo[5], peguei ainda da pena para falar de alheios assuntos a minhas atuais ocupações[6], nisso andou menos a própria vaidade que o desejo de atender aos amigos.

Satisfeitos estes, e castigada aquela com o mau êxito dos meus esforços, corro de novo ao trabalho de minhas lides ordinárias, que tão pesadas, entretanto, não são que me não deixem alguns momentos de folga para admirá-lo sempre.

Seu amigo de coração
Ladislau Neto.

No mês de Maio do ano passado, os deveres de uma antiga e nunca até hoje interrompida amizade conduziram-me ao aposento de um artista jovem, porém já notável, que fui surpreender a dar os últimos toques numa pequena tela em que raros olhos antes de mim se haviam pousado.

O artista era Pedro Américo[7], e o seu quadro o esboço da batalha de Campo Grande[8]. O que se me figurou dever ser aquele trabalho depois de acabado e tudo quanto de excelente e de suntuoso previ que viria a mostrar um quadro que assim começava — grandioso poema de que mal se me deparava ali um fraco prelúdio, um breve antelóquio, de sobejo disse-o já nas poucas linhas que na sofreguidão de meu ânimo agitado em face daquela animada criação para logo escrevi e dias depois publicaram-se nas colunas do *Jornal do Comércio*[9].

Vai para 18 meses que isso aconteceu; 18 meses que por igual número de anos pode-os contar Pedro Américo, tamanho foi por todo esse tempo o lutar de sua natureza insuperável e robustíssima com os escarcéus que lhe bramiam ameaçadores ao redor.

Seu espírito, porém, já de anos retemperado em chamas e brasidos de amargas desventuras, arrojou-se intrepidamente aos marouços, resistiu-lhes às fúrias, debelou-lhes a ingente valentia e finalmente venceu.

Agora que o grande quadro é visível, agora que entendedores e profanos, artistas e meros amadores já o foram contemplar no esplendor de todos os seus notáveis atributos, bem que no incompleto ainda do trabalho e dos últimos lavores, cabe-me a mim dizer que não muito à justa realizou-se a minha previsão; não se realizou, porque muito a ela vejo e sinto que sobreleva-se a grande tela de Pedro Américo; porque contava com a admiração que muito fora já e veio-me a surpresa que é muitíssima; surpresa felizmente compartida por não poucos daqueles em quem não falecem nem luzes de erudição, nem incendimentos pelo belo, que são atestações inequívocas de bom gosto, nem de fraqueza de sentimentos, que é de melhor gosto ainda.

O assunto do quadro que o artista escolheu para que em todo ele se reproduzisse tão boa e grande parte de sua alma é um simples episódio sucedido na famosa batalha do Campo Grande, e que a ninguém é já desconhecido hoje depois que tão sobejamente o há descrito quase toda imprensa brasileira.

Neste quadro, o pintor figura o príncipe, Conde d'Eu, general em chefe das forças brasileiras no Paraguai, no momento em que, precipitando-se em pleno campo inimigo, sente estacar-se-lhe de repente o cavalo diante de um dos seus mais bravos oficiais, o intrépido capitão, hoje major, Almeida Castro[10], que, sofreando o brioso corcel em que monta Sua Alteza, a quem debalde havia já exposto quantos riscos o acercavam, repara ali mesmo e desde logo tamanho e tão insólito ardimento naquela vivíssima angústia de seu decomposto e perturbado semblante, naquele súplice olhar em que todo inteiro se transluz o nobre e generoso ânimo e, finalmente, naquela atitude indizível de quem mais pronto acode à voz da simpatia que lhe inspira o denodado príncipe do que à disciplina que lhe ordena obediência e respeito ao general[11].

Raros, bem raros artistas haverá para quem não fora um abismo ou uma inevitável condenação este assunto. Tal é, porém, a afoiteza daqueles em cuja mente aprouve Deus acender a lâmpada augusta de sua divina inspiração, que vemos Dante baixar ao inferno e Milton remontar-se ao paraíso, sem que outro sentimento nos acuda que não seja de admiração para tão grandes gênios; sem que nos contraia sequer os lábios um vislumbre de mofa que tenho por certo desatar-se-nos-ia para logo em gargalhada, se menos inspirados cantores a tamanha e a tão árdua empresa se arriscassem.

Seguindo, bem que de longe, o rastro luminoso destes dois gigantes da epopeia, Pedro Américo pediu a Deus um centelha do lume sagrado da criação, ladeou o precipício, impendente de enormes despenhadores, e surgiu vitorioso e rodeado dessa auréola brilhante em que hoje nos aparece.

Entretanto, analisai cuidadosamente aquela imensa tela em que, a um tempo, a vida e a morte, a luz e as sombras, o fogo e as águas, o azul do céu e o negrume da terra calcinada tão claramente e, o que mais é, tão fielmente se nos apresentam; atentai naqueles homens que dão a morte, naqueles outros que perdem a vida; naquele cavalo que transpõe algares e valados, ou neste outro que espavorido recua e pinoteia; naquela macega a incendiar-se e a crepitar em milhares de línguas de fogo; naqueles vulcões de pó e fumo a erguerem-se oblíquos para o céu; atentai, vos peço, nos belos e variadíssimos grupos do quadro que haveis ante os olhos, e dizei-me se vos não achais em face de tudo aquilo, não em tela ou em imaginação, mas ao natural, em toda a horrorosa e tremenda realidade de um combate; com toda a horrível majestade do furor satânico da guerra.

A fisionomia do Conde d'Eu, figura essencial do episódio, alterou-a, corrigiu-a o artista muitíssimo do que era no seu esboço, e com grande acerto se houve ele nisso, que mais bem condizem assim com a dignidade e o caráter do jovem general, cujos olhos, agora desviados do que lhe fica ao perto, cingem em uma expressão eloquentíssima, entre de reparo e de ameaça, a distância que vai dali ao mais grosso das tropas inimigas.

O artista por um artifício de quem bem conhece a ciência da composição e do grupamento, colocou-o no mais alto das ribas do Juqueri cujas águas, turvas e barrentas, vêm serpeando até ao primeiro plano do quadro, e tão magistralmente o fez, que sobranceiro no-lo figura, sem premeditação manifesta, aos personagens que o rodeiam, servindo-lhe a cabeça, tão nobre quanto varonil, de ápice ao grupo piramidal e ao mesmo tempo principal do quadro.

Ao príncipe acompanham alguns oficiais de quem havemos todos os Brasileiros cabal conhecimento e não pequenos serviços prestados no lustro para sempre memorável de lágrimas e de sangue, bem que igualmente de louros e de vitórias, dessa guerra cruenta de que temos justamente na presente criação artística uma das últimas e porventura das mais porfiadas batalhas.

Desses oficiais tratei eu no artigo em que procurei descrever o esboço do quadro que ora contemplamos[12].

Um simples reparo, entretanto, por falar agora deles, pedirei desculpa ao nosso pintor de lho apresentar aqui; e é que pesaroso me sinto de que, por se haver demasiado cingido aos documentos de onde hauriu as bases de sua magnífica tela, não houvesse colocado malgrado seu e para sempre nosso, naquele grupo de bravos, o heroico e simpático Pinheiro Guimarães[13], que o autor da Carioca[14] não pode deixar de admirar nesse tríplice esplendor em que hoje laureado nos aparece nas ciências, nas letras e nas armas.

É um senão, verdade seja, a que se me antepõe[m] inúmeros primores em colorido e em claro-escuro, atributos excelentes em composição e mais que tudo um desenho fácil e correto de par com a melhor e mais pura cor local de que havemos exemplos nos grandes mestres.

Quantas horas de labor e de lutar porfiosíssimas, quantas tão longas de incerteza e tão curtas de esperanças não as devera ter consumido Pedro Américo na criação do vigoroso grupo formado pelo Conde d'Eu e os dois cavaleiros que mais de perto se lhes avizinham!

Atitude do corpo, movimento do braço direito e expressão da face, tudo isso indica no príncipe um ardor insofrido a referve-lhe impetuoso e violento no coração. Ouve-se-lhe arquejar o peito ofegante, vê-se-lhe correr o suor em bagas pela fronte, e sente-se-lhe o calor do rosto incendido na precípite carreira em que vinha.

Naqueles olhos chamejam raios de enérgica vontade, e debaixo daquela farda palpita um coração de moço destemido, que mal pode atender aos resguardos de suas refletidas atribuições de chefe.

Não menos viva expressão nos apresentam os dois oficiais do mesmo grupo: Eneias Galvão[15] e Almeida Castro; Almeida Castro, sobretudo, de quem há pouco tratei e houvera ainda agora de falar, se tão deficiente e mesquinha me não fora esta pena a que muito superiores se deixam ver as perfeições estéticas daquela magnífica e soberba figura.

Estudo igualmente rigoroso, sentimento igualmente profundo do belo, empregou-os o artista no desenho, no colorido e na atitude dos três cavalos em que se acham montados os príncipe e estes dois oficiais.

O nobre e formoso corcel cavalgado por Sua Alteza é do mais puro-sangue da Arábia[16]; no olhar inteligente e fogoso, nas dilatadas e vastas narinas, na curva expressiva e graciosa dos nasais, e na forma delicada e correta, assim da cabeça, como do corpo e das pernas, transparecem-lhe simultaneamente a raça, o vigor e a velocidade.

Bem que lavado em suor e coberto de espuma, não se lhe enfraqueceu a robusta compleição, antes lha fortifica e avigora a proximidade dos perigos, se não da própria morte a que se ia ardentemente expor com o seu cavaleiro.

Ei-lo, porém, retido e como que tomado, não de susto, mas de surpresa e de espanto em face do capitão Almeida Castro, e do seu bravio e monstruoso cavalo do deserto.

Que dualidade tão estranha e tão singular é essa a que parece animar uma única ideia, uma vontade só? O fogoso e altivo árabe, como se esta interrogação lhe fosse também a ele sugerida, lança um olhar profundo e investigador sobre aquela nova espécie de Centauro: *Monstrum horrendum, informe, ingens*[17], e súbito estaca na veloz carreira.

Permita-se-me assim falar deste inteligente animal, a mim que li e reli com prazer sempre crescente aquelas arrojadas descrições do *Gaúcho*[18], em que José de Alencar, juntando ao mais vivo colorido da palheta criadora da *Iracema* e do *Guarani*, as soberbas ficções de sua vasta imaginação, descreveu e pintou sobremodo estupendo o fogoso cavalo dos Pampas.

Aqui, porém, me não descaberia dizer que, se ao fecundo engenho do poeta foi permitido criar um tipo que não se viu nunca em realidade[19], onde ele o quis naturalizar, ao naturalista não se poderia fazer uma tal concessão, que certamente bem afastado se fora ele, deste modo, a ficar da natureza ou o que tanto vale, da observação e experiência dos fatos.

O cavalo dos Pampas é um animal vigoroso e alentado, mas torvo, espantadiço e feroz; suas formas acusam a imensa robustez que lhe conhecemos, porém na sua marcha descobrem-se uns saltos bruscos e uns movimentos sem metro nem elegância. Ele tem o pelo hirsuto e comprido, a crina bastante áspera e a cabeça e as orelhas um tanto grandes para o tamanho do corpo.

Finalmente, a sua inteligência denota mais astúcia que brandura, e a sua agilidade é antes a de tigre do que a da gazela.

Tal devera ser o animal que Almeida Castro, desmontado pouco antes pelas balas inimigas, encontrou a correr sem cavaleiro no campo de batalha; tal o achamos aqui fiel e magistralmente reproduzido.

Entre este filho selvagem dos campos do Prata e o garboso e fino árabe, cujo reverso é ele na espécie equina, vemos o animal em que monta o coronel Galvão[20].

É o tipo de cavalo comum no Brasil, e bem se pudera dizer em toda a América do Sul; animal de formas pouco elegantes, mas tão esforçado e ardente como o seu antepassado, o antigo ginete andaluz, em que os nossos maiores se iam a pelejar em prol da fé e da pátria.

Todo este grupo re[s]sente-se de uma harmonia tão íntima e perfeita, e oferece-nos, de concerto com as suas diversidades, uma tal conexão de forma e de movimento, que de nenhum outro quadro sei eu que mais belo e melhor o tenha neste ponto.

Bem fez o artista em escolher, por fundo a tamanho conjunto de formosura, de expressão e de vida, o fumo negro e quente do bulcão gigantesco e sinistro que se erguendo em ascensão diagonal, da macega abrasada parece querer dividir com o céu as cores negras que por toda parte enlutam a terra.

Lancemos, entretanto, as vistas para as outras figuras do quadro.

À direita e no primeiro plano, um paraguaio de má catadura, mais tigre do que homem, não tanto bravo quanto brutal, lança fogo a uma peça cuja carreta e grosseiros acessórios deixam-nos imaginar quais seriam os recursos e conhecimento técnicos daqueles bárbaros.

O tiro fatal reboa e parte infelizmente antes que a fera haja caído fulminada pela bala justiceira de um fuzileiro nosso, que do meio do quadro e metido no arroio até os joelhos, com mão certeira lha dirige.

O mísero escravo da superstição traz por vestimenta um *chiripá*[21] e como único distintivo militar uma grosseira barretina de pele de anta, que lhe cobre negligentemente a cabeça achatada e feia.

Seu corpo vem assim a mostrar-se mais ou menos nu aos nossos olhos, mas não exprobemos ao artista a exação histórica de que lhe aprouve servir-se nesta circunstância, antes lha louvemos e em bem a tenhamos, que se de vergonha cobre o rosto a civilização hodierna em face deste infeliz quase nu, em compensação exulta a arte plástica da Grécia antiga na correção anatômica daqueles membros robustos, daqueles músculos nervosos e mais ainda no belo colorido de todo aquele corpo atlético.

À direita e a pequena distância do brioso militar que tomou a peito o castigo da inesperada ousadia deste selvagem, outro selvagem não menos temerário, a quem inúmeras feridas parece haver aumentado o furor e diminuído a já tão curta razão, quase louco de raiva e de dor vai arremessar contra o nosso bravo um fragmento de lança que lhe resta ainda na mão.

O desgraçado parece desconhecer a sua própria fraqueza ou querer acabar de pronto uma existência que por pouco lha permitem conservar os dilacerados membros.

Junto a este bárbaro e mais próximo ao espectador, um Paraguaio de corpo musculoso e de alentadas formas, porém mortalmente ferido na cabeça, de onde lhe jorra o sangue denegrido e quente, baqueia redondamente na margem do Juqueri[22].

É tão perfeita a ilusão, que julgar-se-ia ouvir o som cavo e surdo que produz o corpo daquele homem batendo em cheio na terra.

A arma voou-lhe das mãos, e ainda se conserva no ar. Que melhor prova que esta houvéramos nós exigido de um pintor que afirmasse ter surpreendido a natureza em flagrante?

Perto desta figura, cuja perfeição não se fartariam nunca meus olhos de admirar, está um cavalo paraguaio, morto e ali já de horas caído, a julgar-se pelo seu aspecto cadavérico e macilento e pela grande porção de sangue que lhe saíra das narinas e da boca.

Os olhos deste animal, empanados e sem a transparência da vida, denunciam a morte; a cabeça é de um escorço surpreendente e o corpo, admiravelmente desenhado, devera ter gasto ao pintor longas horas de execução e de afanoso estudo.

Se lançarmos agora a vista para além destas figuras e cingirmos em um olhar todo o espaço que daí vai até aos últimos relevos e mal distintos vultos daquela nesga de horizonte, veremos um grande troço de tropas brasileiras em rude peleja com o inimigo. Dentre milhares de cabeças que ali nos aparecem, muitas das quais, infelizmente muitas, não mais verão sequer o termo desta horrível e cruel batalha; avista-se, numa eminenciazinha do vale do Juqueri o general Pedra[23] a bater-se muito valorosamente com um oficial paraguaio; e muito aquém no fundo do mesmo vale, porém, já perto do canhão neste momento disparado, a figura do próprio artista com o uniforme da infantaria brasileira.

Esta permissão de que alguns exemplos se encontram nos melhores pintores, não a censuro eu, antes a louvo e com mais razão a tenho em grande estima, vendo o autor do quadro apresentar-se como simples soldado que não mata nem fere, mas avança tranquilo em um canto pouco aparente do campo da peleja.

Caminha, caminha, meu nobre guerreiro, que se tão alheado andas desse mortífero combate que te circunda, é que maiores e porventura mais perigosas lutas te aguardam em outro campo em que raros como tu tão brilhantemente se estreiam.

À direita da tela e no seu primeiro plano, um grupo admiravelmente concebido e proficientemente executado diverge de modo notável daquele que se acha em igual distância à esquerda.

Quero referir-me à composição alusiva ao capuchinho *Frei* Fidélis e ao jovem capitão Arouca, moribundo em seus braços[24]. No esboço, o agonizante apertava ao peito uma carta e exalava seu último suspiro nos braços do cirurgião do exército.

Acho agora mais belo e mais eloquente aquele grupo; a carta desapareceu por demasiado romântica, e a caridade da medicina, inútil no transe derradeiro, foi substituída pela caridade da religião de que havia unicamente mister aquele espírito que se parte para o seio de Deus.

Se me perguntassem em qual das composições tão bonitas e tão variadas deste quadro empregou melhor seu autor a ciência das cores na sombra e dos efeitos da luz reflexa, certo que deste canto da tela faria eu para logo a minha seleção, que nele descubro quanto de mais apreciável e de mais belo se pode nisso desejar.

São realmente dignas da mais subida estima as duas figuras que representam o jovem penitente que expira os braços da religião que o consola e abençoa.

O hábil e fecundo artista, inspirando-se no místico ideal que o assunto lhe requeria, foi realmente feliz em no-la mostrar envoltas naquela sombra moderada entre de religião e de poesia, como se o anjo da morte, impendente do alto, estivesse a interceptar-lhes, com as asas estendidas no espaço, a face tremenda do sol, testemunha naquele momento da cólera e da indomável sanha dos homens.

O religioso franciscano desvia os olhos do compungente espetáculo que lhe oferece a terra e ergue-os com expressão de fervente súplica a Deus.

A chama de um morrão, caído casualmente a seus pés e prestes a extinguir-se como a vida do infeliz agonizante, derrama-lhe na fímbria do hábito grosseiro e no pé que mal calça a sandália da pobreza uma luz mortiça avermelhada.

No rosto plácido e formoso do moribundo já se vai somando o palor da morte que não tarda, e que ele resignado, parece aguardar naquele último e vago olhar lançado para o céu.

É um mártir que expira combatendo pela civilização e pela pátria; mártir em torno de cuja loura cabeça fulgem, como raios luminosos, prenúncios da glória eterna, as labaredas erguidas do extenso macegal. Desse mesmo lado do quadro e a diferentes distâncias do espectador, estão Taunay[25], o Salgado[26], o Morais[27] e o Almeida Torres[28], do meio dos quais, altivo e majestoso, levanta-se impávido o pavilhão brasileiro, mal desdobrado ao sopro da brisa que vem das bandas da pátria.

Bem-vinda sejas tu, viração amena e consoladora, que trazes ao solo e ao clima estrangeiro o perfume das selvas do norte.

Sim, bem-vinda sejas, que de teu hálito balsâmico havia mister o estandarte da civilização para mais orgulhoso desenrolar-se ao canto da vitória.

E que mais há que esperar para entoar o hino do triunfo se as tropas inimigas nos vão fugindo ante os olhos; se emudeceu-lhes o último canhão de que dispunham, e se até a própria bandeira de seu lastimável país, caída agora aos pés do coronel Eneias Galvão, retalham-na já em mil pedaços as patas de seu corcel?

Que homem hercúleo, porém, é esse que, junto à rota bandeira inimiga, e como ela abatido sob as patas do ardente animal, tão naturalmente simboliza a força e a coragem dominadas pelo fanatismo e pela vil tirania?

É o mais denodado e o mais valoroso de quantos paraguaios ali se acharam então.

No renhido pelejar daquela aturada batalha, viram-no sempre lutar onde mais encarniçado ia o combate, onde mais pavoroso surgia o espectro da morte.

Esta bandeira, agora derrotada ao seu lado, e que ele malferido parece ainda proteger, ninguém tão empenhado fora em defendê-la e em segui-la.

E pois, que mutilada e vencida veio cair aos pés do inimigo, que mal faz que ao desgraçado, a quem já nenhuma esperança mais resta, reste ao menos o doce consolo de perto dela morrer?

Não, não morrerás, meu valente soldado, servo embora da ignorância e do despotismo. Não morrerás, que de civilização e de caridade é o lábaro da terra da Cruz.

Esta vida que como o tigre dos teus Pampas tão heroicamente disputavas, e tão cara no-la querias vender, ser-te-á conservada para que aos teus possas mais tarde dizer quanto os enganara o traidor que haviam por chefe.

Longa, porém, me vai saindo está incorreta e desalinhada notícia, que por extensa e defeituosa mas não poderá perdoar o leitor mais tolerando[29] de quantos dela houverem conhecimento.

Deixo, pois, de mão tudo o que pudera ainda aqui mencionar sobre os interessantes pormenores do quadro, e somente mais algumas palavras mais direi sinteticamente do que me parece ele ser.

Somente do que me parece ele ser, disse-o eu e com sobeja razão, que aos mestres e aos homens entendidos cabe de direito a espinhosa tarefa de julgá-lo tal qual se ele deve mostrar ao metro e às regras da estética.

Aos meus olhos de simples amador, o quadro de Pedro Américo é a mais exata aplicação dessa formosa teoria em que a poesia aparece de contínuo enlaçada graciosamente à história.

Verdadeiro, mas não realista, o autor da batalha do Campo Grande cinge-se ao fato no que ele tem de grandioso, de essencial, e o representa em toda a sua pompa heroica, eliminando sempre que pode tudo quanto lhe parece acidental e medíocre.

Eis, com efeito, o verdadeiro programa do pintor da história.

Versado na ciência do desenho, do claro-escuro e do grupamento, o nosso artista reduziu as 20 ou 30 figuras mais salientes de seu quadro a 3 ou 4 grupos distintos sobrelevando-os a todos aqueles em que se acha o Conde d'Eu, personagem principal desta vasta criação.

Um movimento extraordinário anima estes grupos e uma exação surpreendente observa-se na disciplina e no regular fardamento dos nossos em contrário ao desconcerto e à quase nudez dos inimigos.

Finalmente, almas diversas, violentamente agitadas e suspensas ante a ação principal do drama, rostos variados, deixando ver claramente a diferença de sentimentos, de cultura moral e de civilização; o ideal por toda a parte onde o requer a grandeza ou a poesia do assunto; a fealdade física e moral representada com parcimônia e quanto baste para realce de nossas tropas; grandes contrastes de luz, de cor local e de tipos fisionômicos; a unidade, a harmonia e a ordem mais perfeita na composição; todos os pormenores em relação estética e até geométrica com o centro do movimento; em tudo a forma exprimindo o invisível, e o invisível em seu domínio o mais elevado e o mais enérgico, tal se me afigura ser este quadro em que exuberantemente reconheço a demonstração prática dos preceitos desenvolvidos e observados pelo seu ilustre e jovem autor que do meio dos aplausos e inúmeros louvores tributados a tão magnífica produção, bem pode sem receio dos zoilos, exclamar como o poeta:

Exegi monumentum[30].

Ladislau Neto

---

1 ◊ Esta carta aberta compõe-se de dois documentos. O primeiro é uma carta de cunho pessoal, em que ao final, ao lado da assinatura, Ladislau Neto apõe o local e a data de 27/10/1871. Em seguida vem a carta aberta. Ambas saíram no *Jornal do Comércio* de 03/11/1871; optou-se por datá-las de 27/10/1871. (SE)

2 ◊ Na *Semana Ilustrada* de 01/10/1871, saiu um artigo assinado por "M" com o título "O Sr. Pedro Américo e a Batalha de Campo Grande". Massa (1971) afirma que Neto teria se baseado nisso para atribuir a Machado a intenção de escrever um trabalho sobre Pedro Américo. Galante de Sousa (1955), no entanto, diz que foi a presente carta que motivou a resposta de Machado de Assis. Ver em [111]. (SE)

3 ◊ O uso do pronome de tratamento coloquial "você", que determina o verbo na 3.ª pessoa do singular, em competição com a forma de 2.ª pessoa do singular, começa a fixar--se na segunda metade do século XIX. O uso do "você" numa carta aberta reafirma o conhecimento de longa data, dando ao leitor a sensação de privar da intimidade daquelas duas notabilidades. Na resposta que dará a Ladislau Neto em [111], Machado sustentará o diálogo valendo-se do mesmo pronome, o que lhe era pouco comum à época. Na década de 1860, para sublinhar a familiaridade, Machado e seus amigos tutearam-se pela imprensa, consoante a prescrição da norma europeia. Numa carta aberta da década 1870, este é o único exemplo; mas em cartas particulares, usará cada vez mais o pronome de tratamento, sobretudo com os íntimos. Ver em [130], carta de 23/04/1874. (SE)

4 ◊ Ladislau Neto teve uma biografia aventurosa; cedo partiu de Maceió (1854), à revelia do pai, rumo ao Rio de Janeiro. Para sobreviver, hábil desenhista, fez ilustrações para jornais e livros. Em 1857, ingressou na Imperial Academia de Belas-Artes, de onde saiu para assumir o posto de desenhista e cartógrafo da Comissão Astronômica e Hidrográfica de Estudos e Exploração do Litoral de Pernambuco. Neto permaneceu na corte entre 1854-1860, período em que também o jovem Machado circulava pelas rodas literárias e boêmias da cidade. Na carta pessoal, o missivista situa a época em

que conviveram: havia 12 anos. Em 1859, ambos escreveram para o periódico *Espelho* de Francisco Eleutério de Sousa; Machado regularmente e Ladislau Neto, mais esporadicamente. Teriam se conhecido ali ou numa das rodas literárias em que Machado foi assíduo? Paula Brito, Sociedade Filomática ou Caetano Filgueiras? (SE)

5 ◈ Ladislau Neto morava na Rua Petrópolis n.º 2, atual Aarão Reis, em Santa Teresa. (SE)

6 ◈ A partir de 1870, em razão da precária saúde do diretor efetivo, Francisco Freire Alemão (1797-1873), Ladislau Neto tornou-se diretor interino do Museu Nacional; e depois da morte do conselheiro Alemão em novembro de 1873, foi efetivado na função. (SE)

7 ◈ Pedro Américo de Figueiredo e Melo (1843-1905) nasceu na Paraíba. Aos onze anos foi contratado como desenhista pelo naturalista francês Louis Jacques Brunet, em expedição pelo sertão brasileiro, para documentar a fauna e a flora locais. Na corte, estudou no Colégio Pedro II e na Imperial Academia de Belas-Artes. Em fins de 1859, o governo imperial deu-lhe uma bolsa para aperfeiçoar-se em Paris, onde ingressou na Escola de Belas-Artes, depois no Instituto de Física Ganot e na Sorbonne, dedicando-se também à literatura e à pesquisa científica. Recebeu grande influência dos pintores neoclássicos franceses. De volta em 1864, tornou-se professor da Academia de Belas-Artes. Celebrizou-se pela temática bíblica e histórica em quadros de grandes dimensões, entre eles, a "Batalha do Avaí" e "O Grito do Ipiranga". (SE)

8 ◈ O artista inspirou-se no episódio ocorrido às margens do arroio Juqueri-Grande, na segunda fase da Guerra do Paraguai, em que as forças brasileiras, sob o comando em chefe do príncipe conde d'Eu, ganharam a batalha de Campo Grande, que passou à história como o derradeiro esforço paraguaio. No dia 16/08/1869, sob o comando do general Bernardino Caballero, o exército paraguaio perdeu 2000 combatentes, 23 canhões e 6 bandeiras; os brasileiros, sob o comando do general José Luís Mena Barreto, tiveram 62 mortos, 389 feridos e fizeram 1200 prisioneiros. A crônica paraguaia destaca que o grosso de suas forças era integrado por meninos, velhos e feridos recrutados por Lopes. Depois dessa batalha, o exército paraguaio não entrou mais em atividade contra as forças brasileiras. (SE)

9 ◈ O processo de produção do quadro foi amplamente divulgado na imprensa (da corte e das províncias). Amigos e intelectuais iam ao ateliê ver os progressos e terminavam por escrever. Em 11/05/1871, com a obra quase concluída, a família imperial também visitou o pintor para conhecer o quadro. É preciso lembrar que a opinião pública estava ainda sob o influxo da penosa vitória na Guerra do Paraguai, recém-acabada. O tema apaixonava a todos. Contra ou a favor do quadro, muitos escreveram, entre eles, Ladislau Neto, Quintino Bocaiúva*, Bethencourt da Silva*, Otaviano Hudson e Machado de Assis. Em setembro de 1871, mês de lançamento da biografia

de Américo por Guimarães Júnior*, praticamente todos os dias o quadro foi citado na imprensa. Por fim, em 27/01/1872, o governo brasileiro comprou a tela por 13 contos de réis, mas só na XXII Exposição Geral da Imperial Academia de Belas-Artes do Rio de Janeiro, inaugurada em 06/03/1872, o público conheceu a obra. Assinale-se ainda que a tela foi enviada à Exposição Universal de Viena em 1873. (SE)

10 ∾ O capitão dos voluntários Francisco Joaquim de Almeida Castro. (SE)

11 ∾ O quadro é inspirado num episódio ocorrido com o príncipe, mas, como toda criação artística, uma recriação da realidade. Por volta do meio-dia, no meio do arroio Juqueri-Grande, uma violenta luta fora travada, na qual os paraguaios defenderam a sua posição e repeliram a investida brasileira da forma mais sangrenta. O moral estava abalado. Então o coronel Pedra atirou-se a fim de cruzar o arroio e servir de exemplo aos soldados; ao fazê-lo, caiu e recebeu um golpe de lança. O príncipe arrojou-se, o general Mena Barreto pediu cautela; mas o conde já havia partido a toda brida, sendo imediatamente seguido de seu estado-maior na tentativa de protegê-lo, enquanto os paraguaios despejavam a fuzilaria. O grupo transpôs o ribeirão a galope e, do outro lado, um batalhão paraguaio formado à borda do mato atacou os brasileiros. O príncipe saca a sua espada, no que os outros o repetem, indo todos de encontro à carga. Neste momento, outro batalhão brasileiro em desabalada marcha surge a tempo de repelir o ataque e encurralar o inimigo de novo à borda do mato, onde enfim travou-se o combate com a maior energia. Eis o que diz Visconde de Taunay* (1946), um dos integrantes do estado-maior do príncipe:

> "Isto é que constitui o episódio do quadro de Pedro Américo, intitulado *Batalha de Campo Grande*, inverossímil, sem dúvida, nas posições forçadas, impossíveis até dos cavalos representados, mas onde o risco foi, na realidade, muito grande para os que lá figuram. O Príncipe montava um bonito cavalo rosilho, animal porém, muito manso, dócil e calmo, no meio do fogo e que nunca se lembraria de empinar-se todo, tomando visos de verdadeiro repuxo, como imaginou o pintor. O capitão de voluntários, Almeida Castro, pegou decerto, no freio do animal, para embargar o passo ao Conde d'Eu; mas se bem me lembro estava então a pé e não cavalgava o fogosíssimo bucéfalo desenhado no grande painel, pertencente hoje à Escola Militar da Praia Vermelha. / Enfim exagerações de artista." (SE)

12 ∾ O artigo escrito após a primeira visita de Ladislau Neto saiu no *Jornal do Comércio* em 16/06/1870. (SE)

13 ∾ Ladislau Neto lamenta o fato de o pintor não ter colocado na tela o coronel Pinheiro Guimarães, também integrante do estado-maior de Sua Alteza, e cujo prestígio era grande junto aos intelectuais e à opinião pública. Sobre ele, ver em [36], tomo I. (SE)

14 ∾ A "Carioca" é o nome de um óleo sobre tela pintado por Pedro Américo em sua temporada de estudos na Europa. Trata-se de um sensual nu feminino, cujo rosto, parece, pintou a partir da fotografia da esposa de um funcionário do consulado brasileiro em Paris. Ao retornar ao Rio de Janeiro, o pintor ofereceu a tela ao imperador D. Pedro II, que a recusou. (SE)

15 ∾ Tenente Antônio Eneias Gustavo Galvão, que fora promovido em comissão ao posto de tenente-coronel para comandar o 17.º corpo de voluntários de Minas Gerais e, em Mato Grosso, teve a nomeação confirmada para comandar a 2.ª brigada de infantaria, em detrimento de oficiais de patente superior à sua no posto efetivo. Eneias Galvão era filho de Antônio José Fonseca Galvão, comandante-geral das forças acampadas às margens do arroio Juqueri-Grande, e que, depois de ganhar reforço vindo de Goiás, dividiu-a em duas brigadas. Recebendo ordem de ocupar a vila de Miranda e toda a região até o rio Apa, Fonseca Galvão assumiu o comando da 1.ª brigada e deu o comando da 2.ª ao tenente-coronel Joaquim Mendes Guimarães. Após a marcha, com as brigadas já acantonadas às margens do rio Negro, Fonseca Galvão passou o comando da 1.ª brigada a seu filho Eneias Galvão, que, segundo o testemunho de Taunay (1946), fez-se oficial de mérito, estimado pela soldadesca e pela oficialidade. (SE)

16 ∾ Segundo o testemunho de Taunay (1946), o cavalo montado pelo príncipe não era um cavalo árabe puro-sangue branco, como sugere o quadro, mas um rosilho adestrado, que é um animal de pelagem mista. (SE)

17 ∾ Monstro horrendo, informe e ingente (*Eneida*, III, 658). Virgílio está se referindo ao ciclope Polifemo. (SPR)

18 ∾ Em *O Gaúcho* (1870), romance passado nas antevésperas da Revolução Farroupilha, o cavalo é um importante elemento da narrativa, não só porque a montaria era o meio de locomoção no ambiente solitário da campanha rio-grandense, mas também porque exemplifica a fidelidade e o amor irrestritos de que os homens não são capazes entre si. O protagonista Manuel Canho não confia em pessoa alguma, só em seus cavalos. (SE)

19 ∾ No capítulo "O Alazão", de *O Gaúcho*, o romancista descreve com as tintas vibrantes do seu estilo, talhado na linguagem romântica que lhe serviu de substrato, a imagem do cavalo dos pampas gaúchos, hoje conhecido como cavalo crioulo. A descrição feita, segundo Ladislau Neto, não corresponderia à realidade. Alencar desenhou um animal idealizado, emprestando um significado simbólico de grandiosidade ao cavalo americano. Ele diz:

"Tem o potro americano sobre o potro árabe a grande superioridade da natureza. A liberdade é força e beleza; nem há no mundo outra nobreza real e legítima, senão essa. A elegância da forma, a altivez da expressão, a coragem, o pundonor e o brilho, são donaires que ao homem, como ao cavalo, dá a consciência de sua liberdade. / Do espartano, que ainda hoje nos enche de admiração com o exemplo de seu heroísmo e sobriedade, fazemos o maior elogio nesta frase – *era um cidadão livre*. Daquele brioso cavalo da mesma forma, para exprimir com eloquência a sua formosura e nobreza: *era um corcel livre*. / Nenhum homem o escraviza jamais; nenhum se atrevera a castigá-lo; era indômito ainda como no tempo em que percorria os pampas nativos. Mas o potro selvagem tinha um amigo, quase um pai, a quem o ligara um profundo sentimento de gratidão. E daí sem dúvida lhe provinha a altivez e majestade que ressumbrava em seu porte. / O contato de nossa raça desvanece no animal o espanto selvagem que se sente ainda o mais intrépido na presença do rei da criação. A amizade do homem inspira, sobretudo ao cavalo, uma emulação generosa, um heroísmo admirável. O Bucéfalo de Alexandre, o Morzelo de César, e o Orélia do rei D. Rodrigo, foram dignos dos heróis a quem serviram." (SE)

20 ◦◦ Coronel José Antônio Fonseca Galvão, brigadeiro, depois general, foi o comandante-geral das tropas no Mato Grosso, e morreu no acampamento em 13/06/1869, sendo enterrado às margens do rio Negro, até ter os restos mortais trasladados para o Rio de Janeiro, por seu filho Eneias Galvão, anos após o fim da guerra. (SE)

21 ◦◦ A palavra de origem quíchua "chiripá" designa uma peça de vestuário usada no passado pelos homens do campo, na região sul da América do Sul (sul-rio-grandenses, argentinos, uruguaios e paraguaios), que consistia num retângulo de pano, geralmente de lã vermelha, passado entre as coxas e preso à cintura. (SE)

22 ◦◦ Arroio Juqueri-Grande, a leste da cidade de Corrientes. (SE)

23 ◦◦ Neste episódio militar o ainda coronel Herculano Sancho da Silva Pedra era o comandante da 3.ª divisão de exército, composta de três brigadas, estas comandadas pelos coronéis Valporto, Francisco Lourenço de Araújo e Manuel Deodoro da Fonseca, respectivamente. (SE)

24 ◦◦ Segundo Visconde de Taunay (1946), trata-se de frei Fidélis de Avola, religioso muito estimado da tropa, mas que de fato não participou de Campo Grande, pois estava junto ao estado-maior do general Vitorino José Carneiro Monteiro (1816-1877), o barão de São Borja. Já o alferes Arouca, do batalhão de engenheiros do exército, foi morto por uma bala na testa na travessia do arroio Juqueri-Grande, naquela batalha. (SE)

25 ◦◦ Alfredo d'Escragnolle Taunay* entrou no curso de ciências físicas e matemáticas da Escola Militar, em 1859; alferes-aluno em março de 1862, segundo-tenente de artilharia em julho de 1864, estava no penúltimo ano do curso de engenharia militar, quando eclodiu a Guerra do Paraguai, e foi incorporado às tropas do exército formadas para repelir a invasão do Mato Grosso. A coluna expedicionária da qual participou saiu de São Paulo em julho de 1865, vinda de Minas, só chegando ao teatro

de guerra em janeiro de 1867, após ter percorrido 2112 km. Taunay acompanhou a marcha da expedição de Miranda à fronteira do Paraguai, quando o coronel Camisão empreendeu a temerária invasão do território inimigo, com homens debilitados por cruéis privações, e que resultou na tristemente famosa Retirada da Laguna, quando a coluna brasileira teve de recuar diante de um adversário mais forte, e sofrendo pesadas baixas. Escapando aos flagelos da campanha no Mato Grosso, Taunay voltou ao Rio de Janeiro, onde ficou por algum tempo até retornar ao teatro de operações, no início de 1869, agora sob o comando do príncipe conde d'Eu. A carta de Ladislau refere-se a esse último momento da guerra, em que Taunay fazia parte do estado-maior do novo generalíssimo das tropas brasileiras. Ver [263] e [272], de 07/10/1886 e de 31/03/1889, respectivamente; e Ubiratan Machado (2008). (SE).

26 ∾ Capitão de fragata da marinha imperial João Mendes Salgado (1832-1894), barão de Corumbá (1888). (SE)

27 ∾ Possivelmente o capitão de engenheiros Jerônimo Rodrigues Morais Jardim. (SE)

28 ∾ Capitão Benedito Almeida Torres, mordomo do príncipe conde d'Eu. (SE)

29 ∾ Assim no original. (SE)

30 ∾ *Exegi monumentum aere perennius regalique situ pyramidum altius* traduz-se por "Ergui um monumento mais perene que o bronze e mais elevado que o régio sítio das pirâmides." (Ode III, 30). Nesse famoso trecho, Horácio fez o seu voto de fé na posteridade, proclamando a sobrevivência da sua obra e a perenidade do seu nome; acreditava haver construído o seu monumento lírico. (SPR/SE)

[III]

Para: LADISLAU NETO
Fonte: Fundação Biblioteca Nacional. "Carta Aberta a Ladislau Neto". *A Reforma*, 1871. Setor de Obras Raras. Microfilme do impresso original.

Rio de Janeiro, 10 novembro de 1871.[1]

Meu prezado amigo

Disseram-lhe uma coisa que não é exata. Eu não preparava nem preparo nenhum trabalho a respeito de Pedro Américo[2]. A ninguém cedo na admiração que me inspira este nosso notabilíssimo talento, mas entre admirar e exprimir a admiração vai um longo espaço que eu tentaria vencer se se tratasse de um livro, mas que não ouso tentar quando se trata de uma tela. Sim, meu amigo, uma obra de arte, quando um engenho real a delineou e perfez, desperta-me sincero entusiasmo. Não me atreveria contudo a dizer a razão dele: admiro porque admiro.

Demais que poderia eu acrescentar ao excelente trabalho que Você[3] modestamente chamou apontamentos, e que é ao mesmo tempo descrição e análise da obra do nosso artista? Acrescentar bem sei eu que o poderia fazer — com vantagem não — mas com aparência de crítica e questão de vocabulário. Creio, porém, que Você e Pedro Américo preferem uma singela declaração do meu sentir — não digo opinião — a um estéril cosido de expressões técnicas e de teorias correntes, sem outro nexo mais que o arranjo material de períodos. Vejo que alega igual incompetência, mas isto que em mim é expressão da realidade, é da sua parte uma maneira delicada de entrar em terreno que lhe parece alheio, mas que é o próprio. Um talento como o que Deus lhe deu, que investiga a verdade e interroga o belo, tão depressa deixa as obras da natureza, como se entrega à contemplação da arte; ambas são, por assim dizer, os dois polos do mundo intelectual.

Simplifica-se, como vê, a minha tarefa. Obedeço a um instinto quando contemplo a *Batalha do Campo Grande*[4] uma obra superior e a todos os respeitos digna do assunto e da arte. Duas vezes tive ocasião de a examinar longo tempo, aparentemente como um analista que coteja as lições da arte como um obscuro amigo da sua pátria, que via ali duas indisputáveis vitórias dela.

A escolha do assunto, confesso que estava longe da minha expectação. Sabia que o autor possuía um verdadeiro talento criador; mas caía no erro de o julgar sem provas cabais. Parecia-me que não inferior, mas diversa era a feição do seu engenho e que ao poeta da *Carioca*[5] repugnaria o fragor e a confusão das batalhas. Veja que sagacidade de raciocínio! Como se a mitologia nos não dissesse que o filho de Latona[6], antes de guiar o carro do sol, modulou a flauta pastoril; como se as musas do Tejo, depois de ensinarem ao seu poeta a nota melodiosa das canções, não lhe dessem o som alto e sublimado que ele tão ousadamente lhes pediu[7].

A razão era que, no meu espírito, o nome de Pedro Américo andava ligado ao seu primeiro e até então mais notável quadro. A *Carioca* parecia-me caracterizar o estro do nosso eminente pintor. Atreveu-se ele a mais e embocou a tuba heroica. Mostrou que, se era capaz de dar forma a uma fantasia de poeta, era igualmente capaz de dar proporções ideais a uma realidade grandiosa. Para merecer duas vezes da pátria, quis perpetuar com uma obra a memória de um feito nosso e então não pintou somente a sangrenta batalha de Campo Grande, pintou sobretudo a vitória que já ali se vê patente e decisiva. E se há neste quadro defeitos e incorreções, não sei; para mim, que não sou crítico de arte, afigura-se-me que é uma obra excelente; composição, desenho, colorido, tudo me parece merecedor de aplausos.

Não os merece menos a coragem de Pedro Américo.

Empreender obras destas por amor de uma arte que, apesar de tudo, não goza ainda entre nós o apreço a que tem jus, é revelar espírito animoso e votar-se de rosto alegre às amarguras da glória.

Luís Guimarães, o seu talentoso biógrafo, conta-nos como ele soube pelejar contra a sorte adversa, que tantos óbices lhe pôs no caminho, à maneira de punição antecipada das vitórias que viria a obter um dia. Vê-se, pois, que aprendeu a lutar e a triunfar, naturalmente porque aprendeu a contar consigo mesmo, que é a melhor lição que lhe poderia ficar da escola da vida. Tem magnífico futuro diante de si; não o deixe perder. Tempo virá em que os nomes de Pedro Américo, Victor Meireles[8], Carlos Gomes[9], Mesquita[10] e outros formarão os anais da arte da presente geração brasileira. A posteridade não quer saber de desânimo, nem das decepções que empeceram o caminho do artista; quer obras; é preciso dar-lhas a todo custo.

E nada mais, meu amigo; apenas estas linhas descoloridas e triviais, que nenhum outro valor têm senão o de fazer coro com o geral aplauso.

Quisera finalmente agradecer-lhe a carta com que honrou este seu obscuro amigo. Nem o posso, porém fazer, sem primeiro ralhar-lhe muito, porque devendo ser apenas justo, quis ser nimiamente generoso para comigo. A culpa bem sei eu que não é sua, mas da natureza que lhe deu um coração igual ao seu grande talento. Se refletir verá quão pouco vale este seu admirador e amigo.

[Machado de Assis.]

1 ∽ A carta aberta [110] motivou a resposta de Machado de Assis. Nela, Ladislau atribuía a Machado a intenção de escrever uma biografia sobre Pedro Américo. Guimarães Júnior*, aliás, citado na presente carta, foi o primeiro biógrafo do pintor com *Pedro Américo, Perfil Biográfico*, lançado em setembro de 1871, por Henrique Brown & João de Almeida. (SE)

2 ∽ Sobre Pedro Américo, ver em [110].

3 ∽ Ver comentário sobre o uso deste pronome em [110].

4 ∽ "Batalha de Campo Grande", óleo sobre tela, pode ser visto no Museu Imperial de Petrópolis. Este quadro motivou muitas cartas abertas pela imprensa da época. Sobre o episódio histórico do final da Guerra do Paraguai, ver em [110]. (SE)

5 ∽ Sobre a tela "Carioca", ver em [110].

6 ∽ Latona é o nome latino de Leto, mãe de Apolo e Ártemis. A expressão "o filho de Latona", por antonomásia, designa Apolo. (SPR)

7 ∽ Alusão à quarta estrofe do Canto I de *Os Lusíadas*, de Camões. A quarta e a quinta estrofes deste canto são também chamadas de "Invocação às Tágides", que são uma reconfiguração das nereidas da mitologia greco-latina. Ali na invocação às musas do Tejo, o poeta lhes pede a sublimidade da inspiração, um som tão poderoso e belo como se estivesse a cantar junto à fonte consagrada às musas, no monte Helicon. Diz o poeta:

"E vós, Tágides minhas, pois criado / Tendes em mi um novo engenho ardente, / Se sempre em verso humilde, celebrado / Foi de mi vosso rio alegremente, / Dai-me agora um som alto e sublimado, / Um estilo grandíloquo e corrente, / Por que de vossas águas Febo ordene / Que não tenham inveja às de Hipocrene." (SPR/SE)

8 ∽ Vítor Meireles de Lima (1832-1903) nasceu em Nossa Senhora do Desterro (atual Florianópolis), mudando-se para a corte em 1847, onde se formou na Imperial

Academia de Belas-Artes. Em 1852, viajou à Europa, estudando primeiro em Roma e Florença, depois em Milão e Paris. De sua correspondência com Araújo Porto-Alegre* nasceu a ideia de pintar a "Primeira Missa no Brasil". No período inicial da República, Vítor Meireles sofreu dura perseguição por ser considerado artista oficial do regime monárquico. (SE)

9 ∾ Sobre Carlos Gomes, ver em [15], tomo I. (SE)

10 ∾ Henrique Alves de Mesquita (1838-1906), compositor, regente, professor e trompetista, figura de renome no meio cultural da época, conhecido também por ter criado a expressão "tango brasileiro" para designar certo gênero de música do teatro ligeiro também conhecida como *habanera*. Aluno do Conservatório de Música, Mesquita ganhou uma bolsa para estudar música no Conservatório de Paris, com o eminente professor François Bazin (1816-1878). De volta ao Brasil, tornou-se professor do Instituto Nacional de Música; era também o regente da orquestra do Teatro Fênix. A maior parte do seu repertório compreende operetas e música ligeira. (SE)

[112]

Para: ROCHA MIRANDA E OUTROS
Fonte: SOUSA, José Galante de. *Machado de Assis: Prosa e Verso*. Rio de Janeiro: Civilização Brasileira, 1957.

[Rio de Janeiro, até 1871?][1]

Caro Rocha Miranda e companhia
Muzzio, Melo, Cibrão, Arnaldo[2] e Andrade
Enfim, a toda mais comunidade,
Manda saudades o Joaquim Maria.

Sou forçado a não ir à freguesia;
Tenho entre mãos, com pressa e brevidade,
Um trabalho de grande seriedade
Que hei de acabar mais dia menos dia.

Esta é a razão mais clara e pura
Pela qual, meus amigos, vos remeto
Uma insinuação de vaga hora.

Mas, na segunda-feira vos prometo
Que haveis de ter (minha barriga o jura)
Mais uma canja e menos um soneto.

[Machado de Assis]

---

1 ∞ Observa Galante de Sousa que os sobrenomes mencionados são de Henrique César Muzzio*, Manuel de Melo, Ernesto Cibrão* e Francisco Rocha Miranda. O Andrade poderia ser o Dr. Mateus Alves de Andrade, que se suicidou em 1871. Prossegue Galante, comentando que o soneto epistolar foi composto algum tempo antes do falecimento de Muzzio, em Paris (12/12/1874), e que, se procede a identificação de Andrade, teria como data limite 1871. Cabe acrescentar sobre esses amigos, serem alguns frequentadores da Arcádia Fluminense, agremiação literária à qual Machado se ligara desde a sua fundação, em 15/09/1865. (IM)

2 ∞ Sobre "Arnaldo", registre-se o nome do jornalista Antônio Arnaldo Nogueira Molarinho, companheiro improvável, uma vez que atacara Machado em 1863 no seu periódico *Arquivo Literário*. (IM)

[113]

Para: LÚCIO DE MENDONÇA
Fonte: MENDONÇA, Lúcio Drummond Furtado de. *Névoas Matutinas*. Rio de Janeiro: Frederico Thompson, 1872. Setor de Obras Raras. Fundação Biblioteca Nacional. Coleção Francisco Ramos Paz.

Rio de Janeiro, 24 de janeiro de 1872.

Meu caro poeta.

Estou que quer fazer destas linhas o introito de seu livro[1]. Cumpre-me ser breve para não tomar tempo ao leitor. O louvor e a censura fazem-se com poucas palavras. E todavia o ensejo era bom para uma longa dissertação que começasse nas origens da poesia helênica e acabasse nos destinos prováveis da humanidade. Ao poeta daria de coração um *away*, com duas ou três citações mais, que um estilista deve trazer sempre na algibeira, como o médico o seu estojo, para estes casos de força maior.

O ensejo era bom, porque um livro de versos, e versos de amores, todo cheio de confidências íntimas e pessoais, quando todos vivemos e sentimos em prosa, é caso para reflexões de largo fôlego.

Eu sou mais razoável.

Aperto-lhe primeiro a mão. Conhecia já há tempo o seu nome, ainda agora nascente, e duas ou três composições avulsas; nada mais. Este seu livro, que daqui a pouco será do público, veio mostrar-me mais amplamente o seu talento, que o tem, bem como os seus defeitos, que não podia deixar de os ter. Defeitos não fazem mal, quando há vontade e poder de os corrigir. A sua idade os explica, e não até se os pede; são por assim dizer estranhezas de menina, quase moça: a compostura de mulher virá com o tempo.

E para liquidar de uma vez este ponto dos senões, permita-me dizer-lhe que o principal deles é realizar o livro a ideia do título. Chamou-lhe acertadamente *Névoas Matutinas*. Mas por que *névoas?* Não as tem a sua idade, que é antes de céu limpo e azul, de entusiasmo, de arrebatamento e de fé. É isso geralmente o que se espera ver num livro de rapaz. Imagina o leitor, e com razão, que de envolta com algumas perpétuas, virão muitas rosas de boa cor, e acha que estas são raras. Há aqui mais saudades que esperanças, e ainda mais desesperanças que saudades.

É plena primavera, diz o senhor na dedicatória do seu livro; e contudo, o que é que envia à dileta de sua alma? *Ide, pálidas flores peregrinas*, exclama logo adiante com suavidade e graça. Não o diz por necessidade de compor o verso; mas porque efetivamente é assim; porque nesta sua primavera há mais folhas pálidas que verdes.

A razão, meu caro poeta, não a procure tanto em si, como no tempo; é do tempo está poesia prematuramente melancólica. Não lhe negarei que há na sua lira uma corda sensivelmente elegíaca, e desde que a há, cumpre tangê-la. O defeito está em torná-la exclusiva. Nisto cede à tendência comum, e quem sabe também se alguma intimidade intelectual?

O estudo constante de alguns poetas talvez influísse na feição geral do seu livro. Quando o senhor suspira estes belos versos[2]:

> À terra morta num inverno inteiro
> Voltam a primavera e as andorinhas...
> E nunca mais vireis, ó crenças minhas,
> Nunca mais voltarás, amor primeiro!

[N]enhuma objeção lhes faço, creio na dor que eles exprimem, acho que são um eco sincero do coração. Mas quando o senhor chama à sua alma uma *ruína*, já me achará mais incrédulo.

Isto lhe digo eu com conhecimento de causa, porque também eu cedi em minhas estreias a esse pendor do tempo.

Sentimento, versos cadentes e naturais, ideias poéticas, ainda que pouco variadas, são qualidades que a crítica lhe achará neste livro. Se ela lhe disser, e deve dizer-lho, que a forma nem sempre é correta, e que a linguagem não tem ainda o conveniente alinho, pode responder-lhe que tais senões o estudo se incumbirá de os apagar.

O público vai examinar por si mesmo o livro. Reconhecerá o talento do poeta, a brandura do seu verso (que por isso mesmo se não adapta aos assuntos políticos, de que há algumas estâncias neste livro), e saberá escolher entre estas flores as mais belas, das quais algumas mencionarei, como sejam: *Tu, Campesina, A Volta, Galope Infernal*.

Se, como eu suponho, for o seu livro recebido com as simpatias e animações que merece, não durma sobre os louros. Não se contente com uma ruidosa nomeada; reaja contra as sugestões complacentes do seu próprio espírito; aplique o seu talento a um estudo continuado e severo; seja enfim o mais austero crítico de si mesmo.

Deste modo conquistará certamente o lugar a que tem pleno direito. Assim o deseja e espera o seu colega

Machado de Assis.

1 ~ Carta prefácio em que Machado de Assis apresenta o livro do jovem Lúcio, *Névoas Matutinas*, apreciando-lhe alguns aspectos, inclusive os excessos:

"[N]enhuma objeção lhes faço, creio na dor que eles exprimem, acho que são um eco sincero do coração. Mas quando o senhor chama à sua alma uma *ruína*, já me achará mais incrédulo. Isto lhe digo eu com conhecimento de causa, porque também eu cedi em minhas estreias a esse pendor do tempo." (SE)

2 ~ Poema "Primeiro Amor" (p. 101-103):

"Era primavera... docemente / Deslizava a existência, qual canoa / Que resvala nas águas indolente, / Nas azuladas águas da lagoa. // Era na aurora meiga da existência... / Sorria em cada sonho uma esperança... / Era uma alma iludida de criança, / Face de lago em plácida dormência. // Nuvem a resvalar no firmamento, / No futuro minh'alma divagava... / Transbordava de sonhos no momento / Em que nuns olhos abrasou-se escrava! // Era eterno sorriso a natureza, / Azulavam-se os mares em bonança... / Que falavam de amor e de esperança / Esses olhos de mádida beleza! // Primeiro amor! Abençoada aurora, / Que uma só vez as almas iluminas! / Ai! Só nos resta, quando vais-te embora, / O lúgubre silêncio das ruínas! // Por ti, mulher, o mundo me encantava / Em sorrisos de eterna primavera! / Astro! Nem sabes tu quanta quimera / À tua luz divina germinava! // Tu foste a promissora luz de Hero, / Que ao longe me acenaste com ventura... / Lutei com o mar em doido desespero, / Nas vagas me cavei a sepultura! // Foram fanal teus olhos sedutores... / Foi o mundo entre nós o mar de escolhos... / Lutei, porque brilhavam-me teus olhos, / Porque sonhava – além – os teus amores! // Ai, meu primeiro amor! Porque nasceste!/ Naqueles falsos olhos adorados?... / Minha aurora em mau céu amanheceste! / Amor! Os dias teus eram contados! // À terra morta num inverno inteiro / Voltam a primavera e as andorinhas... / E nunca mais vireis, oh crenças minhas, / Nunca mais voltarás, amor primeiro!" (SE)

[114]

De: GENTIL BRAGA
Fonte: Manuscrito Original, Arquivo ABL.

São Luís, 19 de junho de 1872.

Meu muito estimado Machado de Assis,

Mandou-me o Serra o seu lindo romance — *Ressurreição*[1]. Li-o em viagem do Ceará para esta minha terra do Maranhão, sendo-me o livro entregue no dia da viagem ao chegar o vapor do sul.

A crítica já o recebeu como devia[2], festejando o aparecimento e congratulando-se com as letras pátrias por mais este delicadíssimo fruto do seu formoso talento. De mim só lhe posso dizer que cada vez mais o admiro.

No seu livro há perfeito estudo de caracteres; e o mimo da linguagem em nada desdiz da segurança da vista do observador[3].

Nem o seu livro desanimou-me. Obedecendo a um conselho, que me deu, tenho-me aqui posto a delinear um romance. Mas, como desempenhar a tarefa depois da sua *Ressurreição*?

Por intermédio do Serra enviei-lhe um exemplar dos meus *Versos*. Agasalhe os enjeitadinhos, não por amor de mim, que um mau poeta sou; mas, por amor do Serra, que foi quem me obrigou a fazê-los sair da gaveta em que sempre deveriam estar guardados.

Adeus, e aqui me tem para o ler e o estimar sempre

seu muito admirador amigo
Gentil H. de Alm.^{da} Braga

---

1 ❧ *Ressurreição* é o primeiro ensaio visando ao romance psicológico, ainda sem o domínio técnico dessa tipologia narrativa e, ao mesmo tempo, ainda impregnado das ideias e metáforas do romance romântico. Na "Advertência" à 1.ª edição, Machado, desejando saber se este é um caminho a seguir, conclui:

"Aplausos, quando os não fundamenta o mérito, afagam certamente o espírito, e dão algum verniz de celebridade; mas quem tem vontade de aprender e quer fazer alguma coisa, prefere a lição que melhora ao ruído que lisonjeia."

Registre-se ainda que *Ressurreição*, tal como *Dom Casmurro* (1899), *Esaú e Jacó* (1904) e *Memorial de Aires* (1908), não teve publicação seriada e integral em periódicos antes da edição em volume. (SE)

2 ∾ Ao lançar *Ressurreição* (abril, 1872), Machado de Assis já gozava de prestígio como ficcionista, dramaturgo, jornalista e crítico. Publicara as peças *Desencantos* (1861), *O Protocolo e O Caminho da Porta* (1863); os poemas de *Crisálidas* (1864); a peça *Os Deuses de Casaca* (1866); os *Contos Fluminenses* (1870); as *Falenas* (1870), e fora redator do *Diário do Rio de Janeiro* de 1860 a 1867. (SE)

3 ∾ Machado considerava Gentil Braga bom poeta, romancista promissor, homem de sólida cultura e reflexão independente. Magistrado e jornalista, Braga era responsável pelos comentários de política internacional nas "Crônicas do Exterior" do *Semanário Maranhense* e, depois, com a vinda de Serra* para a corte, pela seção de política interna, "Crônicas do Interior", ambas hoje consideradas clássicas. Machado recebia o *Semanário* regularmente; aliás, em carta de 02/01/1868, Serra lisonjeado responde à sua interpelação:

"E dizes que não tenho te remetido o *Semanário Maranhense*? / Dei ordem à tipografia, desde a saída do 1.º número, para que fossem enviados todos os números à redação do *Diário Oficial*. É possível que a tipografia me tenha enganado, ou o correio ter-te-á pregado o logro? / Para sanar o mal, deste vapor em diante, além dos números enviados ao *Diário*, irão outros dirigidos a ti." (SE)

[115]

Para: FELIPE LOPES NETO
Fonte: Biblioteca da Associação Comercial do Rio de Janeiro. *Jornal do Comércio*, 1872.
Impresso original.

[Rio de Janeiro,] 1.º de julho de 1872.

CARTA AO SENHOR CONSELHEIRO LOPES NETO[1]

Confiou-me V*ossa* E*xcelência* para julgar um dos mais fecundos poetas da América Latina[2], que o meu ilustrado amigo Henrique Muzzio[3] apreciaria cabalmente, a não impedir-lho a doença que nos priva de seus escritos. Entre a ousadia de me fazer juiz e o desprimor de lhe desobedecer, confesso que me acho perplexo e acanhado.

A ideia, porém, de que sirvo neste caso ao elevado sentimento americano com que V*ossa* E*xcelência* está aliando a literatura de dois povos me dá algum ânimo de vir a público. Claro está que não virei como juiz, e sim dizer em poucas e singelas palavras a impressão que me causa, e não de hoje, o eminente poeta chileno.

Não de hoje, digo eu, porque os seus versos não me eram desconhecidos. Os primeiros que li dele mostrou-mos o seu compatriota Guilherme Blest Gana[4], maviosíssimo poeta e um dos mais notáveis e polidos talentos do Chile. Vinham impressos num jornal de Santiago. Era um canto ao México, por ocasião da catástrofe que destruiu o trono de Maximiliano[5].

Havia ali muito fogo lírico, ideias arrojadas, e ainda que a composição era extensa, o poeta soubera conservar-se sempre na mesma altura. Hipérbole também havia, mas era defeito esse menos do poeta que da língua e da raça, naturalmente exagerada na expressão. A leitura do canto logo me despertou o desejo de ler as obras do autor. Obtive-as posteriormente e li-as com a atenção que exigia um talento de tão boa têmpera[6].

Não são mui recentes, como V*ossa* E*xcelência* sabe, os seus dois volumes de versos. A única edição que conheço, a 2.ª, traz a data de 1858, e compreende os escritos de 1847 a 1853, tempo da primeira juventude do poeta. Não quer isto dizer que se arrufasse com as musas, e o canto a que me referi acima prova que também elas lhe não perderam a afeição dos primeiros dias.

Estou que o poeta terá publicado nos jornais muitas composições novas, e é de crer que algumas conserve inéditas. De qualquer modo que seja, os seus dois volumes, como qualidade, justificam a nomeada de que goza o poeta em toda a América espanhola; e, como quantidade, poderiam encher uma vida inteira.

A poesia e a literatura das repúblicas deste continente que falam a língua de Cervantes e Calderón conta já páginas dignas de apreço e credoras de admiração. O idioma gracioso e enérgico que herdaram de seus pais adapta-se maravilhosamente ao sentimento poético dessas regiões. Falta certamente muita coisa, mas não era possível que tudo houvessem alcançado nações recém-nascidas e mal assentes em suas bases políticas.

Além disso, parece que a causa pública tem roubado muito talento às tarefas literárias; e sem falar no poeta argentino que não há muito empunhava o bastão de primeiro magistrado do seu país[7], aí está Blest Gana, que a diplomacia prendeu em suas teias intermináveis. Penélope defraudou Circe, o que é uma inversão da fábula de Homero. Matta era deputado há um ano, e não sei se o é ainda hoje; não admirará que o parlamento o haja totalmente raptado às letras. A mesma coisa se dá na nossa pátria; mas já os enfeitiçados da política vão compreendendo que não há incompatibilidade entre ela e as musas, e sem de todo lançarem o hábito às ervas, o que não é fácil, é certo que voltam de quando em quando a retemperar-se na imortal juvença da poesia.

A anarquia moral e material é também em alguns desses países elemento adverso aos progressos literários; mas a dolorosa lição do tempo e das rebeliões meramente pessoais que tanta vez lhes perturbam a existência, não tardará que lhes aponte o caminho da liberdade, arrancando-os às ditaduras periódicas e estéreis. Causas históricas e constantes têm perpetuado o estado convulso daquelas sociedades, cuja emancipação foi uma escassa aurora entre duas noites de despotismo. Tal enfermidade, se aproveita ao egoísmo incurável dos ditadores de um dia, não escapa à sagacidade dos estadistas patriotas e sinceros. Um deles, ministro de estado na Colômbia, há cerca de um ano, francamente dizia, em documento oficial, que, na situação do seu país, era uma aparência a república, e encontrava na ignorância do povo a causa funesta da inanidade das instituições. "Nossas revoluções, dizia o *Senhor* Camacho Roldán[8], nascem espontaneamente e se alimentam e crescem neste estado doentio do corpo social, em que, sob uma tenuíssima crosta de população educada, se estende uma massa enorme de população ignorante, joguete de todas as ambições, matéria inerte que se presta indiferentemente ao bem e ao mal, elemento sem vida própria, que o furacão levanta e agita em todas as direções." Concluía o sagaz estadista propondo que se acudisse "à constituição interior da sociedade."

Algum progresso tem já havido, o Peru e, não longe de nós, a Confederação Argentina, parecem ir fechando a era lutuosa da caudilhagem. De todos porém é o Chile a mais adiantada república. O mecanismo constitucional não está ali enferrujado pelo sangue das discórdias civis, que poucas foram e de limitada influência.

Em frente da autoridade consolidada vive a liberdade vigilante e pacífica. O que um ministro da Colômbia propunha como necessidade do seu país, vai sendo desde muito uma realidade na República Chilena, onde a educação da infância merece do poder público aquela desvelada atenção, que um antigo diria ser a mais bela obra do legislador.

Muitos patrícios nossos, a instâncias de V*ossa Excelência*, têm revelado numerosos documentos dos progressos do Chile. É de bom agouro esta solicitude. Valemos alguma coisa; mas não é razão para que desdenhemos os títulos que possa ter uma nação, juvenil como a nossa, e no seu tanto operária da civilização. Não imitemos o Parisiense de Montesquieu, que se admirava de que houvesse Persas[9]. Entre a admiração supersticiosa e o desdém absoluto, há um ponto que é a justiça.

A justiça reconhece em Guilherme Matta um poeta notável. Os livros que temos dele, como disse, são obras da primeira juventude, e quando o não dissessem as datas, diria-o claramente o caráter de seus versos. Geralmente revelam sentimento juvenil, seiva de primeira mão, verdadeira pompa da primavera, com suas flores e folhagens caprichosamente nascidas, e ainda mais caprichosamente entrelaçadas.

Há também seus tons de melancolia, seus enfados e abatimentos, arrufos entre o homem e a vida, que o primeiro raio de sol apaga. Mas não é esse o tom geral do livro, nem revela nada artificial; seria talvez influxo do tempo, mas influxo que parece casar-se com a índole do poeta.

É justo dizer que uma ou outra vez, mas sobretudo nos dois poemas e nos fragmentos de poema que ocupam o primeiro volume, há manifesta influência de Espronceda[10] e Musset[11]. Influência digo, e não servil imitação, porque o poeta o é deveras, e a feição própria, não só se lhe não demudou ao bafejo dos ventos de além-mar, mas até se pode dizer que adquiriu realce e vigor. O imitador servil copiaria os contornos do modelo; não passaria daí, como fazem os macaqueadores de Victor Hugo, que julgam ter entrado na família do poeta, só com lhe reproduzir a antítese e a pompa da versificação. O discípulo é outra coisa; embebe-se na lição do mestre, assimila ao seu espírito o espírito do modelo. Tal se pode dizer de Guilherme Matta nos seus dois poemas *Un Cuento endemoniado*, *La Mujer misteriosa* e nos fragmentos.

Há nessas composições muitas páginas comoventes, outras joviais, outras filosóficas; e descrições variadas, algumas delas belíssimas, imagens e ideias, às vezes discutíveis, mas sempre nobremente expressas, também as achará o leitor em grande cópia. O defeito desses poemas, ou contos, que é a designação do autor – me parece ser a prolixidade. O próprio poeta o reconhece, no *Cuento endemoniado*, e contrito pede ao leitor que lhe perdoe[12]:

.... *las digressiones*
Algo extensas que abundan en mi obra.

A poesia chamada pessoal ocupa grande parte do 2.º volume, talvez a maior. Os versos do poeta são em geral uma contemplação interior, coisas do coração e muita vez coisas de filosofia. Quando ele volve os olhos em redor de si é para achar na realidade das coisas um eco ao seu pensamento, um contraste ou uma harmonia entre o mundo externo e o seu mundo interior. A musa de Matta é também viajante e cosmopolita.

Onde quer que se lhe depare assunto à mão, não o rejeita, colhe-o para enfeitá-lo com outros, e oferecê-los à sua pátria. Ora canta uma balada da idade média, ora os últimos instantes de Safo. Vasco Nunes[13] recebe um louro, Pizarro um estigma. Quevedo e Cervantes, Lope de

Vega e Platen[14], Aristófanes e Goethe, Espronceda e Victor Hugo, e ainda outros têm cada um o seu baixo-relevo na obra do poeta. Ofélia tem uma página, Lélia[15] duas. A musa voa dos Andes ao Tirreno, do presente ao passado, tocada sempre de inspiração e sequiosa de cantar. Mas o principal assunto do poeta é ele mesmo. Essa poesia pessoal, que os trovadores de má morte deslavaram em versos pífios e chorões, encanta-nos ainda hoje nas páginas do poeta chileno.

Escreveu Matta no período em que o sol do romantismo, nado nas terras da Europa, alumiava amplamente os dois hemisférios, e em que cada poeta acreditava na elevada missão a que viera ao mundo. Aquela fé perdeu-se, ou amorteceu muito, como outras coisas boas que vão baixando nesta crise do século. O *Canto do poeta*, ode dedicada a Blest Gana, exprime a serena e profunda confiança do cantor, não só na imortalidade da inspiração, mas também na superioridade da poesia sobre todas as manifestações do engenho humano. A poesia é o verbo divino, *el verbo de Dios*, e o poeta, que é o órgão do verbo divino, domina por isso mesmo os demais homens: *el poeta es el único*. Com este sentimento quase religioso, exclama o autor do *Canto*:

Salmo del orbe, cántico infinito,
   Verbo eterno que inflamas
El alma, y como un fúlgido aerolito
Rasgas tinieblas y esplendor derramas!
   Verbo eterno, aparece,
El bien redime, el bien rejuvenece!
. . . .
Alza la frente! de la imagen bella
   La forma allí circula;
Perfumes pisa su graciosa huella,
Y creación de luz, en luz ondula.
   Poeta, alza la frente!
La eterna idea es hija de tu mente!

A musa que assim canta os destinos da poesia encara friamente a morte e fita os olhos na vida de além-túmulo. Entre outras páginas em que este sentimento se manifesta, namoram-me as que ele chamou *Para siempre*, e que são um sinônimo de amor, animado e vivo, e verdadeiramente do coração. Nem todas as estrofes serão irrepreensíveis como pensamento; mas há delas que o cantor de Teresa[16] não recusaria assinar. Como o poeta de Elvira[17], afiança ele a imortalidade à sua amada:

> *Los dos lo hemos jurado para siempre!*
> *Nada puede en el mundo separarnos;*
> *Consolarnos los dos, los dos amarnos,*
> *Debemos en el mundo, caro bien.*
> *Apesar de las críticas vulgares*
> *Los cantos de mi lira serán bellos,*
> *Inmortales quizá... yo haré con ellos*
> *Diadema de armonías a tu bien.*
>
> *Eses cantos son tuyos; son las flores*
> *Del jardín de tu alma. En ella nacen,*
> *Crecen, aroman, mueren y renacen,*
> *Que es un germen eterno cada flor.*
> *Yo recojo el perfume, y transvasado*
> *Del alma mía en el crisol intenso,*
> *En estrofa sublime lo condenso*
> *O lo esparzo en un cántico de amor.*
>
> *Mi amante corazón es una selva*
> *En sombras rica, en armonías grata;*
> *Y el eco anuda y a su vez dilata*
> *Con la canción que acaba otra canción.*
> *Lira viviente, cada nota alada*
> *Vibra en sus cuerdas, su emoción expresa;*

*Ave incansable de cantar no cesa,
Tan poco el labio de imitar el son.*

*Oh! si pudieses asomar tus ojos
Dentro en mi alma! Si leer pudieras...
Cuántas odas bellísimas leyeras,
Cuántos fragmentos que sin copia están!
Todo un poema, enfin, todo un poema
Transfigurado, armónico, infinito,
En caracteres gráficos escrito
Que tus ojos no más traducirán.*

....

Geralmente é sóbrio de descrições, e quando as faz sabe envolver a realidade em boas cores poéticas. A imaginação é viva, o estro caudal, o verso correntio e eloquente. Não direi que todas as páginas sejam igualmente belas: algumas há de inferior valia; mas tão ampla é a obra, que ainda fica muita coisa de compensação.

Quisera transcrever uma de tantas composições, como *Panteísmo*, *Canción*, *Crepúsculo*, *Lástimas*, *La Noche*, e muitas mais; o público, porém, ante cujos olhos vão estas linhas, tem já nos trechos apontados uma amostra do que vale a inspiração do poeta quando abre livremente as asas.

Livremente, porque há ocasiões em que ele a si mesmo impõe o dever de ser breve e conceituoso, ganhando na substância o que perde na extensão. Vê-se que conhece o segredo de condensar uma ideia numa forma ligeira e concisa que surpreenda agradavelmente o leitor. A prolixidade que eu achei nos poemas, e sobretudo, *Cuento endemoniado*, não era defeito do poeta, mas um resultado da exageração dos modelos que seguiu.

Assim é que, para conter os ímpetos de sua alma, e juntamente aconselhar aos débeis a prudência, imaginara a galante alegoria da pomba:

Tus blancas alas agitas,
Paloma, en raudo volar,
Y en tus vueltas infinitas
A una blanca vela imitas
Que se aleja adentro el mar.

....

Allí tus débiles plumas
Al aire se esparcirán...
Ah! no de águila presumas!
No abandones, ay! tus brumas
Por el sol del huracán!

Nem sempre se atém a estas generalidades. O problema da vida e da morte a miúdo lhe ocupa o pensamento. Não é já o poeta que anuncia a duração dos seus versos; é o homem que perscruta o seu destino. A conclusão não é sempre igual; às vezes crê, às vezes dúvida; ora afirma, ora interroga apenas; mas esta mesma perplexidade é a expressão sincera do seu espírito.

O filósofo segue as alternativas da alma do poeta. O que a semelhante respeito encontro no livro é singularmente rápido e lacônico, como se o autor temesse encarar por muito tempo o problema terrível. *Que será?* por exemplo, é o singelo título destes singelíssimos versos:

[¿] Hay mas allá? [¿] La tumba es un abismo
O en un trono de luces se transforma?
[¿] Queda en la tierra parte de mí mismo,
O de una idea ajena soy la forma?
[¿] Me ha creado el amor ó el egoísmo?

Noutra página – *Preguntas sin respuestas*:

Santas visiones que jamás hallamos,
Mas que siempre seguimos y que vemos
Y con ansia del alma deseamos,

Decidme: [¿] és realidad cuanto creemos?
Decidme: [¿] és ilusión cuanto esperamos?
[¿] Y en la tumba morimos ó nacemos?

A tais interrogações, muitas vezes repetidas, responde o mesmo poeta em mais de uma página. *Linha recta* (sic) é a denominação desta conceituosa quintilha:

La muerte es una faz más luminosa;
La muerte es una vida más perfecta;
El espíritu humano no reposa;
Contiene un nuevo espíritu la fosa,
Como en la línea curva está la recta.

Não se propôs ele dar-nos um sistema filosófico; não escreveu sequer um livro de versos. Escreveu versos, conforme lhos foi ditando o sentimento da ocasião e quando os colecionou não se deteve a compará-los e conciliá-los, que isso seria tirar o caráter legítimo da obra, a variedade do sentir e do pensar. Esse é geralmente o encanto desta casta de livros. Junqueira Freire seria completo sem a contradição dos *Claustros*[18] com o *Monge*?

Conviria talvez dizer alguma coisa a respeito da linguagem e da versificação do poeta. Uma e outra me parecem boas; mas a um estrangeiro, e sobretudo estrangeiro não versado na língua do autor, facilmente escapam segredos só familiares aos naturais. Nem a língua, nem a poética da língua conheço eu de maneira que possa aventurar juízo seguro. Os escritores europeus dizem que o idioma castelhano se modificou muito, ou antes que se corrompeu passando ao novo continente.

Nas mesmas repúblicas da América parece que há diferenças notáveis. Dizia-me um escritor do Pacífico que o castelhano que geralmente se escreve na região platina é por extremo corrupto; e ali mesmo, há coisa de poucos anos, bradava um jornalista em favor da sua língua, que dizia inçada de escusados lusitanismos, graças à vizinhança do Brasil. Assim será, não sei. Mas, a ser exato o que se lê numa memória da academia espanhola de Madri, lida e publicada em novembro do ano passado, a corrupção da língua nos países hispano-americanos, longe de aumentar, tem-se corrigido e melhorado muito, não só por meio de obras de engenho e imaginação, como por livros didáticos especiais.

Um poeta da ordem de Matta tem natural direito àquela honrosa menção, e pela posição literária que ocupa e a popularidade do seu nome influirá largamente no movimento geral.

Estou que não conhecemos ainda todo o poeta. O que domina nos dois volumes publicados é o tom suave e brando, a nota festiva ou melancólica, mas pouco, muito pouco daquela corda do canto ao México, que o poeta tão ardentemente sabe vibrar. Guardará ele consigo alguns trabalhos da nova fase em que entrou, como o seu compatriota Blest Gana, que teima em esconder das vistas públicas nada menos que um poema? Um e outro, como Barra Lastarria[19], como Errázuriz[20], como Arteaga[21], devem muitas páginas mais às letras americanas, a que deram tanto lustre Arboleda[22] e Basílio da Gama, Heredia[23] e Gonçalves Dias.

Machado de Assis[24]

---

1 ❧ Carta aberta publicada sob a rubrica "Literatura" no *Jornal do Comércio* de 02/07/1872. Há numerosos erros tipográficos, o mais grave sendo a troca do nome do poeta chileno Guillermo **Matta**, sempre apresentado como Guilherme **Malta**. Com tal gralha e um subtítulo inexistente no periódico – "*Un cuento endemoniado e La mujer misteriosa* por Guilherme Malta" –, o texto foi publicado no volume póstumo *Crítica*, organizado por Mário de Alencar* (1920). Os equívocos persistiram em outras edições da crítica literária machadiana. (IM)

2 ◈ Machado dedica este longo texto a **Guillermo Matta** Goyenechea (1829-1899), poeta, ensaísta e político chileno – liberal progressista e expoente do romantismo em seu país. Perseguido, exilou-se na Inglaterra. Posteriormente, foi parlamentar, como seu irmão, Antonio Matta, proeminente jornalista e político. Encontram-se na biblioteca de Machado de Assis os dois volumes de *Poesias de Guillermo Matta* (1858). (IM)

3 ◈ Henrique César Muzzio*, jornalista e grande amigo de Machado. Ver tomo I, em [56], [60], [61], [62], [70] e [71]. (IM)

4 ◈ Sobre o diplomata e poeta chileno Guillermo Blest Gana*, ver tomo I, em [50]. (IM)

5 ◈ Lopes Neto era fervoroso defensor do imperador Maximiliano I do México. Ver cartas do "Amigo da Verdade", em [35] e [38], tomo I. (IM)

6 ◈ Ver referência na nota 2. (IM)

7 ◈ Bartolomeu Mitre (1821-1906), presidente da Argentina de 1862 a 1868. Primeiro ocupante da Cadeira 1 do Quadro de Sócios Correspondentes da ABL. (IM)

8 ◈ Salvador Camacho Roldán (1827-1900). Economista de grande importância, formulou programas de modernização para a Colômbia. Publicou *Escritos Vários* em 1892. (IM)

9 ◈ Alusão às *Lettres Persanes* de Montesquieu (1689-1755). (IM)

10 ◈ José de Espronceda (1808-1842), romancista, dramaturgo e poeta romântico espanhol. (IM)

11 ◈ Alfred de Musset (1810-1857). (IM)

12 ◈ Os versos citados não estão em itálico no *Jornal do Comércio*. (IM)

13 ◈ O descobridor espanhol Vasco Nuñez de Balboa (1475-1519). (IM)

14 ◈ O poeta alemão conde von Platen – August *Graf* von Platen-Hallermmünde (1796-1835), que, reagindo à estética romântica, antecipou tendências da poesia parnasiana. (IM)

15 ◈ Personagem do romance homônimo da escritora francesa George Sand (1804-1876). (IM)

16 ◈ Espronceda. (IM)

17 ◈ Lamartine. (IM)

18 ◈ Referência a *Inspirações do Claustro* (1855). (IM)

19 ◈ Eduardo de Barra Lastarria (1839-1900), diplomata e escritor chileno. (IM)

20 ◈ Fernando Errázuriz Aldunate (1777-1841) foi presidente do Chile em 1831. (IM)

21 ∾ O político e jornalista chileno Domingo Arteaga Alemparte (1835-1880), ou seu irmão Justo Arteaga Alemparte (1834-1882), diretor de jornais e tradutor da *Eneida* de Virgílio. (IM)

22 ∾ Julio Arboleda (1817-1862), principal poeta romântico da Colômbia, político e militar. (IM)

23 ∾ José Maria de Heredia (1842-1905), poeta do parnasianismo francês. (IM)

24 ∾ Cabe lembrar que Machado, ainda jovem cronista de "Ao Acaso" no *Diário do Rio de Janeiro*, criticara duramente a posição de Felipe Lopes Neto, favorável à intervenção de Napoleão III, que conferiu o título de imperador a Maximiliano I, Habsburgo imposto como governante do México. Ver em [38], tomo I. (IM)

[116]

De: JOSÉ JOAQUIM PEREIRA DE AZURARA
Fonte: Manuscrito Original, Arquivo ABL.

Paquetá, 4 de agosto de 1872.

Ilustríssimo Senhor Machado de Assis.

Nesta minha infeliz mania das letras só me gabo dos aplausos dos corações sinceros. Por consequência lógica, vou depor nas hábeis mãos de Vossa Senhoria o último meu mesquinho fruto de tantas fadigas. Nas minhas horas amargas e dissabores, em que uma injusta e iníqua demissão me veio privar[1], espaireci escrevendo estas pobres páginas, filhas da pitoresca Paquetá, e nem tome Vossa Senhoria tais expansões como outra coisa[2].

Irei publicando mais labores na mesma casa do Senhor Laemmert[3], que lhe deporei como este. A opinião de Vossa Senhoria e que me ensine — Este é o meu apelo.

Disponha Vossa Senhoria de um pobre professor, que é com muita consideração e admiração de Vossa Senhoria

Muito atencioso, venerador e respeitador
J. J. Pereira Azurara

1 ∾ A demissão pode ter sido consequência de um ofício datado de 15/05/1872. Neste, o professor se mostra indignado com o estado de sua escola:

> "Causa lástima, Exmo. Sr., enoja, permita-me a expressão, o modo por que se montou, o estado em que se acham os móveis e utensílios das escolas públicas do município da Corte, especialmente as da cidade, que deveriam ser escolas modelos!"

Uma "pocilga", no dizer de Azurara (Schueler, 2007). (IM)

2 ∾ *Contos de Paquetá* (1872). Em 1871, mais uma vez a *Semana Ilustrada* fizera alusões a Azurara, com desculpas por não comentar seu novo romance, *Coincidências Fatais*, devido à falta de espaço. Já os *Contos de Paquetá*, "nova obra do Sr. Joaquim Pereira de Azurara", foram qualificados como "um grande progresso na sua vida literária" (n.º 610, de 18/08/1872). Ver em [91]. (IM)

3 ∾ Certamente o editor alemão Eduardo Laemmert, sócio do irmão Henrique, na Casa Laemmert, empresa pioneira no mercado livreiro e tipográfico no Brasil. Eduardo (1806-1880), primeiro a chegar, vindo de Paris em 1828, onde trabalhou na Casa Bossange, aqui fundou a Livraria Universal. Cinco anos depois, chegou Henrique, e então fundaram a E & H Laemmert, na rua da Quitanda, 77. Em 1838, com maquinaria tipográfica importada da França, inauguraram a Tipografia Universal, na rua dos Inválidos. Lá, foram impressas folhinhas, mapas, guias, livros e o famoso *Almanaque Laemmert* (1844-1930). (SE)

[117]

De: VISCONDE DE BOM RETIRO –
LUÍS PEDREIRA DE COUTO FERRAZ
Fonte: Manuscrito Original, Arquivo ABL.

Rio de Janeiro, 11 de setembro de 1872.

Ilustríssimo Senhor.

Agradeço a Vossa Senhoria em nome da Comissão encarregada de erigir a estátua do Conselheiro José Bonifácio a parte que Vossa Senhoria se dignou de tomar na solenidade da inauguração da mesma estátua concorrendo com a bela produção de seu feliz estro[1] para o brilhantismo da festa consagrada ao quinquagésimo aniversário da proclamação da independência nacional.

Deus guarde a Vossa Senhoria a quem apresento os meus cumprimentos

O Presidente da Comissão
Visconde de Bom Retiro

Ilustríssimo Senhor Joaquim Maria Machado de Assis.²

---

1 ∾ A poesia de circunstância, publicada no *Jornal do Comércio* de 07/09/1872, foi composta para a inauguração da estátua no largo de São Francisco. Com o título "José Bonifácio", Machado de Assis incluiu a mesma poesia em *Americanas* (1875). (IM/SE)

2 ∾ Esta carta, escrita por calígrafo em papel timbrado "Estátua de J. Bonifácio", traz a assinatura do autor. (IM)

[118]

De: JOSÉ CARLOS RODRIGUES
Fonte: Manuscrito Original, Arquivo ABL.

New York, 22 de setembro de 1872.

Ilustríssimo Senhor Machado de Assis

Dou-lhe os parabéns pelo brilhante sucesso da sua *Ressurreição*, que li há dias e de que hei de dizer por extenso o que penso nalgum dos próximos números do *Novo Mundo*¹.

Este jornal (que tem chegado agora ao 3.º ano a salvamento) precisa de um bom estudo sobre o caráter geral da literatura brasileira contemporânea, criticando suas boas ou más tendências, no aspecto literário e moral: um estudo que, sendo traduzido e publicado aqui em inglês, dê uma boa ideia da qualidade da fazenda literária que lá fabricamos, e da escola ou escolas do processo da fabricação. Como sabe, se não escrevo bem sobre assunto nenhum, muito menos sobre literatura; nem tenho tempo de ir agora estudá-la. Quererá o amigo escrever sobre isso? — Não posso dizer-lhe de antemão quanto lhe pagarei pelo trabalho; mas digo-lhe que desejo muito ter esse artigo e que hei de retribuir-lhe o melhor que puder, regulando-me sempre pela qualidade, não pelo tamanho do escrito. Talvez possamos fazer algum arranjo efetivo para trabalhos deste gênero. Em todo o caso estimaria ter uma ideia de quanto espera receber por seu trabalho.

No correr de 1873 vou publicar aqui traduções inglesas de dois romances nacionais bem conhecidos. A tradução é feita por um autor dos mais distintos que hoje escrevem no inglês.

Desejando-lhe muita saúde e as mais bênçãos cristãs[2], fico

De Vossa Senhoria
patrício e criado obrigado
J. C. Rodrigues

---

1 ∞ *O Novo Mundo: periódico ilustrado do progresso da idade*, editado em Nova York (1870-1879) e dirigido por José Carlos Rodrigues. Publicou o ensaio "Notícia da Atual Literatura Brasileira" de Machado de Assis, onde se encontra o famoso "Instinto da Nacionalidade". Ver em [121], carta de 25/01/1873. (IM)

2 ∞ Afastando-se do Brasil por problemas legais, José Carlos Rodrigues abraçara o protestantismo. (IM)

[119]

Para: JÚLIO CÉSAR MACHADO
Fonte: OLIVEIRA, Mário Alves de. Duas Cartas Inéditas de Machado de Assis. *Revista Brasileira*, VII, 50, Rio de Janeiro, 1.º trimestre, 2007.

Rio de Janeiro, 23 de outubro de 1872.

Regressa brevemente a Portugal o Doutor Alvarenga[1], com quem, por intermédio de Vossa Excelência travei relações que sobremaneira me honraram e de que me não hei de esquecer. Sua vasta capacidade e a nomeada que tão justamente goza na Europa, já de si o designavam à minha admiração; mas eu estimei especialmente a circunstância de me ser apresentado por um homem do talento e do caráter de V*ossa Excelência*, a quem de longe admiro e prezo. Unicamente lastimo não lhe ter podido prestar todos os serviços a que tem direito o ilustre professor, seu compatriota, e meu também, pois que viu a luz em terras brasileiras.

O D*outo*r Alvarenga leva da minha parte muitas e muitas recomendações a V*ossa Excelência*. Não sei se já terá recebido um romance meu[2], há algum tempo enviado por intermédio do meu amigo o Senhor Conselheiro J*osé Feliciano* de Castilho[3]. Vale pouco; mas como dizia um patrício meu ao ilustre Garrett, – o coração só dá bagatelas[4].

Como sempre, seu admirador e amigo
Machado de Assis.

---

1 ◦ O brasileiro Pedro Francisco da Costa Alvarenga (1826-1883) tornou-se um grande nome da medicina portuguesa do século XIX; foi fundador e redator da *Gazeta Médica de Lisboa*. (SE)

2 ◦ Sobre *Ressurreição* (1872), ver em [114].

3 ◦ O português José Feliciano de Castilho Barreto e Noronha* (1810-1879), irmão do poeta Antônio Feliciano de Castilho (1800-1875), vivia no Rio de Janeiro desde 1847. (SE)

4 ◦ Sobre João Batista da Silva Leitão (1799-1854), mais tarde Almeida Garrett, ver em [107]. (SE)

[120]

De: JOAQUIM NABUCO
Fonte: ARANHA, José Pereira da Graça. *Machado de Assis e Joaquim Nabuco. Comentários e Notas à Correspondência Entre Estes Dois Grandes Escritores.*
São Paulo: Monteiro Lobato, 1923.

[Rio de Janeiro, 1872.][1]

Meu caro Machado

Se você quiser ouvir umas folhas de má prosa sobre os *Lusíadas*[2] apareça às 7 da noite à rua da Princesa do Catete[3], n.º 1, casa sua e de

Diário Oficial[4]
1872. Hoje.
Querido Machado,
Espero-o (sem falta !!!)

Joaquim Nabuco.

Sizenando[5]

---

1 ꙮ Bilhete provavelmente anterior a 08/09/1872, data em que a *Semana Ilustrada* anuncia:

"Publicou-se e acha-se à venda em todas as livrarias *Camões e os Lusíadas*, obra de perto de 300 páginas do Dr. Joaquim Nabuco. A *Semana* não será exceção dos jornais que em coro elogiaram e proclamaram ótima a publicação, que não somente honra o jovem autor, como mostra que ainda há pessoas dedicadas aos estudos sérios." (IM)

2 ꙮ Carolina Nabuco cita "*The place of Camões in literature*", conferência pronunciada por seu pai na Yale University (14/05/1908). Dois anos antes de falecer, o embaixador Joaquim Nabuco recordava: "Logo que li os *Lusíadas* pela primeira vez, escrevi um livro para dizer o meu deslumbramento." (Nabuco, 1928). (IM)

3 ꙮ Hoje rua Correia Dutra, em casa do conselheiro José Tomás Nabuco de Araújo (1813-1878), pai dos dois signatários, Joaquim e Sizenando Nabuco*. (IM)

4 ꙮ Referência ao local onde Machado de Assis trabalhava desde 1867. (IM)

5 ꙮ Sem dúvida, eram de primeira as reuniões no casarão de esquina com a Praia do Flamengo. Cronista da *Ilustração Brasileira*, assinando-se "Manassés", Machado de Assis daria esta nota pitoresca na sua seção "História de Quinze Dias", em 15/10/1877:

"A *fashion* fluminense tem tido boas noites de diversão. Além das brilhantes quintas-feiras do Sr. Conselheiro Diogo Velho, teve nesta quinzena um **sarau especial em casa do Sr. Conselheiro Nabuco**, festa que deixou encantados os que lá foram. Era o aniversário da filha do eminente jurisconsulto. Sei que lá reinaram a graça e a elegância; que a animação foi geral e constante, que a festa terminou depois das 4 horas da madrugada. **O cotilhão foi brilhantemente dirigido pelo Sr. Dr. Sizenando Nabuco.**" (IM)

[121]

Para: JOSÉ CARLOS RODRIGUES
Fonte: Manuscrito Original. Seção de Manuscritos, Fundação Biblioteca Nacional.

Rio de Janeiro, 25 de janeiro de 1873.

Ilustríssimo Senhor Doutor *José Carlos* Rodrigues,

Aperto-lhe mui agradecidamente as mãos pelo seu artigo do *Novo Mundo* a respeito do meu romance[1]. E não só agradeço as expressões amáveis com que me tratou, mas também os reparos que me fez. Vejo que leu o meu livro com olhos de crítico, e não hesitou em dizer o que pensa de alguns pontos, o que é para mim mais lisonjeiro que tudo. Escrevera-lhe eu mais longamente desta vez, se não fora tanta coisa que me absorveu hoje o tempo e o espírito. Entretanto não deixarei de lhe dizer desde já que as censuras relativas a algumas passagens menos recatadas são para mim sobremodo salutares. Aborreço a literatura de escândalo, e busquei evitar esse escolho no meu livro. Se alguma coisa me escapou, espero emendar-me na próxima composição.

O nosso artigo está pronto há um mês[2]. Guardei-me para dar-lhe hoje uma última demão; mas tão complicado e cheio foi o dia para mim, que prefiro demorá-lo para o seguinte vapor. Não o faria se se tratasse de uma correspondência regular como costumo fazer para a Europa; trata-se, porém, de um trabalho que, ainda retardado um mês não perde a oportunidade.

O nosso João de Almeida[3] tinha-me pedido em seu nome um retrato, que lhe entrego hoje e lá irá ter às suas mãos. Não me será dado obter igualmente um retrato seu para o meu álbum dos amigos? Creia-me, como sempre,

Seu amigo, patrício admirador
Machado de Assis.

---

1 ∞ *Ressurreição* (1872). Em carta de 22/09/1872, José Carlos Rodrigues garante: "hei de dizer por extenso o que penso nalgum dos próximos números de *O Novo Mundo*." Na edição de 23/12/1872, sem assinar, o redator analisou a obra. (SE)

2 ∞ "Instinto de Nacionalidade", que sairá na edição de 24/03/1873, é um ensaio em que Machado examina o que seria o caráter nacional da literatura e, por extensão, da arte e da cultura brasileiras. A literatura como representação e interpretação da nacionalidade é um tema sempre presente em sua obra, seja no artigo de 1858, "O passado, o presente e o futuro da literatura"; seja nas reflexões sobre a dramaturgia nacional em "O teatro de José de Alencar", ou em "O teatro de Gonçalves de Magalhães", ou ainda em "O teatro de Joaquim Manuel de Macedo" (todos de 1866); seja no prefácio à edição de 1887 de *O Guarani*, de Alencar*. (SE)

3 ∞ Repórter de *A República*, da *Gazeta de Notícias* e de *O Cruzeiro*. Ver nota 1 em [142], carta de 15/04/1876. (SE)

[122]

De: JOSÉ TITO NABUCO DE ARAÚJO
Fonte: Manuscrito Original, Arquivo ABL.

Rio de Janeiro, 1.º de abril de 1873.

Meu caro amigo

Acabo de ser surpreendido com a notícia de que o Conservatório proibiu a representação de minha comédia *Os Maridos* por ser *imoral!* Em confronto a minha comédia com *Os Palermas*, *Vida no Rio de Janeiro*, *Festa na Roça* e tantas outras, é até uma composição inocente, e que em vez de imoralidade castiga o vício e ridiculariza o desregramento dos costumes. O empresário anunciou a peça, montou-a, e o cenário está pronto, e à última hora fulmina o Conservatório, onde tenho amigos, a proibição da récita. Por que teria eu incorrido no ódio do conservatório dramático[1]?

Pois a minha comédia à vista do aluvião de paródias, quejandos, cenas cômicas recheadas das mais revoltantes imoralidades, seria a única digna de ser eliminada *por ser imoral*, quando nada em si tem que possa comprovar semelhante juízo. A comédia é da escola realista, proscrevei então a escola, mas não feri (*sic*) a composição, muito superior em lição e moralidade, ao que aí se está representando e que chega a ferir os ouvidos os mais indiferentes.

Quis-se ferir o autor, mas o meio e o modo nem me parecem dignos, nem justos.

O meu amigo é o protetor da arte e de muitos artistas brasileiros; se quiser pois auxiliar o empresário do Ginásio, salvando as suas despesas, muito obrigará a quem sempre foi e é

adm*irad*or e am*ig*o
J. Tito Nabuco.

Note Bem. Acresce para provar a imoralidade (*sic*) da comédia que foi ela representada em uma Sociedade Dramática Particular, frequentada por famílias conhecidas, sendo muito aplaudida.

---

1 ∽ O Conservatório Dramático (ver em [16], tomo I) fora extinto em 10/05/1864. Ressurgiu por decreto (04/01/1871), com poder de censura prévia, privilégio que revoltou o meio teatral, gerando protestos como este. Machado, novamente censor, foi alvo de críticas, especialmente na revista *O Mosquito*. Sobre o pedido de José Tito (que era primeiro promotor público da corte e tio de Sizenando* e Joaquim Nabuco*), Magalhães Jr. (2008) indaga: "Como teria o censor Machado de Assis descalçado esta bota? Ainda não encontramos notícias da representação de tal peça [...]" (IM)

[123]

Para: LÚCIO DE MENDONÇA
Fonte: *Revista da Academia Brasileira de Letras*,
XXI, 23, Rio de Janeiro, 1929.

[Rio de Janeiro,] 16 de abril de 1873.[1]

Meu caro Lúcio de Mendonça.

Antes de mais nada deixe-me agradecer-lhe a confiança que depositou em mim. Qualquer que fosse o objeto, devia agradecer-lha; tratando-se porém de seu futuro, como me disse, lisonjeou-me muito mais a escolha que fez de mim.

Conversei com o Garnier[2] e miudamente lhe expus a sua proposta com as vantajosas condições que me indicou; sua resposta foi que neste momento acha-se ele com cinco tradutores, que trabalham assiduamente e são mais que suficientes para fornecer o mercado do Rio de Janeiro. Mostrou sentir não poder aceitar a sua proposta, alegando que não podia despedir nenhum dos outros, um dos quais parece que é o Salvador, se me não engana a memória. Diante desta proposta, compreende que eu nada podia fazer, salvo alegar a alta importância a que tinha para o amigo neste negócio, o que fiz logo do princípio.

Tal é meu caro Lúcio a resposta que sou obrigado a enviar-lhe. Se alguma coisa aparecer por aqui no mesmo sentido, apressar-me-ei a comunicar-lha. Por outro lado se de lá se lembrar de algum negócio em que eu possa ser medianeiro, pode contar que o farei com a melhor vontade do coração.

Creia-me seu amigo e admirador.
Machado de Assis.

---

1 ∾ Lúcio de Mendonça estava em São Paulo, para onde retornara depois de cumprir dois anos de suspensão por ter participado da "Revolução Acadêmica" na Faculdade de Direito, logo que ali entrou em 1871. Nesses dois anos, voltou à corte e trabalhou

com Salvador de Mendonça* no jornal *A Reforma*, cuja redação ficava na rua do Ouvidor 132. (SE)

2 ∞ Baptiste Louis Garnier, editor e livreiro no Rio de Janeiro. Precisando de dinheiro para manter-se em São Paulo, Lúcio de Mendonça pediu a intervenção de Machado junto ao editor a fim de facilitar a sua entrada no corpo de tradutores de romances, artigos e folhetins da Casa Garnier. (SE)

[124]

De: LUÍS GUIMARÃES JÚNIOR
Fonte: Manuscrito Original, Arquivo ABL.

Santiago do Chile, 6 de junho de 1873.[1]

Machado,

Aí vai o meu retrato. Se ele sofresse o que eu sinto, com o frio atual e os atuais tremores de terra, chegaria mais que desmaiado às tuas mãos. O mesmo, porém, não sucede com o coração do teu amigo, amigo e amigo

Luís Guimarães Jr.

---

1 ∞ O autor da mais antiga carta que Machado conservou (tomo I, [5]) foi designado adido de I.ª classe na Bolívia (06/07/1872), assumindo o mesmo cargo no Chile a partir de 19/01/1873. Sobre a opção pela diplomacia, comentou sua filha e biógrafa, Iracema Guimarães Vilela (1934):

"Tencionando unir-se à linda criatura [Cecília Canongia], que lhe inspirara os seus mais formosos sonetos, decidiu entrar na diplomacia. Adeus às tardes delirantes da rua do Ouvidor, com expansões adoidadas, fazendo soar os timbales da alegria, que nele jorrava em torrentes desenfreadas, tendo cargo em pagar empadas que o Castro Urso devorava no Castelões! Adeus às noitadas diabólicas com Paula Ney, Patrocínio, Joaquim Serra e França Júnior! O boêmio extravagante, transfigurado finalmente pelo milagre do amor, da sua doce Cecília, envergou a siuda farda de secretário de legação; era pois mister preparar o peito até aí afeito à capa e à espada de menestrel, para receber com dignidade as futuras condecorações da austera carreira que escolhera. Pedro Luís, seu grande amigo, assinou-lhe a nomeação, tão depressa foi convidado para ministro, dizendo a sorrir, enquanto escrevia: 'Poetas, por poetas, devem ser nomeados'. A musa de Luís Guimarães, compenetrada do seu novo mister, abandonou sem pesar as castanholas e o pandeiro, tornando-se mais grave e recolhida. No Chile, ela se retraiu, perante a grandeza melancólica dos Andes." (IM)

[125]

De: ALFREDO D'ESCRAGNOLLE TAUNAY
Fonte: Fundação Casa de Rui Barbosa. "Autores e Livros". *A Manhã*, 1942. Biblioteca São Clemente. Coleção Plínio Doyle. Fac-símile do manuscrito.

Rio de Janeiro, 15 de outubro de 1873.

Amigo Machado de Assis.

Depois de nossa conversa última pensei qual podia ser o verdadeiro nome que deve ter a sua heroína Guaicuru. A tradição em que você se funda dá Naniné. Pois bem, o vocábulo legítimo e que servia de apelido a algumas mulheres guaicurus é Nianni [niãni], que quer dizer – criança, pessoa fraca, débil.

Julguei de obrigação comunicar-lhe isto.

O amigo e colega
Alfredo d'Escragnolle Taunay

Nianni é por certo melhor[1]

---

1 ~ Dois anos antes da publicação de *Americanas* (1875), Machado já se voltava para o tema de "Niãni (história guaicuru)", poema que, na primeira edição do livro, trouxe este esclarecimento do autor:

"Nanine é o nome transcrito na Hist[ória] dos Índ[ios] Cav[aleiros]. Na língua--geral temos niaani, que Martius traduz por *infans*. Esta fórmula pareceu mais graciosa, e não duvidei adotá-la, desde que o meu distinto amigo A. d'Escragnolle Taunay me asseverou que, no dialeto guaicuru de que ele há feito estudos, niãni exprime a ideia de *moça franzina, delicada*, não lhe parecendo que exista a forma empregada na monografia de Rodrigues Prado."

Observe-se, ainda, que o fac-símile reproduzido em "Autores e Livros" (vol. II, n.º 12, de 12/04/1942) tem transcrição incompleta e um equívoco – "**niami**" por "nianni".
(IM)

[126]

De: JOAQUIM SERRA
Fonte: Cartas de Joaquim Serra a Machado de Assis.
Revista da Academia Brasileira de Letras, III,
Rio, 1911.

[Rio de Janeiro, 1873.]¹

Machado de Assis,

Se já leste a *Guerra dos Mascates*², peço que me mandes o volume, pois quero escrever sobre ele, visto o Garnier (contra a vontade do autor) havê-lo distribuído e exposto à venda.

Recado do am*i*go
Serra.

---

1 ∽ Em 1871, antes de ir para Caxambu em busca de alívio aos seus males, Alencar* deixara *A Guerra dos Mascates* no prelo; na volta, retomando as provas, suspendeu a publicação. O primeiro volume publicou-se somente em 1873, cheio de incorreções, algumas delas anotadas em *errata*. Talvez B. L. Garnier, agastado com a demora de Alencar em dar as provas, tenha decidido publicar o texto sem a sua aquiescência. (SE)

2 ∽ Romance histórico de Alencar (1829-1877), em dois volumes (1873-1874). A carta deve ser deste mesmo ano, pois o pedido do "volume" é justificado pela intenção de escrever um artigo sobre o romance, certamente aludindo à atitude do livreiro, que o distribuiu e expôs nas livrarias contra a vontade do autor. (SE)

[127]

| De: ARTUR DE OLIVEIRA
| *Fonte:* Manuscrito Original, Arquivo ABL.

Rio de Janeiro, 7 de fevereiro de 187[4].[1]

Meu caro Machado de Assis,

Estando doente não posso ir pessoalmente ver-te e fruir algumas horas na tua benéfica companhia.

Estou certo que se pudesse ir, voltava-me com a saúde a serenidade dos bons dias e o espírito que de mim anda tão longe.

Rogo-te o obséquio de me enviares o teu último volume[2]. Igualmente peço-te por alguns dias as *Falenas*, para um trabalho que estou escrevendo sobre os poetas nacionais.

Meus respeitos a tua Excelentíssima Senhora e uns afetuosos abraços do

Teu velho amigo

Artur de Oliveira

Post Scriptum. Envio-te este livro de C. Selden[3] sobre Mendelssohn[4], talvez o conheças, não faz mal, porém, uma segunda leitura.

---

1 ❧ No manuscrito, o último algarismo suscita dúvidas sobre o ano que, em *Dispersos* (Oliveira, 1936), aparece como 1874, datação seguida por Magalhães Jr. (2008). Ignora-se qual fosse o trabalho planejado pelo missivista. Sua tese de concurso (1879) não traz referências à poesia machadiana. (IM)

2 ❧ Admitido o ano de 1874, tem-se *Histórias da Meia-Noite*, volume de contos publicado por Garnier em novembro de 1873. (IM)

3 ❧ *La Musique en Allemagne: Mendelssohn*, de Camille Selden (Paris: Germer Baillère, 1867). (IM)

4 ❧ O compositor alemão Felix Mendelssohn-Bartholdy (1809-1847). (IM)

[128]

Para: FRANKLIN DÓRIA
Fonte: Manuscrito Original. Arquivo Barão de Loreto, Instituto Histórico e Geográfico Brasileiro.

Rio de Janeiro, 28 de março 1874.

Meu caro amigo *Senhor Doutor Franklin* Dória

Precisava falar-lhe acerca de um assunto, que é todo relativo a poesia e poetas; em tais casos o seu nome é dos primeiros lembrados. Recebi uma carta[1] do *Senhor* Catulle Mendès[2], distinto poeta da nova geração francesa, comunicando-me a existência de uma Sociedade Internacional de Poetas[3], sob a presidência de Victor Hugo, e já estabelecida na Áustria, Inglaterra, Itália e outros países; e convidando-me a iniciar aqui a seção brasileira. A carta veio acompanhada dos estatutos, que me parecem muito vantajosos para a poesia brasileira e seus cultores. Não sei se poderá fazer aqui o que o *Senhor* Catulle Mendès deseja; em todo caso precisamos entender-nos com alguns moços. O Serra, com quem falei ontem, está pronto; falei hoje ao Rosendo[4], e falarei hoje ou segunda-feira ao Bittencourt Sampaio[5]. Bastamos estes cinco para decidir alguma coisa; e convém que seja breve para eu saber que resposta devo dar. Peço-lhe, pois, que me mande dizer em que dia, hora e lugar lhe parece melhor que nos reunamos, a fim de que eu me entenda com os outros companheiros. E, ao mesmo tempo, releve-me não ir pessoalmente falar-lhe.

Devia fazê-lo, entre outras razões, para uma falta em que estou (e hei de reparar) com o excelente tradutor de *Evangelina*[6]; sabe, entretanto, que entre os admiradores do seu belo talento figura há muito o seu amigo e admirador

Machado de Assis

1 ◦ Magalhães Jr. (2008) refere-se à carta de Catulle Mendès a Machado de Assis, fazendo um breve resumo dos assuntos nela tratados, sem, contudo, oferecer pistas da sua localização. (SE)

2 ◦ O poeta parnasiano Catulle Mendès (1841-1909) é epígono de Baudelaire, de Banville, de Leconte de Lisle e Théophile Gautier. Herdeiro do romantismo, Mendès é um escritor representativo do estilo *fin de siècle*, formalista, que reúne os efeitos de uma sintaxe complexa ao uso de um léxico raro. A sua obra é vasta, tendo conhecido em seu tempo sucesso de crítica e de público. Posteriormente, na sua revisão crítica, a sua poesia foi considerada de pouco rigor e muito permeável aos modismos e ao interesse comercial. Descendente de judeus portugueses, Mendès cresceu em Toulouse, transferiu-se a Paris na adolescência, e transformou-se rapidamente em protegido de Théophile Gautier, casando-se com a filha deste, a escritora Judith Gautier, em 1866. (SE)

3 ◦ Apesar dos esforços de Machado de Assis, não há notícia de que a ideia de uma filial da Sociedade Internacional dos Poetas tenha prosperado no Brasil. (SE)

4 ◦ Rosendo Muniz Barreto (1845-1897) tornou-se colega de Machado na Secretaria de Agricultura; mas acabou se desentendendo com ele. Rosendo, apesar de ser chefe de seção, tinha uma conduta funcional descuidada. Ao ser questionado pelo ministro Tomás Coelho respondeu pesadamente, o que lhe acarretou uma suspensão e um processo administrativo. Machado substituiu-o interinamente, provocando-lhe um profundo ressentimento, e Rosendo rompeu agressivamente com o escritor. Finalmente foi demitido "a bem do serviço público" em 07/12/1876. (SE)

5 ◦ O poeta Bittencourt Sampaio (1834-1895), advogado, jornalista e magistrado, foi também diretor da Biblioteca Nacional e presidiu a província do Espírito Santo. (SE)

6 ◦ Franklin Dória traduziu *Evangeline* (1847) do poeta norte-americano Henry Longfellow (1807-1882), por quem Machado tinha vivo interesse. Registre-se que o Arquivo Barão de Loreto guarda os originais de duas cartas trocadas entre Dória e Longfellow. Na primeira (24/05/1874), Dória oferece um exemplar da sua tradução de *Evangeline*; na segunda, escrita de Cambridge (17/04/1874), o poeta responde agradecendo. Sobre Longfellow, ver nota 11 em [54], tomo I. (SE)

[129]

De: FRANKLIN DÓRIA
Fonte: Manuscrito Original, Arquivo ABL.

[Rio de Janeiro, 28 de março de 1874.]

Meu caro Amigo S*enho*r Machado de Assis,

Agradeço-lhe cordialmente a lembrança que teve do meu nome com relação ao assunto da sua delicada cartinha de hoje[1], cujas finezas muito me penhoram.

A sua benevolência me empresta méritos muito superiores aos que realmente possuo. Em reconhecimento a ela, não posso deixar de aceder ao seu honroso convite. Pode, pois, contar comigo para a fundação da seção brasileira da Sociedade Internacional de Poetas[2], da qual me dá notícia o meu distinto amigo.

Quanto ao dia, hora e lugar em que nos devemos reunir, vejo-me embaraçado em responder a sua obsequiosa consulta. Bastará um aviso para eu me apresentar quando e onde quiser, exceto, porém, os dias da Semana Santa, que tenciono passar em Petrópolis, onde se acha minha Mulher[3]. Entretanto, se ao meu bom Amigo e aos demais colegas aprouver que a reunião se faça em nossa casinha, eu, desde já, de muito bom grado a ofereço. Ela é na rua Áurea, *número* 8, morro de Santa Teresa[4]. Folgaria muito de passar nessa habitação, inteiramente campestre, alguns momentos com uma companhia de tão escolhidos poetas, tratando com eles sobre o poético tentâmen que da Europa lhe foi confiado. A semelhante respeito aguardo também suas determinações. E concluo, renovando com a maior satisfação os protestos de particular simpatia e elevado apreço com que sou

Seu am*i*go ate*n*to e obr*i*ga*do*
Franklin Dória

1 ◦ Este trecho – "sua delicada cartinha de hoje" – permitiu a datação, reconhecendo a partir dele que se trata da resposta à [128]. (SE)

2 ◦ Sobre a Sociedade Internacional dos Poetas, ver em Ubiratan Machado (2008).

3 ◦ Em 1868, Franklin Dória casou-se com Maria Amanda Pinheiro Paranaguá, filha de João Lustosa da Cunha Paranaguá, mais tarde visconde (1882), depois marquês de Paranaguá. O sogro de Franklin Dória foi ministro da Guerra (1866-1868) e dos Negócios Estrangeiros (1867-1868) durante a Guerra do Paraguai, alcançando grande prestígio político desde então. Amandinha, como era conhecida, fazia parte do seleto grupo de amigas íntimas da princesa Isabel, frequentando o palácio desde muito pequena. Em 1862, num verão em Petrópolis, nos jardins do palácio imperial, Amandinha sofreu um acidente protagonizado pela princesa herdeira, no qual perdeu a visão do olho direito, passando a usar uma prótese fixa. (SE)

4 ◦ Na *Nova Numeração dos Prédios da Cidade do Rio de Janeiro* (1965), a rua Áurea começava no fim da rua Monte Alegre e terminava na rua do Aqueduto (Almirante Alexandrino). A designação de Áurea lhe foi dada pela Câmara Municipal em 03/12/1859. Na mesma fonte bibliográfica, consta o nome do missivista como o proprietário da casa térrea, antigo n.º 8, que passou a 14, em 1879, quando o encarregado da numeração reviu o trabalho. Registre-se ainda que o nome de rua Áurea se mantém ainda hoje. (SE)

[130]

Para: FRANKLIN DÓRIA
Fonte: Manuscrito Original. Arquivo Barão de Loreto, Instituto Histórico e Geográfico Brasileiro.

Rio de Janeiro, 23 de abril de 1874.

Meu caro poeta

O nosso Serra[1] propõe, e eu aceitei por me parecer mais fácil a todos, reunirmo-nos na sala do Clube da Reforma[2]. Parece-lhe bem? A reunião convém que seja feita nesta semana ou num dos primeiros dias da semana próxima, com exceção única da noite de amanhã, por ter de ir a uma visita obrigatória. Aguardo, portanto, as suas ordens acerca do dia e hora. Escreva-me duas linhas e creia-me agora como sempre seu admirador e amigo obrigado

Machado de Assis

Post Scriptum — Peço-lhe mandar dizer até que hora costuma estar no escritório[3] a fim de ver se lá posso ir hoje ou amanhã

M A.

---

1 ↬ Joaquim Maria Serra Sobrinho*.

2 ↬ Agremiação fundada por políticos liberais (1869), na casa do escritor e jornalista Aureliano Cândido Tavares Bastos (1839-1875), com a finalidade de discutir as ideias políticas em circulação e combater o governo conservador. Da proposta inicial de combate às ideias dos conservadores, emergiu uma ala mais radical entre os liberais, que acabou evoluindo para o republicanismo. (SE)

3 ↬ Em 1868, quando começou a advogar, Franklin Dória estabeleceu-se na rua da Alfândega, 29 A (antigo), que passou a 21, na nova numeração feita por Cruvello Cavalcanti (1965). No *Almanaque Laemmert*-1874, o escritório do Dr. Dória situava-se na Alfândega 37; e a residência na rua Áurea n.° 8, como está dito na carta [129]. (SE)

[131]

De: LUÍS GUIMARÃES JÚNIOR
Fonte: Manuscrito Original, Arquivo ABL.

Londres, 22 de julho de 1874.[1]

Meu caro Machado de Assis.

Não sei se ainda estou em tempo de te pedir desculpas por minha involuntária ausência. Ausência de notícias, já se sabe.

Dizem-me que cada vez progrides mais, e que o governo e o bom senso dos brasileiros mais progridem a teu respeito. Oxalá que no Brasil e em todas as partes do mundo haja quem saiba dar mão amiga ao talento e coração à honestidade!

Tudo isto vai em ares de gramática superlativa e dicionário bibliográfico... Participo-te afinal que eu e minha mulher sofremos muito em Londres, e que o inverno e a sociedade aqui, por mais que digam, é... um inferno de gelo.

Estou à espera de uma remoção do Governo para a França, Bélgica ou Itália. Oxalá consiga eu ver realizado tal empenho ou tão monstruoso empenho!!!...

A Inglaterra é o país dos ingleses; dito isto está dito tudo. Aqui a própria fumaça diz o mesmo que o Disraeli[2] vai proferir na Câmara, durante o dia. O Punch[3] tão afamado é um carro de sandices e de britânicas asneiras.

O Serra[4], a quem escrevi, não respondeu ainda. Estará acaso vivo?

Não te esqueças de mim. Vê se o Garnier publica ou não o meu livro de versos[5]; se ainda houver tempo, escreve-lhe um prólogo que muito me penhorará!

Vou publicar breve um livro de versos (o último) em Paris.

Adeus. Mil respeitos à tua Excelentíssima Senhora, meus e de minha mulher.

Tu recebes o coração de
Luís Guimarães Jr[6]

---

1 ∾ O missivista fora nomeado adido de 1.ª classe na Grã-Bretanha, em 19/09/1873. (IM)

2 ∾ Benjamin Disraeli (1804-1881), escritor e político conservador britânico, oriundo de uma família de judeus italianos convertidos ao catolicismo. Pelo partido liberal, foi derrotado nas eleições para a Câmara dos Comuns; aderiu então ao partido conservador, sendo eleito em 1837. A partir de 1850, passou a ocupar cargos de alta relevância; foi três vezes ministro da Fazenda (1852, 1858, 1866), patrocinando a reforma eleitoral que estendeu o direito de voto a operários e pequenos proprietários de terra (1867). Em 1868, foi primeiro-ministro, mas logo a seguir foi derrotado por William Ewart Gladstone (1809-1898). Na oposição publicou o romance Lothair (1870), em que combateu a política liberal de Gladstone em relação à Irlanda. Voltou ao governo quatro anos depois, período que correspondeu ao apogeu do imperialismo britânico. (SE)

3 ∾ Semanário britânico, lançado em 1841. (IM)

4 ∾ Joaquim Serra*.

5 ∾ Após esta carta, Guimarães Júnior publicou *Sonetos e Rimas* (Roma, 1880; Lisboa, 1886, 2.ª edição revista e aumentada, com prefácio de Fialho de Almeida) e *Livro da Minha Alma* (Lisboa, 1895). (IM)

6 ∾ O curioso papel de carta tem, no alto, a figura de um burrinho, com a legenda *J'Attends* (Eu espero). (IM)

[132]

De: LUÍS GUIMARÃES JÚNIOR
Fonte: Manuscrito Original, Arquivo ABL.

Londres, 9 de novembro de 1874.

Meu caro Mestre e Amigo

Tenho a honra de lhe participar o nascimento duma filha minha, realizado às 2 horas da madrugada de hoje.

Se ela viver, isto é, se vingar, dar-lhe-ei o nome de Iracema, que é brasileiro e me recordará sempre o poema do nosso querido José de Alencar[1].

Rogo-lhe, meu querido Amigo e Mestre, que guarde no rol dos seus inúteis servos o nome da filha do seu

discípulo e
Amigo velho
Luís Guimarães Jr

Breve, com mais vagar, lhe escreverei.
Hoje tenho a cabeça num círculo de Dante!

---

1 ∾ A pequena Iracema morreu pouco tempo depois. Mais tarde, seu nome foi dado à segunda filha de Cecília e Luís, que se tornou a escritora Iracema Guimarães Vilela (ver em [124]) e também usou o pseudônimo de "Abel Juruá". (IM)

[133]

Para: SALVADOR DE MENDONÇA
Fonte: Manuscrito Original. Seção de Manuscritos, Fundação Biblioteca Nacional.

Rio de Janeiro, 04 de março de *1875*.[1]

Meu caro Salvador.

Procurei-te ontem sem ter a fortuna de encontrar-te; mas vai aqui no papel o que eu te queria dizer, e é que, se depois de publicado o discurso do Dumas[2], não fizeres empenho em conservar o original, o mandes a este.

Teu do *Coração*
M. A.

---

1 ∞ Embora a edição inicialmente consultada oferecesse apenas o ano da carta, compulsando o documento original, complementou-se a informação. (SE)

2 ∞ Alexandre Dumas, filho (1824-1895) foi recebido como membro da Académie Française a 11/02/1874 pelo conde de Haussonville, quando proferiu o discurso a que Machado de Assis alude, e ocupou a vaga de Pierre-Antoine Lebrun (1785-1873), Cadeira 2, em 29/01/1874. Possivelmente, a publicação do discurso saiu em folhetins em *O Globo*, jornal em que Salvador de Mendonça estava redator (a convite de Quintino Bocaiúva*), antes de assumir o posto diplomático nos Estados Unidos. (SE)

[134]

De: JOAQUIM SERRA
Fonte: Cartas de Joaquim Serra a Machado de Assis. *Revista da Academia Brasileira de Letras*, III, Rio, 1911.

Rio de Janeiro, 11 de maio de 1875.[1]

Meu caro Machado,

Apresento-te o portador desta, o *Senhor* João Capistrano de Abreu, moço muito recomendável pelo seu mérito literário, e que me foi apresentado pelo nosso amigo[2] José de Alencar[3].

O *Senhor* Capistrano de Abreu aprecia-te, e deseja pessoalmente conhecer-te; estou certo que o acolherás como a um amigo e colega.

Abraça-te o teu
Serra.

---

1 ⚭ Capistrano de Abreu* embarcou no vapor Guará (12/04/1875) e chegou à corte 16 dias antes da data desta carta (25/04/1875). Começou a trabalhar na Livraria Garnier, provavelmente indicado por Alencar*, tornando-se encarregado de redigir notas à imprensa sobre os livros que a casa fosse publicando. Capistrano morou em Fortaleza de 1871 a 1874; lá estimulado por Alencar, veio para o sul, como se dizia. Alencar colocou-o em contato com Serra, que por sua vez, apresentou-o a Machado de Assis, conforme a presente carta dá testemunho. Machado, sabedor de todo esse percurso, não teve dúvidas em acolhê-lo. Alencar auxiliou grandemente a fixação de Capistrano na corte, ao criar em torno de seu nome um ambiente favorável. Diz ele em carta aberta de 1874 a Joaquim Serra, publicada em *O Globo*:

"Nas minhas pesquisas [no Ceará] fui auxiliado por um jovem patrício meu, Sr. João Capistrano de Abreu, notável por seu talento, entre tantos que pululam da seiva exuberante desta nossa terra, que Deus fez ainda mais rica de inteligência do que de ouro. / Esse moço que já é fácil e elegante escritor, aspira ao estágio da imprensa desta Corte. Creio eu que, além de granjear nele um prestante colaborador, teria o jornalismo fluminense a fortuna de franquear a um homem do futuro o caminho da glória, que lhe estão obstruindo uns acidentes mínimos." (SE)

2 ⚭ A referência às relações de amizade entre Machado de Assis e José de Alencar é significativa por ser um dado textual dessa carta de Serra, um dos amigos mais próximos tanto de Alencar quanto de Machado. (SE)

3 ⚭ Capistrano conheceu o deputado Alencar, quando este, depois de inúmeros confrontos na Câmara, sobretudo com Cotegipe, sentindo-se muito debilitado embarcou a 13/06/1874 no vapor Guará rumo ao Ceará. Ali, além de repousar, aproveitou para retomar os seus estudos sobre folclore e história da província. Num de seus passeios a Maranguape, em casa do coronel Joaquim de Sousa Sombra, conheceu o jovem Capistrano, que o encantou com a sua vivacidade, talento e erudição. Alencar acabou convidando-o a auxiliá-lo em suas pesquisas em Arronches. (SE)

[135]

> Para: BARÃO DE SANTO ÂNGELO –
> ARAÚJO PORTO-ALEGRE
> *Fonte:* Fac-símile do Manuscrito Original.
> Arquivo-Museu da Literatura Brasileira, Fundação
> Casa de Rui Barbosa.

Rio de Janeiro, 30 de julho de 1875.

Excelentíssimo e Prezado Amigo Senhor Barão de Santo Ângelo[1].

Vossa Excelência é tão bom que me anima a recorrer à sua competência para um trabalho literário. Trato de colher elementos relativos ao José Basílio da Gama[2], a fim de escrever uma larga biografia deste nosso maviosíssimo poeta. Quererá Vossa Excelência auxiliar-me, ou ministrando-me apontamentos daquilo que tiver a respeito dele, e ainda não seja conhecido, ou indicando-me as pessoas a quem poderei recorrer, dando-me, em tal caso, as recomendações necessárias? Creio que aí mesmo em Lisboa há talvez onde colher alguma coisa.

O José Basílio esteve em Roma, como Vossa Excelência sabe. O nosso ilustre poeta, amigo e companheiro de Vossa Excelência, que é agora ministro naquela cidade[3], não poderia, a pedido de Vossa Excelência, favorecer-me com alguma pesquisa?

Peço-lhe desculpa do incômodo; mas em tais casos recorre-se aos competentes e aos amigos, e Vossa Excelência é ambas as coisas, como eu sou e continuarei a ser sempre

De Vossa Excelência
Admirador, amigo e Criado muito obrigado
Machado de Assis.

---

1 ∾ Título concedido em 1874. (IM)

2 ∾ Depois de ter elogiado Basílio da Gama no ensaio "Notícia Atual da Literatura Brasileira – Instinto de Nacionalidade" na revista *O Novo Mundo* (24/03/1873), Machado de Assis se encantara com o poeta mineiro, planejando uma alentada biografia

sobre ele que, embora brasileiro, viveu grande parte da vida em Portugal. Como Araújo Porto-Alegre há muito residia em Lisboa, solicitou-lhe o auxílio. (SE)

3 ∾ João Alves Loureiro (1812-1883), 1.º barão de Javari, nomeado ministro plenipotenciário em Roma, no ano de 1875. (IM)

[136]

Para: JOSÉ TOMÁS DA PORCIÚNCULA
Fonte: Fundação Biblioteca Nacional. *A Crença,* 1875. Rio de Janeiro. Setor de Obras Raras. Microfilme do impresso original.

Rio de Janeiro, 20 de agosto de 1875.[1]

Meu prezado colega.

Ainda não é tarde para falar de Varela[2]. Não o é nunca para as homenagens póstumas, se aquele a quem são feitas as merecem (*sic*) por seus talentos e ações. Varela não é desses mortos comuns cuja memória está sujeita à condição da oportunidade; não passou pela vida, como a ave no ar, sem deixar vestígio; talhou para si uma larga página nos anais literários do Brasil.

É vulgar a queixa de que a plena justiça só comece depois da morte; de que haja muita vez um abismo entre o desdém dos contemporâneos e a admiração da posteridade. A enxerga de Camões é cediça na prosa e no verso do nosso tempo; e por via de regra a geração presente condena as injúrias do passado para com os talentos, que ela admira e lastima. A condenação é justa, a lástima é descabida, porquanto, digno de inveja é aquele que transpondo o limite da vida, deixa alguma coisa de si na memória e no coração dos homens, fugindo assim ao comum olvido das gerações humanas.

Varela é desses bem-aventurados póstumos. Sua vida foi atribulada; seus dias não correram serenos, retos e felizes. Mas a morte, que lhe levou a forma perecível, não apagou dos livros a parte substancial do seu ser; e esta admiração que lhe votamos é certamente prêmio, e do melhor.

Poeta de larga inspiração, original e viçosa, modulando seus versos pela toada do sentimento nacional, foi ele o querido da mocidade do seu tempo. Conheci-o em 1860, quando a sua reputação, feita nos bancos acadêmicos, ia passando dali aos outros círculos literários do país.

Seus companheiros de estudo pareciam adorá-lo; tinham-lhe de cor os magníficos versos com que ele traduzia os sonhos de sua imaginação vivaz e fecunda. Havia mais fervor naquele tempo, ou eu falo com as impressões de uma idade que passou? Parece-me que a primeira hipótese é a verdadeira. Vivia-se da imaginação e poesia; cada produção literária era um acontecimento. Ninguém mais do que Varela gozou essa exuberância juvenil; o que ele cantava imprimia-se no coração dos moços.

Se fizesse agora a análise dos escritos que nos deixou o poeta das *Vozes da América*, mostraria as belezas de que estão cheios, apontaria os senões que porventura lhe escaparam. Mas que adiantaria isto à compreensão pública? A crítica seria um intermediário supérfluo. *O Cântico do Calvário*[3], por exemplo, e a *Mimosa*[4], não precisam comentários, nem análises; leem-se, sentem-se, admiram-se, independente de observações críticas.

Mimosa, que acabo de citar, traz o cunho e revela perfeitamente as tendências da inspiração do nosso poeta. É um conto da roça, cuja vida ele estudou sem esforço nem preparação, porque a viveu e amou. A natureza e a vida do interior eram em geral as melhores fontes da inspiração de Varela, ele sabia pintá-las com fidelidade e viveza raras, com uma ingenuidade de expressão toda sua. Tinha para esse efeito a poesia de primeira mão, a genuína, tirada de si mesmo e diretamente aplicada às cenas que o cercavam e à vida que vivia.

Adiantando-se o tempo, e dadas as primeiras flores do talento em livros que todos conhecemos, planeou o poeta um poema, que deixou pronto, embora sem as íntimas correções, segundo se diz. Ouvi um canto do *Evangelho nas Selvas*, e imagino por ele o que serão os outros. O assunto era vasto, elevado, poético; tinha muito por onde seduzir a imaginação do autor das *Vozes da América*. A figura de Anchieta, a Paixão de Jesus, a vida selvagem e a natureza brasileira, tais eram os elementos com que ele tinha de lutar e que devia forçosamente vencer, porque iam todos com a feição do seu talento, com a poética ternura de seu coração. Ele soube escolher o assunto, ou antes o assunto impôs-se-lhe com todos os seus atrativos.

O *Evangelho nas Selvas*[5] será certamente a obra capital de Varela; virá colocar-se entre outros filhos da mesma família, o *Uraguai*[6] e os *Timbiras*[7], entre os *Tamoios*[8] e o *Caramuru*[9].

A literatura brasileira é uma realidade e os talentos como o do nosso poeta o irão mostrando a cada geração nova, servindo ao mesmo tempo de estímulo e exemplo. A mocidade atual, tão cheia de talento e legítima ambição, deve pôr os olhos nos modelos que nos vão deixando os eleitos da glória, como aquele era, – da glória e do infortúnio, tanta vez unidos na mesma cabeça. A herança que lhe cabe é grande, e grave a responsabilidade. Acresce que a poesia brasileira parece dormitar presentemente; uns mergulharam na noite perpétua; outros emudeceram, ao menos por instantes; outros enfim, como Magalhães e Porto-Alegre, prestam à pátria serviços de diferente natureza. A poesia dorme, e é mister acordá-la; cumpre cingi-la das nossas flores rústicas e próprias, qual as colheram Dias[10], Azevedo[11] e Varela, para só falar dos mortos.

Machado de Assis.

---

1 ◌ Segundo Elói Pontes (1939), esta carta aberta fora publicada em 19/08/1875 por um jornal pernambucano – *A Crença*, do qual não se encontraram referências. Galante de Sousa (1955), no entanto, informa a existência de um jornal homônimo no Rio de Janeiro. Na Biblioteca Nacional, encontrou-se o periódico fluminense que, entre maio e setembro de 1875, teve como redatores José Tomás da Porciúncula, Alberto de Meneses e R. Teixeira Mendes. Em 20/09/1875 passou a pertencer à Escola Politécnica, com exclusivo caráter de publicação técnica. A carta aberta não tinha datação específica, mas saíra em 20/08/1875, data que foi adotada. (SE)

2 ∞ A biografia de Luís Nicolau Fagundes Varela é considerada a mais romântica biografia do romantismo brasileiro: teve uma vida acidentada, errante e atormentada. Em 1859, foi a São Paulo concluir os preparatórios e ingressar na Faculdade de Direito, onde entrará só em 1862. Pouco frequentou as aulas, entregando-se aos excessos, atraído pela vida marginal e transgressiva. Casado em 1862, em 1863 perdeu um filho. Em 1865, prossegue os estudos em Recife. Em 1866, volta a São Paulo, mas acaba por regressar à casa do pai em Santa Rita do Rio Claro. Casa-se outra vez, mas continua entregue à bebida e à vida deambulante até que, em 18/02/1875, morre aos 34 anos. Entre as suas obras, citam-se *O Estandarte Auriverde* (1863); *Noturnas* (1864); *Vozes da América* (1864); *Cantos e Fantasias* (1865); *Cantos Meridionais* (1869); *Cantos do Ermo e da Cidade* (1869); e os textos póstumos, *Anchieta ou Evangelho nas Selvas* (1875); *Cantos Religiosos* (1878) e *Diário de Lázaro* (1880). (SE)

3 ∞ Escrito logo após a morte do primeiro filho (11/12/1863), os biógrafos relacionam o poema a este evento, do qual não teria o poeta se recuperado. "Cântico do Calvário" é considerado uma obra-prima, um poema em que os sentimentos da paternidade e da perda encontraram a mais comovedora expressão. (SE)

4 ∞ "Mimosa" é um longo poema que narra o encontro entre um estudante da Faculdade de Direito de São Paulo e uma jovem prostituta interiorana, encontro que se transforma num caso de amor intenso vivido por três meses até o seu desenlace, quando os antigos amantes de Mimosa vingam-se daquela perda tocando fogo no ninho de amor, e a moça desaparece. Anos mais tarde, em outra situação, os dois se reencontram. (SE)

5 ∞ *Anchieta ou O Evangelho nas Selvas* foi a obra deixada no prelo por Varela, e que Porciúncula incumbira-se de promover. É um longo poema em que se reafirmam a fé cristã, a fé católica e a fidelidade jesuítica, consubstanciando o caráter místico das obras finais do grande poeta romântico fluminense. Anchieta é o personagem que expõe a vida de Cristo aos índios. (SE)

6 ∞ *O Uraguai*, a mais importante obra do mineiro José Basílio da Gama (1740 ou 1741-1795). O poema composto de cinco cantos, em versos brancos e estrofação livre, narra a expedição de portugueses e espanhóis contra os índios e os jesuítas que habitavam os Sete Povos das Missões do Uruguai, colônia que, pelo Tratado de Madri (1750), deveria passar aos portugueses em troca da do Santíssimo Sacramento, possessão portuguesa em território espanhol. Apoiados pelos jesuítas, os índios recusaram-se a aceitar a coroa portuguesa, o que motivou a expedição de conquista em 1752, campanha que só se concluiu em 1756, já sob o comando de Gomes Freire de Andrade. O poema aborda essa fase final da luta. Para Basílio da Gama, trata-se de uma guerra entre o iluminismo pombalino, representado na figura de Gomes Freire de Andrade, e o obscurantismo jesuítico. (SPR/SE)

7 ∾ Poema épico idealizado pelo romântico Gonçalves Dias (1823-1864) que restou incompleto, pois morreu ao voltar da Europa no naufrágio do *Ville de Boulogne*, nos baixios de Atins, na costa do Maranhão, a 03/11/1864. O poema seria composto de dezesseis cantos, mas só foram a lume quatro (1857). Sobre o poeta, ver em [34], tomo I. (SE)

8 ∾ *A Confederação dos Tamoios* (1856), poema épico de Domingos José Gonçalves de Magalhães (1811-1882), é composto de dez cantos decassílabos brancos, que descrevem a guerra entre os indígenas da área do Rio de Janeiro e os portugueses, e que termina com a derrota dos nativos e a fundação da cidade do Rio de Janeiro. Considerado, na história literária brasileira, o escritor de transição entre as manifestações pré-românticas e o romantismo propriamente, Gonçalves de Magalhães desde muito cedo propôs uma literatura de caráter nacional, introduzindo os principais temas da poesia romântica no Brasil. Do ponto de vista histórico, a confederação dos tamoios é nome da aliança formada por indígenas de diversas nações de uma vasta região, que abrangia o norte do litoral paulista alcançando a região de Cabo Frio, no litoral fluminense, até a baía do Rio de Janeiro, e contava com o apoio dos franceses contra as pretensões portuguesas de colonizar a região, fazendo uso da mão de obra indígena escravizada. (SE)

9 ∾ O poema *Caramuru* do agostiniano frei José Santa Rita Durão (1722-1784) é a primeira obra a tomar como motivo uma narrativa local, a falar do índio brasileiro e a descrever os seus costumes. Composto fielmente segundo o modelo camoniano, o poema tem como argumento a lenda do aventureiro português Diogo Álvares Correia, que naufragou na costa da Bahia e, recolhido pelos índios, fascinou-os com a sua arma de fogo, alcançando grande autoridade entre eles. Mais tarde, casando-se com a índia Paraguaçu, levou-a para a Europa a fim de que fosse batizada. Sobre a questão das epopeias brasileiras, ver nota 5 em [57], tomo I. (SE)

10 ∾ Poeta pelo qual Machado de Assis nutriu sincera admiração. Consultar o *Diário do Rio de Janeiro*, de 11/11/1861 e 29/11/1864; e o *Futuro*, de 01/06/1863. Ver nota 7. (SE)

11 ∾ Manuel Antônio Álvares de Azevedo (1831-1852) é a primeira grande afirmação de individualismo e subjetividade lírica do romantismo no Brasil, sendo *A Lira dos Vinte Anos* a sua obra mais significativa. (SE)

[137]

De: SALVADOR DE MENDONÇA
Fonte: Manuscrito Original, Arquivo ABL.

New York, 30 de outubro de 1875.

Meu Machado

Quero apenas pedir-te notícias tuas, e dizer-te que estou quase, senão totalmente bem de saúde[1]. Aqui cheguei a 23 de *setem*bro já melhor, e se o Governo nomear-me definitivamente Cônsul-Geral, cargo que já estou exercendo desde 28 do [mês] passado[2], é fora de dúvida que fico são como um pero[3], e como um pero norte-americano, que são coradíssimos e de fina polpa.

Espero que desta vez se lembrem de te mandar até cá: vejo que admirarias aqui muita coisa. Por mais que conheçamos esta terra, dos livros, das impressões dos amigos, da imprensa, dos seus homens de letras, reserva-se aqui ao estrangeiro boa dose de pasmo para as novidades. É um país que possui cidades inteiras de palácios, de tijolo, de pedra e de mármore. E serão os donos alguns fidalgos? Qual, gente de mão grossa e coração frio, movendo-se como agitados por contínua febre, dizendo que se movem porque o país é frio, e possuindo o raro dote de amontoar milhões.

Queres ver? Um fabricante de pianos, Chickering[4], que já possuía um grande estabelecimento à rua 14, manda construir um palácio para a sua fábrica, para os seus armazéns e para uma sala de concerto, onde os seus instrumentos sejam exibidos. Pois bem: só alguma coisa assíria te poderia dar ideia da mole assombrosa que é tal construção. Não creio que mais atrevido edifício se levante em parte alguma do globo. Chickering de manhã ainda empunha a mangueira da sua bomba e lava a frente da casa da rua 14 com as mãos milionárias.

No entanto, fica sabendo mais, Chickering é apenas, na escala dos fabricantes de pianos, o terceiro dos Estados Unidos, e está longe de ser aqui considerado muito rico.

Se do privado passarmos ao coletivo, vemos por exemplo erguerem-se cinco monstros com o nome de palácios para a Exposição do Centenário[5]. Palácio da Agricultura, palácio da Horticultura, palácio das Máquinas, palácio Central, palácio da Comemoração. O central tem 365 pés de largo e 1876 de comprido. Se estiveres de pachorra mede um dia as dimensões do nosso belo edifício da Agricultura e faze a comparação.

E para coroar tudo isto, meu Machado, aí (*sic*) aqui as mais formosas e amáveis moças do mundo, está visto, excetuadas as brasileiras. Vale a pena vir ver; faze por isso.

Escreva ao

Teu do coração,
Salvador.

Post Scriptum. Outra observação "o inglês nuns lábios que há aqui parece suavíssimo italiano"[6]. É tão perigoso que só lhe dou ouvidos porquanto preciso estudar a língua.

---

1 ✧ Salvador de Mendonça embarcaria aos Estados Unidos, para assumir o recém-criado posto de cônsul-privativo em Baltimore, e aguardar a possível transferência para o consulado de Nova York, já que o titular encontrava-se gravemente enfermo. Neste ano de 1875, Salvador ficara viúvo de Amélia Clemência Lúcia Luísa de Lemos, com quem tivera cinco filhos, e estava deprimido, com a saúde abalada, precisando de trabalho e novos ares. Em carta dos Estados Unidos, José Carlos Rodrigues* lhe propõe: "Não quererá V. vir aqui ajudar ao redator do *Novo Mundo* trazendo os seus filhos e educando-os ao sol da liberdade americana?". Salvador comunica o convite a seu amigo particular, João Cardoso de Meneses de Sousa (1827-1915), barão de Paranapiacaba, que, à revelia do jornalista, obtém do visconde do Rio Branco* a nomeação para Baltimore. Com o falecimento do cônsul-geral do Brasil, Luís Henrique Ferreira de Aguiar (15/08/1875), Salvador seguiu para Nova York, assumindo o posto interinamente, até a sua nomeação em 03/05/1876. (SE)

2 ✧ Salvador de Mendonça saiu do porto do Rio a 03/09/1875, e levou vinte dias para chegar aos Estados Unidos. Cinco dias depois, em 28/09/1875, começava a exercer oficiosamente a função de cônsul-geral em Nova York, porque o posto já estava vago desde 15 de agosto. (SE)

3 ✧ Na agricultura, "pero" é o nome de uma variedade de maçã doce e oblonga. (SE)

4 ∽ Chickering & Sons foi um importante fabricante de Boston que produziu pianos de grande qualidade e beleza. Inicialmente fundada por Jonas Chickering e James Stewart em 1823, passou por diversas composições societárias, até transformar-se, em 1853, na Chickering & Sons, que fabricou pianos até 1983, quando foi encampada pela Baldwin Piano Company. (SE)

5 ∽ No ano seguinte, entre 10/06 e 10/11/1876, iria realizar-se a Exposição Universal da Filadélfia, comemorativa do centenário da independência norte-americana. Como D. Pedro II preparava-se para ir ao evento, Salvador de Mendonça, ainda representante interino do governo brasileiro, teve por atribuição conhecer as instalações. D. Pedro II compareceu à inauguração na companhia do presidente Grant e, durante o passeio pela feira, encontrou-se com Thomas Edison, e depois com Graham Bell, sendo o encontro com este último um dos mais conhecidos episódios da crônica imperial, em que Bell e o monarca falaram-se pelo telefone. (SE)

6 ∽ Ver nota 2 em [140], carta de 24/12/1875; ali Machado de Assis fará alusão a este *post-scriptum*. (SE)

[138]

De: BUARQUE DE MACEDO
Fonte: Manuscrito Original, Arquivo ABL.

Rio de Janeiro, 12 de novembro [de 1875.][1]

Ilustríssimo (...) Senhor

Machado de Assis

Pela nota junta verá que dois cavalheiros oferecem-se para subscrever[2] em favor da família do finado Doutor Brasil.

Aceitei com gratidão, pois que é um ato generoso de que é muito merecedora aquela infeliz família.

Vossa Senhoria providenciará para o recebimento, se não houver inconveniente.

Amigo colega obrigado
Buarque Macedo[3]

1 ∾ A referência ao "finado Dr. Brasil" esclarece a datação. No *Almanaque Laemmert*-1875, Joaquim Pinto Brasil estava lotado na Diretoria Central da Secretaria de Estado do Ministério dos Negócios da Agricultura, Comércio e Obras Públicas, como chefe da I.ª seção e substituto eventual do diretor, o deputado por Pernambuco (1872-1875), Dr. Joaquim Leopoldino de Gusmão Lobo. Nos almanaques *Laemmert* de 1876 a 1886, o nome do Dr. Brasil desaparece da I.ª seção e de qualquer outra; substituiu-o na função Guilherme Cândido Bellegarde. O mesmo ocorreu no *Guia do Rio de Janeiro* ou "indicador alfabético da morada de seus principais habitantes", onde constou até 1875, com residência na rua do Príncipe n.º 204, Caju. (SE)

2 ∾ Subscrição era um documento em que um grupo de pessoas reunia certa quantia em favor de uma ação assistencial, fosse em socorro a um artista, a um asilo, a uma obra pia ou a uma família enlutada. O universo assistencial no Brasil reproduziu as formas da filantropia portuguesa, cujo eixo é o exercício da caridade cristã, com vistas à salvação eterna. As subscrições foram prática usual a partir da segunda metade do século XIX, em que grupamentos profissionais, comerciantes e capitalistas corriam listas para socorrer, sobretudo, as famílias cujas perdas fossem acentuadamente inesperadas ou cujo chefe não tivesse tido tempo de ser previdente. Registre-se que, em 1881, a morte súbita de Buarque de Macedo em São João Del Rei provocou grande comoção, e a sua memória foi homenageada por meio de uma vultosa subscrição corrida entre industriais, comerciantes, jornalistas, engenheiros e o povo em geral, pela qual se adquiriu um prédio no Flamengo, que foi doado à família. (SE)

3 ∾ No *Almanaque Laemmert*-1875, o engenheiro civil Buarque de Macedo consta como diretor da Diretoria de Obras Públicas, do Ministério da Agricultura, Comércio e Obras Públicas, e com residência na rua das Laranjeiras 90. (SE)

[139]

De: BUARQUE DE MACEDO
Fonte: Manuscrito Original, Arquivo ABL.

[Rio de Janeiro,] 20 de novembro de 1875.

Ilustre amigo

Aí vão as provas corretas. Estimaria ver uma segunda prova. Veja se aquela gente adianta, pois que é urgente publicar o parecer¹, que estou cheio de trabalhos envie publicação o Ministro² pede.

Amigo e colega
Buarque Macedo

---

1 ⁀ Na administração pública, *parecer* designa o julgamento técnico provocado por uma consulta acerca de determinada questão ou ponto controverso, a fim de auxiliar ou definir quanto à decisão a ser tomada. Neste caso, Buarque solicitou a publicação de ato decisório no *Diário Oficial do Império*, onde, aliás, Machado começou a sua vida burocrática. Registre-se que neste momento o ministério a que Buarque de Macedo estava subordinado, especialmente a diretoria de que era titular, desenvolvia o projeto da malha ferroviária brasileira, e o volume de trabalho era extremo. (SE)

2 ⁀ Supondo que esteja Buarque de Macedo se referindo ao titular da pasta a que estava subordinada a Diretoria de Obras Públicas, tratar-se-ia então do conselheiro José Fernandes da Costa Pereira Jr. (1833-1899). (SE)

[140]

Para: SALVADOR DE MENDONÇA
Fonte: Manuscrito Original. Arquivo-Museu da Literatura Brasileira, Fundação Casa de Rui Barbosa.

Rio de Janeiro, 24 de dezembro de 1875.

Meu caro Salvador,

Recebi a tua carta e o teu retrato, o que quer dizer que te recebi todo em corpo e alma¹. A alma não mudou; é a mesma que daqui se foi. Mas o corpo! Estás outro, meu Salvador: renasceu-te a vida com a mudança, se é que não contribuíram principalmente para isso os tais lábios, *cujo inglês parece italiano*². Dou-te os parabéns pela saúde, pelos lábios e pelo exercício do consulado. Aqui creem todos que terás a nomeação definitiva. O Otaviano, se bem me lembra, falou-me também nesse sentido. O que é preciso é que os amigos que podem influir não se deixem ficar parados.

Muito me contas desse país. Li-te com água na boca. Pudesse eu ir ver tudo isso! Infelizmente a vontade é maior do que as esperanças, infinitamente maiores do que a possibilidade. Não espero nem tento nomeação do governo, porque naturalmente os nomes estão escolhidos[3]. Mais tarde, é possível talvez.

Remeto-te um exemplar das minhas *Americanas*[4]. Publiquei-as há poucos dias, e creio que agradaram algum tanto. Vê lá o que isso vale; lê se tiveres tempo, escreve-me as tuas impressões. Não remeto exemplar ao nosso Rodrigues[5], porque o Garnier costuma fazê-lo diretamente, segundo me consta.

Por aqui não há novidade importante. Calor e pasmaceira, duas coisas que talvez não tenhas por lá em tamanha dose. Aí, ao menos, anda-se depressa conforme me dizes na tua carta, e na correspondência que li no *Globo*[6]. Não podes negar, porque o estilo é teu. Vejo que mal chegaste aí, logo aprendeste o uso da terra, de andar e trabalhar muito. Uma correspondência e infinitas cartas particulares! Já eras trabalhador antes de lá ir. Imagino o que ficarás sendo. Olha, o Rodrigues é bom mestre, e *o Novo Mundo* um grande exemplo.

Adeus, meu Salvador; muitos beijos em teus pequenos, futuros *yankees*, *e um abraço apertado do*

Teu do *Coração*
Machado de Assis

que te pede novas letras e te envia muitas saudades.
Adeus.

---

1 ∞ É lícito supor que Salvador tenha enviado o retrato junto à carta [137], de 30/10/1875, pois na presente carta Machado desenvolve todos os temas propostos por Salvador naquela. A troca de retratos entre amigos era uma prática comum e de bom-tom à época. A fotografia era uma das novidades que se popularizaram, e D. Pedro II, fotógrafo amador, foi grande incentivador da atividade. (SE)

2 ✢ Referência bem-humorada ao *post-scriptum* de Salvador em [137], com as primeiras notícias de sua vida americana: "O inglês nuns lábios que há aqui parece suavíssimo italiano. É tão perigoso que só lhe dou ouvidos porquanto preciso estudar a língua". Machado, fino e alegre, delicia-se com a novidade que significava estar o amigo se recuperando da perda recente de sua primeira mulher. (SE)

3 ✢ Em [137], ao referir-se à Exposição do Centenário da Independência norte-americana, Salvador de Mendonça expressou o desejo de ver Machado na delegação oficial. Este respondeu: "Não espero nem tento nomeação do governo, porque naturalmente os nomes estão escolhidos.". De fato, as duas comissões já estavam constituídas. A executiva era composta por Antônio Pedro de Carvalho Borges (1824-1888); por Felipe Lopes Neto*, substituído pelo geólogo João Martins da Silva Coutinho; por Nicolau Joaquim Moreira (1824-1894); e mais Hermenegildo Rodrigues de Alvarenga, José Saldanha da Gama e Pedro Dias Gordilho Paes Leme. Essa comissão prepararia o espaço de 1851 metros quadrados no *Fairmount Park* destinado a receber 1104 expositores brasileiros. A comissão superior era composta pelo conde d'Eu; José Ildefonso de Sousa Ramos; Luís Pedreira do Couto Ferraz*; e Bernardo de Sousa Franco (1805-1875), substituído pelo comendador José Antônio de Azevedo. (SE)

4 ✢ As *Americanas* representam a adesão tardia de Machado ao indianismo, cujo maior representante na poesia brasileira foi Gonçalves Dias. Obra saída pela editora de B. L. Garnier, os primeiros exemplares chegaram à rua na segunda quinzena de dezembro de 1875. O volume da primeira edição compunha-se de uma "Advertência" e 13 poemas. Sobre Gonçalves Dias, ver o discurso proferido na inauguração da estátua do poeta no Passeio Público, em *Relíquias de Casa Velha*. (SE)

5 ✢ José Carlos Rodrigues*.

6 ✢ Machado de Assis publicou neste jornal, sob a forma de folhetim, *A Mão e a Luva* (de 26/09 a 3/11/1874); *Helena* (06/08/ a 11/09/1876). *O Globo* circulou de 07/08/1874 a 19/03/1878, pertencendo à firma Gomes de Oliveira & Cia, a que depois se associou Bernardo Caymari. Em 1876, segundo o *Almanaque Laemmert*, o antigo sócio-gerente Manuel Gomes de Oliveira foi substituído na gerência por Quintino Bocaiúva* e, no *Laemmert* de 1878, último ano da primeira fase, é propriedade de Quintino Bocaiúva & Cia. Registre-se que Salvador inicia a sua colaboração logo que Bocaiúva assumiu o jornal, como diz *Coleção de Documentos Diplomáticos* (1971): "e já ao seu lado está Salvador, seu companheiro inseparável, encarregado dos serviços da folha, junto à Câmara dos Deputados." Mais detalhes sobre o jornal, ver *Dicionário de Machado de Assis* (2008). (SE)

[141]

De: SALVADOR DE MENDONÇA
Fonte: Manuscrito Original, Arquivo ABL.

New York, 7 de março de 1876.

Meu querido Machado de Assis.

Não me acusarás por só responder agora à tua carta de 24 de dezembro[1], deixando de fazê-lo pelo paquete de fevereiro, quando me tiveres lido. Nem preciso dizer-te quanto se encheu a minha alma de santa e boa amizade lendo-te, ouvindo-te.

Falas no meu almejado consulado definitivo, e até hoje não sei quando mo darão[2]. Falas do teu desejo de vir a esta terra admirável, e compreendo-o[3]. Falas-me das tuas *Americanas*, que todas li com sumo deleite, e de que encontrarás novas no *Novo Mundo* do mês de março[4], e delas te direi alguma coisa adiante, quando te falar também da minha *Americana*[5].

Falas no meu andar e trabalhar e escrever, e adicionarei que tenho feito mais do que calculas, pois estou com um volume acerca dos *coolies*[6] quase pronto, e um romance quase terminado também.

Do romance tratarei. És o único, porém, a quem confio o segredo no Brasil, e tenho para isso as minhas razões; salvo o nosso Blest Gana[7], a quem pedirás a mesma confidência que a ti peço, a ninguém mais o transmitas.

Versa a história acerca dos *lábios cujo inglês parece italiano*[8].

Fui a Boston ver umas manufaturas, e de lá ao Maine, acidentalmente, à pequena cidade [de] Augusta[9]. Convidaram-me à noite para ver uma família, que era a encarnação dos antigos puritanos da Nova Inglaterra[10], e nessa casa encontrei uma moça, formosa como se não pinta, ilustrada como se não supõe que o seja uma moça, cheia de espírito e vivacidade *yankee*, que é duas vezes a vivacidade e o espírito francês, e conversei com ela em péssimo inglês, que a fez rir vinte vezes, cerca de quatro horas. Ao despedirmo-nos a moça disse-me que, se eu não seguisse muito cedo viagem, iria visitar-me na manhã seguinte, e é escusado dizer-te que esperei no outro dia por ela em casa do amigo ou conhecido que me hospedou.

Com efeito, às nove horas mandou-me o seu cartão de visita e desci a vê-la. Disse-me que se interessava por mim excepcionalmente (foi o advérbio); que dentro em poucos dias estaria em Nova York, em casa de uma irmã casada, cuja residência me deu, e que propunha-se a ensinar-me o inglês. Aceitei a proposta, guardei o cartão, despedimo-nos, ela contente, eu extasiado, e meti-me no trem de ferro sem entender bem tudo aquilo, mas em misérrimo estado, meu querido amigo: no estado agudo de uma paixão violenta, de que não me julgava capaz.

Em New York, a primeira coisa que fiz foi perguntar pela família, e qual não foi minha alegria sabendo que Mary Redman era a mais esperançosa escritora norte-americana, autora de dois volumes de poesias e colaboradora efetiva de uma excelente revista aqui!, irmã de John Redman, o fogoso e indomável jornalista do Oeste, que exatamente agora, na campanha dos democratas contra a corrupção do governo Grant[11], faz a mais brilhante figura na imprensa em São Louis!, filha de uma família há muitos anos ilustre nas letras, e cuja mãe, falecida há 5 anos, deu sempre o tom à boa e severa sociedade de Boston.

Vi que se não tratava de um capricho galante e que essa moça ia influir poderosamente no meu futuro. Cinco dias depois recebi dela uma carta, convidando-me a vê-la, fui à casa da irmã, mais velha do que ela 8 anos, que mandou pôr um carro seu para irmos ao Parque. Fomos os dois com a liberdade que aqui têm as moças; disse-me que me daria todo o tempo que eu quisesse para lecionar-me; perguntei-lhe animosamente por que tomava tal interesse por mim, e no meio de cem carruagens que a essa hora corriam os pontos mais frequentados desse ponto de reunião da boa sociedade *new-iorkesa* (sic), disse-me que se interessava por mim porque nenhum homem despertara nela os sentimentos que eu despertara, e *que ela supunha amor*. Gostou de mim, porque nunca vira um homem tão triste como eu na noite em [que] conversamos em Augusta; porque falei-lhe com entusiasmo de minha mulher, que perdera, e de minhas filhas, que deixara no Brasil; porque olhei *para* ela com uns olhos que ela nunca tinha visto senão em uma corça que criou e teve em casa 12 anos; porque em suma achou-me excepcional.

Prometemos estudar-nos e conhecermo-nos de perto; comecei no dia seguinte a minha aula de inglês, e com tal progresso (bem sabes que ia nisso o meu amor-próprio) que em janeiro já ela se não ria tanto da minha pronúncia, e eu já lhe podia dizer mais e melhor do que no Maine. Durante dois meses fomos várias vezes ao teatro sós, como aqui fazem todos os namorados, ao Parque, e até ao Niágara.

Mary tem 26 anos, mas 26 anos com essa primeira flor da mocidade que não conhecemos no nosso clima abrasador; é alta, esbelta, nem clara, nem morena, olhos azuis e cabelos castanhos quase negros; rosto oval e harmonioso, com as mais finas e corretas sobrancelhas que já vi, nariz irrepreensível, e um pequeno buço que a torna mais morena do que clara. Tem umas mãos que nunca me deixaram atender bem à lição.

Mary teve até agora cem adoradores ao redor de sua beleza, de seu talento e de seu caráter. Quanto a este fora insuficiente um livro para pintar-to; é a perfeita mulher americana, educada em uma casa de puritanos, trabalhando todos os dias, apesar de possuir suficiente de seu, e encarando um homem em face com a dignidade de um *gentleman*. Escreveu durante três anos para uma revista alemã aqui, sob um pseudônimo; os seus versos ingleses são formosíssimos; lê Virgílio e Horácio como a sua Bíblia; aprendeu desenho com a mãe, e faz aquarelas admiráveis; canta com uma voz velada e doce como nunca ouvi. Quando conversa nunca levanta a voz além de um diapasão que estou crente ser o do coro angélico nos céus.

Diante disso, meu Machado, o único partido é sucumbir com glória; caso-me[12].

No dia 15 de janeiro pedi-a oficialmente a ela própria, como é costume da terra, e ela deu-me a sua mão, comunicando depois o passo ao pai e aos irmãos, que estão todos satisfeitos com a escolha. Aqui o *engagement*, que corresponde aos nossos pregões, costuma ser publicado; ela, porém, deseja que de nada se saiba por ora, pois só nos devemos casar em abril, e nem a pessoas de minha família comunico agora coisa alguma; quinze dias antes do ato o publicamos. Pelos olhos da inveja que me deitam os leões da 5.ª Avenida[13], ao ver-nos em toda parte juntos, imagino que o casamento do cônsul do Brasil[14] vai aqui ser falado; aqui apenas sabe dele o Rodrigues[15], que muito o aprova, e o nosso ministro o *Senho*r Carvalho Borges[16], que nos tem visto juntos e não custou a adivinhar.

Não podes ter ideia da minha felicidade: Mary é essencialmente doméstica; tem a educação americana para usar dela em benefício do nosso futuro, e do futuro das minhas filhas, que está ansiosa por ver chegar do Brasil; pelos extremos com que trata o Mário, avalio o que vai ser para os meus anjinhos. Ao vê-la dir-se-á que tem a certeza de dominar ao próprio marido; mas o que é real é que mais suave e amiga criatura não deparei ainda. Vou diariamente buscá-la, e saímos a comprar mil coisas para o arranjo da nossa futura casa, era preciso ver, para acreditar, as mil *infantilidades* desse caráter na aparência varonil; procura adivinhar-me a vontade, e já me declarou que abdicou de querer. Define a mulher perfeita na *América do Norte* como *um cidadão ativo até que outra ação maior que a sua a dispensar de tratar da causa de todos para tratar de si e de seu coração*; o seu ideal é ter muitos filhos e educá-los todos com utilidade para a pátria: durante a guerra civil ninguém trabalhou mais do que Mary nos *clubs* de Boston contra os *esclavocratas* (*sic*): ela mesma diz-me que tinha tanto ardor no seu discurso e na sua obra, que foi o de todas as senhoras do Norte, como tem hoje no seu amor por mim, e ao dizê-lo cora como uma colegial, que não seja da Imaculada Conceição de Botafogo[17] ou do Sagrado Coração do Harlem, aqui.

Dize-me agora, posto que eu ainda te não tinha dito tudo: há lá homenzinho de maior topete capaz de fazer cara a estas coisas? Desafio-o a aparecer. Conheces-me com alguma experiência do mundo ganha por muita luta na adversidade: pois, meu Machado, o único recurso honroso era capitular com todas as honras da guerra, e foi o que fiz.

Mary é realmente um ente excepcional; uma mulher assim como uma Minerva, com capacete e lança, partidos no nosso encontro de Augusta: deposta a armadura, ficou a sabedoria — e a mulher, bem mulher, bem anjo.

Não me aches piegas; não o sou. Estou o mesmo homem, entusiasta, apaixonado, mas calmo e prudente: esta mesma têmpera é que, sem que eu o soubesse, ganhou a batalha, que eu não tinha no primeiro momento plena consciência de estar travada. A verdade é que achei o amor da minha idade viril: não porque Mary foi até pouco tempo mais cidadão do que mulher, mas exatamente porque agora traz todo o carinho e a meiguice de sua alma, que se abre ao amor, para acordar a minha, que se julgava em tempo de fechar-se para ele e dele fugir.

Sabes que ela toma excelentes pontos nas meias, repondo-as como novas, ao conversar junto da lareira? Pois, toma-os. E entende de cozinha que é uma delícia, ainda ontem jantamos em casa da família, e figurou uma omelete, de sua composição e feitura. Vão lá poder com uma rapariga destas! Pois não!

Tenho-lhe traduzido no meu inglês alguns versos teus, que exatamente lia quando uma vez veio buscar-me à casa: traduzi-lhe também o soneto do Blest Gana — *Por que te amo?* De ambos gostou, o que aqui para nós não era muito difícil, primeiro porque os versos eram bons, depois porque escolhi os que mais entendiam com a situação e o auditório.

Ficas, pois, de posse de quanto tenho de melhor nesta terra: a nova do meu amor e do meu casamento. No nosso Quintino, que aliás havia de apreciar este pequeno romance *yankee*, não há que fiar, pois é jornalista e podia dar com a língua nos tipos: e só abri meu coração para ti.

Acharás talvez, afinal, que decidi as coisas apressadamente, e que devia porventura esperar algum tempo mais. Porém se tal achares não tens razão, primeiro porque tudo ponderei com a ciência do coração velho e pai de família; depois porque já que o negócio ia à americana, não quis ver suplantados os brios brasileiros, e desta vez quem ficou admirado da pressa foi o *yankee*. Nem todos somos lerdos e trôpegos.

Se não fora a Exposição iria buscar minhas filhas[18] com Mary; mais para o fim do ano quero mostrar-lhe o Brasil, que ela aliás conhece bem pelos livros, e pelo espécimen que escolheu p*ara* marido, com preterição de muito rapagão daqui; pois, meu Machado, se esta é a terra das moças bonitas, ainda mais o é dos homens bonitos. Mas são bonitos, enérgicos, ativos, porém não entendem de mulher; qualquer rapariga lhes dá água pela barba; nem têm coragem de defender a bandeira do sexo forte, nem sabem ter olho de corça e render-se a tempo, ou fingir que se rendem, quando a vitória é certa. Lamento-os.

E lamento também a ti, que certamente me leste até aqui. Precisava escrever-te tudo isto e mais ainda, porque só tenho desabafado em inglês um amor todo original brasileiro.

Quando em abril ou maio, ao chegar lá a notícia, os amigos ficarem admirados, dize-lhes que *era coisa velha*, ao menos velha para quem vive à americana, com jornais de meia em meia hora, e a cidade acordada 24 horas por dia para não perder tempo.

Abraça-te com um abraço bem apertado
Teu
Salvador de Mendonça

---

1 ⚭ Ver em [140].

2 ⚭ Ver nota 2 em [137].

3 ⚭ Na carta [140], Machado de Assis, apesar de cético quanto à possibilidade de ir aos Estados Unidos, declarara: "Muito me contas desse país. Li-te com água na boca." (SE)

4 ⚭ Referência à crítica das *Americanas* (1875), que só saiu no segundo semestre de 1876, pois o novo cônsul-geral começará a colaborar no periódico em 1876, estendendo a sua colaboração até 1877. (SE)

5 ⚭ Alusão ao namoro recém-iniciado com Mary Redman, por quem Salvador de Mendonça se confessará apaixonado, fazendo de Machado de Assis seu confidente, um

Machado que oscilará entre surpreso, divertido, lisonjeado, cauteloso e entusiasmado com a aventura amorosa do amigo, aventura que resultará num casamento de muitos anos. (SE)

6 ∞ Termo do inglês popular para designar trabalhadores indianos ou chineses. Salvador de Mendonça referia-se aos seus estudos para compor os textos em defesa da imigração asiática para o Brasil, projeto que recebeu pesadas críticas de diversos setores. A partir de 1850, com o fim do tráfico de escravos, os preços elevaram-se muito, pois os riscos do contrabando aumentaram. Recorreu-se então à imigração europeia. Num lento processo de substituição, os cafeicultores paulistas investiram nessa mão de obra; mas os colonos europeus não se adaptaram aos trabalhos das fazendas, porque eram tratados como uma continuação do trabalhador servil. Não lhes era oferecida a possibilidade de independência, nem a radicação ao solo pela posse de pequena extensão de terra. A partir de 1870, a carência de mão de obra agravou-se e, então, cogitou-se da imigração dos *chins*. Em 1878, o presidente do conselho e ministro da Agricultura, visconde de Sinimbu defendeu a sua introdução na lavoura. Em 1879, o governo enviou Salvador *in loco* para estudar as condições da imigração; o diplomata escreveu *Trabalhadores Asiáticos*, mandado publicar por Sinimbu, pela Tipografia Novo Mundo (Nova York, 1879) e *Imigração Chinesa nos Estados Unidos*. (SE)

7 ∞ Sobre o poeta chileno Guillermo Blest Gana* (1829-1905), ver em [50], tomo I. (SE)

8 ∞ Como Machado em [140], na resposta à carta [137], retomou o *post-scriptum* de Salvador para dizer-lhe que a frase "lábios cujo inglês parece italiano" explicava a grande alteração no ânimo do amigo, ela passou a ser uma alusão cifrada entre ambos ao móvel de tão rápida transformação: a jovem Mary Redman. (SE)

9 ∞ Cidade do nordeste dos Estados Unidos, capital do estado do Maine, sede do condado de Kennebec, fundada em 1754. (SE)

10 ∞ Designação genérica de uma grande região situada ao norte e ao nordeste dos Estados Unidos, onde os ingleses fizeram os seus assentamentos, iniciando o processo de colonização dos Estados Unidos. (SE)

11 ∞ Formado em *West Point*, o republicano Ulysses Simpson Grant (1822-1885) foi 18.º presidente dos Estados Unidos da América (1869-1877). O general Grant foi comandante-chefe das tropas nortistas durante a Guerra Civil americana e responsável pela capitulação do general Lee (1807-1870), comandante dos exércitos dos estados confederados. (SE)

12 ∞ Em Azevedo (1971), consta que Salvador e Mary casaram-se em 1877, mas esta carta fornece a data: abril de 1876. D. Mary Redman sobreviveu ao marido, falecendo no Rio de Janeiro a 09/05/1932. (SE)

13 ✤ Expressão usada para designar os homens elegantes, versados nas artes da conquista amorosa; o dândi. "Os leões da 5.ª Avenida" eram homens que frequentavam a elegante avenida de Manhattan, para fazer vida social no célebre jogo do "ver e ser visto". (SE)

14 ✤ Ocupava ainda interinamente o posto de cônsul-geral do Brasil nos Estados Unidos; só em 03/05/1876, foi nomeado titular, exonerando-se a pedido em 12/04/1890, pois fora indicado como ministro do Brasil na Suíça, o que acabou não acontecendo. De fins de 1890 ao início de 1898, Salvador tornou-se enviado extraordinário e ministro plenipotenciário de I.ª classe em Washington e, depois, foi removido na mesma função para Lisboa. (SE)

15 ✤ José Carlos Rodrigues*.

16 ✤ O diplomata Antônio Pedro de Carvalho Borges (1824-1888), barão de Carvalho Borges, foi também presidente da comissão brasileira da Exposição Universal da Filadélfia, em 1876. (SE)

17 ✤ Colégio de freiras vicentinas fundado em 1854, a pedido de D. Pedro II, com o objetivo de educar na própria cidade as meninas e as jovens da alta burguesia fluminense. O colégio começou na rua do Livramento, 120, sendo transferido, no ano seguinte, para a Praia de Botafogo, onde está até hoje. (SE)

18 ✤ Salvador de Mendonça ficou viúvo de Amélia Clemência Lúcia Luísa de Lemos, filha do médico homeopata Maximiliano de Lemos, neta do barão do Rio Verde. Haviam se casado em 1861 e tiveram cinco filhos: Mário, Maria, Amélia, Amália e Valentina. (SE)

[142]

Para: SALVADOR DE MENDONÇA
Fonte: Manuscrito Original. Arquivo-Museu da Literatura Brasileira, Fundação Casa de Rui Barbosa.

Rio de Janeiro, 15 de abril de 1876.

Não, meu querido Salvador, ainda que eu te mandasse agora uma carta de trinta ou quarenta folhas, não te daria ideia da surpresa que me causou a tua carta de 7 do mês passado: a maior e a mais agradável das surpresas. Quando a abri, e contei as doze laudas da tua letra, cerrada e miúda, fiquei extremamente lisonjeado, e creio que causei afetuosa inveja aos que estavam ao pé de mim, o Quintino e o João de Almeida[1]. Mas logo que comecei a lê-la, senti uma doce desilusão: só o amor é tão eloquente, só ele podia inspirar tanta coisa ao mais sério dos rapazes e ao mais jovial dos cônsules.

Reli a carta, não só porque eram letras tuas, mas também porque dificilmente podia ver melhor retrato de uma jovem americana. Tudo ali é característico e original. Nós amamos e casamos aqui no Brasil, como se ama e se casa na Europa; nesse país parece que estas coisas são uma espécie de compromisso entre o romanesco e o patriarcal. Acrescem os dotes intelectuais de Miss Mary Redman, – talvez a esta hora Mrs. Mendonça. Casar assim, e com tal noiva, é simplesmente viver, na mais ampla acepção da palavra.

Sabes se sou teu amigo; receberás daqui de longe o mais apertado abraço. Sê feliz, meu Salvador, porque o mereces pelo coração, pelo talento e pelo caráter. Tua esposa já adivinhou teus dotes; há de apreciá-los, e reconhecer que, se te dá a felicidade, recebê-la-á do mesmo modo e em igual porção.

Nada disse a ninguém do que me revelas em tua carta. O Blest Gana, segundo me disseram no Hotel dos Estrangeiros[2], está fora, na roça. Agradeço-te a confiança; mas devo dizer que ia caindo em rasgar o capote. Foi o caso: estava no *Globo*[3], lendo o que me dizias acerca de *um livro sobre coolies e um romance*, repeti estas palavras ao Quintino, João Almeida e Taunay[4]. Admiramo-nos todos do teu gênio laborioso, e eu continuei a ler a carta para mim. Quando vi de que romance me falavas, limitei-me a dizer que efetivamente escrevias um romance, mas que não convinha anunciá-lo por ora. Meu receio era que o Quintino noticiasse gravemente no dia seguinte que as letras pátrias iam receber um novo mimo etc. etc. Imagina o efeito que te produziria semelhante notícia no *Globo*. De maneira que, por ora, sou eu (*sic*), só eu sei do caso, e não o revelarei antes de revelado por cartas ou jornais.

Miss Mary namorou-se de teus olhos de corça. Quando li isto, reconheci que nunca me enganara a respeito dos tais olhos; tu mesmo não sabes talvez o que eles valem. Agora o que é preciso é que ela não fique todo o tempo embebida neles, e pois que a natureza lhe concedeu talento, deve-nos os frutos dele, que serão ainda mais belos, com a influência do colaborador que a fortuna lhe deparou. Dize-lhe isto, acrescentando que o escreve o mais ínfimo dos poetas e o mais entusiasta da glória literária.

Não vi *O Novo Mundo* do mês de Março; mas afiançam-me que nada vem lá a respeito das *Americanas*. Virá no de Abril provavelmente; desde já te agradeço a atenção[5].

Mais um abraço, Salvador, e meus parabéns; abraça o Mário[6] também. O céu te dê todas as venturas, que as mereces. Quando eu me lembro que, enquanto cogitava nos "lábios em que o inglês parece italiano"[7], tu delineavas simplesmente um plano de casamento, não caio em mim! E agora respondo a um trecho de tua carta. Não há que justificar a pressa. Os melhores amores nascem de um minuto. Deveras, seguiste a boa regra: foste *yankee* entre *yankees*. Adeus, meu Salvador. Meus respeitos à *Senhor*a consulesa e mais um abraço para ti.

Teu do Coração
Machado de Assis.

---

1   Repórter de *A República*, da *Gazeta de Notícias* e de *O Cruzeiro*, João de Almeida é considerado na imprensa fluminense o criador da reportagem à maneira norte-americana; tinha o faro do que poderia virar notícias, do que seria sensação e saía em busca da notícia, antecipando-se num tipo de jornalismo que será a marca do século XX. Em *Coisas do Meu Tempo*, ao falar do Clube Republicano na capital do Império, Salvador de Mendonça faz-lhe menção:

> "Depois em poucos dias se juntaram aos quinze instituidores, novos companheiros, tais como Cristiano Benedito Ottoni, Flávio Farnese, Lafaiete Rodrigues Pereira, João de Almeida."

Possivelmente, era um dos proprietários da Tipografia de Henrique Brown e João de Almeida, que, em 1871, publicou, de Guimarães Júnior, *Pedro Américo, Perfil Biográfico* e a *Carta de Pedro Américo a Quintino Bocaiúva sobre a Batalha de Campo Grande*, que viera à luz como carta aberta no folhetim de *A República*, em 10/10/1871. (SE)

2 ∾ O Hotel dos Estrangeiros situava-se no largo do Catete, atual praça José de Alencar, no Flamengo. João Cruvello Cavalcanti (1965) delimita o largo dizendo:

> "Está este largo no fim da rua do Catete e nele começam as ruas do Marquês de Abrantes e Senador Vergueiro. Fazia parte do antigo Campo das Pitangas que vinha até o que hoje se chama Praça do Duque de Caxias [atual largo do Machado]." (SE)

3 ∾ Em 1876, tinha redação na rua dos Ourives 51. Sobre o jornal, ver nota 3 em [149], carta de 22/03/1877. (SE)

4 ∾ Sobre Bocaiúva*, ver tomo I. Sobre Taunay*, ver em [125].

5 ∾ Refere-se à promessa de Salvador de Mendonça de produzir um artigo para *O Novo Mundo* comentando o recente livro de Machado, as *Americanas*. O artigo só saiu no 2.º semestre de 1876. (SE)

6 ∾ Mário de Mendonça, filho do primeiro matrimônio, nasceu no Rio de Janeiro; estudou engenharia na Universidade de Colúmbia, nos Estados Unidos. Depois de formado, fixou-se em Belém onde promoveu a instalação dos serviços hidroelétricos da cidade, falecendo ali em 14/06/1921. (SE)

7 ∾ Ver em [137] e [140].

[143]

De: SALVADOR DE MENDONÇA
Fonte: Manuscrito Original, Arquivo ABL.

New York, 25 de agosto de 1876.

Meu Machado de Assis

Como tu terás de ler dentro em pouco algumas colunas relativas às tuas *Americanas* casadas com índios da Nova Inglaterra, incluo estas fotografias, que quase todas serão iluminação do texto.

Falta-me de todo o tempo para conversarmos hoje: volto das Montanhas Brancas no New Hampshire[1] e estou aproveitando poucas horas que tenho para escrever para o Brasil. De outra vez serei mais extenso. Maria e Mário te mandam lembranças[2].

Abraça-te o\
Teu do coração\
Salvador de Mendonça

---

1 ≈ Um dos menores estados norte-americanos, localizado na região da Nova Inglaterra, limita-se ao norte com a província de Québec, Canadá, ao sul com o estado de Massachussets, a leste com o Maine e o oceano Atlântico, e a oeste com o estado de Vermont. Já as Montanhas Brancas fazem parte da cordilheira dos Montes Apalaches, e situam-se em grande parte no estado de New Hampshire. Pela proximidade com Boston e Nova York, são muito procuradas, sobretudo a *White Mountain National Forest*. (SE)

2 ≈ Depois que casou-se com Salvador de Mendonça, Mary passou a ser chamada por todos os que conviveram com o casal de D. Maria Redman. Mário é o filho de Salvador. Sobre ele, ver em [142]. (SE)

[144]

Para: VISCONDE DO RIO BRANCO –
JOSÉ MARIA DA SILVA PARANHOS
Fonte: Manuscrito Original. Seção de Manuscritos, Fundação Biblioteca Nacional.

Rio de Janeiro, 30 de setembro de 1876.

Il*ustríssi*mo Ex*celentíssi*mo Se*nho*r Visconde do Rio Branco.

Tive a honra de saber que a Pitonisa de V*ossa* Ex*celência* lhe segredara a parte mínima que me coube na recordação de uma data gloriosa para V*ossa* Ex*celência* e para a nossa pátria[1].

Fui apenas um eco da opinião contemporânea e ainda mais das gerações vindouras. Quando um alto espírito, lançando os olhos por cima da cabeça de seu século, presta à terra de que é filho, um serviço tão assinalado como o que Vossa Excelência fez ao Brasil com a lei que iniciou e defendeu, não se pertence mais, é patrimônio comum, e recordar-lhe a glória equivale a participar dela.

Foi o que fiz, e tal é o meu quinhão no grande ato de Vossa Excelência.

Reitero a Vossa Excelência os protestos da mais elevada consideração e distintíssimo apreço, com que tenho a honra de ser

De Vossa Excelência
Profundo admirador, criado e obrigado
J. M. Machado de Assis.

---

1 ∾ Sob o pseudônimo de "Manassés", na *Ilustração Brasileira*, Machado escrevera uma crônica a propósito da Lei do Ventre Livre, promulgada por decisiva influência do visconde do Rio Branco: "A lei de 28 de setembro fez agora cinco anos. Deus lhe dê vida e saúde! Esta lei foi o grande passo da nossa vida." Segundo Magalhães Jr. (2008), a *Ilustração Brasileira* de 01/10/1876 circulou antes desse dia, justificando-se a data da correspondência. Não se confirma, porém, o fato de ter o visconde **escrito** "algumas palavras de agradecimento" ao cronista (Magalhães Jr.). Pela referência à "Pitonisa" (talvez Quintino Bocaiúva*), vê-se que Machado **não respondia** a qualquer mensagem redigida pelo destinatário. Sobre a Lei do Ventre Livre, ver em [269], carta de 04/03/1889. (IM)

[145]

Para: SALVADOR DE MENDONÇA
Fonte: Manuscrito Original. Arquivo-Museu da Literatura Brasileira, Fundação Casa de Rui Barbosa.

Rio de Janeiro, 13 de novembro [de] 1876.

Meu caro Salvador

Mal tenho tempo para agradecer-te muito do coração o belo artigo que escreveste no *Novo Mundo*, a propósito das *Americanas*[1]. Está como tudo o que é teu: muita reflexão e forma esplêndida. Cá ficará entre minhas joias literárias.

Vai por este vapor um exemplar da *Helena*², romance que publiquei no *Globo*. Dizem aqui que dos meus livros é o menos mau; não sei; lá verás. Faço o que posso e quando posso.

E tu? Eu dir-te-ia muita coisa mais, a não ser a urgência. Escrevo esta carta, à hora de sair da Secretaria, para ir levá-la ao João de Almeida³. Prometo desde já ser mu*i*to mais extenso no primeiro vapor. Entreta*n*to agradeço-te as fotografias que daí me remeteste; são de excelente efeito.

Meus respeitos à tua senhora, lembranças a teus filhos, e para ti o coração do

Teu
Machado de Assis.

---

1 ~ Sobre as *Americanas*, ver nota 4 em [140].

2 ~ Em folhetim de agosto a setembro de 1876. Sobre *O Globo*, ver em [149], de 22/03/1877. (SE)

3 ~ Sobre João de Almeida, ver nota 1 em [142].

[146]

Para: FURTADO COELHO
Fonte: Fundação Biblioteca Nacional. *América Brasileira*. Rio de Janeiro: Monitor Mercantil, junho, 1921.

Rio de Janeiro, 22 de novembro de 1876.¹

Meu caro Furtado Coelho,

Um grave incidente ocorrido a pessoa de minha amizade, impediu que desse imediato cumprimento às tuas ordens acrescendo que eu supunha marcada para sábado a representação e vejo que o dia é amanhã².

Acabo de escrever e remeto-te uns versos que me parecem servir. Emenda e desculpa a demora involuntária do teu

Machado de Assis.

I

Dize o que queres! Murmurava o príncipe!
– Tudo desejo, respondia a dama;
Eu quero as horas que o prazer inflama,
Eu quero as festas que aviventa o ardor.
Quero sentir nas abrasadas pálpebras
A luz que traz o alvorecer do dia.
Quando começa o ressonar da orgia
E a voz expira ao turbulento amor.

II

– Minh'alma queres? Perguntava o príncipe.
– Guarda tua alma, respondia a dama;
Esse amor puro, que dos bens é chama,
Se às virgens fala, não me fala a mim.
Eu sou a noite, a sedução, o estrépito,
Eu sou o mal, a agitação e a morte;
Guarda tua alma, que é de Deus consorte,
Dá-me teus lábios e o prazer sem fim!

---

1 ∾ Carta publicada na revista editada por Elísio de Carvalho. A matéria saiu em 01/06/1921, produzida sob o pseudônimo de "J. J.". (SE)

2 ∾ Talvez essa poesia seja o único fragmento conhecido de uma paródia da ópera *La Traviata* chamada *Cenas da Vida do Rio de Janeiro*, que fora levada à cena em 1873 e que Furtado Coelho pretendia reapresentar. (SE)

[147]

Para: FRANCISCO RAMOS PAZ
Fonte: Manuscrito Original. Seção de Manuscritos, Fundação Biblioteca Nacional.

Rio de Janeiro, 14 [de] dezembro [de] 1876.

Meu caro Paz.

Faltei com a resposta no dia marcado. Um incômodo, que me durou quatro dias, e de que ainda tenho restos, sucessos diferentes e acréscimo de trabalho com que eu não contava, e que ainda hoje me prendem o dia inteiro em casa, tais foram os motivos do meu silêncio[1].

A resposta é a que eu já receava dever dar-te. São tantos e tais os trabalhos que pesam sobre mim, que não me atrevo a tomar o folhetim da "Gazeta"[2].

Dize de minha parte ao Elísio que me penaliza muito a resposta; tu e ele são dois amigos velhos, que sempre achei os mesmos e de quem só tenho agradáveis lembranças.

Crê no

Teu do *Coração*
Machado de Assis.

---

1 ∾ Após um ato de insubordinação ao ministro da Agricultura Tomás Coelho, o funcionário Rosendo Muniz Barreto, poeta querido e elogiado por Machado de Assis, foi demitido "a bem do serviço público", em 07/12/1876. Rosendo, inconformado, rompeu relações com Machado, que o substituíra interinamente. A atitude do ex--colega afetou Machado de Assis, logo promovido a chefe de seção da Secretaria de Agricultura, no lugar do rebelde Muniz Barreto (ver em [128]). (IM)

2 ∾ O jornal *Gazeta de Notícias* foi fundado em 1875, no Rio de Janeiro, pelos editores Ferreira de Araújo*, Manuel Carneiro, Elísio Mendes, Henrique Chaves e Lino Assunção. Ramos Paz era acionista. Em 1883, após dar colaboração eventual à *Gazeta*, que revolucionara a imprensa brasileira por sua excepcional qualidade, Machado de Assis assumiu seções fixas, como o cronista de "Balas de Estalo" (1883-1886), "A+B" (1886), "Gazeta de Holanda" (1886-1888), "Bons Dias" (1888) e "A Semana" (1892-1897). Além de centenas de crônicas notáveis, no mesmo periódico foram publicados 48 contos, sete poemas e dez obras de outros gêneros. (IM/SE)

[148]

> Para: O BISPO CAPELÃO-MOR
> Fonte: MACHADO DE ASSIS, Joaquim Maria.
> *Obra Completa*. Rio de Janeiro: Nova Aguilar,
> 2008. vol. 4.

[Rio de Janeiro, 1.º de janeiro de 1877.][1]

A Sua Excelência Reverendíssima, o Senhor Bispo Capelão-Mor[2].

Permita Vossa Excelência Reverendíssima que eu, um dos mais humildes fiéis da diocese, chame sua atenção para um fato que reputo grave.

Ignoro se Vossa Excelência Reverendíssima já leu um livro interessante dado a lume na quinzena que ontem findou, *O Rio de Janeiro, sua história e monumentos*, escrito por um talentoso patrício seu e meu, o Doutor Moreira de Azevedo[3]. Naquele livro está a história da nossa cidade, ou antes uma parte dela, porque é apenas o primeiro volume, ao qual se hão de seguir outros, tão copiosos de notícias como este, folgo de esperá-lo.

Não sei se Vossa Excelência Reverendíssima é como eu. Eu gosto de contemplar o passado, de viver a vida que foi, de pensar nos homens que antes de nós, ou honraram a cadeira que Vossa Excelência Reverendíssima ocupa, ou espreitaram, como eu, as vidas alheias. Outras vezes estendo o olhar pelo futuro adiante, e vejo o que há de ser esta boa cidade de São Sebastião, um século mais tarde, quando o *bond* for um veículo tão desacreditado como a gôndola, e o atual chapéu masculino uma simples reminiscência histórica.

Podia contar-lhe em duas ou três colunas o que vejo no futuro e revejo no passado; mas, além de que não quisera tomar o precioso tempo de Vossa Excelência Reverendíssima, tenho pressa de chegar ao ponto principal desta carta, com que abro a minha crônica[4].

E vou já a ele.

Há no dito livro do Doutor Moreira de Azevedo um capítulo acerca da igreja da Glória, não me refiro à do Outeiro, mas à do Largo do

Machado. Nesse capítulo, que vai da página 185 à página 195, dão-se interessantes notícias do nascimento da igreja da qual traz uma excelente descrição. Diz-se aí, página 190, o seguinte:

"Concluiu-se a torre em 1875, e em 11 de junho desse ano colocou-se ali um sino; mas há a ideia de colocar outros sinos afinados para tocarem música."

Para este ponto é que eu chamo a atenção do meu prelado.

Que lhe pusessem a torre, uma torre por cima daquela fachada, foi ideia, piedosa decerto, mas pouco de aplaudir-se.

Não há talvez segundo exemplo debaixo do sol; tudo aquilo *hurle de se voir ensemble*[5]. Contudo, repito, se a arte padece, a intenção merece respeito.

Agora porém, Reverendíssimo Senhor, há ideia de lhe porem sinos afinados: com o fito de tocar por música, uma reprodução da Lapa dos Mercadores.

A Lapa dos Mercadores era uma igreja modesta, metida numa rua estreita, fora do movimento, pouco conhecida de uma grande parte da população. Um dia deu-se o luxo dos sinos musicais; e dentro de duas semanas estava célebre[6]. Os moradores do Largo do Paço[7], das ruas do Ouvidor e Direita[8] e adjacentes almoçavam musicalmente todos os dias, aos domingos sobretudo. Era uma orgia de notas, um dilúvio de sustenidos. Quem quer que era (*sic*) o regente, repinicava com um brio, um fôlego, uma alma, dignos de melhor emprego.

E não pense Vossa Excelência Reverendíssima que eram lá músicas enfadonhas, austeras, graves, religiosas. Não, senhor. Eram os melhores pedaços do *Barbe Bleue*, da *Bela Helena*, do *Orfeu nos Infernos*[9]; uma contrafação de Offenbach, uma transcrição do Cassino.

Estar-se à missa ou nas cadeiras do Alcazar[10], salvo o respeito devido à missa, era a mesma coisa. O sineiro — perdão, o maestro — dava um cunho jovial ao sacrifício do Gólgota, ladeava a hóstia com a *complainte*[11] do famoso polígamo Barba Azul.

> *Madame, ah, madame,*
> *Voyez mon tourment!*
> *J'ai perdu ma femme*
> *Bien subitement.*[12]

 E as meninas, cujos pais, por um santo horror às comédias, não as levavam ao Alcazar, tinham o gosto de dividir o pensamento entre a Rua Uruguaiana e a Rua da Amargura, isto sem cair em pecado mortal, porque em suma, desde que Offenbach podia entrar na igreja, era natural que os fiéis contemplassem Offenbach.

 Verdi[13], Bellini[14] e outros maestros sérios tinham também entrada nos sinos da Lapa. Creio ter ouvido a *Norma* e o *Trovador*. Talvez os vizinhos ouçam hoje a *Aída* e o *Fausto*.

 Não sei se entre Offenbach e Gounod[15] teve Lecoq algumas semanas de reinado. A *Filha de Madame Angot*[16] alegrando a casa da filha de Sant'Ana e São Joaquim, confesse Vossa Excelência que tem um ar extremamente moderno.

 Suponhamos, porém, que os primeiros trechos musicais estejam condenados, demos que hoje só se executem trechos sérios, graves, exclusivamente religiosos.

 E suponhamos ainda, ou antes, estou certo de que não é outra a intenção, se intenção há, em relação à igreja da Glória; intenção de tocarem os sinos músicas próprias, adequadas ao sentimento cristão.

 Resta só o fato de serem musicais os sinos.

 Mas que coisa são sinos musicais? Os sinos, Excelentíssimo Senhor, têm uma música própria: o repique ou o dobre, — a música que no meio do tumulto da vida nos traz a ideia de alguma coisa superior à materialidade de todos os dias, que nos entristece, se é de finados, que nos alegra, se é festa, ou que simplesmente nos chama com um som especial, compassado, sabido de todos. O *Miserere* de Verdi é um pedaço digno de igreja; mas se o pusessem nos sinos era... vá lá... era ridículo. Chateaubriand[17], que escreveu sobre os sinos, que não diria, se morasse ao pé da Lapa[18]?

Dirigindo-me, pois, a Vossa Excelência tenho por fim solicitar sua atenção para o uso dos sinos musicais, que pode propagar-se na cidade toda, e transformá-la numa imensa filarmônica. Vossa Excelência pode, com seus paternais conselhos, ter mão ao uso, bastando-lhe dizer que a igreja católica é uma coisa austera, que os sinos têm uma linguagem secular, uma harmonia única. Não a troquemos por outra, que é despojá-los do seu encanto, é quase mudar a feição ao culto.

Nada mais me resta dizer a Vossa Excelência.

[Manassés]

---

1 ◈ Data de publicação em "História de Quinze Dias", série de crônicas escritas por Machado de Assis, sob o pseudônimo de "Manassés", na *Ilustração Brasileira*, de 01/07/1876 a 01/08/1878. O Setor de Obras Raras da Fundação Biblioteca Nacional possui a coleção completa da bela revista fundada e dirigida por Henrique Fleiuss*, disponível, para consulta, em microfilme. Lamentavelmente, o início do número onde saiu esta carta aberta está ilegível; houve verificação na matriz do microfilme e confirmou-se que a lacuna decorreu do estado de deterioração do original impresso, quando da microfilmagem. (IM)

2 ◈ Dom Pedro Maria de Lacerda*. (IM)

3 ◈ *O Rio de Janeiro, Sua História, Monumentos, Homens Notáveis, Usos e Curiosidades*, do médico e sócio do Instituto Histórico e Geográfico Brasileiro dr. Manuel Duarte Moreira de Azevedo (1832-1903), obra em dois volumes publicada por B. L. Garnier (1877). (IM)

4 ◈ A carta aberta está na seção I da crônica, que nas três seções seguintes trata de outros assuntos. (IM)

5 ◈ A indignação de Machado poderia ser traduzida por "não combina, é gritante". Em crônica posterior, comentaria a sua ojeriza à torre do templo. (IM)

6 ◈ A igreja de Nossa Senhora da Lapa dos Mercadores, inaugurada em 1750, foi remodelada entre 1869 e 1872, quando ganhou um carrilhão, depois desativado. Outrora próxima à desaparecida Praia do Peixe, fica na rua do Ouvidor, 35. (IM)

7 ◈ Atual praça Quinze de Novembro, no centro histórico do Rio de Janeiro. (IM)

8 ◈ A rua Direita foi denominada Primeiro de Março em 1870. (IM)

9 ◈ Operetas de Jacques Offenbach (1819-1880), que fizeram um sucesso devastador. (IM)

10 ◈ O *Alcazar Lyrique* do empresário francês Arnaud, na rua Uruguaiana (ver em [168]), empolgava o público masculino. O Machadinho da década de 1860 era um

dos siderados pela irresistível atriz Aimée, que depenou muitos ricaços no auge do cancã (ver em [45], tomo I). Já o Machado mais circunspecto entra no coro da burguesia fluminense contra as operetas que Arnaud passou a encenar no *Alcazar*. (IM)

11 ∞ Canção de lamento. (IM)

12 ∞ "Senhora, ah, senhora, / Veja o meu tormento! / Eu perdi minha mulher, / Assim, de supetão." (IM)

13 ∞ O compositor italiano Giuseppe Verdi (1813-1901), autor das óperas *Trovador* e *Aída*, que estrearam, respectivamente em 1853 e 1871. (IM)

14 ∞ O compositor italiano Vincenzo Bellini (1801-1835), autor da ópera *Norma* (1831), que fez furor no Rio de Janeiro desde a sua estreia no palco do Teatro São Pedro de Alcântara (1844), tendo no papel principal a cantora lírica italiana Augusta Candiani. A diva arrebatou o público, sobretudo os rapazes aos quais Machado se refere em crônicas e também no conto "Verba Testamentária", onde narra o "entusiasmo da população fluminense para com a famosa Candiani e a Meréa, mas a Candiani principalmente, cujo carro puxaram alguns braços humanos." (IM)

15 ∞ O compositor francês Charles Gounod (1818-1893), autor da citada ópera *Fausto* (1860). (IM)

16 ∞ *La Fille de Madame Angot*, opereta francesa com libreto de Clairville, Siraudin e Koning, e música de Charles Lecocq, que estreou em 1872. Sua paródia brasileira, uma burleta de Artur Azevedo*, teve como título *A Filha de Maria Angu* (1876). (IM)

17 ∞ François René, visconde de Chateaubriand (1768-1848), trata da beleza e da função dos sinos num dos capítulos do seu *Génie du Christianisme*, dedicado à apologia da fé e do culto católico. Referindo-se ao escritor francês e aos sinos, Machado de Assis contaria em crônica na *Gazeta de Notícias* (03/07/1892):

"Na véspera de são Pedro, ouvi tocar os sinos [...], dando graças ao príncipe dos apóstolos por não haver na igreja do Carmo um carrilhão. / Explico-me. Eu fui criado com estes pobres sinos das nossas igrejas. Quando li o capítulo dos sinos, em Chateaubriand, tocaram-me tanto as palavras daquele grande espírito, que me senti (desculpem-me a expressão) um Chateaubriand desencarnado e reencarnado. Assim diz a igreja espírita." (IM)

18 ∞ Machado de Assis deixou uma página insuperável sobre a morte de João, ex-escravo e sineiro da Glória (*Gazeta de Notícias*, 04/11/1900). Vinte três anos antes, com esta carta ao bispo capelão-mor, não estaria Machado defendendo o sineiro ameaçado de perder seu posto, caso fosse instalado um estrondoso carrilhão?

"Era um escravo, doado àquela igreja, com a condição de servir dois anos. Os dois anos acabaram em 1855, e o escravo ficou livre, mas continuou o ofício. Contem bem os anos, quarenta e cinco, quase meio século, durante os quais este homem governou uma torre. A torre era dele, dali regia a paróquia e contemplava o mundo." (IM)

[149]

De: CONSTANÇA ALVIM CORREIA
Fonte: Manuscrito Original, Arquivo ABL.

Petrópolis, 22 [de] março [de] *1877*.

Meu caro S*en*h*o*r Conselheiro[1]

Tenho esperado ansiosamente por um certo soneto prometido e que decerto atendendo à demora ficou preso a algum galho de árvore pelo caminho ou absorto na contemplação do belo panorama do Alto da Serra. É certo porém que ainda cá não chegou. Pode dar-me notícias dele?

Também lhe agradeceria muito se me desse notícias de um triste artigo apresentado por meu marido[2] à ilustre redação do *Globo*[3] e por ela muito mal recebido segundo parece.

A pessoa que o trouxe de Europa, que foi meu irmão, não tem grande interesse em que ele seja publicado [,] somente quer que decidam se sim ou não. Parece-me que não é coisa tão difícil, não acha?

Vamos ver se a minha intervenção nesta história é mais eficaz que a de meu esposo. Experimento um pouco a minha influência.

Peço-lhe muitas recomendações a D*on*a Carolina e que se lembre de mim, e cá fico à espera do prometido. *J'y tiens*, que quer.

Aceite as expressões da minha estima e afetuosa amizade,

Constança Alvim Correia.

---

1 ∾ Sabe-se que alguns anos mais tarde, os amigos de Machado de Assis fizeram gestões para que fosse agraciado com a dignidade de conselheiro do Império. Isso quase se concretizou no final de 1889, sob o governo do Afonso Celso de Assis Figueiredo, mas o projeto frustrou-se com o advento da República. (SPR)

2 ∾ Advogado por Coimbra, o português Henrique Correia Moreira, com escritório na rua Primeiro de Março n.° 72, e grande clientela, colaborou durante a década de 1870 no *Jornal do Comércio*; e publicou também obras de literatura jurídica. Em 1875, o casal residia na Praia de Botafogo n.° 6 C. No ano de 1878, Henrique será o diretor de *O Cruzeiro*, no qual de 01/01 a 02/03/1878, Machado escreverá em folhetim *Iaiá Garcia*, cujo volume

sairá no fim de abril por G. Vianna & Cia., a mesma editora que cuidava do jornal. Registre-se que Constança e Henrique são os pais do pintor, desenhista e ilustrador Henrique Alvim Correia (1876-1910), que em 1902, instalado no bairro de Boitsfort em Bruxelas, realizou uma série de ilustrações baseadas no livro *The War of the Worlds*, de H. G. Wells, que foi submetida à aprovação do autor e publicada numa edição de 500 exemplares, em 1906. Com este conjunto Alvim Correia alcançou o máximo desenvolvimento criativo, dando asas a uma vigorosa imaginação fantástica. As obras que criou então evocam, pela atmosfera, as fantasmagorias de Bosch e Brüegel. (SE)

3 ∾ Este jornal teve duas fases: a sua primeira de 07/08/1874 a 19/03/1878; e a segunda de 10/11/1881 a 31/03/1883. Inicialmente, foi propriedade de Gomes de Oliveira & Cia, a que se associou Bernardo Caymari. Em 1876, segundo o *Almanaque Laemmert*, a gerência passou às mãos de Quintino Bocaiúva*. Em 1878, último ano da primeira fase, o jornal aparece no *Almanaque* como propriedade de Quintino Bocaiúva & Cia. Sobre *O Globo*, consultar ainda o *Dicionário de Machado de Assis* (2008). (SE)

[150]

De: L. DE ALMEIDA
Fonte: Manuscrito Original, Arquivo ABL.

Rio de Janeiro, 27 de julho de 1877.

Ilustre Amigo Senhor Machado de Assis,[1]

O nosso amigo Queirós[2] combinou com o Artur[3] e Luís de Resende[4] irem amanhã jantar em nossa casa à rua de Olinda n.° 4[5]; esperando a honra de sua amável companhia e a de sua Excelentíssima Senhora[6], sou com a maior estima

Amigo obrigado
L. de Almeida

---

1 ∾ Esta carta, inédita, foi um dos muitos desafios da correspondência machadiana, sobretudo quanto à identificação do missivista. A partir dos convivas, chegamos à convicção de que o amigo "L. de Almeida", escrevendo em belo papel encimado pelo monograma "L A A", seria Laurindo de Avelar e Almeida, cafeicultor da região de Vassouras (v. notas infra). (IM)

2 ∾ Pertencente ao círculo de relações de Machado, Francisco Gonçalves Queirós se casara com Adelina, filha do abastado Miguel de Avelar, em 11/02/1871. (IM)

3 ∾ Artur Napoleão*, fraternal amigo de Machado, vencendo ferrenha oposição do mesmo Miguel de Avelar, casou-se com sua outra filha, Lívia, em 25/02/1871, e, assim, tornou-se concunhado de Queirós. (IM)

4 ∾ Famoso joalheiro e colecionador de obras de arte. Na peça *Viagem ao Parnaso*, Artur Azevedo escreveu: "Nunca o Farani e o Luís de Resende cravejaram de brilhantes tantas condecorações." O prédio onde funcionava a joalheria de Resende ainda pode ser admirado, na esquina da rua do Ouvidor com a rua Miguel Couto. Cabe também sublinhar essa referência a Farani, ou seja, César Farani, viúvo de Sofia de Avelar e depois casado com a cunhada Castorina, ambas irmãs das supracitadas Adelina e Lívia de Avelar. (IM)

5 ∾ A rua Marquês de Olinda, em Botafogo. No *Almanaque Laemmert* de 1878, p. 387, lê-se: "Secretaria de Estado dos Negócios do Império [...] *Ministro e Secretário de Estado /* Conselheiro Deputado Antônio da Costa Pinto da Silva, 3, praia de Botafogo, esquina da r. de Olinda". (IM)

6 ∾ O convite extensivo a D. Carolina leva a crer que estaria presente sua amiga Lívia, aliás parente da anfitriã, em solteira Laurinda de Avelar Werneck. (IM)

7 ∾ Laurindo de Avelar e Almeida. (IM)

[151]

Para: SALVADOR DE MENDONÇA
Fonte: Manuscrito Original. Arquivo-Museu da Literatura Brasileira, Fundação Casa de Rui Barbosa.

Rio de Janeiro, 8 de outubro de 1877.

Meu caro Salvador.

Escrevo-te à pressa, à última hora, e por isso me dispensarás se te não digo uma série de coisas que há sempre que dizer entre bons amigos que se não falam há muito.

Antes de tudo, estimo a tua saúde e a de tua senhora e filhos.

Vai aparecer no 1.º do ano de 78 um novo jornal, *O Cruzeiro*[1], fundado com capitais de alguns comerciantes, uns brasileiros e outros portugueses. O diretor será o D*outo*r Henrique Correia Moreira, teu colega, que deves conhecer.

Incumbiu-me este de te propor o seguinte:

1.º Escreveres duas correspondências mensais[2].

2.º Remeteres cotações dos gêneros que interessem ao Brasil, principalmente banha, farinha de trigo, querosene e café, e mais, notícias do câmbio sobre Londres, Paris etc., e ágio do ouro.

3.º Obteres anúncios de casas industriais e outras.

Como remuneração:

Pelas correspondências, 50 dólares mensais.

Pelos anúncios, uma porcentagem de 20%.

Podes aceitar isso? No caso afirmativo, convém remeter a primeira carta de maneira que possa ser publicada em janeiro[3]. Caso não te convenha, o D*outo*r Moreira pede que vejas se nosso amigo Rodrigues[4], do *Novo Mundo*, pode aceitar o encargo, e em falta deste algum outro brasileiro idôneo.

Os industriais que quiserem mandar os anúncios poderão também remeter, se lhes convier, os *clichés* e gravuras. Quanto ao preço dos anúncios, não está ainda marcado, mas regulará o do *Jornal do Comércio*[5], ou ainda alguma coisa menor.

Esta carta vai por via de Europa. No primeiro paquete escreverei outra, para remediar o extravio desta, se houver.

Desculpa-me a pressa, e escreve ao

Teu do Coração
Machado de Assis.

---

1 ∾ *O Cruzeiro* circulou de 01/01/1878 até 19/05/1883. No jornal, Machado de Assis publicou folhetins, colaborou como crítico, cronista e contista. Sobre Henrique Correia Moreira, ver em [149]. (SE)

2 ❧ Salvador de Mendonça escreveu de 1878 a 1883, duas vezes por mês, as *Cartas Americanas*, série de 64 crônicas em que reuniu informações sobre a vida norte-americana. Com um olhar estrangeiro e sensível, abordou diversos assuntos: a questão dos índios, a morte do poeta Richard Henry Dana, o Dia de Ação de Graças, a febre amarela em Memphis, o êxodo dos negros, a luz de platina, o calor, a morte de Longfellow em 1882, o assassinato do presidente Garfield, Herbert Spencer etc. (SE)

3 ❧ Salvador só começou a escrever em *O Cruzeiro* a partir de 06/08/1878. (SE)

4 ❧ Sobre o editor, ver em [118] e [121].

5 ❧ Sobre este periódico, ver nota 7 em [59], tomo I.

[152]

De: JOSÉ DINIZ VILLAS BOAS
Fonte: Manuscrito Original, Arquivo ABL.

Rio de Janeiro, 28 de novembro de *1877.*

Ilustríssimo amigo e colega Senhor Machado de Assis[1]

Lembrei-me hoje de que no dia 1.º do mês vindouro ainda não posso estar na Secretaria e tendo necessidade de, nesse dia, receber meu ordenado, consulto-lhe se lhe será possível aceitar o colega uma procuração minha, para esse fim, procuração que lhe enviarei amanhã, a fim de que, em tempo, seja notada no Tesouro.

Tenha paciência o meu bom amigo. Se não fossem os compromissos que, em parte, devo satisfazer do dia 1 em diante, eu não o importunaria. No caso de aquiescer no que lhe peço, poderá ser efetuada a cobrança no dia 1, enviar-me o que eu tiver de receber pelo Carvalho ou qualquer outro contínuo ou correio.

Tenho o espírito muito preocupado com o golpe por que acabo de passar, desculpe, portanto, o desalinho desta carta, e acredita-me que sou seu

Colega e amigo
José Diniz

Post Scriptum
Peço-lhe a fineza de recomendar-me aos nossos dignos colegas.

---

1 ∾ Machado de Assis era chefe da seção em que José Diniz Villas Boas servia como 1.º oficial, no Ministério da Agricultura, Comércio e Obras Públicas, sendo ministro o Conselheiro Tomás José Coelho de Almeida. (IM/SE)

[153]

De: VITORINO DE BARROS
Fonte: Manuscrito Original, Arquivo ABL.

Rio de Janeiro, 4 de dezembro de 1877.

Meu caro colega Machado de Assis

Tenho o prazer de apresentar-lhe *Monsieur* Frixon Ambroise[1], que tem as habilitações do incluso cartão.

É um filho da generosa França.

Buscando trabalho de que possa honestamente viver com sua família, não o pode obter sem proteção e, supondo, mal informado, que estou no caso de lha dispensar, pede-me lhe facilite os meios de ser nomeado agrimensor.

O meio de que me lembro e julgo mais acertado é solicitar do colega que o encaminhe e lhe diga o modo de requerer o lugar, para o qual, à vista de seus estudos especiais, me parece apto.

Se ao meu pedido corresponderem os bons ofícios do ilustrado e benévolo colega muito penhorado ficará o

Colega e amigo velho
obrigado criado
A. J. Vitorino de Barros

---

1 ∾ Não se obtiveram dados.

[154]

Para: SALVADOR DE MENDONÇA
Fonte: Manuscrito Original. Arquivo-Museu da Literatura Brasileira, Fundação Casa de Rui Barbosa.

Rio de Janeiro, 2 de março de 1878.

Meu caro Salvador.

Minha primeira carta, depois de tua partida, é uma apresentação. Há de ser-te entregue pelo Il*ustríssi*mo *Senho*r João Artur Pereira de Andrade[1], que, por motivo de saúde, vai a esses Estados passar algum tempo.

A ninguém, melhor do que a ti, poderia apresentar este nosso distinto e inteligente patrício. Ele te apreciará, como eu e todos os que têm a fortuna de serem teus amigos.

Meus respeitos à tua digna esposa e saudades a teus queridos filhos. Escreve-me e continua a crer no

Am*i*go do Coração
Machado de Assis.

---

1 ∾ Não se obtiveram dados.

[155]

De: LUÍS GUIMARÃES JÚNIOR
Fonte: Manuscrito Original, Arquivo ABL.

Roma, 24 de junho de 1878.
78ª via della Croce.

Meu velho amigo.

Na m*in*ha última *Carta romana*[1], que seguiu daqui, há três dias, cavaqueando sobre diversos escritores brasileiros citei, ao pé um do outro, os nomes de Machado de Assis e de *Eleazar*[2].

Com esta quero dizer-te que li três folhetins teus no *Cruzeiro*, remetidos pelo Serra³.O *humour* do que se intitula *Um cão de lata ao rabo*⁴, era digno de ser vazado em molde francês e lido em Paris, pátria adotiva do H. Heine⁵.

Quanto à tua crítica ao livro do Eça de Queirós⁶, só tenho que te dizer uma coisa e é que te beijo de todo o meu coração e com um glorioso entusiasmo.

É pena que um talento da ordem do do Eça de Queirós se filie numa escola brutal como um murro e asquerosa como uma taberna. Os outros fazem brilhar as suas joias num diadema; ele prefere atirá-las a granel dentro do lodo.

A tua crítica cerrada, serena, forte, é de um grande poder para nós, os poucos que ainda acreditamos no ideal, essa alma da arte, esse passaporte dos poetas, que pensam em seguir viagem à posteridade, de preferência aos alcouces.

Desculpa a frase mais ou menos empolada, e tratemos de coisas mais ao rés da vida.

Aqui continuo no posto de Adido⁷, esperando que o Governo se lembre de promover-me.

Tenho na pasta 2 manuscritos, um em verso, outro em prosa, que só esperam a minha heroica decisão, — o meu ultimátum paterno, — para irem se expor às arranhadelas dos prelos e à sanha dos tipógrafos. Brevemente os publicarei⁸. Enfeito-os ainda como um pai que manda os *bambinos* a alguma festa de concorrência.

Nasceu-me um novo herdeiro, um romano de Roma; veio à luz mesmo em frente ao Capitólio⁹. Deus o livre, em todo caso, dos gansos futuros!¹⁰

Adeus. Escreve-me. Minhas homenagens à tua Senhora, e tu crê no teu velho amigo,

de tantos anos e tantas recordações,
Luís Guimarães Jr.

1 ❧ Crônicas publicadas na *Gazeta de Notícias*. (IM)

2 ❧ Pseudônimo machadiano na colaboração em *O Cruzeiro*, jornal que começou a circular em 01/01/1878 (ver em [151]). Machado saudara o novo periódico – "mais um campeão da imprensa diária" – mas dele se desligou em setembro do mesmo ano. (IM)

3 ❧ Joaquim Serra*.

4 ❧ Uma joia de humor sobre estilos literários, publicada em 02/04/1878. (IM)

5 ❧ Christian Johan Heinrich Heine (1797-1856), poeta romântico alemão, de origem judaica, exilou-se em Paris em 1831, onde se juntou aos socialistas utópicos. Boa parte de sua poesia lírica, sobretudo a obra de juventude, inspirou notáveis compositores, especialmente os *Lieder* de Schubert e Schumann. Além de muito admirar o seu senso de humor, Machado traduziu-lhe, da versão francesa, "As Ondinas" (1863) e "Prólogo do *Intermezzo*" (1894). (IM/SE)

6 ❧ A crítica "Literatura Realista – O Primo Basílio" (16/04/1878) motivou a resposta do escritor português a Machado de Assis (ver em [156], carta de 29/06/1878). Registre-se nova crítica ao realismo, publicada em 30/04/1878. (IM)

7 ❧ Guimarães Júnior fora mandado para a Itália, como adido, em 29/01/1875. Sua promoção a secretário só ocorreria em 22/06/1881. (IM)

8 ❧ Sobre os versos, ver em [131]. (IM)

9 ❧ Gabriel, que morreria pouco depois. (IM)

10 ❧ Segundo a história lendária, Roma foi salva de uma invasão dos gauleses em 360 a.C. pelo grasnar dos gansos, que alertou o Senado. (SPR)

[156]

De: EÇA DE QUEIRÓS

Fonte: Fundação Biblioteca Nacional. *Catálogo da Exposição do Centenário de Nascimento de Machado de Assis. 1839-1939.* Rio de Janeiro: Ministério da Educação e Saúde, 1939. Fac-símile do manuscrito original.

Newcastle-on-Tyne[1], Inglaterra, 29 de junho de 187[8][2].

Ex*celentíssi*mo Se*nho*r e prezado colega.

Uma correspondência do Rio de Janeiro para a *Atualidade* (jornal do Porto) revela ser o Se*nho*r Machado de Assis, nome tão estimado entre nós, o autor do belo artigo sobre o *Primo Basílio* e o Realismo[3] publicado no *Cruzeiro* de 16 de abril, assinado com o pseudônimo de *Eleazar*[4]. Segundo essa correspondência, há ainda sobre[5] o romance mais dois folhetins de *Vossa Excelência* nos *números* 23 e 30 de abril[6]. Creio que outros escritores brasileiros me fizeram a honra de criticar o *Primo Basílio*: — mas eu apenas conheço o folhetim de *Vossa Excelência*[7] do dia 16, que foi transcrito em mais de um jornal português. O meu editor, *Senhor* Chardron, encarregou-se de coligir essas apreciações de que eu tenho uma curiosidade, quase ansiosa. Enquanto as não conheço, não posso naturalmente falar delas — mas não quis estar mais tempo sem agradecer a *Vossa Excelência* o seu excelente artigo do dia 16. Apesar de me ser em geral adverso, quase severo[8], e de ser inspirado por uma hostilidade quase partidária à Escola Realista — esse artigo todavia pela sua elevação, e pelo talento com que está feito honra o meu livro, quase lhe aumenta a autoridade. Quando conhecer os outros artigos de *Vossa Excelência* poderei permitir-me discutir as suas observações sobre Arte[9] — não em minha defesa pessoal (eu nada valho) não em defesa dos graves defeitos dos meus romances, — mas em defesa da Escola que eles representam e que eu considero como um elevado fator de progresso moral na sociedade moderna.

Quero também por esta carta rogar a *Vossa Excelência* queira, em meu nome, oferecer o meu reconhecimento aos meus colegas de literatura e de jornal pela honrosa aceitação que lhes mereceu o *Primo Basílio*. Um tal acolhimento da parte de uma literatura tão original e tão progressiva como a do Brasil é para mim uma honra inestimável — e para o Realismo, no fim de tudo uma confirmação esplêndida de influência e de vitalidade[10].

Esperando ter em breve oportunidade de conversar com *Vossa Excelência* — através do oceano — sobre estas elevadas questões da Arte, rogo-lhe queira aceitar a expressão do meu grande respeito pelo seu belo talento.

Eça de Queirós

Adresser au
Consulat du Portugal[11]

1 ⚭ Eça de Queirós, em Newcastle [up]on Tyne, ocupava seu segundo posto na carreira consular (dezembro de 1874 a abril de 1879). (IM)

2 ⚭ Por engano, Eça datou esta carta de 1870. (IM)

3 ⚭ "Literatura Realista. *O Primo Basílio*, romance do sr. Eça de Queirós, Porto, 1878". (IM)

4 ⚭ Em 16 e 30/04/1878, Machado de Assis publicou, em *O Cruzeiro*, crítica a Eça de Queirós. Saindo de sua habitual moderação, Machado arrasou a escola realista em geral e seu porta-voz português em particular. *O Crime do Padre Amaro*, além de ser um plágio da *Faute de l'Abbé Mouret*, de Emile Zola, não seria mais que a "reprodução fotográfica e servil de coisas mínimas e ignóbeis." Quanto ao *Primo Basílio*, principal objeto da crítica de Machado, era um espetáculo "dos ardores, exigências e perversões físicas." Os personagens eram meros fantoches, sem nenhuma verdade psicológica, como Luísa, "antes um títere que uma pessoa moral." A reação de Eça, expressa nesta carta, não podia ter sido mais elegante. Os comentários de Machado, diz Eça, foram escritos com elevação e talento. Ele se permitia apenas divergir do autor brasileiro em sua opinião sobre o realismo, "elevado fator de progresso moral na sociedade moderna." Não menciona, na carta, a acusação de plágio, mas voltaria ao assunto na segunda edição do *Crime do Padre Amaro*. Segundo Eça, o romance teria sido lido a amigos anos antes da publicação do livro de Zola, em 1875, e publicado nas páginas da *Revista Ocidental*, entre janeiro e maio de 1875, isto é, justamente quando Zola estava lançando seu romance. Essa cronologia é discutível, e foi efetivamente discutida, mas a principal defesa contra a acusação de plágio é que, exceto a semelhança dos títulos, não há nada em comum entre os dois romances: o de Zola descreve uma neurose mística, tendo como pano de fundo o Paradou, alegoria do Éden, enquanto o de Eça é uma intriga de padres e beatas, numa velha província portuguesa. (SPR)

5 ⚭ No manuscrito, a palavra "sobre" é repetida. (IM)

6 ⚭ Equívoco. Em 23/04/1878, Machado publicava "Filosofia de um par de botas". (IM)

7 ⚭ A transcrição do *Catálogo* está correta: "V. Ex.". No entanto, outras transcrições, certamente baseadas na de *A Manhã* (28/09/1941), apresentam a abreviatura "V. S.ª", inadmissível em carta que se abre com "Excelentíssimo Senhor", sendo, ademais, "Excelência" o tratamento corrente entre os portugueses. (IM)

8 ⚭ O adjetivo "severo" foi transcrito como "revesso", em inúmeras versões impressas da carta. (IM)

9 ⚭ Nas mesmas versões, várias vezes a palavra "Arte" foi transcrita como "este". (IM)

10 ∞ Há aqui uma pequena perfídia de Eça de Queirós. Em geral, os outros jornais brasileiros tinham achado excessivamente severa a crítica de Machado. Assim, Henrique Chaves escreveu, na *Gazeta de Notícias* de 20/04/1878, que Machado foi levado por um preconceito de escola – sua oposição ao realismo – a fazer uma crítica injusta. Em 24 de abril do mesmo ano, Ataliba Gomensoro, em suas "Cartas Egípcias", assinadas com o pseudônimo de "Amenophis-Effendi", refutava a crítica moral de Machado, afirmando que havia muito mais erotismo no *Cântico dos Cânticos* que no *Primo Basílio*. O que o escritor português está pedindo, em suma, é que Machado agradeça, em seu nome, aos jornalistas que tinham discordado do próprio Machado. No mínimo, está dizendo que Machado tinha sido voz isolada entre os intelectuais brasileiros, o que não era bem verdade, como se verifica em [155]. (SPR)

11 ∞ "Dirigir ao Consulado de Portugal". Observe-se que, no Arquivo da ABL, existe um fac-símile obtido no jornal *A Manhã*, sendo a última página copiada por terceiros. (IM)

[157]

De: MIGUEL DE NOVAIS
Fonte: Manuscrito Original, Arquivo ABL.

Paris, 7 de julho de 1878.[1]

Avenue Friedland, n.° 6.

Meu caro Machado[2],

Parece que uma carta[3] de Paris, escrita em plena Exposição[4] a um homem de letras devia ser uma narração longa e detalhada de tudo o que por aqui se tem passado desde o dia da sua abertura até hoje [;] mas para isso ser feito de modo a interessá-lo era necessário que outro [,] que não eu, o fizesse.

Frequentador assíduo tenho eu sido da exposição, mais de quarenta vezes ali tenho ido, porém, como pode imaginar, a parte que mais me interessa é Belas-Artes, e é sobre este ramo que tenho feito meus estudos e até escrito bastante – para mim já se entende. Toda a seção francesa pelo que se refere à Indústria é esplêndida, mas nada oferece de novidade, tudo o que ali se vê se encontra em detalhes pelos Boulevards e vitrines das principais ruas de Paris. [A]s seções estrangeiras são portanto muito curiosas e sobretudo a China e Japão [.]

[O] Japão tem coisas magníficas e são admiravelmente trabalhados os objetos que expõe – vasos de bronze de formas caprichosas e elegantes, móveis magnificamente esculturados cuja forma em nada se parece do que por aqui se vê etc. etc.

Em máquinas quem leva a palma é [,] já se vê [,] a Inglaterra e depois França [.] [E]sta seção de que não entendo nada interessa-me muito quando se acham em movimento as máquinas, o que sucede todos os dias às três horas da tarde – uma ali que faz alfinetes, outra que os prega no papel, aquela que fabrica agulhas, aqueloutra borda, – fazem-se tranças, colchetes, cadeias de relógio etc. etc. tudo isso em uma rapidez extrema e com perfeição admirável. [G]osto muito de tudo isto, mas lá vou sempre cair nos salões de pintura e escultura[5].

Na minha opinião, a França atualmente está pobre de escultores – o número dos pintores é imenso e para fazer uma ideia bastará dizer-lhe que já depois de aberta a exposição internacional se abriu o Salão de 1878 [.] [N]aquela há 1065 pinturas e nesta 2230, 1656 desenhos, miniaturas e aquarelas [,] 644 trabalhos de escultura e o resto até completar o *número* de 4985 são gravuras litográficas e desenhos arquitetônicos etc. [N]este *número* imenso de pinturas a óleo não achou o Júri a quem dar uma medalha de honra nem de ouro [,] e conferiu os maiores prêmios à Escultura. Este fato parece estar em contradição com o que acima lhe digo – é verdade, mas se o amigo visse os trabalhos de escultura a que coube[ram] tão grande honra, havia de pasmar como eu pasmei [.] [O] que concluo daqui é que o Júri conhecendo o estado decadente da escultura quis animá-los com recompensas que sinceramente não mereciam [.] [T]odos estes trabalhos de escultura são em ferro ou barro e algumas fundidas em bronze – de mármore quase nada e o pouco que há é malfeito [,] sobretudo são de uma dureza que arrepia [.] Neste gênero é a Itália que vence todas as nações [.]

Quando pela primeira vez, visitei o Salão, estranhei ver que na maioria dos quadros e com muitos dos de mais mérito se lia em grandes caracteres — *Hors Concours*. [D]epois que vi o modo como foram distribuídos os prêmios [,] compreendi perfeitamente a razão daquele fato e eu, artista em França [,] não exporia no Salão em concorrência a um prêmio com os protegidos da fortuna, e assim é que se veem aqui artistas de muito pouco mérito carregados de recompensas, e outros de mérito mal reconhecidos por todos [,] a qu*e*m não foi concedida nem sequer uma *menção* honrosa! — o que isto prova meu amigo — é que por toda a parte se praticam injustiças e aqui mais que em parte alguma. O Machado julgava talvez como eu que quando um artista chegava a adquirir uma reputação em Paris, não se poderia duvidar mais do seu mérito — pois bem. Se se fala aqui em retratos ouve-se só um nome: *Carolus Durand*[6] [.] [O] *Figaro*[7] ocupa-se muito dos seus carros, dos seus cavalos, dos seus cães de caça, da beleza das filhas, do luxo e confortável da sua habitação... etc. etc. [,] e fazem-lhe estes cumprimentos todos por adulação — é o retratista da moda — pinta bem? não. [D]esenha com correção? pessimamente. [D]e modo que um artista que tem mau colorido, mau desenho e que não tem gosto algum para a composição conseguiu que se não falasse senão de si, quando se trata de retratos [,]pode explicar-me isto? E é tão mau que o Artur Napoleão[8] chegou a dizer-me que não gostava nada das suas obras — sendo ele Francês!

O Artur que aqui em Paris se foi a entrar em um ônibus ou em outra qualquer espécie de condução pública e foi repelido pelo condutor que o punha na rua aos empurrões, como acontece frequentemente, vai para casa muito maravilhado da delicadeza com que foi tratado [,] pois é verd*a*de. O seu amigo Francinha está nesta parte como eu [,] também diz que não compreende como tal homem tenha uma reputação em Paris [.] [V]erdade é que estas reputações duram quando muito enquanto vivos, a fama morre com eles e passados meia dúzia de anos não haverá quem dê 100 francos por obras que se pagam hoje aos milhares.

Com o teatro sucede o mesmo; fui ouvir o *Rigoletto*[9] no Teatro Italiano[10] — que *Rigoletto*! [A] parte do protagonista foi bem desempenhada, mas o resto não lhe poderia descrever.

Ouvi o *Fausto*[11] na Grande Ópera[12] [;] foi mal cantado, não satisfez a ninguém [,] o que não impede que para obter um lugar seja necessário tomar o bilhete com quinze dias de antecedência e tudo o mais é assim.

É uma grande terra Paris![13] encontra-se aqui tudo o que é bom, é verdade, mas o que é mau é pior do que em parte alguma.

Antigamente a polícia passava por ser bem-educada, hoje não sei se é pelo espírito de igualdade e fraternidade que está intolerável [,] é raro encontrar um que nos responda com bom modo a qualquer pergunta que o estrangeiro lhe dirija.

Nos grandes ajuntamentos, reina sempre a desordem [;] vai-se por exemplo à *Grande Revue* – que teve lugar no dia 30 – munido do competente bilhete que lhe dá um lugar reservado [.] Entra por uma porta, aceitam--lhe o bilhete [;] entra no campo onde deve ter lugar o espetáculo, procura o seu lugar, nenhum guarda, nenhum polícia lho sabe indicar; depois de percorrer tudo, encontra um que lhe diz: tem de sair outra vez e tomar a porta que fica colocada nesta ou naquela direção [.] [V]olta atrás, quer sair [,] não pode, não lho permitem; negam-se a dar-lhe o bilhete; isto do lugar há muitas questões, que são quase sempre resolvidas pela força.

É uma república na acepção em que a tomam os rapazes de escola [.] Basta de maçada [.]

Enquanto ao livro que fez favor de me guardar, peço-lhe que o conserve em seu poder até a volta[14]. Nós ficamos aqui até setembro, seguimos depois à Suíça e nada tenho resolvido para o inverno e pode ser que o vá passar a Portugal, e pode ser que fique na Itália. Adeus.

Lembranças e saudades de todos para a Carolina e você creia na amizade que lhe dedica de *Coração*

Miguel de Novais.

O Narciso[15] também já aqui chegou, e o Francinha pede-me que lhe dê lembranças suas. Adeus. Quem lhe mandou os jornais italianos foi minha mulher[16].

1 ✧ A presente carta, a [269] e a [270] fazem parte do Arquivo da ABL, mas não foram incluídas na coletânea publicada por Pérola de Carvalho, no *Suplemento Literário do Estado de São Paulo*, de 20/06/1964; são, portanto, documentos inéditos. (SE)

2 ✧ Diante da singularidade da pontuação feita pelo missivista, que, por exemplo, frequentemente depois de um ponto não inicia a frase seguinte com letra maiúscula, decidiu-se, visando o conforto do leitor, fazer uma intervenção normativa mínima naquelas ocorrências em que tal singularidade pudesse comprometer a compreensão. Esta solução será adotada em todas as cartas de Miguel de Novais. (SE)

3 ✧ Esta carta assemelha-se a certo gênero textual em voga desde a década anterior, em que missivistas, por vezes amigos ou apenas conhecidos, usando do caráter privativo de que se reveste a relação epistolar e que lhe confere valor de testemunho, escreviam sobre alguma experiência *in loco*, fosse artística, científica ou política em que revelavam as suas impressões. Registre-se que Miguel de Novais, na década anterior, ainda residindo em Portugal, fora correspondente no *Futuro*, periódico fundado por seu irmão Faustino Xavier de Novais*. (SE)

4 ✧ Exposição Universal de 1878, a terceira realizada em Paris, ocupou o *Champs-de--Mars* e seu entorno, de 01/05/ a 31/10/1878; e teve como tema Agricultura, Artes e Indústria. A finalidade principal era demonstrar a pujança industrial e a recuperação econômica da França, após a derrota na Guerra Franco-Prussiana (1870). A exposição contou com 52.835 expositores e foi visitada por mais de 16 milhões de pessoas. O Brasil, por questões orçamentárias, não participou. Após o fim do evento, foi enviada de presente pelo governo francês aos Estados Unidos a Estátua da Liberdade, escultura de Frédéric-Auguste Bartholdi (1834-1904), e destinada ao porto de Nova York. (SE)

5 ✧ Tendo estudado na Academia Portuense de Belas-Artes, atual Faculdade de Belas--Artes da Universidade do Porto, Miguel de Novais manteve sempre grande interesse pelas artes plásticas, não só como pintor e colecionador de obras de arte, mas também como escultor. Aliás, encontrou-se a notícia de seu exame à vaga de escultura naquela instituição, em que alcançou aprovação com um trabalho exposto publicamente, cujo tema foi *Caim matando Abel*. Em suas cartas, Miguel não fará alusão ao trabalho de escultor, mas fará diversas referências à sua condição de pintor, de cuja atividade parece gostar e à qual se dedicou intensamente. (SE)

6 ✧ Charles Emile August Durand (1837-1917), retratista, qualificado como pintor mundano, por retratar a alta sociedade da Terceira República, sendo também um dos fundadores da Escola de Belas-Artes francesa. (SE)

7 ✧ Jornal *Le Figaro*, de grande difusão entre os franceses, fundado em 1826. (SE)

8 ✧ Sobre Artur Napoleão*, ver em [168], [169], [170] e [171], do presente tomo.

9 ◦◦ Música de Giuseppe Verdi e libreto de Francesco Maria Piave, baseada na peça *Le roi s'amuse*, de Victor Hugo (1800-1882). Estreou no Teatro *La Fenice*, em Veneza (11/03/1851), com Brambilla, Casoloni, Mirate, Veresi, Ponz e Damini. Favorita do público, foi muito representada no século XIX, pois tem uma intriga forte, conduzida por um personagem de grande dimensão dramática. A história gira em torno do mulherengo Duque de Mântua, que conta com a cumplicidade de Rigoletto, o seu bufão, cuja falta de escrúpulos granjeou-lhe a inimizade de muitos. Mântua, sem saber que Gilda é filha de Rigoletto, apaixona-se por ela. O conde Cemprano, outra vítima da língua de Rigoletto, julgando que a moça é amante do duque e sedento de vingança, organiza o rapto da jovem, de tal modo que o bufão dele participa sem saber que é a sua filha. Quando cai em si, Rigoletto decide eliminar o duque. Contrata Sparafucile para executar o plano. Madalena, irmã do bandido, atrai o duque à taberna, mas apaixona-se por ele e pede ao irmão que o poupe. Sparafucile aceita, desde que alguém possa ser assassinado em lugar do duque. Rigoletto leva Gilda à taberna para que testemunhe a inconstância do amado. Ela ouve a conversa dos irmãos que tramam o assassinato. Decidida a salvá-lo, bate à porta, e é apunhalada. Rigoletto chega. (SE)

10 ◦◦ Houve dois teatros com esse nome em Paris. O primeiro (sécs. XVII e XVIII), sob a proteção do rei, apresentava espetáculos com comediantes italianos que encenavam, sobretudo, a *commedia dell'arte*. O segundo teatro era ligado ao canto lírico. Em 1787, uma companhia lírica italiana, depois de uma boa temporada, decidiu abrir na cidade uma sala permanente para a representação de ópera-bufa. Em 1789, sob a proteção do conde da Provença, surge então o "Teatro do Senhor", no palco do Teatro das Tulherias que foi fechado em 1792. Em 1801, reabriu com o nome de Teatro Italiano de Paris, agora representando todo gênero de ópera. Instalou-se na Sala *Favart*, depois na Sala *Louvois*; mas, em 1808, mudou-se para o Teatro do *Odéon*. Ao longo do século XIX, o Teatro Italiano de Paris abriu-se a todas as nacionalidades em que se fizesse ópera e estabeleceu-se em diversas salas. (SE)

11 ◦◦ Houve duas óperas *Fausto*, a de Ludwig Sphor (1784-1859), desaparecida dos repertórios, e a de Charles Gounod (1818-1893), de grande apelo junto ao público e que se manteve constantemente no programa do Ópera de Paris (hoje Ópera *Garnier*), durante a segunda metade do dezenove. A ópera de Gounod (5 atos), libreto de Jules Barbier e Michel Carré, estreou no Lírico de Paris (19/03/1859), com Miolan-Carvalho, Faivre, Duclos, Barbot, Reynald, Balanque. A ópera não desenvolve todo o drama de Goethe, limitando-se à história de amor entre Fausto e Margarida. Começa com Fausto envelhecido, em seu gabinete, já sem esperanças de resolver o enigma do universo. Fracassado na busca do conhecimento e da razão, decide envenenar-se; mas lá fora, um coro de vozes masculinas e femininas canta cheio de vida, a caminho do trabalho. Transtornado com os sons alegres da juventude, Fausto amaldiçoa a idade, invocando a ajuda de Satanás. Mefistófeles surge e lhe oferece poder e dinheiro, mas

Fausto quer a juventude e assina a rendição de sua alma com a pena molhada no próprio sangue. Mefistófeles entrega-lhe um frasco e Fausto bebe. Surge neste momento, no lugar do velho desiludido, um jovem ávido de aventuras. (SE)

12 ᷆ Grande Ópera, situado na avenida de *l'Opéra*, teatro cujo nome atualmente é Ópera Garnier para diferenciá-lo do Ópera Bastilha; ambos fazem parte do complexo de teatros nacionais da cidade de Paris. (SE)

13 ᷆ É comum no século XIX o uso do ponto de exclamação sem a dupla função, isto é, de marcador da entoação ascendente e sinalizador do fim da frase. Atualmente, quando a exclamação é tomada apenas em seu valor primitivo, admite-se o uso logo a seguir da vírgula. (SE)

14 ᷆ Miguel já casado viveu no Rio de Janeiro até 1881, quando então o casal viajou a Portugal e fixou residência. (SE)

15 ᷆ Narciso José Pinto Braga editor musical e sócio de Artur Napoleão. (SE)

16 ᷆ Miguel de Novais casara-se na matriz de Nossa Senhora da Glória, no largo do Machado, no Rio de Janeiro, em 17/11/1876, com Joana Maria Ferreira Felício (1835-1897). Em suas primeiras núpcias (1849), Joana casou-se com um primo, Rodrigo Pereira Felício (1821-1872), o 1.º conde de São Mamede. Quando se casou com Miguel, Joana era muito rica não só por ser meeira na herança do finado marido, mas também por ter herdado parte da imensa fortuna de seu tio solteirão, Joaquim Antônio Ferreira, o barão de Guaratiba (1777-1859), que fizera herdeiros a dois sobrinhos, Joana e José Joaquim Ferreira, o 2.º barão de Guaratiba. Ao casar-se de novo, Joana teve como oficiante o cônego José Gonçalves Ferreira, seu irmão, aliás, o mesmo que celebrou o casamento de Carolina e Machado, na capela particular do solar dos São Mamede, em 12/11/1869, no Cosme Velho. Conhecem-se os seguintes filhos dos 1.ᵒˢ condes de São Mamede: Joana, Lina, Eugênia, Julieta, José, Joaquim e Rodrigo. (SE)

[158]

De: ERNESTO CHARDRON
Fonte: Manuscrito Original, Arquivo ABL.

Porto, 27 de julho de 1878.

Excelentíssimo Senhor,

Ao amigo Moutinho[1] devo o favor da carta inclusa para Vossa Excelência. Espero merecer de Vossa Excelência a fineza da autorização pedida.

Se já não puder acudir ao *Primo Basílio*, ao menos se evitará a fraude para as *Cenas*².

Tendo a declaração de ser feita de outra forma, queira ter a bondade de indicar-mo.

Brevemente enviarei a V*ossa* E*xcelência* algumas das *Cenas* para, ao dar parte da publicação, poder extrair um trecho do livro³.

Sou com a consideração

De V*ossa* E*xcelência*
C*ria*do m*ui*to ob*riga*do
E. Chardron⁴

---

1 ◦◦ O ator e autor teatral Antônio Moutinho de Sousa (1834-1899) foi um dos portugueses amigos de juventude de Machado de Assis, e deste mereceu parecer elogioso à sua comédia *Finalmente*, quando submetida à censura do Conservatório Dramático. Viúvo, em 1861, da jovem atriz Ludovina da Cunha de Vecchi, filha de Gabriela da Cunha (ver em [1], tomo I), abandonou o palco, voltando mais tarde a Portugal. Em crônica para a *Ilustração Brasileira* (01/09/1876), Machado ("Manassés") refere-se calorosamente a Antônio Moutinho. Este, vivendo em precárias condições financeiras, teria um concerto de benefício dado por Artur Napoleão* em 1888. Em carta de 28/10/1904, seu filho Júlio Moutinho* lamenta a morte de Carolina*, registrada nos jornais do Porto, e dá um testemunho comovente sobre a velha amizade:

"Nas longas palestras com meu pobre Pai – um grande admirador e amigo seu [,] o *senho*r Machado de Assis – em que ele se comprazia em avivar a sua vida passada no Brasil, quantas vezes falava, com imensa saudade, na maneira como era recebido por V*ossa* E*xcelência* e sua esposa [...]." (IM)

2 ◦◦ *Cenas da Vida Portuguesa*, coletânea de 12 romances, que Eça de Queirós* contratara com a livraria de Chardron, e que deveria iniciar-se com *A Capital* e encerrar com *Os Maias*. (SE)

3 ◦◦ Chardron, dono da Editora Internacional, na cidade do Porto, publicou em fevereiro de 1878 o romance *O Primo Basílio*, de Eça de Queirós. Na segunda edição desse livro, avisava que a propriedade literária da obra no Brasil pertencia a Machado de Assis. Os admiradores dos dois escritores usaram essa declaração para provar que, apesar das divergências, Machado e Eça haviam estabelecido uma sólida camaradagem intelectual, fundada no respeito mútuo. Tudo indica, ao

contrário, que a ideia de Machado como defensor dos direitos autorais de Eça no Brasil tenha sido uma iniciativa unilateral do editor. A presente carta se insere nos esforços de Chardron para obter a cooperação de Machado. Mas nada prova que este tenha dado a autorização pedida. Em todo caso, não há registro de que ele tenha tomado qualquer medida a favor dos interesses do confrade português, que continuaram sendo ignorados pela publicação no Brasil de edições clandestinas. De fato, Machado não pouparia elogios a Eça em sua correspondência com Magalhães de Azeredo*, e quando soube da morte do escritor português, escreveu um comovido obituário (carta aberta a Henrique Chaves*). Entretanto, esta missiva de Chardron não pode ser usada como prova de tal aproximação. Tudo indica que seria uma abordagem bastante oportunista. (SPR)

4 ∞ As relações entre Eça e o editor não foram fáceis. Exemplo disso é a referência feita numa carta do romancista português ao amigo Ramalho Ortigão, em 10/10/1878 (Mattos, 1993):

> "Conhece Você nos juncais do Porto, um tigre chamado Chardron? Essa fera escreveu-me há tempos, dizendo *d'un ton paternel* que ia encomendar minha biografia a um *literato da capital*. Fiquei gelado." (IM)

[159]

Para: FRANCISCO DE CASTRO
Fonte: CASTRO, Francisco de. *Harmonias Errantes.*
Rio de Janeiro: Moreira, Maximino & Cia., 1878.
Biblioteca São Clemente, Fundação Casa de Rui Barbosa. Coleção Plínio Doyle.

Rio de Janeiro, 4 de agosto de 1878.

Meu caro poeta[1],

Pede-me a mais fácil e a mais inútil das tarefas literárias: apresentar um poeta ao público. Custa pouco dizer em algumas linhas ou em algumas páginas, de um modo simpático e benévolo, — porque a benevolência é necessária aos talentos sinceros, como o seu, — custa pouco dizer que impressões nos deixaram os primeiros produtos de uma vocação juvenil. Mas não é, ao mesmo tempo, uma tarefa inútil? Um livro é um livro; vale o que efetivamente é. O leitor quer julgá-lo por si mesmo; e, se não acha no escrito que o precede, — ou a autoridade do nome, — ou a perfeição do estilo e a justeza das ideias, — mal se pode furtar a um tal ou qual sentimento de enfado. O estilo e as ideias dar-lhe-iam a ler uma boa página, — um regalo de sobra; a autoridade do nome enchê-lo-ia de orgulho, se a impressão da crítica coincidisse com a dele. Suponho ter ideias justas; mas onde estão as outras duas vantagens? Seu livro vai ter uma página inútil.

Sei que o senhor supõe o contrário; ilusão de poeta e de moço, filha de uma afeição antes instintiva que experimentada, e, em todo caso, recente e generosa; seu coração de poeta leu talvez, através de algumas estrofes que aí me ficaram no caminho, este amor da poesia, esta fé viva em alguma coisa superior às nossas labutações sem fruto, primeiro sonho da mocidade e última saudade da vida. Leu isso; compreendeu que há ídolos que se não quebram e cultos que não morrem, e veio ter comigo, de seu próprio movimento, cheio daquela cândida confiança de sacerdote novo, resoluto e pio. Veio bem e mal; bem para a minha simpatia, mal para o seu interesse; mas, segundo já disse, nem bem nem mal para o público, diante de quem esta página é demais.

E contudo, meu caro poeta, é difícil esquivar-se um homem que ama as musas a não falar de um poeta novo, em um tempo que precisa deles, quando há necessidade de animar todas as vocações, as mais arrojadas e as mais modestas, para que se não quebre a cadeia de nossa poesia nacional.

Creio que o senhor pertence a essa juventude laboriosa e ambiciosa, que hesita entre o ideal de ontem e uma nova aspiração, que busca sinceramente uma forma substitutiva da que lhe deixou a geração passada. Nesse tatear, nesse hesitar entre duas coisas, — uma bela, mas porventura fatigada, outra confusa, mas nova, — não há ainda o que se possa chamar movimento definido. Basta porém que haja talento, boa vontade e disciplina; o movimento se fará por si, e a poesia brasileira não perderá o verdor nativo, nem desmentirá a tradição que nos deixaram o autor do *Uruguai*[2] (*sic*) e o autor dos *Timbiras*[3].

Citei dois mestres; poderia citar mais de um talento original e cedo extinto, a fim de lembrar à recente geração, que, qualquer que seja o caminho da nova poesia, convém não perder de vista o que há essencial e eterno nessa expressão da alma humana. Que a evolução natural das coisas modifique as feições, a parte externa, ninguém jamais o negará; mas há alguma coisa que liga, através dos séculos, Homero e lord Byron, alguma coisa inalterável, universal e comum, que fala a todos os homens e a todos os tempos. Ninguém o desconhece, decerto, entre as novas vocações; o esforço empregado em achar e aperfeiçoar a forma não prejudica, nem poderia alterar a parte substancial da poesia, – ou esta não seria o que é e deve ser.

Venhamos depressa ao seu livro, que o leitor tem ânsia de folhear e conhecer. Estou que se o ler com ânimo repousado, com vista simpática e justa, reconhecerá que é um livro de estreia, incerto em partes, com as imperfeições naturais de uma primeira produção. Não se envergonhe de imperfeições, nem se vexe de as ver apontadas; agradeça-o antes. A modéstia é um merecimento. Poderia lastimar-se se não sentisse em si a força necessária para emendar os senões inerentes aos trabalhos de primeira mão. Mas será esse o seu caso? Há nos seus versos uma espontaneidade de bom agouro, uma natural simpleza, que a arte guiará melhor e a ação do tempo aperfeiçoará.

Alguns pedirão à sua poesia maior originalidade; também eu lha peço. Este seu primeiro livro não pode dar ainda todos os traços de sua fisionomia poética. A poesia pessoal, cultivada nele, está, para assim dizer, exausta; e daí vem a dificuldade de cantar coisas novas. Há páginas que não provêm dela; e, visto que aí o seu verso é espontâneo, cuido que deve buscar uma fonte de inspiração fora de um gênero, em que houve tanto triunfo a par de tanta queda. Para que a poesia pessoal renasça um dia, é preciso que lhe deem outra roupagem e diferentes cores; é precisa outra evolução literária.

O perigo destes prefácios, meu caro poeta, é dizer demais; é ocupar maior espaço do que o leitor pode razoavelmente conceder a uma lauda inútil. Eu creio haver dito o bastante para um homem sem autoridade.

Viu que não o louvei com excesso, nem o censurei com insistência; aponto-lhe o melhor dos mestres, o estudo; e a melhor das disciplinas, o trabalho. Estudo, trabalho e talento são a tríplice arma com que se conquista o triunfo[4].

Machado de Assis

---

1 ◦▽ Carta publicada como prefácio de *Harmonias Errantes*. O tom paternal e as observações cautelosas sobre vocações poéticas juvenis, já observadas em [147] e também evidentes em [246], carta de 30/07/1885, bem como em outras apresentações ou críticas dedicadas a estreantes, do tipo, "a modéstia é merecimento", refletem, talvez, a ponderação machadiana ante as primeiras críticas ou louvores por ele recebidos. Como exemplos, o tomo I desta *Correspondência* traz as manifestações modestas ante Quintino Bocaiúva* e Caetano Filgueiras* (cartas [7], [8], [22] e [26]). No mesmo volume pode-se verificar uma atitude oposta e exuberante, quando José de Alencar* convocou Machado para comentar o *Gonzaga* de Castro Alves. Ver em [74] e [75]. (IM)

2 ◦▽ Referência ao *Uraguai* de Domingos Gonçalves de Magalhães (1811-1882), considerado o iniciador do romantismo brasileiro. Ver em [136]. (IM)

3 ◦▽ O poeta romântico Antônio Gonçalves Dias (1823-1864), que Machado de Assis muito admirou desde a meninice. Ver em [34], tomo I. (IM)

4 ◦▽ Conta Aloísio de Castro* (1960), médico, poeta e membro da Academia Brasileira de Letras, como o fora seu pai, Francisco de Castro:

"A amizade que ao grande escritor aliançava meu pai vinha da juventude deste, que, em começos de 1877, estudante em Medicina, ainda no quarto ano, chegava da Faculdade da Bahia, para nesta cidade concluir os estudos. / Seu gosto pelas letras logo o aproximou de Machado de Assis, já então incontestado chefe literário que lhe deu a mão, publicando num jornal um artigo do estudante sobre a morte de Thiers, e de bom grado prefaciando-lhe um ano depois, as *Harmonias Errantes*. O poeta durou pouco, logo trocou os versos pelas receitas. Bem o pressentira Machado de Assis na *Revista Brasileira*: 'Confesso um receio. A ciência é má vizinha; e a ciência tem no Sr. Francisco de Castro um cultor assíduo e valente.' Não esqueceu, porém, o homem de ciência ao mestre que lhe concertara as primeiras rimas, e por mestre o teve sempre." (IM)

[160] | De: ARTUR DE OLIVEIRA
Fonte: Manuscrito Original, Arquivo ABL.

Rio de Janeiro, 10 de agosto de 1878.

Meu Machado.

Minha mulher[1] toma a liberdade de convidar a tua Ex*celentíssi*ma Mu*l*her para jantar amanhã em nossa companhia. É o dia dos meus anos. Sei que é uma exigência tremenda que imponho à tua boa e indulgente amizade. Mas o que queres? Quem faz anos é mais ou menos despótico[2].

Agora um pedido: rogo ao amigo e ao mestre que deixe em casa o finíssimo falador do *Eleazar*[3], e que venha tão somente o Machado de Assis que se sacrifica pelos amigos, ao ponto de partilhar com eles o caldo espartano –, e as torturas de Guatemozin[4] no ... estômago! Pobre estômago! Desgraçado mártir![5]

Teu
Artur de Oliveira

---

1 ∾ Artur casara-se naquele ano com Francisca Teixeira Leite de Oliveira, viúva desde 13/05/1876 do engenheiro Gustavo Adolfo Ten-Brinck, mãe de quatro filhas menores, e oriunda de uma poderosa família fluminense de cafeicultores e criadores de gado, e sobrinha de Francisco José Teixeira Leite, o barão de Vassouras. (SE)

2 ∾ Sem dúvida, Artur apreciava muito ser festejado. Às vésperas dos 18 anos, em carta ao pai (Oliveira, 1936), ele pede: "não se esqueça de mandar-me ainda que seja um palito, por amor dos meus anos; é 11 de agosto." E ainda falará do próprio aniversário na carta a Machado [211], de 10/08/1882, poucos dias antes de morrer. (IM)

3 ∾ Pseudônimo de inspiração bíblica, aliás como um outro anterior, "Manassés", "Eleazar" foi usado por Machado de Assis no periódico *O Cruzeiro*, onde publicou 25 colaborações entre 26/03 e 01/09/1878. (IM)

4 ∾ Imperador Cuauhtémoc ou Guatemozi supliciado pelos conquistadores espanhóis depois que a capital asteca foi capturada em agosto de 1521. Corria o boato que sabia onde estava o fantástico tesouro de Montezuma, seu tio morto. Queimaram-lhe, então,

os pés com azeite fervente. O cronista Díaz del Castillo conta que, depois dos tormentos, acompanhou-o até a sua antiga casa, para que indicasse em que local do pequeno lago do jardim jogara o que poderia ser a remissão financeira da expedição. Ali, apenas encontraram um disco de ouro, um calendário asteca, joias de pequeno valor e mais alguns objetos. O chefe Hernán Cortés poupou-lhe a vida por três anos; mas depois, resolveu enforcá-lo. Desde então, na história mexicana, a sua imagem – que suportou a tortura sem jamais capitular – passou a ser contraposta à da índia Malinche, amante e intérprete de Cortés, que se transformara aos olhos do povo no símbolo do colaboracionismo. (SE)

[161]

De: JOAQUIM DE MELO
Fonte: Manuscrito Original, Arquivo ABL.

[Rio de Janeiro,] 10 de setembro de 1878.

Amigo Machado de Assis,

Recebi e muito lhe agradeço o exemplar que me ofertou da sua interessante *Iaiá Garcia*[1].

Sinto deveras não poder retribuir com mimo de igual importância: rogo-lhe, porém, que se console desta impossibilidade provando desses ovos moles aveirenses[2] que acabam de chegar.

Com a minha pequena quota junto a de meu Irmão *Manuel*[3].
Desculpe a ambos.

Amigo obr*igadíssi*mo
J*oaqui*m de Melo

---

1 ∾ *Iaiá Garcia* saiu em livro em abril de 1878; é o último romance da primeira fase. Ver em [149]. (SE)

2 ∾ Especialidade da doçaria portuguesa da região do Aveiro, de onde os irmãos Melo eram oriundos. A receita básica é feita de ovos e açúcar. Aveiro é também o nome da cidade, capital do distrito de Aveiro, na região central e sub-região do Baixo Vouga, a cerca de 58 km ao norte de Coimbra e a cerca de 68 km ao sul do Porto. (SE)

3 ◦∾ O português Manuel da Silva Melo Guimarães (1834-1884) chegou ao Brasil em 1845, para trabalhar no comércio, começando a vida como caixeiro, tornando-se depois contador. Paralelamente, desenvolveu a atividade de filólogo, publicando artigos em jornais. Bibliotecário do Gabinete Português de Leitura, organizou o catálogo bibliográfico, editado em 1870, e que hoje é considerado uma preciosidade em termos de informação. Em sua casa, na rua da Quitanda n.° 6, promoveu saraus em que poetas, músicos, dramaturgos e diletantes se apresentavam. Ali foi encenada pela primeira vez, em 22/11/1862, a peça *Quase Ministro*, tendo figurado no elenco: Morais Tavares, Manuel de Melo, Ernesto Cibrão*, Bento Marques, Insley Pacheco, Artur Napoleão*, Muniz Barreto e Carlos Schramm. Ver em [276], carta de 03/07/1889. (SE)

[162]

Para: CARLOS LEOPOLDO DE ALMEIDA
Fonte: PONTES, Elói. *A Vida Contraditória de Machado de Assis*. Rio de Janeiro: José Olympio, 1939.

TRECHO DE CARTA DE MACHADO DE ASSIS

[Rio de Janeiro, outubro de 1878.][1]

[...] Vou caminhando para uma tísica mesentérica.[2]

---

1 ◦∾ Informa Elói Pontes:

"Em outubro de 1878 Machado de Assis adoece gravemente, enchendo-se de suspeitas atrozes. Numa carta a Carlos Leopoldo de Almeida, escreve mesmo, com receio e melancolia: *Vou caminhando para uma tísica mesentérica*, lembrando-se do mestre José de Alencar, certo, vítima desse mal." (SE)

2 ◦∾ Lúcia Miguel Pereira (1988), já na primeira edição (1936), fizera o seguinte comentário:

"Sua saúde, sempre débil, passou nesse momento por uma crise mais grave. Além dos incômodos nervosos, sofria então de uma afecção intestinal, que o abateu e impressionou ao ponto de **dizer** a um companheiro de trabalho: 'Vou caminhando a passos largos para uma tísica mesentérica'".

Até a presente data, a carta original não foi localizada. (IM)

[163]

De: FRANKLIN DÓRIA
Fonte: Manuscrito Original, Arquivo ABL.

Rio de Janeiro, 17 de novembro de 1878.

Meu Caro Machado de Assis,

Quero que seja *Você* um dos primeiros a receber a tese[1] que há pouco apresentei para o concurso à cadeira que eu rejo interinamente, no externato do Colégio Pedro II.

Mando-lhe pois um exemplar deste meu insignificante trabalho, que lhe peço haja de aceitar como sinal de afetuosa lembrança.

Muito estimarei que já possa lê-lo, porquanto isto será prova de que *Você* já está bom da sua *retinite*[2].

Em todo o caso, não o dispenso de me indicar oportunamente os erros ou faltas que eu haja cometido.

Está marcado o dia de amanhã para a defesa da tese, e sobre ela terei de ser arguido pelos Conselheiros Otaviano e Cardoso de Meneses. Ainda bem que são dois poetas, que discutirão poesia comigo.

Meus respeitos, com os cumprimentos de minha Mulher[3], à sua Ex*celentíssi*ma Senhora.

Abraça-o o
Amigo e co*le*ga ob*ri*gado
Franklin Dória

---

1 ⁓ Franklin Dória fez a defesa oral da tese *Da Poesia* no concurso à cadeira de Retórica, Poesia e Literatura Nacional, no dia 18 de novembro. A banca era constituída por Francisco Otaviano Almeida Rosa*, João Cardoso de Meneses e Sousa (futuro barão de Paranapiacaba), José Bento da Cunha Figueiredo (futuro visconde do Bom Conselho), Antônio Félix Martins (barão de São Félix) e o monsenhor Fonseca Lima. Nesta época, passar no concurso à cátedra do Colégio Pedro II conferia muito prestígio ao concursado, e o exame era um evento de ampla repercussão nos meios intelectuais. Franklin Dória, advogado e poeta, era também uma estrela em ascensão dentro do

Partido Liberal. Registre-se que, após a proclamação da República, em 23/11/1889, Dória foi demitido do cargo de professor catedrático do Ginásio Nacional, antigo Colégio Pedro II, depois de cinco anos de efetivo magistério. Recorreu à justiça em várias instâncias, até que em 1903 ganhou a causa e foi indenizado. (SE)

2 ∞ Retinite: inflamação da retina, provocada por infecção ou inflamação dos tecidos vizinhos. Machado de Assis desde os 25 anos usou *pince-nez* devido a quatro graus de miopia. Com o esforço contínuo e o uso inadequado do *pince-nez*, a sua deficiência visual agravou-se e, ao longo da vida, sofreu reiteradas crises. No segundo semestre de 1878, adoeceu gravemente dos olhos, e a presente carta retrata este momento de crise em que esteve ameaçado de perder a visão. Nesta ocasião, foi assistido pelo Dr. Hilário de Gouveia* que lhe aplicava injeções de estricnina, considerada pela medicina da época um fortificante do nervo óptico. No mês seguinte ao concurso de Dória, Machado licenciou-se da Secretaria de Agricultura, e instalou-se no Hotel Leuenroth em Nova Friburgo, onde passou de dezembro ao final de março de 1879. Sobre o problema ocular de Machado de Assis, consultar o verbete *olhos*, do *Dicionário de Machado de Assis* (2008). (SE)

3 ∞ Maria Amanda Pinheiro Paranaguá. Ver em [129]. (SE)

[164]

Para: FRANKLIN DÓRIA
Fonte: Manuscrito Original. Arquivo Barão de Loreto, Instituto Histórico e Geográfico Brasileiro.

Rio de Janeiro, 17 de novembro de 1878.

Meu caro poeta e amigo.

Escrevo-lhe por mão alheia[1], o que lhe provará que os meus olhos ainda me trazem separado do resto do mundo. Felizmente, a separação não é tal que me torne esquecido dos bons amigos, como você, e claramente o sinto agora, ao receber a sua tese[2]. Adivinho o que ela vale, já porque conheço o mérito do autor, já pela notícia que me leram hoje em um dos jornais. Ouvi-la-ei ler pelos olhos de minha mulher.

Se o tempo mo permitir irei amanhã assistir à defesa da sua tese, visto que o médico já me consente sair um pouco, com a condição de evitar umidade e sol[3].

Minha mulher retribui os cumprimentos de sua Ex*celentíssi*ma Senhora, a quem peço me apresente os meus respeitos.

Muitos e muitos agradecimentos do
Am*igo* obr*igado*
Machado de Assis

---

1 ◦◦ Ditada à mulher, a presente carta foi encontrada nos Arquivos do Instituto Histórico e Geográfico Brasileiro por Josué Montello (Magalhães Jr., 2008). Posteriormente, este autor e Montello reconheceram a letra depois de paciente confronto a um autógrafo de Carolina*, uma carta endereçada à amiga Eufrosina, pertencente ao Arquivo da ABL. (SE)

2 ◦◦ Sobre a tese defendida por Franklin Dória, ver em [163]. (SE)

3 ◦◦ Conforme se pode ler em [165], Machado de Assis não pôde comparecer ao concurso, porque o Dr. Hilário de Gouveia* não teve condições de ir à residência do Catete lhe aplicar a injeção de estricnina, procedimento que a medicina da época prescrevia a esses casos. (SE)

[165]

Para: FRANKLIN DÓRIA
Fonte: Manuscrito Original. Arquivo Barão de Loreto, Instituto Histórico e Geográfico Brasileiro.

Rio de Janeiro, 18 de novembro de 1878.

Meu caro Franklin Dória.

Quando lhe escrevi ontem contava com a visita do Hilário[1], que de dois em dois dias vem fazer-me uma injeção subcutânea de estricnina. O Hilário, porém, não veio ontem por ter de praticar uma operação, no Engenho

Novo, e força-me esperá-lo hoje. Privei-me assim do prazer de ir ouvir ler o seu belo trabalho², e apresso-me a enviar-lhe cordiais felicitações. Achei-o excelente, já na doutrina, já no estilo e na linguagem, tão sóbria e tão pura.

A preeminência da poesia entre as artes está demonstrada, não só em argumentos de pensador, mas também com a persuasão de poeta e verdadeiro sentimento de estética.

Aliás, todo o opúsculo revela que há o poeta no professor, além do homem erudito, e da verdadeira erudição, que é recôndita, no dizer de um nosso clássico.

Digo-lhe isto às pressas, aguardando a ocasião de ir lho dizer de viva voz.

Peço-lhe que apresente os nossos respeitosos cumprimentos a sua Excelentíssima Senhora e receba um abraço do

Amigo e obrigado
Machado de Assis

---

1 ∾ Doutor Hilário de Sousa Gouveia*, médico particular de Machado de Assis na ocasião, tinha consultório na rua dos Ourives, 145, e na rua Bela da Princesa, 7. Com especialização em oftalmologia e otorrinolaringologia, disciplinas em que era catedrático na Faculdade de Medicina do Rio de Janeiro, gozava de grande prestígio. Em 1878, quando Machado recorreu aos seus serviços, ia pessoalmente à casa do escritor aplicar-lhe uma injeção subcutânea de estricnina. O problema ocular de Machado, contudo, persistiu ainda por dois anos, até que sob a orientação do Dr. Ataliba Gomes de Gomensoro, outro especialista muito conceituado, alcançou a cura. Registre-se que o Dr. Gomensoro era também jornalista e dramaturgo, e que Machado, na década de 1860, fizera comentários sobre duas peças suas. No ano de 1878, quando da crítica de Machado ao *Primo Basílio*, Dr. Gomensoro fez a defesa de Eça de Queirós*. Sobre o escritor português, ver em [156]. (SE)

2 ∾ Tese defendida por Dória no concurso à cátedra do Externato Pedro II. Ver em [163] e [164]. (SE)

[166]

De: JOAQUIM ARSÊNIO CINTRA DA SILVA
Fonte: Manuscrito Original, Arquivo ABL.

Rio de Janeiro, 28 de fevereiro de 1879.

Ilustríssimo Amigo Senhor Machado de Assis.

Só hoje recebi seu telegrama de ontem[1], e como só à noite é que poderei falar com a Clara, para não se perder mais um dia, acabo de mandar anúncios para o *Jornal* e a *Gazeta* publicarem amanhã[2]. Depois que souber melhor os sinais e as circunstâncias do desaparecimento, farei outros anúncios mais minuciosos.

Anunciei para ser entregue em casa do Lima[3], para prevenir no caso de que eu esteja fora; logo que for ao Largo do Machado darei a Dona Mariquinhas os cem mil-réis, para se ali levarem Graziela, e for reconhecida pela Clara, a quem também vou prevenir, dar de gratificação como me ordena no seu telegrama.

Não é preciso recorrer a pessoa alguma para estas pequenas despesas. Muito desejo que Dona Carolina esteja completamente restabelecida, e que o Senhor continue a passar bem e fortalecer-se.

Meu cumprimentos a Dona Carolina, e peço-lhe que disponha do meu pouco préstimo, por ser, com sincera estima

Seu amigo e obrigado,
Joaquim Arsênio.

---

1 ∾ Machado licenciara-se da Secretaria de Agricultura no Ministério, em razão do agravamento da doença ocular, retirando-se com Carolina*, também adoentada, para Nova Friburgo (dezembro de 1878), onde passaram três meses, hospedados no Hotel Leuenroth. Na casa da rua do Catete 206, ficaram a cozinheira Clara e a cadelinha da raça tenerife Graziela, xodó do casal, cuja fuga motivou o telegrama de Machado em 27/02/1878 ao vizinho Joaquim Arsênio pedindo ajuda para localizá-la. Do telegrama só há a referência em Magalhães Jr. (2008). (SE)

2 ∞ Joaquim Arsênio morava na praça Duque de Caxias 13 (largo do Machado) e tinha escritório na rua Primeiro de Março, 95. O telegrama deve ter sido endereçado ao escritório de Arsênio, já que este diz que só falaria com Clara à noite, ao mesmo tempo em que já tratara de anunciar no *Jornal do Comércio* e na *Gazeta de Notícias*, cujas redações ficavam no centro do Rio. Os anúncios saídos nos dias 2 e 3 de março não se repetiram porque a fugitiva foi encontrada e entregue na casa de seus aflitos donos.

Eis o teor dos anúncios:

"CADELINHA FELPUDA – Desapareceu na tarde de 21 do próximo passado mês, da Rua do Catete, esquina do Largo do Machado, uma cachorrinha branca, felpuda, tendo as pontas das orelhas pardacentas, olhos pretos e muito vivos, que acode pelo nome de Graziela. Roga-se a quem a tiver achado o favor de entregá-la no Largo do Machado n.º 15, que receberá cem mil-réis de gratificação." (SE)

3 ∞ O médico e jornalista Henrique Carlos da Rocha Lima, marido da citada D. Mariquinhas, era morador na praça Duque de Caxias n.º 15, nome dado em 29/09/1869 ao largo do Machado, em comemoração aos serviços prestados pelo general na Guerra do Paraguai. Registre-se que a nomenclatura oficial não foi usada por Arsênio, sendo preferido o nome tradicional. (SE)

[167]

De: BUARQUE DE MACEDO
Fonte: Manuscrito Original, Arquivo ABL.

[Rio de Janeiro,] 29 de abril de 1879.

Amigo Doutor Machado de Assis,

O Ministro Afonso[1] pede para que seja remetido para Câmara o Decreto que concedeu privilégio de introdução da *Coffee Planters Machinery Cy. London.* – Veja se aí providenciam.

Quando está terminado ou quando expira o contrato do Passeio Público[2] [?]

Amigo e colega
Buarque Macedo[3]

1 ◊ O mineiro Afonso Celso de Assis Figueiredo (1836-1912), futuro visconde de Ouro Preto (1888), ocupou a pasta de ministro da Fazenda, de 8/02/1879 a 28/03/1880. Sobre ele, ver nota 4 em [54], tomo I. (SE)

2 ◊ Francisco José Fialho era o responsável pela conservação do Passeio Público por meio de contrato celebrado com o Ministério da Agricultura, Comércio e Obras Públicas, contrato cuja fiscalização estava a cargo da Inspetoria Geral de Obras Públicas. (SE)

3 ◊ O pernambucano Buarque de Macedo mudara-se para a corte, anos antes, quando fora nomeado chefe da Diretoria de Obras Públicas (31/12/1873), durante a reestruturação do Ministério da Agricultura, Comércio e Obras Públicas, ano em que Machado entrou para a Secretaria de Agricultura. Depois, na legislatura de 1878-1881, Buarque foi eleito para a Câmara de Deputados, pela sua província. (SE)

[168]

De: ARTUR NAPOLEÃO
Fonte: Manuscrito Original, Arquivo ABL.

[Rio de Janeiro, sem data.]¹

Meu caro Machado

Manda-me dizer se queres ir comigo ao Alcazar² hoje, pois tenho um Camarote – a peça é muito bonita. – Caso queiras como espero, traze a Carolina aqui à loja³, pois a Lívia está cá, e iremos juntos.

Teu do *Coração*

Artur

A Carolina que venha de chapéu⁴.

---

1 ◊ Optou-se por reunir, no final da década de 1870, a correspondência, sem data, endereçada por Artur Napoleão a Machado de Assis. Napoleão casou-se com Lívia de Avelar em 25/02/1871. Seis meses depois, a morte súbita de sua cunhada Sofia de Avelar Farani abalou profundamente a família. Magalhães Jr. (2008) julga que o convite tenha sido feito entre fevereiro e agosto de 1871. Sabe-se que, em meados de abril, o *Alcazar* levou à

cena *L'Influence d'un Jupon*, com muito sucesso. Talvez fosse esta a peça aludida por Artur Napoleão. Sobre as relações de Machado com autor deste convite, ver em [150]. (IM/SE)

2 ∞ O *Alcazar Lyrique Français* (1857), criado pelo empresário francês Joseph Arnaud, revolucionou a vida ainda provinciana do Rio de Janeiro, iniciando o hábito da vida noturna; contudo tal mudança só ocorreu na segunda fase do *Alcazar* (1864), já que nos primeiros anos a reação aos espetáculos foi muito negativa, o que fez o empresário refazer seus planos. Viajou à Europa e retornou com uma companhia francesa experiente, que dominava o gosto do público, trazendo definitivamente a moda dos espetáculos ligeiros. Ver em [148] e, no tomo I, em [45]. (SE)

3 ∞ O bilhete foi redigido em cartão de "O Imperial Estabelecimento de Pianos e Músicas, de Narciso & Artur Napoleão", inaugurado, com um sarau, no início de setembro de 1869. Segundo as edições do *Almanaque Laemmert* de 1871 a 1874, a loja de partituras e instrumentos musicais estabelecida em sociedade com Narciso Braga, situava-se na rua dos Ourives 60-62 até 1874, passando, em 1875, a funcionar na mesma rua nos números 56-58. (IM/SE)

4 ∞ Carolina veio para o Brasil em 1868, acompanhada por Artur Napoleão, amigo da família Novais. Tinha ela 33 anos e Artur – pianista de fama internacional – era oito anos mais novo; ver em [81], tomo I. Para ilustrar a familiaridade da recomendação "A Carolina que venha de chapéu", apresentamos um testemunho talvez inédito. Trata-se de uma carta, sem data, dirigida pela Sra. Alcina Martins Ribeiro ao editor e livreiro Carlos Ribeiro:

"Prezado Sr. Carlos Ribeiro. / Cumprimentos. / Sabendo que o senhor muito se interessa por qualquer fato que tenha alguma referência a Machado de Assis, ou mesmo a D. Carolina, lembrou-me contar-lhe uns detalhes que têm ainda o valor de envolver mais uma pessoa célebre. / Há poucos dias, numa reunião íntima, falou-se em compositores e musicistas já desaparecidos, e, naturalmente, Artur Napoleão foi citado. Recordei-me então, que D. Carolina, que o havia conhecido e estimado muito [em] criança, e mais, fora amiga também da sua esposa, de quem sempre falava com saudade, contava que Artur Napoleão tocou em público aos 5 anos de idade, fato aliás já conhecido; o que porém não é conhecido é que fora ela, **D. Carolina, quem lhe confeccionara o vestido com que se exibiu.** / Digo vestido, porque nessa época os meninos usavam até 5 ou 6 anos de idade, vestidos pregueados com mangas compridas, uma golinha em volta do pescoço com gravata e um cinto de couro. Traje inconfundível com os usados pelas meninas. / Pode, o meu amigo, fazer naturalmente, deste episódio, o uso que quiser. / Sem mais, os cumprimentos de / Alcina Martins Ribeiro."

A carta original se encontra no Arquivo-Museu da Literatura Brasileira, Fundação Casa de Rui Barbosa. E a respeito de D. Alcina, tem-se a seguinte notícia publicada em 1908, sobre o falecimento de Machado de Assis:

"De sua pacífica vivenda foi o Sr. Machado de Assis transportado para o coche pelas piedosas mãos das Exmas. Sras. Guiomar Schmidt de Vasconcelos, Baronesa de Vasconcelos, Fausta Pinto da Costa, Cecília Pinto da Costa, Regina Pinto da Costa, Fanny Martins Ribeiro de Araújo e **Alcina Martins Ribeiro**." (IM)

[169]

De: ARTUR NAPOLEÃO
Fonte: Manuscrito Original, Arquivo ABL.

[Rio de Janeiro, sem data.][1]

Meu caro Machado.

Peço-te o favor de mandares *La femme de Claude*[2] que ontem lá ficou, mas não digas nada a Lívia porque pode zangar-se por eu mandar assim buscar *a mulher do Cláudio*[3].

Mil lembranças à Carolina

(500 minhas e 500 da Lívia)

Como tens passado?

Teu do Coração
Artur Napoleão

---

1 ∞ Em 1873, Lívia e Artur Napoleão foram morar em Laranjeiras; Carolina e Machado de Assis mudaram-se para a rua das Laranjeiras em 1875. O bilhete leva a crer no convívio assíduo dos casais da mesma vizinhança. (IM)

2 ∞ Peça de Alexandre Dumas Filho, que estreou em Paris no *Théâtre Gymnase*, a 16/01/1873. (SE)

3 ∞ Referência a Messalina. Cabe assinalar que a protagonista do drama de Dumas, Césarine, tem aspectos da famosa mulher do imperador romano Cláudio, à qual Artur Napoleão alude de maneira brincalhona. (IM)

[170]

De: ARTUR NAPOLEÃO
Fonte: Manuscrito Original, Arquivo ABL.

[Rio de Janeiro, sem data.]

Machadinho[1]

Desculpa-me se hoje não vamos porque encontrei a Lívia ainda um pouco constipada e cansada de ontem. Agradeço-te e fica para outra vez.

Teu do *Coração*
Artur

---

1 ❧ Este bilhete, escrito no verso do cartão do estabelecimento musical de Artur Napoleão, com o carinhoso tratamento de "Machadinho", poderia de ser de data próxima a [168] ou [169]. (IM)

[171]

De: ARTUR NAPOLEÃO
Fonte. Manuscrito Original, Arquivo ABL.

Rio de Janeiro, 25 de dez*em*bro de [...][1].

Meu caro Machado.

Eu creio ter-te dito ontem que te dava o problema como muito bonito e difícil; tão difícil que não julgo que terei quem o possa resolver. Quando li, pois, o teu cartão não julguei por um momento que em 12 horas o tivesses resolvido!

Há mil jogadas neste problema que parecem ser as verdadeiras e afinal não são.

Tu envias-te-me:

1. B. 2 R   1. D. 3 R

2. D. 8 CD   2. Aqui se eu tivesse a condescendência de jogar como tu indicas eu estaria mate em 4, mas eu prefiro responder com

2. D. 4 B

Parece-me suficiente indicação.

Desculpa, e trabalha de novo, fica certo de que se resolveres o problema eu te considero um grande homem na matéria.

Em compensação, quando quiseres eu te mando a solução, que te há de deixar boquiaberto!!... Mais nada.

Teu am*i*go certo

A. Napoleão

---

1 ◦ Papel com monograma ANLS (*Artur Napoleão Lívia Santos*), talvez impresso quando da I.ª viagem à Europa com a esposa Lívia. Artur Napoleão, notável enxadrista, considerava Machado um parceiro qualificado, e o incluiu em suas publicações com problemas de xadrez em periódicos e no seu livro *Caissana Brasileira*. Recomenda-se a leitura do estudo "Machado de Assis, enxadrista", de C. S. Soares, na *Revista Brasileira*, XIV, 35, abril-junho, 2008, publicação da ABL, assim como o verbete dedicado ao assunto, de Ubiratan Machado (2008). Ver também em [217], carta de 22/01/1883. (IM)

[172]

De: JOAQUIM SERRA
Fonte: Carta de Joaquim Serra Machado de Assis. *Revista da Academia Brasileira de Letras*, III, Rio, 1911.

[Rio de Janeiro, sem data.][1]

Machado,

Já viste a citação do nosso Salvador? Estás filado por ele, homem da Holanda.

Preciso, porém, que me digas se fizeste promessa de mandar o teu artigo para a *República*². Se o fizeste, bem; ao contrário, lembro-te que, há muito tempo, a *Reforma*³ recebeu uma promessa⁴.

Devemos contar com o teu artigo? Será dia de júbilo em nosso alvergue⁵.

Recebi o Abreu Lima⁶; quando ele acabar de escovar o padre, voltará.

Recado do amigo
Serra.

---

1 ∾ Esta carta deve situar-se entre 03/12/1870 e 28/02/1874, quando saiu o último número de *A República*, jornal citado por Serra. (SE)

2 ∾ Em *Coisas do Meu Tempo* (1913), Salvador de Mendonça*, que foi redator de *A República* antes de ir para os Estados Unidos, afirma que aquele existiu de 3/12/1870 a 28/02/1874, e teve entre seus redatores Machado de Assis. O jornal resultou da fusão do *Correio Nacional*, de Henrique Luís Limpo de Abreu e Rangel Pestana, com a *Opinião Liberal*, de José Leandro de Godoy Vasconcelos e Marcos Neville. Foi criado para ser a voz do Partido Republicano e o órgão oficial do Clube Republicano, agremiação fundada no escritório do Dr. João de Cerqueira Lima, no beco das Cancelas, onde o advogado Salvador de Mendonça trabalhava. O famoso Manifesto Republicano, redigido na casa de Saldanha Marinho na Praia do Flamengo, saiu I.º número do jornal. *A República* foi semanal até 17/09/1871, passando então a jornal diário. Foram seus redatores efetivos Saldanha Marinho, Quintino Bocaiúva*, Lafaiete Rodrigues Pereira, Aristides Lobo e Salvador de Mendonça. (SE)

3 ∾ *A Reforma*, jornal que Serra comandava, tinha a sua redação na rua do Ouvidor, 148, no Rio de Janeiro, e circulou de 12/05/1869 a 31/01/1879. Ver também em [93]. (SE)

4 ∾ Serra insistiu muito com Machado, inclusive, usando do jogo de ciúme:

"Preciso, porém, que me digas se fizeste promessa de mandar o teu artigo para a *República*. Se o fizeste, bem; ao contrário, lembro-te que, há muito tempo, a *Reforma* recebeu uma promessa."

Machado relutou em colaborar nos jornais que faziam campanha aberta pelo republicanismo; mas, como fizeram os monarquistas Alencar* e Otaviano*, acabou cedendo a Serra e a Salvador, se bem que muito parcimoniosamente. (SE)

5 ∾ Variação por neutralização fonológica [albergue / alvergue]. (SE)

6 ⌘ Livro José Inácio de Abreu Lima (1794-1869) com críticas ao padre Januário Cunha Barbosa, um dos fundadores do Instituto Histórico e Geográfico Brasileiro. Homem de vida aventurosa e temperamento inquieto, Abreu Lima era filho natural de José Inácio Abreu Lima, o *Padre Roma*, líder da revolução de 1817. Fez a Academia Militar do Rio de Janeiro (1812-1816); foi preso no Recife por adesão à revolta (1816) e enviado à Bahia, presenciando o fuzilamento do pai. Libertado, passou aos Estados Unidos, daí à Venezuela, alistou-se nas tropas de Bolívar na luta da independência, o que o levou ao generalato e ao estado-maior, permanecendo ao lado do líder venezuelano até a morte deste (1831), quando foi viver em Paris. Neste mesmo ano, o padre Cunha Barbosa escreveu a peça *A Rusga da Praia Grande* ou *O Quixotismo do General das Massas*, numa alusão ao militar. De volta ao Brasil, já dedicado às pesquisas históricas, Abreu Lima foi reintegrado ao exército no posto de general; fundou o Partido Restaurador em defesa da volta de D. Pedro I. Em 1843, deu-se nova questão com o padre; seu livro *Compêndio de História do Brasil* foi considerado plágio pelo IHGB. Abreu Lima refutou na imprensa a acusação de Cunha Barbosa. Entre as suas obras, destacam-se *História Universal* (1847), *O Socialismo* (1855), *As Bíblias Falsificadas* (1867) e *O Deus dos Judeus e o Deus dos Cristãos* (1867). Além disso, defendeu sempre muito ousadamente a liberdade religiosa, o que o colocava em rota de colisão com o clero católico. (SE)

[173]

Para: L. P. DE MAGALHÃES CASTRO
Fonte: Fac-símile do Manuscrito Original, Arquivo ABL.

GABINETE DO MINISTRO DA AGRICULTURA

[Rio de Janeiro,] 7 de maio de 1880.

Il*ustríssi*mo Se*nho*r Dout*o*r L. P. de Magalhães Castro[1].

Sua Ex*celênc*ia o Ministro convida V*ossa Senhoria* a vir a esta Secretaria de Estado, por objeto de serviço público.

Sou, com estima e consideração

de V*ossa Senhoria*
Servo e respeitador.
Machado de Assis[2]

1 ∾ Nos *Almanaques Laemmert* de 1880 e 1881, consta o nome do engenheiro civil Luís Pedreira de Magalhães Castro, morador no largo dos Leões, 176. (SE)

2 ∾ Até 22/03/1880, Machado de Assis foi 1.º oficial na Secretaria de Agricultura do Ministério da Agricultura, Comércio e Obras Públicas; em 23 de março, empossado o ministro Buarque de Macedo*, passou a oficial de gabinete. Com a morte deste em 29/08/1881 e a substituição por Pedro Luís*, Machado prosseguiu na função até a saída efetiva do ministro interino, em 03/11/1881. (SE)

[174]

De: BUARQUE DE MACEDO[1]
Fonte: Telegrama Original, Arquivo ABL.

Estrada de Ferro D. Pedro II[2].
NÚMERO 567
Apresentado na estação da Barra:
DATA: 27 de junho
HORAS: 8h40m – *Manhã*
Recebido na estação da Corte: 27 de junho de 1880
HORAS: 8h49m – *Manhã*
Machado de Assis.
Catete, 284[3].
Corte

[Barra do Piraí, 27 de junho de 1880.]

Lavre e mande ao imperador o decreto de exoneração a pedido do Plínio e a nomeação do Wilkens[4].

Depois de assinado publique no *Diário Oficial*.

P. E.
Macedo

Para a recepção conforme
O TELEGRAFISTA
Martiniano Pr^e Alb.
Visto às 9 horas 2 minutos da *Manhã*
O AGENTE
L.

1 ∽ Em 28/03/1880, após a nomeação do gabinete do senador José Antônio Saraiva, Manuel Buarque de Macedo ocupou o Ministério da Agricultura, Comércio e Obras Públicas; e Franklin Américo de Meneses Dória* assumiu como titular o Ministério da Guerra e interinamente o dos Negócios Estrangeiros, até a entrada de Pedro Luís Pereira de Sousa* (03/11/1881 a 21/01/1882), outro amigo de Machado. (SE)

2 ∽ A primeira linha construída pela Estrada de Ferro Dom Pedro II (após 1889, Estrada de Ferro Central do Brasil) foi a espinha dorsal de todo o sistema ferroviário brasileiro. O primeiro trecho, entregue em 1858, ia da estação Dom Pedro II até Belém (Japeri) e daí subindo a serra das Araras, alcançou Barra do Piraí em 1864, de onde a linha seguiria para Minas Gerais, chegando a Juiz de Fora, em 1875. A intenção era atingir o rio São Francisco e dali partir para Belém do Pará. (SE)

3 ∽ Deve-se considerar a hipótese de ser este endereço uma das residências ainda não arroladas pelos biógrafos de Machado, ou então a casa de algum amigo em que o telegrama ficaria "aos cuidados". Ver nota 5 em [105]. (SE)

4 ∽ Substituição do diretor geral dos Correios Luís Plínio de Oliveira pelo coronel João Wilkens de Matos (1822-1889), mais tarde barão de Maruiá. (SE)

[175]

De: LUDGERO CRUZ
Fonte: Manuscrito Original, Arquivo ABL.

Rio de Janeiro, 21 de julho de 1880.

Meu caro Machado

O meu Camarada Gregório Inocêncio do Couto[1] pretende o lugar de praticante na Diretoria Geral dos Correios[2].

Filho da infelicidade, não tem quem o possa encaminhar em tal pretensão.

Mas eu sei o que podes e, por isto animou-me a apresentá-lo e pedir para ele a proteção que for possível.

Por doente não vou pessoalmente, o que desculparás.

Adeus.

Dispõe do
Teu velho amigo,
Ludgero Cruz[3]

1 ⌦ Magalhães Jr. (2008) afirma que o sobrenome seria *da Costa*; no entanto, no manuscrito, lê-se claramente *do Couto*. (SE)

2 ⌦ Repartição subordinada ao Ministério da Agricultura, Comércio e Obras Públicas. (SE)

3 ⌦ Magalhães Jr. (2008) trata o missivista como um "obscuro amigo" de Machado de Assis. Possivelmente o faz no sentido de não ser uma notabilidade do tempo, mas Ludgero José Cruz foi oficial de gabinete de Lauro Müller no Ministério das Relações Exteriores (1912). Influente homem da República, o engenheiro militar Lauro Müller (1863-1926) foi também ministro da Indústria, Viação e Obras Públicas num dos momentos mais difíceis da vida funcional de Machado de Assis, quando foi injustamente perseguido e afastado pelos radicais republicanos. Logo que tomou posse a 15/11/1902, Lauro Müller deu apoio efetivo ao escritor, reintegrando-o ao ministério, onde assumiu a Diretoria Geral de Contabilidade. (SE)

[176]

Para: CAPISTRANO DE ABREU
Fonte: Manuscrito Original. Seção de Manuscritos, Fundação Biblioteca Nacional.

Rio de Janeiro, 22 de julho de 1880.[1]

Meu caro colega *Senho*r Capistrano de Abreu,

Fiquei incomodado quando, anteontem, soube que se retirara, depois de longa espera. Esperei que ontem me mandasse dizer alguma coisa, se se tratasse de negócio urgente. Não o tendo feito, apresso-me a escrever--lhe para que me diga que motivo o trouxe cá, em tão má hora, que nos não pudemos ver. Creia sempre na simpatia, afeição e apreço que lhe tem

o am*ig*o e colega
Machado de Assis.

1 ⌦ Em 1875, ao mudar-se para a corte, Capistrano de Abreu trabalhou inicialmente na Livraria Garnier; de 1876 a 1880, no Colégio Aquino; depois, em agosto de 1879,

foi nomeado oficial da Biblioteca Nacional; e, por fim, aprovado para lecionar história do Colégio Pedro II em 23/07/1883, permanecendo ali até 1889, quando a reforma do ensino levada a efeito pelo ministro da Justiça Epitácio Pessoa extinguiu a cátedra de história do Brasil, incorporada que foi à de história universal. Ver a resposta à presente carta em [177]. (SE)

[177]

De: CAPISTRANO DE ABREU
Fonte: Manuscrito Original, Arquivo ABL.

[Rio de Janeiro,][1] 23 de julho de 1880.
Dear Sir,

A sua bondade é tão grande que me incomoda. Fui anteontem, mais levado antes pela simpatia que lhe dedico e pela vontade de vê-lo e ouvi--lo do que por negócio. Ia também para falarmos sobre o plano que na distribuição de fatos da *História do Brasil*[2] me parece o mais próprio para tornar a narrativa una. Ontem não voltei; hoje não irei, nem tão cedo, porque às 2 horas, ao sair da Biblioteca, tenho aula no Colégio Aquino. Se soubesse a que hora encontrá-lo em sua residência, iria qualquer domingo...

O seu portador já acha demasiada a demora; por isso faço ponto e assino-me,

Bien à vous
J C de Abreu.

Cabral[3] pede-lhe que, sabendo, diga quais os verdadeiros sinônimos que se encobrem na lista inclusa.

---

1   O lugar em que foi escrita a carta é facilmente depreendido do texto, pois há referências ao encontro entre ambos na véspera; à Biblioteca Nacional para onde Capistrano de Abreu foi nomeado na função de oficial em 09/08/1879; e ao Colégio Aquino, situado na Rua do Lavradio n.ºs 78 e 80, onde trabalhou como professor de

português e francês a partir de 1876 até 1880; mas, sobretudo, há a menção à impaciência do portador do bilhete enviado por Machado, determinando claramente a localização no Rio de Janeiro. (SE)

2 ∞ A passagem dá a entender que Machado colaborou na elaboração de um plano geral de História do Brasil. De fato, na época das *Americanas*, Machado andou lendo bastante sobre história do Brasil, e empenhou-se em obter uma coleção completa da Revista do Instituto Histórico e Geográfico Brasileiro. No entanto Capistrano não publicou nenhuma história geral, dando preferência a temas específicos, como *Ensaios e Estudos* (1875), *Caminhos Antigos e Povoamento do Brasil* (1880) e *O Descobrimento do Brasil Pelos Portugueses* (1900). Sobre a Revista do IHGB, ver em [109]. (SPR)

3 ∞ Magalhães Jr. (2008) revela tratar-se do bibliotecário da Biblioteca Nacional do Rio de Janeiro Alfredo do Vale Cabral (1851-1894), que estaria elaborando um dicionário de sinônimos. Além de bibliotecário especializado em bibliografia, sendo o responsável pela Seção de Manuscritos, Vale Cabral era bibliófilo, historiador e folclorista. Dos significativos trabalhos que realizou, destaca-se especialmente a catalogação, feita em 1876, de todos os registros manuscritos e iconográficos produzidos pela Expedição Filosófica pelo Brasil do naturalista Alexandre Rodrigues Ferreira (1756-1815), catalogação publicada nos *Anais da Biblioteca Nacional*, que é a mais importante referência para os estudiosos do tema. Na área do folclore, o seu livro *Achegas ao Estudo do Folclore Brasileiro* também se mantém como referência entre os estudiosos. Registre-se ainda que no jantar em comemoração ao aniversário de publicação das *Crisálidas* no Hotel Globo, Vale Cabral fez parte da lista dos convidados. Sobre o banquete, ver em [254], carta de 06/10/1886. (SE)

[178]

De: ANTÔNIO JOAQUIM DE MACEDO SOARES
Fonte: Manuscrito Original, Arquivo ABL.

Mar de Espanha, 21 de julho de 1880.

Am*igo* e *Senho*r Machado de Assis,

Já o cumprimentei[1] pelo cap*í*tulo 47 do seu *Brás Cubas*; cito de memória, mas é o da "partilha amigável"[2], que deixa os co-herdeiros brigados.

O episódio vale um livro pela verdade dos fatos, singeleza no contá-los, sobriedade de acessórios e mais partes que distinguem os grandes escritores.

Está muito gracioso e, escusa de acrescentar, bem escrito o *ato camoniano*[3], que, aliás, só na cena pode ser bem apreciado, ao lume da rampa, ao calor da plateia, na atmosfera de entusiasmo do dia. Parabéns pelos seus triunfos literários, a que sabe com quanto gosto me associo.

Recebi o *Vocabulário*[4], e estava à espera do resto das folhas para lhe agradecer. Já comuniquei e agradeci ao Senhor Doutor Ramiz Galvão[5] a obsequiosa remessa. O Doutor Batista Caetano está levantando um monumento literário que pena é seja escrito em português, sem o adminículo do francês ou do latim que pusesse o *Vocabulário* nas mãos de todos os linguistas da Alemanha, para ser o seu nome colocado logo, com honra para nós, no número dos sábios.

Sou com a maior estima e respeito

Seu amigo, admirador e criado muito obrigado

Macedo Soares

Post Sriptum

Não vê o Midosi todos os dias? podia perguntar-lhe se não tem um artigo meu sobre *Chapada* (&) para a *Revista Brasileira*[6], e se quer um outro, sobre bibliografia, para o mesmo jornal, que cada vez mais se recomenda à estima pública.

---

1 ◦ Esses cumprimentos estariam em carta, ainda não localizada, a que Machado de Assis se refere no prólogo da terceira publicação de *Memórias Póstumas* (Garnier, 1896): "Macedo Soares, em carta que me escreveu por esse tempo, recordava amigamente as *Viagens na Minha Terra* [de Almeida Garrett]". E logo vem o comentário:

"'Trata-se de uma obra difusa, na qual eu, Brás Cubas, se adotei a forma livre de um Sterne, ou um Xavier de Maistre, não sei se lhe meti algumas rabugens de pessimismo'. Toda essa gente viajou: Xavier de Maistre à roda do quarto, Garrett na terra dele, Sterne na terra dos outros. De Brás Cubas se pode talvez dizer que viajou à roda da vida." (IM/SPR)

2 ∞ "A herança", na *Revista Brasileira*, tomo V, de 01/07/1880. Nas edições em livro, capítulo 46. (IM)

3 ∞ *Tu Só, Tu, Puro Amor...*, peça encenada em 10/06/1880 (ver em [180], carta de 02/08/1880) e publicada na *Revista Brasileira* em 01/07/1880. (IM)

4 ∞ O mineiro Batista Caetano de Almeida Nogueira escreveu um *Vocabulário das Palavras Guaranis*. (SE)

5 ∞ Benjamin Franklin Ramiz Galvão dirigiu a Biblioteca Nacional, organizando a exposição camoniana de 1880 e a de história do Brasil no ano seguinte com os respectivos e valiosos catálogos; promoveu, também, a publicação dos *Anais* daquela instituição. (IM)

6 ∞ Em 1857, Cândido Batista de Aguiar (1801-1865) lançava a *Revista Brasileira* – jornal de ciências, letras e artes; saíram quatro volumes, o último em 1860. Dezenove anos depois, o editor Nicolau Midosi (1838-1889) cria um segunda *Revista Brasileira*, e esta tem como redator-chefe o escritor, advogado e político cearense Franklin Távora (1842-1888). Távora escreveria a José Veríssimo*: "[...] A Revista Brasileira, publicação que, se ainda não representa, ao menos se propõe a representar a literatura brasileira, independente e, quanto possível, viva." (Aguiar, 2005). De fato, publicaram-se, regular e mensalmente, 30 números, reunidos em 10 volumes, de junho de 1879 até dezembro de 1880. Suas páginas trouxeram colaborações de altíssimo nível e – marco absoluto – as *Memórias Póstumas de Brás Cubas* (março a dezembro de 1880); sobre o fim da chamada "fase Midosi", ver carta de Machado de Assis em [223], de 19/04/1883. Cabe lembrar que uma nova *Revista Brasileira* apareceria dirigida por Veríssimo, terceira fase (1895-1899), e que em sua redação nasceu a Academia Brasileira de Letras, conforme registra a ata de 15/12/1896. Outras fases vieram no século XX, e a atual, sétima, é uma das mais importantes publicações da ABL. (IM)

[179]

Para: CAPISTRANO DE ABREU
Fonte: Manuscrito Original. Seção de Manuscritos, Fundação Biblioteca Nacional.

Rio de Janeiro, Sexta-feira, 30 julho de 1880.

Meu jovem colega[1].

Esta carta devia ter-lhe sido escrita e enviada há cinco ou seis dias. São tais porém os meus trabalhos e apoquentações, que espero me desculpe a demora. Entretanto, não retardei a resposta a ponto de me não poder aproveitar dela no domingo próximo. Ou no próximo, ou em outro qualquer achar-me-á em casa, porque eu raramente saio nesses dias, exceto de noite, em que vou sempre a alguma visita. Não digo se terei prazer em recebê-lo; sabe muito bem que sim; e, se dúvida, ponha-me à prova.

Je vous serre la main,
Machado de Assis.

Post Scriptum. À visita, falaremos dos sinônimos do seu colega Cabral.

M. de A.

---

1 ∾ Nas *Transcrições* da Academia Brasileira de Letras, o destinatário aparece identificado; acrescente-se a isso o fato de que o desenvolvimento dos comentários permite depreender que se trata da resposta de Machado de Assis à carta de [177], em que o historiador, entre outros assuntos, fala da dificuldade de se encontrarem e do pedido de Alfredo do Vale Cabral, seu colega na Biblioteca Nacional. (IM/SE)

[180]

Para: EDUARDO DE LEMOS
Fonte: Manuscrito Original. Real Gabinete Português de Leitura.

Rio de Janeiro, 2 de agosto de 1880.

Ilustríssimo Excelentíssimo Senhor.

Tenho a honra de acusar recebido o ofício de V*ossa* E*xcelência* de 30 do mês findo, acompanhando a medalha com que o Gabinete Português de Leitura do Rio de Janeiro comemorou o Terceiro Centenário de Camões e o assentamento da pedra fundamental do novo edifício do mesmo Gabinete[1].

Agradecendo esta fineza da ilustre Associação de que é V*ossa* E*xcelência* mui digno Presidente, cabe-me ponderar que a minha escassa cooperação nas festas do imortal poeta, se dívida pudesse ser do Gabinete, foi sobejamente paga com a honrosa eleição que lhe mereci[2].

Reitero a V*ossa* E*xcelência* as seguranças do meu mais elevado apreço e distinta consideração.

Deus Guarde a V*ossa* E*xcelência*
J. M. Machado de Assis[3]

I*lustríssi*mo E*xcelentíssi*mo S*enho*r Comendador
Eduardo de Lemos
Digníssimo Presidente do Gabinete Português de Leitura do Rio de Janeiro[4]

---

1 ∞ O Gabinete Português de Leitura foi criado em 1837. Funcionou, inicialmente, na rua de São Pedro, n.° 83, transferindo-se para a rua da Quitanda, n° 55 (1842), para a rua dos Beneditinos, n.° 12 (1850), e teve a pedra fundamental da sede definitiva assentada em 1880, na rua Luís de Camões (antes rua da Lampadosa), por ocasião das comemorações do tricentenário da morte do poeta luso. Desde a adolescência, Machado foi sócio do Gabinete, cuja biblioteca já chegava a 33 mil volumes em 1860. A inauguração da sede própria deu-se em 10/09/1887, com a presença da princesa Isabel e do conde d'Eu, o orador em tal solenidade. Abrigada no edifício de traço

neomanuelino, a Biblioteca é um recinto de extraordinária imponência e seu acervo — o maior de autores portugueses fora de Portugal — constitui-se em uma das riquezas culturais do Rio de Janeiro. Machado de Assis, já presidente da Academia Brasileira de Letras, ali deu posse aos acadêmicos Domício da Gama* (1900), Oliveira Lima* (1903) e Afonso Arinos* (1904). (IM)

2 ~ Para o Terceiro Centenário da Morte de Camões, Machado escreveu a peça *Tu Só, Tu, Puro Amor*, encenada a 10/06/1880 no Teatro D. Pedro II, com a presença do Imperador e da Imperatriz Teresa Cristina. D. Pedro comentou a festividade na madrugada seguinte, em carta à condessa de Barral:

"Às 8 horas da noite no Teatro Pedro II, que estava decorado geralmente com bastante bom gosto e apinhado de gente escolhida — citações apropriadas dos *Lusíadas* ornavam os camarotes — discurso que muito me agradou, sobretudo para o fim, do Deputado Nabuco, poesias, uma das quais original do Dr. Rosendo Moniz e recitada perfeitamente por ele de braço ao peito por ter fraturado há dias — **pequeno drama de Machado de Assis inspirado pelos versos de Camões e escrito com muito talento** — enfim três hinos compostos por Carlos Gomes, Artur Napoleão e fulano Miguez tocados por mais de 600 músicos que formavam belíssimo espetáculo palco acima." (Magalhães Jr., 2008)

O "fulano" autor do terceiro hino era o compositor Leopoldo Miguez (1850--1902), futuramente autor do "Hino à República" e sócio no estabelecimento musical de Artur Napoleão*. Quanto à peça teatral, pelas mãos do velho amigo Ernesto Cibrão*, Machado de Assis ofereceu o manuscrito original ao Gabinete, que o fizera sócio honorário após os festejos camonianos. Em 1906, a instituição passou a denominar-se Real Gabinete Português de Leitura. (IM)

3 ~ Esta carta, escrita por calígrafo, traz a assinatura de Machado de Assis. (IM)

4 ~ O "Livro de Ouro", preparado para homenagear o presidente Eduardo de Lemos em 1884, apresenta o seguinte manuscrito original:

"Uma página é pouco, talvez, para dizer o que ele merece; uma linha só é demais. Ou se há de dizer tudo, ou apertar singelamente a mão a um homem singelo, filho do trabalho que vai com o dia, mas que é semente do futuro. Letras, indústria, artes, tudo ama e aprecia, a todas serve com o entusiasmo de poucos, e a constância dos raros. É tudo isto lhano, modesto, inteligente e natural. / Machado de Assis. / 1884." (IM)

Em 10/12/2004, o presidente do Real Gabinete Português de Leitura, Dr. Antônio Gomes da Costa, ofereceu uma reprodução fotográfica dessa página ao então presidente da ABL, acadêmico Ivan Junqueira. (IM)

[181]

De: A. A. SANTOS SOUSA
Fonte: Manuscrito Original, Arquivo ABL.

[Rio de Janeiro, 16 de agosto de 1880.]
N.º 5889-80

Ao Ilustre Colega e Amigo, o I*lustríssi*mo *Senho*r Machado de Assis [,] cumprimenta A. A. Santos Sousa[1], e lhe remete a inclusa carta, em que se trata do Relatório do *Senho*r Roberto, e declara a V*ossa Senho*ria que esse Relatório e todos os papéis foram remetidos ao Gabinete[2], onde devem estar os que se pede.

Em 16 – 8 – 80.

---

1 ⚭ Graças ao Almanaque Laemmert, foi possível identificar o autor como sendo o engenheiro Antônio Álvares dos Santos Sousa, chefe de seção da Diretoria de Obras Públicas do Ministério da Agricultura. (IM)

2 ⚭ Machado de Assis tornara-se oficial de gabinete do ministro Buarque de Macedo*. Ver em [174]. (IM)

[182]

De: MONSENHOR PINTO DE CAMPOS
Fonte: Manuscrito Original, Arquivo ABL.

Paris, 18 de agosto de 1880.

Meu caro *Senho*r Machado de Assis

Tenho recebido duas cartas suas, contendo uma só matéria, a saber: explicações, que aliás me penhoram dos motivos pelos quais não pôde satisfazer os meus desejos no tocante ao livro do meu amigo Pereira da Cunha[1].

Não lhe oculto que a falta de respostas suas entristeceu-me pela suposição em que fiquei de que o meu pobre nome já havia sido cancelado nas memórias íntimas do seu coração[2]! É verdade que me não deveria causar isso a menor estranheza, se eu meditasse um pouco mais detidamente nas condições desfavoráveis da minha situação atual, já quase morto para as atenções do mundo, nada esperando, nem nada fazendo esperar, de esforços, que seriam sempre inúteis, para satisfazer sobretudo às exigências da sociedade. Hoje, só uma esperança alimenta todas as minhas esperanças: é viver este resto de vida em plena paz de espírito, entesourando os desenganos, que, embora tardios, hão de ser fecundíssimos em efeitos salutares, em relação ao viver de além--mundo, de que andei tão descuidado no despenhadeiro das minhas tristes ilusões!

Entretanto, é tal o apreço em que sempre tive o Senhor Machado de Assis, que a só perspectiva do seu esquecimento para comigo trazia--me inquieto pela consideração de que houvesse eu concorrido para essa desgraça, sem embargo da consciência conservar-se-me tranquila. Escrevendo-lhe sobre o livro do Pereira da Cunha, nunca me entrou no ânimo a ideia de fazer o meu amigo distribuidor, ou agenciador de a sua venda. Até aí não chegaria a minha sem-razão. Apenas lhe pedi que o recomendasse ao público por algumas palavras de favor, bem que de antemão previa que o livro era para outro gênero de leitores, que não os do Rio de Janeiro, cujo paladar não encontra sabor senão nas leituras envenenadas da sífilis estragadora do gosto, e da moral! Esperava porém que sob o padroado de escritores moralizados, como Você, Taunay etc. [,] a obra pudesse alar, ao menos por duas ou três quinzenas. Mas como lhe não foi isso possível, respeito os motivos que lhe embargaram os desejos. Creio que lhe disse em a minha primeira carta que a iniciativa de se lhe mandar o livro partiu espontânea do autor. Eu não fiz senão aprovar. Lá lhe remeti a sua primeira carta. Enfim, sou-lhe bastante grato pelos novos protestos da sua amizade, que tanto me é cara.

Fiquei partido de dor pelo morticínio da Vitória em Pernambuco; perdendo um dedicado amigo no honradíssimo Barão da Escada[3]! Que graças não rendo a Deus por me haver em tempo arrancado a esse tremedal imundo da política! Embora devorado de saudades da Pátria, prefiro isso a todos os gozos que em seu seio se me poderiam proporcionar, suportar as condições tristíssimas em que de longe observo as coisas do meu País.

Prosseguirei amanhã para a Itália, tendo em mente passar o inverno em Roma.

Basta. Não pensei dizer tanto, atentas as contínuas distrações desta vasta *Babilônia*, onde tudo excita ao movimento e à curiosidade.

Recomenda-me ao Joaquim Serra.

Creia-me sempre Amigo sincero e obrigado
Mr Pinto de Campos

---

1 ∾ Antônio Pereira da Cunha e Castro Lobo (1829-1890) foi poeta, professor, romancista, jornalista, dramaturgo e deputado pelo Partido Legitimista de Portugal; colaborou em *O Trovador* (1851-1856), periódico de inspiração ultrarromântica, bem como mais tarde em o *Novo Trovador*, que pretendeu continuar a tradição do anterior. (SE)

2 ∾ Machado, na década de 1860, havia feito pesadas críticas a Pinto de Campos, quando este manifestou publicamente a sua intolerância ao livre-pensamento. Poucas vezes Machado foi tão duro. O que significaria então o uso da expressão? Como o controvertido Pinto de Campos faria parte das *memórias íntimas* de Machado? Talvez por sua atuação durante a promulgação da Lei do Ventre Livre. Sabe-se que Machado cedo reconheceu o alcance dessa lei para o fim da escravidão no Brasil. São evidências desse reconhecimento a admiração que guardou ao longo da vida pelo visconde do Rio Branco, o abatimento por sua morte, testemunhado na carta [184], bem como o episódio em que, como funcionário da Secretaria de Agricultura, consubstanciou um parecer em defesa do espírito daquela lei, parecer que, aliás, ajudou a formar jurisprudência, com diversos tribunais Império afora deliberando em favor da liberdade. Em 1871, Monsenhor Pinto de Campos foi o autor do célebre parecer sobre o projeto de lei apresentado pelo governo. Com sua postura inquebrantável, secundou com lucidez e defendeu com eficácia a proposta de Rio Branco, sustentando os debates tanto na Câmara quanto na imprensa. Isso pode ter feito com que ganhasse o reconhecimento

do escritor, passando a fazer parte das *memórias íntimas do seu coração*, arroladas aqui pelo missivista em favor de seu pupilo. (SE)

3 ∞ O "Morticínio de Vitória" ocorreu a 27/06/1880, na frente da capela de Nossa Senhora do Rosário dos Pretos, em Vitória de Santo Antão, Pernambuco, capela que serviu de matriz provisória, entre 1874-1880, em razão da construção da nova igreja. Neste dia, às vésperas das eleições, deu-se o confronto entre os opositores locais: os liberais capitaneados pelo juiz Cunha Lima e os conservadores por Belmiro da Silveira Lins, o barão de Escada, pelo bacharel Cunha Cavalcanti e pelo deputado Marques Lins. As parcialidades engalfinharam-se nas ruas, com pistolas e peixeiras, culminando em 20 feridos graves e 14 mortes, entre as quais a do barão de Escada. Os conflitos na região já vinham de algum tempo. As notícias chegavam à corte dando conta da tensão local em escala crescente. O presidente da província estava sem autoridade; então o governo central decidiu intervir diante da ameaça de o conflito disseminar-se por toda a província. Com a queda do gabinete Sinimbu, o novo gabinete, à frente o conselheiro Saraiva, resolveu-se por um novo presidente. Saraiva recomendou e insistiu mesmo na nomeação de Franklin Dória* para o cargo; considerava-o a um só tempo fiel, firme e conciliador, portanto o mais preparado para a espinhosa missão de pacificar a província. Dória foi nomeado por carta imperial de 12/06/1880, partiu em 21 de junho e chegou em 28 de junho, um dia depois da matança. Ainda assim, conseguiu negociar os conflitos, ouvir a todos, distribuir justiça e restabelecer o estado de direito na província, o que lhe granjeou enorme prestígio. Eis o que diz Dória em carta confidencial a Saraiva, de 05/07/1880 (Arquivo Barão de Loreto):

> "Já sabe V. Ex.ª do efeito que a notícia dos trágicos sucessos de Vitória causou no espírito público aqui nesta Cidade. Grande foi a consternação de muitos, porém maior ainda a exaltação de certos indivíduos dominados principalmente de paixão partidária e inimizade particular. Semelhante exaltação explica de alguma sorte as cenas tumultuárias ocorridas na assembleia provincial, assim como os discursos ali proferidos, cheios de afronta a personalidades, e alguns até de exortação a catástrofes subversivas da ordem pública. A mesma exaltação explica ainda a forma veemente de alguns artigos da imprensa diária e bem assim a tentativa da manifestação hostil ao presidente da Relação, no suposto de ter sido o mandante do morticínio de Vitória; [...]." (SE)

[183]

> De: PEDRO LUÍS
> *Fonte:* Manuscrito Original, Arquivo ABL.

GABINETE DO MINISTRO DOS
NEGÓCIOS ESTRANGEIROS[1]

[Rio de Janeiro,] 4 de novembro de 1880.

Meu Assis,

Aí vão os retalhos dos jornais de que te falei e uma nota relativa aos assuntos deste ministério.

Sempre o teu amigo
Pedro Luís

---

1 ∾ Pedro Luís Pereira de Sousa foi ministro dos Negócios Estrangeiros (03/11/1881 a 21/01/1882), no gabinete Saraiva, aconselhando-se constantemente com Machado de Assis sobre os assuntos relativos à sua pasta. É bom assinalar que o conhecimento entre os dois era antigo, datava de 1860, época em que escritor iniciou-se no jornalismo. Ao entrar para o *Diário do Rio de Janeiro*, designado para cobrir as sessões do parlamento, Machado de Assis encontrou o jovem Pedro Luís também atuando como jornalista no Senado, só que para o *Correio Mercantil*. (SE)

[184]

> Para: UM AMIGO E COLEGA
> *Fonte:* Transcrições, Arquivo ABL.

Rio de Janeiro, 9 de novembro de 1880.[1]

Amigo e colega.

Ainda hoje não posso ir, mas amanhã espere por mim, com certeza. Ontem, voltando da missa do *Visconde* do Rio Branco[2], senti-me bastante incomodado. Remeto-lhe um papel, leia o despacho de *Sua Excelência* e pergunte à Diretoria de Obras Públicas se esses papéis já subiram; em caso afirmativo, mostre-o ao Senhor Ministro[3], no caso negativo, guarde-o para juntar aos papéis, logo que subam, segundo a ordem de Sua Excelência.

Logo que receber esta carta, mande-me (é urgente) o exemplar da Constituição que está na estantezinha de Sua Excelência, ao lado esquerdo. Se Sua Excelência lá estiver, peça-lhe; se não estiver, não; eu a levarei amanhã. Peço-lhe que me arranje com o Calazans[4] ou no Arquivo, um folheto denominado O Cafeeiro no Brasil – ou o Café no Brasil, ou assim mais ou menos. Mas peça como coisa sua ou para o Gabinete e manda-me também a Constituição.

Desculpe-me estes incômodos, e creia-me sempre seu amigo e colega obrigado,

Machado de Assis

Post Scriptum: Mandarei a pasta amanhã.

---

1 ∾ Segundo Magalhães Jr. (2008), esta carta foi publicada por Levi Carneiro no Jornal do Brasil, em 19/11/1958. Ubiratan Machado gentilmente forneceu-nos uma cópia manuscrita, que ajudou a retificar a data, já que em Magalhães Jr. constava 08/11/1880; além disso, alertou-nos para a existência do post-scriptum. (SPR)

2 ∾ A missa de sétimo dia do visconde de Rio Branco* realizou-se em 8 de novembro; portanto este dado textual confirma que a carta só poderia ser de 09/11/1880. (IM)

3 ∾ Manuel Buarque de Macedo*, ministro da Agricultura, Comércio e Obras Públicas. (SE)

4 ∾ No ano de 1880, a Diretoria de Agricultura da Secretaria de Estado do Ministério da Agricultura, Comércio e Obras Públicas dividia-se em duas: a Central e a de Agricultura. A Diretoria de Agricultura ainda não estava dividida oficialmente em seções, embora houvesse três funcionários em cargo de chefia: José Pedro Xavier Pinheiro, Jerônimo Herculano Calazans Rodrigues e Machado de Assis. Calazans Rodrigues era filho do barão e da baronesa de Taquari, sendo esta última a dama que amparou Faustino Xavier de Novais* no fim de sua vida. (SE)

[185]

> De: CAPISTRANO DE ABREU
> *Fonte:* Manuscrito Original, Arquivo ABL.

Campinas, 10 de janeiro de 1881.

Dear Sir[1], hoje às 7 horas da manhã, poucos momentos antes de tomar o trem de Rio Claro para Campinas, me foi entregue com a sua carta de 7[2] o exemplar de *Brás Cubas* que teve a bondade de me enviar. Li de Rio Claro a Campinas, e, preciso dizer-lhe? — a impressão foi deliciosa, — e triste também, posso acrescentar. Sei que há uma intenção latente porém imanente em todos os devaneios, e não sei se conseguirei descobri-la.

Em *São* Paulo, por diversas vezes, eu e Valentim Magalhães [...][3] nos ocupamos com o interessante e esfíngico X[4]. Ainda há poucos dias ele me escreveu: o que é *Brás Cubas* em última análise? Romance? dissertação moral? desfastio humour[í]stico (*sic*)? Ainda o sei menos que ele. A princípio me pareceu que tudo se resumia em um verso de Hamlet de que me não lembro agora [...][5], mas em que figura *the pale cast of thought*[6]. Lendo adiante, encontrei objeções... *et je jette ma langue aux chiens*[7].

Pretendo passar dois dias em Campinas, e aqui lerei o que me falta, que infelizmente não é tanto quanto desejaria[8]. Livros como *Brás Cubas* é que deveriam assumir as proporções de *Rocambole* ou *Três Mosqueteiros*[9].

Só no dia 15 partirei para o Rio. Se antes quiser me dar quaisquer ordens, enderece a carta para *São* Paulo – rua do Gasômetro, 17, em casa do Valentim Magalhães.

Adios

Bien à vous
J. C. de Abreu

---

1 ~ Capistrano de Abreu não sublinha palavras ou locuções em língua estrangeira; tampouco sublinha títulos de obras literárias. (IM)

2 ꕥ Carta ainda não localizada. (IM)

3 ꕥ Ilegível: papel deteriorado. (IM)

4 ꕥ Alusão provável à passagem de *Memórias Póstumas de Brás Cubas* (capítulo II) em que aparece a primeira referência ao emplasto anti-hipocondríaco:

"Com efeito, um dia pela manhã, estando a passear na chácara, pendurou-se-me uma ideia no trapézio que eu tinha no cérebro. Uma vez pendurada, entrou a bracejar, a pernear, a fazer as mais arrojadas cabriolas de volatim que é possível crer. Eu deixei-me estar a contemplá-la. Súbito, deu um grande salto, estendeu os braços e as pernas, até tomar a forma de um X: decifra-me ou devoro-te". (SPR)

5 ꕥ Papel deteriorado; pode ser "bem". (IM)

6 ꕥ Trecho do famoso solilóquio de Hamlet, no terceiro ato, cena I: *Thus conscience does make cowards of us all; And thus the native hue of resolution / Is sicklied o'er with the pale cast of thought*. Na tradução de Péricles Eugênio da Silva Ramos (1976): "O pensamento assim nos acovarda, e assim / É que se cobre a tez normal da decisão / Com o tom pálido e enfermo da melancolia." (SPR)

7 ꕥ Expressão francesa (literalmente, "jogo minha língua aos cães"), usada quando se desiste de adivinhar um enigma. (SPR)

8 ꕥ Capistrano logo comentaria Brás Cubas na sua seção "Livros e Letras" (*Gazeta de Notícias* de 30/01 e 01/02/1881). Essa crítica reflete a perplexidade e a admiração já expressas na carta. Machado se refere ao amigo no prólogo da terceira edição (1896):

"Capistrano de Abreu, noticiando a publicação do livro, pergunta: 'As *Memórias Póstumas de Brás Cubas* são um romance?'. Macedo Soares, em carta que me escreveu por esse tempo, recordava amigamente as *Viagens na Minha Terra*. Ao primeiro respondia já o defunto Brás (como o leitor viu e verá no prólogo dele que vai adiante), que sim e que não, era um romance para uns e não o era para outros."

Sobre Macedo Soares*, ver em [178]. (IM)

9 ꕥ Rocambole, herói de diversos romances do francês Ponson du Terrail, fazia imenso sucesso, como também fizera o romance *Os Três Mosqueteiros* (1844) de Alexandre Dumas. (IM)

[186]

> Para: ARTUR DE OLIVEIRA
> *Fonte:* Manuscrito Original. Seção de Manuscritos, Fundação Biblioteca Nacional.

[Rio de Janeiro,] 18 de janeiro de 1881.

    A Artur de Oliveira,
    O Fugitivo,
    O Impalpável,
    O Invisível,
    O Incoercível,
    O morto[1],

          cumprimenta[2]
          M. A.

---

1 ❧ A vida breve de Artur de Oliveira foi cheia de idas e vindas, com sumiços do gênero deste que deu origem ao bilhete em versos do amigo 12 anos mais velho e proverbialmente metódico. (IM)

2 ❧ No manuscrito, "morto" com "m" minúsculo seguido de vírgula. Duas observações: Artur já estava doente – chamá-lo de *morto* não combina com a gentileza machadiana; e o morto que *cumprimenta* não seria Brás Cubas? Nada atesta ser esta página um oferecimento das *Memórias Póstumas*, recém-publicadas em livro, mas fica aqui uma tímida hipótese. (IM)

[187]

> De: JOSÉ LOPES PEREIRA BAHIA JÚNIOR
> *Fonte:* Manuscrito Original, Arquivo ABL.

Corte, 1.º de maio de 1881.

Ao I*lustríssimo Se*nho*r Do*uto*r* Joaquim Maria Machado de Assis

Conforme o nosso contrato verbal aí lhe remeto o recibo do aluguel da minha casa[1] e mais o recibo da importância da pena d'água[2], visto ser a época em que se pagam as penas d'água no Tesouro.

Meus respeitos à Excelentíssima Sua Senhora.

Sem mais.
Sou-lhe obrigado e respeitador
José Lopes Pereira Bahia Júnior[3].

---

1 ～ Segundo a *Nova Numeração dos Prédios da Cidade do Rio de Janeiro* (1965), seria uma casa térrea na rua do Catete 206, bem próxima à praça Duque de Caxias, nome dado ao largo do Machado em homenagem ao grande estadista e militar. Ver em [166]. (IM/SE)

2 ～ O mais simples meio de controlar o fornecimento de água com a finalidade de disciplinar o consumo. (SE)

3 ～ José Lopes Pereira Bahia Júnior era neto do opulento visconde de Meriti, cujas festas foram famosas no 2.º Reinado, citadas inclusive em textos de José de Alencar*, como, por exemplo, em *Demônio Familiar*. (SE)

[188]

De: FRANCISCO OTAVIANO
Fonte: Manuscrito Original, Arquivo ABL.

[Rio de Janeiro,[1]] 22 de maio de 1881.

Meu caro Machado de Assis.

O secretário de um ministro, sendo discreto como és, não pode tomar a si o dispensar proteções aos dependentes do favor ministerial. Já vês que não te arrastaria, abusando de tua delicadeza para comigo, a sair dos limites que a mim mesmo eu me traçaria na tua posição.

Mas podes, como colega dos outros chefes dessa confederação, facilitar o ingresso do portador, o Senhor Vicente Batista, nas regiões inacessíveis da engenharia oficial. Ele só pede trabalho em que se exercite no que aprendeu, e modestamente quer o mais humilde degrau dessa engenharia. Como é de costume pedirem os diretores das estradas ao governo fornecimento de empregados ou substituição deles, peço somente que o nome do meu apresentado seja inscrito na repartição, com *certo bom desejo*, de sorte que em boa hora caiam sobre ele os olhos pesquisadores de quem deva indicar o fornecimento. Por exemplo, creio que o Firmo pede condutores para a estrada do Rio Grande[2]; talvez lhe convenha o moço que te apresento, que tem a vantagem sobre outros de querer aprender sem basófia de sua ciência técnica.

Enfim, nas tuas mãos entrego-o, certo de que farás o possível para o encaminhar tanto quanto estiver nas tuas forças e sem perturbação de teus deveres.

Teu amigo
F. Otaviano

Post Scriptum: Recebi e te agradeço as tuas últimas produções; já tinha lido o *Tu só*, mas as *Memórias* interrompi com a moléstia, mesmo porque a *Revista*[3] não me era enviada regularmente. O apreço que, com justiça, tributo a teu valor literário, sabem *todos* que é tão grande como aquele valor, não me cansando de repetir que de nossos contemporâneos és o príncipe[4].

Major Nuno de Figueiredo[5]

---

1 ∾ Otaviano residia na praia do Russel, 16 A (*Almanaque Laemmert*, 1881). (IM)

2 ∾ No relatório do Ministério da Agricultura 1881-1882 (81 A, p. 287-297), encontram-se referências à construção das estradas Porto Alegre-Cacequi, Rio Grande-Bagé, Cacequi-Uruguaiana, Quaraí-Itaqui. Ver em [195], carta de 07/09/1881. (IM)

3 ∾ A *Revista Brasileira* publicara, em 1880, a peça *Tu Só, Tu, Puro Amor...* (julho) e *Memórias Póstumas de Brás Cubas* (março a dezembro). Ver em [178] e [180]. (IM)

4 ∾ Otaviano, redator-chefe do *Correio Mercantil* em 1858 quando Machado ingressou naquele jornal como revisor, cedo notou o talento do amigo, que o tomaria por modelo no jornalismo. Esta carta, escrita já no declínio da sua brilhante carreira política, diplomática e jornalística, é mais que um pedido ao oficial de gabinete do ministro Buarque de Macedo*: exprime a admiração pelo já consagrado autor de *Brás Cubas*, tanto na

burocracia quanto na vida literária, como príncipe da literatura brasileira. Ao noticiar a morte de Otaviano na *Gazeta de Notícias* (29/05/1889), Machado daria este testemunho:

> "Morreu um homem. Homem pelo que sofreu; ele mesmo o definiu em belos versos, quando disse que passar pela vida sem padecer, era ser apenas um espectro de homem, não era ser homem. Raros terão padecido mais, nenhum com resignação maior. Homem ainda pelo complexo de qualidades superiores de alma e de espírito, de sentimento e de raciocínio, raros e fortes, tais que o aparelharam para a luta, que o fizeram artista e político, mestre da pena elegante e vibrante. [...] A melhor homenagem àquele egrégio espírito é a tristeza dos seus adversários." (IM)

5 ∽ Abaixo do P. S., lê-se esta anotação a lápis, certamente feita por Machado de Assis. Talvez o nome daquele que deveria cuidar do pedido feito por Francisco Otaviano. (IM)

[189]

	De: PEDRO LUÍS
	Fonte: Manuscrito Original, Arquivo ABL.

GABINETE DO MINISTRO DOS
NEGÓCIOS ESTRANGEIROS[1]

[Rio de Janeiro,] 30 de maio de 1881.

Meu Assis,

Vou aos Estrangeiros[1] e depois serei contigo.

Escreve duas linhas ao A. A. Monteiro de Barros[2] e ao Glaziou[3] para que venham falar-me hoje um às 2 e ½, e outro às 3 ou então das 3 e ½ às 4 e ½ já se sabe — aí na Secretaria.

Até logo.
Teu,
Pedro Luís

---

1 ∽ A carta foi escrita em papel timbrado.

2 ⚭ Antônio Augusto Monteiro de Barros, engenheiro responsável pelo prolongamento da linha central da Estrada de Ferro D. Pedro II, em direção a Nova Lima, Minas Gerais, obra realizada a partir de 1876, cujo objetivo era atingir o rio São Francisco. (SE)

3 ⚭ O engenheiro civil Glaziou, especializado em paisagismo urbano, havia reformado os jardins da Aclamação (Campo de Santana), que fora reinaugurado em 07/09/1880 e, desde então, tornara-se o administrador do parque. Meses mais tarde, ao se tornar-se ministro interino da Agricultura, Comércio e Obras Públicas, Pedro Luís passou o contrato de conservação do Passeio Público a Glaziou, uma vez que o ministério já andava descontente com o conservador anteriormente contratado, Francisco José Fialho. Auguste François Marie Glaziou (1833-1906) estudou no Museu de História Nacional de Paris, onde aprofundou os seus conhecimentos em botânica. Naquele momento de sua formação, Paris passava pelas reformas urbanísticas de Haussmann (1809-1891), cujo paisagismo coordenado por Jean-Charles Adolphe Alphand (1817-1891) influenciou profundamente Glaziou. Veio ao Brasil a convite de D. Pedro II, em 1858, permanecendo até 1897. (SE)

[190]

Para: SALVADOR DE MENDONÇA
Fonte: Manuscrito Original. Arquivo-Museu da Literatura Brasileira, Fundação Casa de Rui Barbosa.

Rio de Janeiro, 25 de julho de 1881.

Meu caro Salvador.

Para o fim de se poder despachar a caixa, convém que mandes a esta Secretaria uma procuração, visto que a caixa veio com o teu nome[1]. O despachante da Secretaria é o Capitão Henrique Germack Possolo[2]; esse pode ser o procurador[3].

Ontem, ao voltarmos para casa, soubemos da visita que nos fizeste com tua estimável senhora, a quem peço apresentar os meus respeitos. Senti deveras não estar em casa. Minha mulher recomenda-se muito a Mrs. Sal*vador* de Mendonça[4].

Crê-me sempre am*igo* V*osso*,

Machado de Assis.

1 ◈ No início de 1881, Salvador de Mendonça não estava bem de saúde, provavelmente sofria de complicações cardíacas; por isso pediu licença do posto de cônsul-geral em Nova York para recuperar-se no Brasil. Por alguma razão recorreu a Machado de Assis a fim de receber ou enviar uma encomenda. Faltam elementos textuais para determinar esse ponto. Na carta, Machado repassa-lhe os procedimentos burocráticos para que seja a encomenda remetida a Salvador ou a outrem. (SE)

2 ◈ Henrique Germack Possolo participou da implementação do turfe no Brasil; foi fundador e um dos presidentes do primeiro Jockey Club, criado em reunião na casa de Fernando Francisco da Costa Ferraz* (rua do Conde 37, atual Visconde do Rio Branco) em 20/06/1868. Ali, entusiastas do turfe, entre eles, Henrique Possolo, Hans Wilhelm von Suckow, Henrique Lambert, o conde Karl von Herzberg, Henrique Möller, Baptista Rodrigues, Tomás Neiva, Felisberto Paes Leme e Azevedo Macedo Jr. fundaram o Jockey Club, que logo se abriu a novos sócios e arrendou de Suckow, negociante de carruagens e cavalos, um campo de corridas, que passou a chamar-se Prado do Engenho Novo; depois o clube construiu o seu próprio campo, o Prado Fluminense. Esta foi uma das vertentes do que depois será o Jockey Club Brasileiro; a outra é o Derby Club, fundado em 06/03/1885, presidido por Paulo de Frontin, instalado na área em que hoje se situa o estádio Mário Filho, com o nome de Prado Maracanã. Em 1932, o Jockey e o Derby se uniram surgindo o Jockey Club Brasileiro, cujo prado passou a ser o Hipódromo da Gávea. Registre-se, por fim, a existência do Grande-Prêmio Henrique Possolo, no mês de fevereiro. (SE)

3 ◈ No *Almanaque Laemmert*, 1881, o capitão Possolo é fiscal aduaneiro e tesoureiro da Associação Brasileira de Aclimatação, cujo jornal divulgava matérias sobre a aclimatação, propagação e melhoria das espécies animais e vegetais. É possível que estivesse cedido ao Ministério da Agricultura. (SE)

4 ◈ Mary Redman, a esposa de Salvador de Mendonça. (SE)

[191]

De: MIGUEL DE NOVAIS
Fonte: Manuscrito Original, Arquivo ABL.

Lisboa, 27 de agosto de 1881.

(Lazareto)[1]

Carolina e Machado.

Estamos no Lazareto desde quarta-feira 24, dia em que desembarcamos do *Galícia*[2], depois de uma viagem de quase dezesseis dias, de muito aborrecimento, muito enjoo e muito desagradável, porque tivemos sempre vento forte pela proa desde a Saída do Rio até a entrada em Lisboa [,] mas felizmente, chegamos ao porto desejado sem incômodo de maior e aqui estamos presos no Lazareto à ordem dos patifes que nos governam e que têm destinado restituir-nos a liberdade só no dia I de Setembro depois de completados os oito dias que manda a lei.

A Julieta[3] enjoou muito [,] o que a não impediu de dançar algumas noites. Minha mulher[4] só três ou quatro vezes ousou sentar-se à mesa do jantar, e até eu desta vez também enjoei o meu bocado. Mas enfim todos estes males passam quando se põe o pé em terra, ainda mesmo quando esta terra nos conduz a um Lazareto.

E como passaram desde a nossa saída?

Quando queiram escrever sejam as cartas dirigidas para Lisboa, Hotel Universal — onde vamos ficar por algum tempo. Minha mulher e Julieta enviam mil saudades e um abraço para a Carolina.

Diz a Julieta que vai escrever, não acredito porque é esta uma das coisas em que ela poucas vezes cumpre a sua palavra.

Chamam para almoçar e o portador espera a carta para levar ao Correio, de Lisboa escreverei com mais vagar.

Que gozem saúde e que venham até cá depressa é o que muito deseja o irmão e amigo

Miguel.

---

1 ⁕ Estabelecimento de controle sanitário, em que se fazia a quarentena das pessoas que chegavam ao porto, oriundas de lugares considerados propagadores de moléstias contagiosas, bem como para o controle dos passageiros e tripulantes, sem cadernetas sanitárias, mesmo que atestassem as suas boas condições de estado higiênico. (SE)

2 ⁕ Um dos nove vapores da *Pacific Steam Navigation Company*. Esses navios faziam a linha de Liverpool passando por Lisboa e Bordeaux duas vezes por mês; saindo do porto de Liverpool às quartas-feiras alternadamente, chegando ao de Bordeaux nos sábados e ao de Lisboa nas terças-feiras, tocando numa dessas viagens os portos de Recife e da Bahia. (SE)

3 ∾ Enteada de Miguel de Novais, Maria Julieta Pereira Ferreira Felício (1865-
-1947), filha caçula dos 1.ºs condes de São Mamede, Joana Ferreira Felício (1835-
-1897) e Rodrigo Pereira Felício (1821-1872). (SE)

4 ∾ Detalhes sobre Joana e sua família, ver em [157]. (SE)

[192]

De: PEDRO LUÍS
Fonte: Manuscrito Original, Arquivo ABL.

DO CONSELHEIRO
PEDRO LUÍS PEREIRA DE SOUSA

[Rio de Janeiro, até 29 de agosto de 1881.]

Machado de Assis,

Não deixes de vir pautar comigo hoje: conversaremos sobre os negócios da pasta e outros.

Avia as pastas que pede o Franklin Dória[1].

Hoje ou amanhã cedo. Urgente.

Regularei o negócio com Buarque, por telegrama[2].

Até logo
Teu amigo
Pedro Luís

---

1 ∾ Franklin Dória* havia ocupado a presidência de Pernambuco de 28/06/1880 a 04/04/1881, retornando à corte em 09/05/1881. Em 15/05/1881 assumiu a pasta dos Negócios da Guerra e, em 03/11/1881, substituiu Pedro Luís na dos Negócios Estrangeiros. (SE)

2 ∾ Este dado permitiu a datação aproximada. Grande parte dos bilhetes de Pedro Luís não tem data; por isso, algumas vezes a morte do ministro Buarque* serviu para demarcar a época em que pudesse tê-los redigido. Neste caso, a alusão ao telegrama que enviaria a Buarque de Macedo deixa claro que o bilhete foi escrito antes de 29/08/1881, data da morte do ministro. Além disso, é provável que Buarque não estivesse na corte. Estaria a caminho de São João Del Rei, onde viria a falecer? (SE)

[193]

De: PEDRO LUÍS
Fonte: Manuscrito Original, Arquivo ABL.

GABINETE DO MINISTRO DA JUSTIÇA

[Rio de Janeiro,] 29 de agosto de 1881.

7 e 20 m*inutos* — noite.

Assis,

Peço-te que venhas conversar comigo aqui em casa do Dantas[1]. É urgente. Estou tonto, meu amigo. Que fatalidade[2].

Teu am*i*go
Pedro Luís

---

1 ∾ O ministro da Justiça Manuel Pinto de Sousa Dantas morava na travessa São Salvador, no Flamengo. Provavelmente lá, Pedro Luís recebeu a notícia da morte do ministro Buarque*, ocorrida naquele dia em São João Del Rei, bem como foi Dantas que o convidou a substituí-lo. Buarque participava da comitiva do Imperador nos festejos de inauguração da Estrada de Ferro Oeste de Minas.

2 ∾ Abaixo reproduz-se a matéria do jornal *Arauto de Minas*, de 03/09/1881 (Revista do IHG de SJDR, vol. IX, p. 154). Para conforto do leitor, foi feita uma exceção à norma adotada, mantendo-se a visibilidade dos parágrafos:

"O dia 29 de agosto de 1881, que prometia flores e regozijo público, amanheceu trazendo-nos apreensões tristes e fundos receios pela saúde do Ministro da Agricultura, Conselheiro Manuel Buarque de Macedo. Durante a viagem o Conselheiro Buarque queixava-se de leve indisposição que se agravou na demora dentro do túnel do Casal, motivada por desarranjo na locomotiva que comboiava o trem. Em Sítio (cidade de Antônio Carlos) quiseram os seus amigos que ele tomasse um trem para Barbacena, a fim de medicar-se. Não atendeu aos conselhos pelo desejo de conhecer a famosa cidade de São João Del Rei e de tomar parte nas festas da inauguração de uma estrada de ferro, filha do patriótico esforço de uma população ávida de progredir.

Chegado que foi o termo da viagem, seguiu com o Ministro da Marinha para a casa de D. Maria Teresa Batista Machado, à Rua Municipal, 36 (local onde originou-se a atual Escola Maria Teresa), onde lhes haviam [sic] sido preparada hospedagem e logo recolheu-se ao leito, sendo-lhe prestados os primeiros cuidados médicos pelo Conselheiro Lima Duarte, pelo Dr. Azevedo Lima e pelo Dr. Batista dos Santos. Às quatro horas da manhã agravou-se o incômodo, reputando os médicos assistentes como gravíssimo o estado do enfermo, sendo convocada uma conferência, convidados para ela os Drs. Cassiano Gonzaga, Lazarini, Souza Fontes e Mourão, que diagnosticaram: congestão pulmonar de origem de uma lesão cardíaca.

Às cinco horas da manhã o Imperador Pedro II visitou o seu Ministro pela primeira vez, e às nove voltou encontrando-o *in extremis*, pelo que lembrou a presença de um padre, sendo chamado o Cônego Antônio José da Costa Machado, vigário da Paróquia, o qual ministrou ao doente os últimos sacramentos da Igreja Católica. Pouco depois expirava o grande Ministro. Às cinco horas da tarde foi conduzido o cadáver, com extraordinário acompanhamento a um carro fúnebre da Oeste, que o transportou com destino à Corte." (SE)

[194]

De: PEDRO LUÍS
Fonte: Manuscrito Original, Arquivo ABL.

GABINETE DO MINISTRO DOS
NEGÓCIOS ESTRANGEIROS[1]

[Rio de Janeiro,] 3 de setembro de 1881.

Assis,

Logo que receberes esta vem ter comigo aqui em nossa casa[2] para nos entendermos sobre coisas que são urgentes.

Teu am*i*go
Pedro Luís

---

1 ∽ A data desta carta é de cinco dias após a morte do ministro Buarque*, a quem Pedro Luís substituiu. Por certo, o ministro interino andava assoberbado com duas atribuições tão importantes e tão diversas: a pasta dos Negócios Estrangeiros, da qual era o titular e a da Agricultura, Comércio e Obras Públicas. Como eram amigos de longa data, Pedro Luís valia-se de Machado de Assis para conferir rapidez às duas agendas. (SE)

2 ∽ Segundo o *Almanaque Laemmert*, Pedro Luís morava na rua do Conde D'Eu, 159. (SE)

[195]

De: PEDRO LUÍS
Fonte: Manuscrito Original, Arquivo ABL.

GABINETE DO MINISTRO DOS
NEGÓCIOS ESTRANGEIROS

(Reservado)

[Rio de Janeiro,] 7 de setembro de *1*881.

Assis,

Vou amanhã assistir a um casamento no município de Piraí e estarei de volta depois de amanhã à tarde.

A respeito do meu não comparecimento sexta-feira dize apenas que não irei à Secretaria.

Se houver alguma grossa novidade (*quod Deus avertat*)[1] não tens mais q*ue* telegrafar-me para a estação de Pinheiros[2]. (*Estrada de Ferro Pedro 2.º*)[3]

Aí vão os papéis assinados [.]

A minuta de circular aos Presidentes está boa: manda tirar várias, que eu assinarei depois.

Desejo encontrar à minha volta em casa a pasta que aí ficou na Secretaria com diferentes papéis para estudo, entre outros, o da Estrada de ferro do Rio Grande[4].

Teu am*i*go
Pedro Luís

---

1 ∽ Que Deus nos livre. (SE)

2 ∽ Estação Pinheiro, em torno da qual se constituiu uma pequena vila que deu origem à atual cidade de Pinheiral. A estação foi aberta em terras da fazenda São José do Pinheiro, doadas pelo comendador José Joaquim de Sousa Breves, que herdara a propriedade de seu sogro, o barão de Piraí, José Gonçalves de Morais. Pinheiro estava situada no eixo ferroviário que ia da corte a São Paulo, pelo vale do Paraíba, onde se localizavam as prósperas fazendas de café. O ramal até Barra do Piraí foi inaugurado em 09/08/1864; aliás, essa ferrovia faz parte da biografia machadiana, pois é um dos poucos testemunhos de uma viagem sua. Ele diz na crônica de 27/09/1864, no *Diário do Rio*:

"O folhetim demorou-se um dia porque, à hora em que devia prepara-se e enfeitar-se, para conversar com os leitores, corria pelo caminho de ferro em busca das águas do Paraíba." (SE)

3 ∞ Sobre a Estrada de Ferro de D. Pedro II, ver carta [174]. (SE)

4 ∞ A malha ferroviária da província de São Pedro do Rio Grande do Sul orientou-se por um traçado conscientemente executado, cuja finalidade era atender interesses econômicos e também estratégico-militares, já que essa era uma região de fronteira, potencial e frequentemente em conflito. O seu traçado foi elaborado pelo engenheiro José Ewbank Câmara que, em 1872, propôs a criação de um eixo centro-sul-norte, que seria concretizado pela construção das ferrovias Porto Alegre-Uruguaiana, Rio Grande-Bagé e Santa Maria da Boca do Monte-Passo Fundo. A estrada de ferro ligando Rio Grande a Bagé foi implantada a partir de 1881, chegando os trilhos a Bagé em 1884, num total de 280 km de extensão. Dali a estrada seguia passando por São Gabriel até chegar a Cacequi, ponto de entroncamento com a estrada de ferro Porto Alegre-Uruguaiana. Certamente, Pedro Luís está se referindo ao trecho Rio Grande-Bagé. (SE)

[196]

Para: UMA SENHORA
Fonte: Manuscrito Original, Arquivo ABL.

GABINETE DO MINISTRO DA AGRICULTURA

(cópia)[1]

Rio de Janeiro, 9 de setembro de 1881.

Il*ustríssi*ma Ex*celentíssi*ma Senhora[2].

Fui ontem procurado por parte do Centro da Lavoura e do Comércio[3] para levar ao conhecimento de V*ossa* Ex*celência* o seguinte:

O Centro da Lavoura e do Comércio admirador das altas qualidades do finado esposo de V*ossa* Ex*celência*, meu chorado amigo[4], coligiu entre si e vários comerciantes desta praça o valor de vinte apólices, cuja propriedade passo aos filhos[5] de V*ossa* Ex*celência*, pertencendo a V*ossa* Ex*celência* o respectivo usufruto.

A importância de que se trata está à disposição de V*ossa* Ex*celência*; e não desejando nenhum dos doadores figurar como tais, nem individual nem coletivamente, parece ao Centro que o melhor modo de operar a transferência será requerer Vossa Excelência ao Juiz de Órfãos dando-lhe conhecimento daquela declaração e pedindo-lhe ordene a averbação dos títulos, em nome dos filhos do casal, nos termos expostos.

Rogo a Vossa Excelência se sirva de mandar-me suas ordens acerca da resposta que tenho de dar ao Centro e subscrevo-me, com elevada consideração,

De Vossa Excelência
atento venerador e obrigado.
Machado de Assis.

---

1 ∾ Trata-se de um manuscrito original feito por mão de profissional da escrita responsável por tirar cópias nas repartições públicas. Possivelmente, produziram-se três cópias: uma para a viúva; outra para arquivamento e esta que ficou em poder de Machado de Assis. (SE)

2 ∾ É provável que *Uma Senhora* seja D. Lídia Cândida de Oliveira Buarque (1841- -1924), viúva do ministro com quem Machado trabalhava, e que falecera em 29/08/1881, em São João Del Rel. Em *Buarque de Macedo, Escorço Biográfico* (1937), na declaração dada à autora, D. Lídia afirma que se passaram diversas subscrições em favor da família, pois a morte repentina do marido causara comoção pública, declaração que se confirma em matéria de 30/08/1881, dia do sepultamento do ministro, extraída do *Jornal do Comércio*:

"Os nossos colegas da *Gazeta de Notícias*, auxiliados pelo senhor Henrique Reis, resolveram abrir uma subscrição com o fim de constituir um fundo patrimonial destinado a amparar a família do conselheiro Buarque de Macedo, finado em honrada pobreza. Ao mesmo tempo, os engenheiros e industriais reunidos no Clube de Engenharia promovem a aquisição de um prédio, mediante subscrição pública, para ser ofertado à desditosa família. Pela sua parte, estudantes e empregados do comércio vão dar uma pedra para cobrir a sepultura do benemérito finado. Também ocorre uma subscrição entre os empregados da diretoria dos telégrafos. Associamo-nos de todo o coração a obras tão generosas, e estamos certos de que a gratidão nacional corresponderá com a costumada magnanimidade ao nobre apelo que assim lhe é feito. Será um belo exemplo que fará a nossa geração ir ao encontro de infortúnio tão ilustre e, quanto é dado, acariciá-lo e suavizá-lo."

A família tornou-se proprietária do imóvel na rua de Santo Inácio 14, hoje Almirante Tamandaré. (SE)

3 ∞ O Centro da Lavoura e do Comércio do Rio de Janeiro, presidido por Antônio Clemente Pinto Filho (1830-1898), primogênito do barão de Nova Friburgo, era a entidade que representava, sobretudo, o setor cafeeiro, empenhando-se na divulgação do café e de outros produtos brasileiros no exterior. A entidade foi responsável pela 1.ª e 2.ª Exposição Internacional de Café do Brasil. A primeira (14 a 24/11/1881) reuniu 924 expositores; a segunda, 1105 expositores, das províncias tradicionalmente cafeicultoras: Rio de Janeiro, Minas Gerais, São Paulo e Espírito Santo. (SE)

4 ∞ Este aposto — *meu chorado amigo* — fala a favor da hipótese de que o finado fosse o ministro Buarque de Macedo, amigo de Machado, a quem na carta [202], de 02/11/1881, Miguel de Novais* se refere nos seguintes termos:

"Contristou-nos muito a notícia da morte do Buarque **por sabermos as relações de intimidade que existiam entre os dois** e imaginarmos o quanto lhe seria doloroso tão fatal acontecimento".

Além disso, o fato de essa cópia encontrar-se entre a sua correspondência pode ser interpretado com um indício favorável à presente hipótese. (SE)

5 ∞ Carlos (1860), Lídia (1862), Manuel (1863) e José (1866), filhos do casal Lídia e Manuel Buarque de Macedo. (SE)

[197]

De: PEDRO LUÍS
Fonte: Manuscrito Original, Arquivo ABL.

MINISTÉRIO DOS NEGÓCIOS DA AGRICULTURA,
COMÉRCIO E OBRAS PÚBLICAS
GABINETE

Rio de Janeiro, 29 de setembro de 1881.

Meu caro Machado de Assis,

Não irei hoje à Sec*retaria* de Agricultura: tenho de ir à de Estrangeiros[1], tenho de ir ver o Ministro inglês e tenho conferência à noite!

Aí vai uma pasta sofrivelmente recheada e completamente despachada.

Notas ao texto:

Dennis Blair[2]. Se aí aparecer, dize-lhe que não posso aceitar as cláusulas como foram por ele propostas, e que amanhã terei com ele uma conferência a esse respeito [.] Vê o que eu digo ao José Júlio[3]. Ele que me mande o *Aviso* à Fazenda para ser expedido hoje mesmo. Pode mandar-mo à *Secretaria* de Estrangeiros que eu me incumbirei da expedição.

Passemos a outro.

Moreuil[4].

Não posso restituir a petição e cláusulas por ele apresentadas, porém sim cópias autênticas.

Petição e cláusulas acham-se com os outros papéis na gaveta da mesa grande; o Caetano[5] que copie as duas peças e tu confere-as com o próprio Moreuil. Não lhe deixes ver nenhum outro papel.

Dize ao Moreuil que amanhã – definitivamente – desejo saber se ele aceita proposta que lhe fiz: Bagé a Cacequi com garantia de 6%.

Se quiser, diga de uma vez.

A outra linha a Uruguaiana, não lha posso dar, decididamente [.]

Barão de Capanema[6]. Diga-lhe que só ontem vieram-me os papéis e deles já estou tomando conhecimento. A questão da prorrogação é simples mas a outra parte é formidável! E essa minha opinião não é de hoje. Vou estudar seriamente o negócio e hei de levá-lo depois à conferência e despacho com a possível brevidade.

Doutor *Carlos Lobo*[7]:

Vai saber do que há sobre a empreitada da Boca do Monte[8].

Conversa tu com o Bicalho[9], comentando a carta. Se ele tiver alguma dúvida queira dizer-mo por escrito, pois dou grande peso às suas informações [.]

Dize mais ao Doutor Bicalho que eu desejo possuir para o meu uso os mapas parciais das estradas de ferro nas diferentes províncias, tudo quanto houver gravado, nessa matéria.

Doutor *Batista Pereira*[10], Doutor *Bernardo Teixeira*[11] e outros ficaram de procurar-me hoje aí: dize-lhes que me desculpem e que amanhã estarei às ordens aí na Secretaria de 1 às 3.

Se me lembrar mais de alguma coisa, mando-te logo em outra pasta.

Teu

Pedro Luís

---

1 ❧ Após a morte de Buarque de Macedo*, Pedro Luís acumulou duas pastas: a sua, dos Negócios Estrangeiros, e a da Agricultura, Comércio e Obras Públicas, de ambas demitindo-se em 31/10/1881, e sendo substituído na Agricultura a 03/11/1881 pelo conselheiro Saraiva e na dos Negócios Estrangeiros por Franklin Dória*. (SE).

2 ❧ A *Dennis Blair & Company*, no Brasil, Companhia Bahia Central Sugar Factories Limited, obteve do governo brasileiro por meio do decreto n.º 8.278 de 15/10/1881 a garantia de juros de 6% sobre o capital de 5:600:000$, e recebeu pelo decreto n.º 8.601 de 17/06/1882 autorização para funcionar no Império. A empresa inglesa interessara-se pela instalação de quatro engenhos centrais no Recôncavo Baiano, mas terminou por construir apenas dois: o de Iguape e o de Rio Fundo. O projeto dos engenhos centrais fracassou porque havia um descompasso entre as formas ainda artesanais da lavoura canavieira e o modo de produção industrial do açúcar nos engenhos centrais. Registre-se que o decreto que ofereceu a garantia de juros de 6% foi publicado já na gestão de Pedro Luís. (SE)

3 ❧ José Júlio de Albuquerque Barros chefiava a Diretoria de Agricultura do Ministério da Agricultura, Comércio e Obras Públicas, na gestão de Buarque de Macedo e na interinidade de Pedro Luís. Certamente Pedro Luís deve ter enviado recomendações por carta a José Júlio. (SE)

4 ❧ Empreiteiro interessado na concessão do privilégio à exploração da estrada de ferro do Rio Grande do Sul no trecho Bagé-Cacequi. (SE)

5 ❧ Magalhães Jr. (2008) diz tratar-se do engenheiro Caetano César de Campos, que trabalhava no Ministério da Agricultura, Comércio e Obras Públicas. Sobre a identidade desse funcionário, ver em [200]. (SE)

6 ❧ Guilherme Schüch Capanema (1824-1908), engenheiro civil e militar, naturalista, professor e físico. Em 1852, fundou e dirigiu o Telégrafo Nacional. Polígrafo de múltiplos talentos e interesses, recebeu o título de barão de Capanema em 1881. (SE)

7 ❧ É possível que se trate de Carlos Frederico Lobo de Ávila. (SE)

8 ❧ A empreitada a que se refere é a construção do caminho de ferro que ligaria a cidade de Santa Maria da Boca do Monte a Passo Fundo, um dos ramais da malha ferroviária da província gaúcha idealizada pelo engenheiro José Ewbank Câmara, mas que muito demorou a sair do papel. (SE)

9 ◈ A partir de 1883 até 1886, o nome de Honório Bicalho (1839-1886) constou no *Almanaque Laemmert* como diretor de Obras Públicas do Ministério em que Machado trabalhava. Nesta função, entre 1884 e 1886, permaneceu comissionado na província de São Pedro do Rio Grande do Sul, onde, aliás, veio a falecer. Projetou para a cidade de Rio Grande um canal ligando a barra aos sistemas fluvial e lacustre que compõem a topografia local; esse canal permitiu a navegação de embarcações de grosso calado. Mineiro de Ouro Preto, formado pela Escola Politécnica do Rio de Janeiro, Honório Bicalho era sobrinho pelo lado materno do marquês do Paraná, Honório Hermeto Carneiro Leão (1801-1856), e primo do engenheiro Francisco de Paula Bicalho (1847-1919), responsável, entre muitas obras, pelo prolongamento da Estrada de Ferro D. Pedro II, pelo planejamento do sistema de abastecimento de água potável da corte (1880) e o de São João Del Rei (1888). Honório Bicalho, no jornal da Sociedade Filomática do Rio de Janeiro de 1859, aparece como participante da "comissão de redação" ao lado de Francisco Cerqueira Dias, Manuel Inácio das Chagas, Eugênio Adriano Pereira da Cunha e Melo e Francisco Basílio Duque. Certamente, Machado e Bicalho conheceram-se lá. Sobre a Filomática, ver nota 2 em [18], tomo I. (SE)

10 ◈ Provavelmente, o deputado pela província do Rio de Janeiro João Batista Pereira, durante a 17.ª legislatura (1878-1881). (SE)

11 ◈ Possivelmente José Bernardo Teixeira, que diversas vezes ganhou concessão do governo imperial para lavrar minas de ouro, soda, chumbo e outros minerais na comarca de Ipu, na província do Ceará. (SE)

[198]

De: PEDRO LUÍS
Fonte: Manuscrito Original, Arquivo ABL.

MINISTÉRIO DOS NEGÓCIOS DA AGRICULTURA,
COMÉRCIO E OBRAS PÚBLICAS
GABINETE DO MINISTRO

[Rio de Janeiro,] 3 de outubro de 1881.

Assis.

Não darei audiência hoje nem irei à Secretaria.
Ouve tu as pessoas que desejarem saber do andamento de seus papéis.

Ao de Mornay[1] e ao Moreuil[2] dirás que amanhã falarei com eles. Dize ao Moreuil que eu não posso adiar por mais tempo a solução das empreitadas.

Ao Doutor Carlos Lobo[3] naturalmente já comunicaste minha resolução. Os mais que esperem pela audiência de 4.ª feira.

Antes das 4 horas mandarei a pasta com os papéis mais urgentes a fim de serem expedidos hoje mesmo o que for necessário.

Prepara as pastas e manda.

Teu
Pedro Luís

---

1 ◦ Há no acervo cartográfico do Arquivo Nacional alguns mapas deste período confeccionados pelo topógrafo Edouard de la Mornay. Os engenheiros Edouard e Alfred de la Mornay, anglo-brasileiros de origem francesa, constituíram a firma Irmãos Mornay ganhadora em 1852 da concessão para a construção e exploração da estrada de ferro que ligaria o Recife até o médio São Francisco. (SE)

2 ◦ Sobre Moreuil, ver em [197].

3 ◦ Sobre Carlos Lobo, ver em [197].

[199]

De: PEDRO LUÍS
Fonte: Manuscrito Original, Arquivo ABL.

MINISTÉRIO DA AGRICULTURA,
COMÉRCIO E OBRAS PÚBLICAS
GABINETE DO MINISTRO

[Rio de Janeiro, 1.º de setembro – 3 de novembro de 1881.][1]

Assis,

Antes de tudo: mande-me os papéis relativos a um privilégio de torneiras que eu concedi. Quero examinar esse negócio em regra.

Houve um privilégio também de torneiras concedido pelo Buarque.
Quero também examinar esses papéis.
Estou trabalhando à rua do Conde *meio incógnito*.
Desejo falar das 3 às 5 aqui em casa com o Gusmão Lobo² e Ferreira Pena³ [.]
Aparece-me logo que saíres da Secretaria.

Teu amigo
Pedro Luís

Dize ao Santos⁴ que não tardará a resolução do governo e ao Magalhães Castro⁵ que amanhã mandarei os papéis para a Secretaria.
Preciso do Caetano⁶ aqui sem demora.

Amigo
Pedro Luís.

---

1 ∽ Período posterior à morte de Buarque de Macedo*, 29/08/1881, e anterior à demissão em 31/10/1881 de Pedro Luís da pasta a que respondia interinamente, na qual trabalhou até 03/11/1881. (SE)

2 ∽ Francisco Leopoldino de Gusmão Lobo chefiava a Diretoria Central da Secretaria do Ministério da Agricultura, Comércio e Obras Públicas. (SE)

3 ∽ Herculano Veloso Ferreira Pena, sócio da firma que celebrou o contrato com o governo imperial, autorizada pelo decreto n.º 2397 de 10/09/1873, para fazer o estudo e fixar o traçado da estrada de ferro a ser construída em São Pedro do Rio Grande do Sul, com o objetivo de estabelecer a comunicação entre o litoral e a capital. Os outros dois sócios eram Cristiano Benedito Ottoni e Caetano Furquim de Almeida. (SE)

4 ∽ É possível que se trate de José Américo dos Santos, o representante da *Brazil Great Southern Railway* na concessão com garantia de 6% de juros por trinta anos sobre o capital de 6.000:000$000, para a construção e exploração da estrada de ferro ligando Quaraí e Itaqui, com extensão de 180 km. O seu escritório ficava na rua da Alfândega 2, sobrado, Rio de Janeiro. (SE)

5 ∽ Há duas possibilidades. A primeira é que se trate do Dr. Antônio Joaquim de Magalhães Castro, chefe da 2.ª Seção da Inspetoria Geral de Terras e Colonização, subordinada à pasta de Pedro Luís. A segunda, do engenheiro Luís Pedreira de Magalhães Castro*, convidado em [173] a ir à secretaria tratar de assunto de trabalho. (SE)

6 ∽ Provavelmente, o amanuense Antônio José Caetano Júnior. A respeito, ver carta [200]. (SE)

[200]

De: PEDRO LUÍS
Fonte: Manuscrito Original, Arquivo ABL.

DO CONSELHEIRO
PEDRO LUÍS PEREIRA DE SOUSA

[Rio de Janeiro, 1.º de setembro – 3 de novembro de 1881.][1]

Machado de Assis,

O Caetano[2] que venha ter comigo.

Ouve as pessoas que me procurarem.

[À]s duas mandarei uma pasta.

Espero-te logo.

Teu
Pedro Luís

---

1 ∽ No período em que Pedro Luís respondeu interinamente pelo Ministério da Agricultura, Comércio e Obras Públicas, Machado de Assis, na função de seu oficial de gabinete, algumas vezes deu audiência em seu lugar, repassando-lhe as informações. (SE)

2 ∽ Apesar de Magalhães Jr. (2008) afirmar que se trata do engenheiro Caetano César de Campos, este só se tornou funcionário do ministério em 1890; é mais provável, portanto, que se trate do amanuense da Diretoria de Obras Públicas Antônio José Caetano Júnior, a quem na carta [197], de 29/09/1881, Pedro Luís refere-se nos seguintes termos:

> "Petição e cláusulas acham-se com os outros papéis na gaveta da mesa grande; o Caetano que copie as duas peças e tu conferes-as com o próprio Moreuil. Não lhe deixes ver nenhum outro papel." (SE)

[201]

| De: PEDRO LUÍS
| *Fonte:* Manuscrito Original, Arquivo ABL.

[Rio de Janeiro, 1.º de setembro – 3 de novembro de 1881.][1]

Assis,

Vê se podes mandar-me o Livro de que trata a nota do Silveira de Sousa[2].

A ordenança pode esperar e trazer.

Se a coisa depender de busca demorada, dir-me-ás isto mesmo em um bilhete; e depois mandaremos o livro à casa do Silveira de Sousa.

> Teu amigo
> Pedro Luís

Estou à tua espera.

---

1 ∞ Sobre o assunto, ver em [193] e [197].

2 ∞ O livro emprestado a Pedro Luís foi citado em artigo de jornal por seu autor, João da Silveira de Sousa (1824-1906). Jurisconsulto ilustre do Império, presidiu as províncias do Ceará, Maranhão, Pernambuco e Pará; foi também ministro dos Negócios Estrangeiros no gabinete Zacarias (03/08/1866 a 16/07/1868). Publicou pela editora Universal Laemmert, em 1868, o *Relatório da Repartição dos Negócios Estrangeiros Apresentado à Assembleia Geral Legislativa na Primeira Sessão da Décima Terceira Legislativa*. (SE)

[202]

De: MIGUEL DE NOVAIS
Fonte: Manuscrito Original, Arquivo ABL.

Lisboa, 2 de novembro de 1881.

Amigo Machado de Assis.

Recebi a sua carta e agradeço-lhe o incômodo a que se deu p*ara* a publicação do meu desabafo[1] no *Jornal do Comércio*. O meu fim em fazer aquela narrativa imparcial e fiel não foi decerto a esperança de ver melhorar aquele serviço, porém já que não podia vingar-me de outro modo, tentava por aquele meio desviar a freguesia – e para isso era precisa toda a publicidade. A verdade porém é que a oposição [,] que não perde ensejo para atacar o Governo, aproveitou-se da exposição daqueles fatos para o agredir asperamente e tanto barulho se fez que deu em resultado suspenderem-se por enquanto as tais quarentenas.

Não foi tempo de todo perdido. Elas voltam passados alguns meses, porém enquanto o pau vai e vem folgam as costas. Eu nada ganhei com a história, mas há já muita gente que tem lucrado.

Fala-se muito em crise ministerial. Eu não sou político, nunca o fui, nem espero ser, porém a verdade é que eu não me lembro de Governo que tenha tão pouca-vergonha como o atual[2]. Enfim isto há de ir marchando assim aos trambolhões até que um dia há de haver tombo, mas tombo fatal.

Lisboa principia a animar-se agora; o grande mundo[3] recolhe[-se] do campo e das praias, os teatros principiam a ter grande concorrência, as peles e as lãs principiam a ter consumo e os passeios a encherem-se de *flâneurs* nas horas mais quentes do dia.

Lisboa não é com certeza o paraíso que o amigo imagina, mas, o inverno não deixa de passar-se aqui agradavelmente.

Tenho visitado o Gomes de Amorim[4] que é um meu velho amigo – queixou-se amargamente do Machado de Assis e eu penso que com alguma razão. [P]rocurei desculpá-lo [,] mas naturalmente sucedeu-me o que sucede a todos que tentem defender uma má causa. Ele, tendo-o em muita consideração como homem de letras [,] diz ter-lhe mandado os seus livros sendo o último, o primeiro da biografia do Garrett e o amigo nem lhe acusa a recepção dos livros; é isso que o magoa.

Eu, que sou muito amigo dele [,] estimaria que o amigo lhe escrevesse e até que lhe mandasse alguma das suas últimas produções, o *Brás Cubas*, por exemplo – isto é [,] se não há alguma razão particular para o contrário.

O Gomes de Amorim é doente e passam-se muitos meses que ele não sai à rua, apesar disso no domingo passado veio aqui visitar-nos com a família.

Escrevo também a Carolina neste Paquete. [D]iz o amigo na sua carta que ela pede que lhe escrevam, o que me admira porém é que ela ainda até hoje não respondeu à carta que minha mulher lhe dirigiu logo que chegou a Lisboa.

Contristou-nos muito a notícia da morte do Buarque[5] por sabermos as relações de intimidade que existiam entre os dois e imaginarmos o quanto lhe seria doloroso tão fatal acontecimento. Eu não tinha com ele relações de qualidade alguma, mas gostava dele como o mais trabalhador e talvez o mais honesto de todos os ministros que faziam parte do Gabinete, ou pelo menos tão honesto como o mais honesto deles.

Ainda bem que a boa sorte lhe deu ainda por chefe um amigo de muitos anos[6]. É sempre m*ais* agradável trabalhar com uma pessoa que se conhece bem.

Parece que me esqueci que um oficial de Gabinete não tem tempo para perder em palavreado e já é a quarta página que rabisco! é muito [.]

Terminarei por enviar-lhe saudades de minha mulher e Julieta que está a estas horas nas mãos de um calista que lhe escama os pés, e V*ocê*

receba um abraço do
seu *cunh*ado e amigo
Miguel de Novais

1 ꙮ Ver em [191].

2 ꙮ Novais referia-se aos políticos que, durante o período da monarquia constitucional portuguesa, assumiram o poder depois das eleições de 21/08/1881, em que os chamados regeneradores obtiveram esmagadora vitória sobre os progressistas, partido que ficou reduzido a quatro deputados no parlamento. (SE)

3 ꙮ Miguel de Novais aportuguesou a expressão *grand monde* para designar a alta sociedade lisboeta. (SE)

4 ꙮ Sobre Antônio Gomes de Amorim*, ver em [240], carta de 06/12/1884. (SE)

5 ꙮ Sobre a morte do ministro em 29/09/1881, ver em [193] e [197]. (SE)

6 ꙮ Pedro Luís Pereira de Sousa* e Machado eram amigos desde a década de 1860, quando trabalharam na cobertura do Senado. (SE)

[203]

> De: PEDRO LUÍS
> *Fonte:* Manuscrito Original, Arquivo ABL.

MINISTÉRIO DOS NEGÓCIOS DA AGRICULTURA,
COMÉRCIO E OBRAS PÚBLICAS
GABINETE DO MINISTRO

[Rio de Janeiro,] 4 de novembro de 1881.

Assis,

Ainda hoje não irei despedir-me dos distintos empregados da Secretaria da Agricultura[1].

Amanhã terei esse prazer que como imaginas, será mesclado de desgosto.

Teu
Pedro Luís

1 ꙮ Ver em [193], [194] e [197].

[204]

Para: JOAQUIM NABUCO
Fonte: ARANHA, José Pereira da Graça. *Machado de Assis e Joaquim Nabuco. Comentários e Notas à Correspondência Entre Estes Dois Grandes Escritores.* São Paulo: Monteiro Lobato, 1923.

Rio de Janeiro, 14 de janeiro de 1882.

Meu caro Nabuco.

Escrevo esta carta prestes a sair da Corte por uns dois meses, a fim de restaurar as forças perdidas no trabalho extraordinário que tive em 1880 e 1881[1].

A carta é pequena e tem um objeto especial. Talvez *Você* saiba que morreu a senhora do Arsênio[2]. O que não sabe, mas pode imaginar, é o estado a que ficou reduzida aquela moça tão bonita. Nunca supus que a veria morrer.

Vamos agora ao objeto especial da carta. O Arsênio[3], com quem estive anteontem, levou-me a ver a pedra do túmulo que ele manda levantar, e é isto o que lhe diz respeito a *Você*. Movido e agradecido pelas belas palavras que *Você* escreveu, em um dos folhetins do Jornal do Comércio, a respeito de dona Marianinha, mandou gravar algumas delas na pedra da sepultura, e esse é o único epitáfio. Ele mesmo pediu-me que lhe dissesse isto, acrescentando que não agradeceu logo a referência do folhetim, por não saber quem era o autor[4]. Disse-me também que me daria, para *Você*, um retrato fotografado da senhora.

Vou para fora, como disse, mas *Você* pode mandar as suas cartas com endereço à Secretaria da Agricultura.

Adeus, meu caro Nabuco. Estou certo de que *Você* lerá o recado do Arsênio com a mesma emoção com que o ouvi. Pobre Marianinha! Adeus, e escreva ao

amigo do *coração*
Machado de Assis.

1 ∾ Temporada em Petrópolis, com Carolina. Sobre o esgotamento, ver em [205], carta de 14/01/1882; sobre Machado em Petrópolis, ver em [206], carta de 21/05/1882. (IM)

2 ∾ Nabuco perdera a eleição para deputado pelo Município Neutro e embarcara para Londres em 01/12/1881. Nesse exílio voluntário, que durou três anos, foi correspondente do *Jornal do Comércio*, tornou-se membro efetivo da *British and Foreign Anti--Slavery Society*, também se ligou a outras entidades abolicionistas estrangeiras e escreveu *O Abolicionismo* (publicado em 1883). É esta a primeira fase importante da correspondência de Machado e Nabuco, restando apenas cartas do primeiro. Acrescente-se que, por lapso, a filha e biógrafa, Carolina Nabuco informou: "A 1.º **de fevereiro**, [Joaquim Nabuco] deixa o Brasil para um exílio cuja duração ignora ainda." (Nabuco, 1928). Se ainda estivesse no Brasil, "Quincas o Belo", como era conhecido, teria acompanhado a morte da esposa de Joaquim Arsênio Cintra da Silva* e atenderia ao seu pedido diretamente. (IM)

3 ∾ Joaquim Arsênio é o atencioso vizinho que, em 1879, atendendo ao telegrama do escritor, ajudou a encontrar a cadelinha de estimação, sumida da casa da rua do Catete 206, durante a ausência do casal, que partira para Friburgo, onde Machado de Assis restaurava a saúde abalada. Ver em [166]. (SE)

4 ∾ Em nota à carta, Graça Aranha* informa que, quando D. Marianinha Teixeira Leite Cintra da Silva – "a formosa mulher de Joaquim Arsênio" – já estava muito enferma, Nabuco escrevera no folhetim "À margem da corrente" do *Jornal do Comércio* (21/08/1881), sob o pseudônimo de "Freischütz" (Francoatirador), o seguinte comentário:

> "Se a vida triunfar da morte e recompuser na sua perfeição os traços que representam para nós a fisionomia a que me refiro, saiba ela que muitos que apenas a conheceram fazem os mais ardentes votos e os misturamos às orações e às preces de sua família para que lhe seja poupada essa tristeza, que não se apaga mais, que se consolida no caráter e é uma das fontes de melancolia espontânea que brota mais tarde do coração: – a tristeza de ver morrer o que é belo na mocidade, na plenitude da vida, arrebatada como os anjos da Bíblia nas vestes deslumbrantes que mal tocaram a terra." (IM)

[205]

> De: MIGUEL DE NOVAIS
> *Fonte:* Manuscrito Original, Arquivo ABL.

Lisboa, 19 de janeiro de 1882.

Meu Caro Machado.

Recebi com prazer a sua carta acompanhando a que dirigia ao Amorim[1] que eu próprio entreguei. É provável que ele se não demore em responder-lhe.

Sabe que tivemos aqui as Majestades galegas[2] [,] o que fez que durante cinco dias parecesse Lisboa uma segunda Paris pelo movimento. Solenes festejos – bailes, iluminações, fogos de artifício, récitas de gala, paradas etc. etc. [A] concorrência a todos estes divertimentos foi enormíssima e nunca um povo compreendeu melhor o seu dever em harmonia com as circunstâncias.

Todos estes festejos foram oficiais e para que fossem brilhantes bastava achar-se à testa do ministério o Fontes Pereira de Melo[3] [,] que se tivesse tanta habili*da*de para administrar a pasta da fazenda como tem para festeiro era o primeiro homem do mundo. [O] povo correu em massa a todas estas festas, não só o de Lisboa como o que veio de vários pontos do país à Capital que foi de muitos milhares de pessoas.

O país não gosta dos Espanhóis [,] como sabe [,] e desconfia um pouco de tantas amabilidades – se tem razão para desconfiar não sei, para embirrar com eles, sobra-lhes motivo [;] portanto assistiu a tudo isto grave e sério, sem a mínima manifestação favorável ou desfavorável aos reais hóspedes. Não houve um só viva, silêncio completo sempre, e apesar de ser imensa a multidão por todas as partes onde se podia ver as Majestades, não houve um só ato que merecesse ser punido; a polícia não se viu obrigada a fazer uma só prisão!

Já lá estão de novo na Espanha e Deus os conserve por lá muito tempo em paz e sossego.

Já sabia que pensava em largar o cargo de oficial de gabinete e pelo que me diz vejo que já se demitiu juntamente com o Pedro Luís[4]. Fez bem, visto que o muito trabalho lhe prejudicava a saúde. Acho que é muito bom ganhar dinheiro [,] mas acho péssimo quando é preciso gastá-lo com médico e botica.

Não se fatigue demasiado.

Os filhos não devem dar-lhe muitos cuidados e para a família que tem não carece de cansar-se muito. *Pas trop de zèle*[5] [,] meu amigo [,] mesmo nas obrigações de seu cargo.

O funcionário público honesto e conscienvioso deve cumprir com os deveres que a lei lhe impõe – tudo quanto fizer de mais é só em prejuízo próprio – o governo não reconhece nem quer saber nunca dos serviços extraordinários; os colegas veem sempre com maus olhos aquele que procura distinguir-se pela assiduidade ao trabalho. Meu amigo [,] cá e lá é assim. O empregado público deve andar sempre com uma perna às costas e aquele que faz uso das duas para andar mais ligeiro, sucede-lhe tropeçar, cair e em vez de chegar primeiro à meta que atinge, fica na retaguarda e chega tarde.

Se acaso tiver mais algum volume da comédia *Tu só tu puro amor*[6] – além do que tenciona mandar ao Amorim, fazia-me favor em remeter-mo também. É um pedido do Castiço[7] que eu desejaria satisfazer, podendo ser.

Ele leu-o aqui, gostou muito e pediu-me para obter-lhe um exemplar.

Contristou-nos a notícia do falecimento da Marianinha[8], suposto nenhum de nós julgasse tornar a vê-la.

Compreendo a falta que ela devia fazer a Carolina – é pena morrer-se naquela idade.

Então já mudou de casa?

Ouvi dizer que ia para o Cosme Velho[9] [,] é verdade?

Esperava só que nós saíssemos.

Adeus [,] meu caro. Não posso dar-lhe mais maçada – estou muito constipado e tanto que fui condenado a ficar em casa todo o dia.

Lembranças de minha mulher e Julieta para a Carolina e um abraço do seu do *Coração*

Cunhado e Amigo
Miguel de Novais

Diga a Carolina que tenho eu compadre, em vésperas de outro, e mais um em perspectiva. Isto é que é terra para darem consideração à gente! — até já estou com vontade de me ir embora.

---

1 ∾ Haveria nos arquivos do escritor português Gomes de Amorim* o original de Machado de Assis? Quanto à possível resposta de Gomes de Amorim a Machado, não há registro nos arquivos compulsados. A razão deste comentário sobre Gomes de Amorim ver em [202]. (SE)

2 ∾ Os monarcas espanhóis que vieram em visita oficial a Portugal naquele ano, D. Afonso XII (1857-1885) e D. Maria Cristina da Áustria (1858-1929), a rainha consorte. (SE)

3 ∾ Antônio Maria de Fontes Pereira de Melo (Lisboa, 1819-1887), um dos principais políticos portugueses da segunda metade do século XIX. Foi governador por Cabo Verde e deputado pelas ilhas. Na época da Regeneração, período em que o país tentou atingir metas de modernização na administração e na economia, com o fito de equiparar-se aos demais países europeus, Fontes Pereira de Melo tornou-se titular do recém-criado Ministério das Obras Públicas, promovendo a construção de estradas de rodagem, de caminhos de ferro, linhas telegráficas e redes telefônicas. Foi primeiro-ministro por três períodos: 1871-1877; 1878-1879 e 1881-1886. (SE)

4 ∾ A demissão se deu em 31/10/1881. (SE).

5 ∾ *Et sourtout pas trop de zèle* (e sobretudo não ao excesso de zelo) — frase atribuída ao francês C. M. Talleyrand (1754-1838), que passou à história, entre outras razões, por sua admirável capacidade de sobrevivência política, ocupando altos cargos no governo republicano, sob o domínio de Bonaparte, durante a restauração da monarquia dos Bourbons e sob o reinado de Luís Felipe. (SE)

6 ∾ A peça foi encenada nas comemorações do tricentenário da morte de Camões (10/06/1880). (SE)

7 ∾ Fernando Castiço (1835-1888) era marido de Lina, enteada de Novais. Numa carta de tom intenso, este comunicará a morte de Fernando, fazendo um relato da sua

agonia, e de como aquilo afetou a todos da família Felício-Novais. A este respeito, ver carta [269] de 04/03/1888. (SE)

8 ∾ Mariana Teixeira Leite e Sousa, primeira mulher de Joaquim Arsênio Cintra da Silva*, antigo vizinho de Machado de Assis que, em 1879, enquanto Machado e Carolina* estavam em Friburgo, empenhou-se na recuperação da cadelinha de estimação do casal, a tenerife Graziela. Marianinha era filha do comendador Francisco José Teixeira e Sousa (filho da irmã do 1.º barão de Itambé) e Maria Gabriela Teixeira Leite (filha do barão de Itambé e prima do marido), poderosa família de mineradores de São João Del Rei e, posteriormente, cafeicultores da região de Vassouras. Sobre o episódio com Graziela, ver carta [166]; sobre Marianinha, ver em [204]. (SE)

9 ∾ Deste comentário, depreende-se que Machado e Carolina começaram a cogitar da mudança para o Cosme Velho entre 1881-1882. Na carta anterior, a [202], de 02/11/1881, não há ainda notícia sobre o assunto, nem tampouco deve ter sido na resposta àquela carta que Machado comunicou a sua intenção, já que Miguel na presente carta é textual: "Ouvi dizer que ia para o Cosme Velho, é verdade?" Alguém próximo ou a Machado ou a Carolina lhe segredou. O fato é que a ida para a rua Cosme Velho realizou-se, só que dois anos depois, no início de 1884, quando o casal se transferiu para o chalé de n.º 14, pertencente por herança à viúva do conde de São Mamede, morto em 1872, e que se tornara mulher de Novais em 1876. Os bens imóveis herdados por ela estavam espalhados pela cidade; e, na rua Cosme Velho, situavam-se no lado par, do n.º 4 ao 14. É bem provável que entre 1882 e 1884, antes de ir para o Cosme Velho, ou mais exatamente em 1883, Carolina e Machado tenham residido na rua do Marquês de Abrantes, endereço a que Miguel fará alusão na carta [226], de 27/05/1883, quando dirá que soube da novidade por carta de Carolina. (SE)

[206]

De: MIGUEL DE NOVAIS
Fonte: Manuscrito Original, Arquivo ABL.

Lisboa, 21 de maio de 1882.
Benfica, ao Portal Novo, *número* 95
Amigo Machado de Assis.

Tenho presente a sua carta de 21 de Março, de Petrópolis[1].

Já deveria ter escrito há mais tempo em resposta, porém, desta vez não lhe minto, dizendo que não o fiz por falta de tempo. Imagine o amigo que aluguei casa a uma légua da cidade [,] foi-me necessário mandá-la forrar toda de papel, e depois, cortinas, reposteiros, esteiras, tapetes etc. etc. [E]ste etc. quer dizer compra de móveis [,] louças e toda essa infinidade de pequenas coisas de que se carece em uma casa para viver com certa comodidade, [e] finalmente, estamos instalados desde o dia 26 do mês passado, e não nos achamos mal. Temos bonito jardim e grande quinta para passeios, banheiro, bons ares, e há três dias muita chuva.

A moradia na cidade é geralmente má. É difícil obter uma casa independente, todas têm mais moradores, e nenhum de nós se dá com o tal sistema [,] aliás usado por toda a gente. Foi este o principal motivo que nos levou a vir residir para o campo, enquanto nos conservarmos em Portugal, onde francamente, não gosto muito de estar[2]. Apesar disso, conservar-me-ei por aqui este ano, no seguinte não sei o que farei. [E]m todo caso, quando me resolva a fazer viagem ao estrangeiro, deixarei ficar a casa como está até a volta.

Notícias que o interessam não tenho a dar-lhe. Não me ocupo de política e cada vez a aborreço mais. Os negócios públicos correm cada vez pior – gasta-se dinheiro sem contar peso nem medida e quando o tesouro está esgotado, ou se pede emprestado, ou se lançam novos impostos – e se se apanha dinheiro por qualquer destes meios, não há parente pobre; criam-se novos lugares que aumentam sempre extraordinariamente a despesa, fazem-se festas ruidosas ao Rei Afonso[3] em que desaparecem algumas centenas de contos de réis, e seis meses depois, já não há um ceitil[4] do dinheiro havido por estes meios extraordinários, que aliás se podem chamar hoje ordinários visto que se repetem continuamente. A dívida cresce sempre, já se vê, e ainda chegaremos a tempo em que a receita toda não bastará para pagar os juros.

E note que está à testa dos Negócios da [F]azenda – o nosso primeiro estadista[5]! quando o primeiro é desta força [,] imagine que tais serão os outros! Nas câmaras passa-se o tempo em palavreado, acompanhado da sua descompostura [;] de vez em quando, deixa de haver sessão [,] muitas vezes por falta de número e assim que chega o prazo marcado para se fecharem, prorrogam-se por mais algumas semanas, porque faltou o tempo para votar as mais urgentes medidas — assim é que já se fala em terceira prorrogação. É também um meio de tornar mais rendoso o ofício de deputado.

Tivemos o Centenário do Marquês de Pombal[6], muita vida, muita animação, uma procissão cívica muito comprida que levava hora e meia a passar, carros puxados a bois, ditos a cavalos, muitos operários, crianças de todos os sexos, toureiros, associações de alfaiates, pedreiros, carpinteiros, tanoeiros, catraieiros, chapeleiros, ourives, merceeiros, armadores [,] lojistas, caixeiros do comércio, guarda-livros [,] empregados públicos, marceneiros, boticários, médicos e veterinários, alquiladores, estudantes, artes liberais e filarmônicas, oleiros [,] padeiros, carniceiros, estalajadeiros etc. etc. [I]imagine tudo isto com os seus pendões e estandartes a correr as ruas da cidade, e as senhoras a lançarem flores e coroas das janelas, vivas à liberdade e ao Marquês de Pombal e diga-me se isto lhe não parece um hospital de doidos? — mas a época é dos centenários e então não há remédio senão deixá-los [.]

Publicaram-se alguns livros e muitos folhetos em relação ao Marquês, uns pró, outros contra, mas creio que nada de verdadeiramente notável.

Agora é proibido aqui tocar a Marselhesa, nem se consente tal desaforo aos pobres tocadores de realejo. É um gosto ver estas medidas de alcance que sabem tomar as nossas autoridades! O que é verdade é que tudo isto me aborrece e que me dá vontade de os mandar todos à fava. Também agora poucas vezes vou à Cidade, passo o meu tempo com os pincéis e os livros e é como passo melhor[7].

Minha mulher e Julieta continuam regularmente [;] a Julieta gostando muito de Lisboa e [com] grande entusiasmo, especialmente com o teatro de São Carlos[8], continua tocando piano sempre mal e atrapalhadamente, muito contente quando tem visitas, sem saber o que há de fazer quando estas lhe faltam, medindo-se todos os dias na esperança de achar diferença na altura, mas sofrendo em desapontamento de cada vez que se mede, satisfeita quando se vê junto de alguma senhora mais pequena, descontente quando as vê mais altas e magras e assim vai indo, cada vez mais criança e mais preguiçosa. A mãe, ao contrário, falta-lhe o tempo para o que tem [de] fazer, e não gosta de sair de manhã porque é um dia perdido, diz ela – trabalhando sempre como um mouro, ralha com a Julieta pela manhã, de tarde e à noite e deita-se sempre fatigada de tão grande labutação. Felizmente, uma e outra têm tido saúde [;] o que é mais para estranhar é que eu, desde que cheguei a Portugal, posso dizer que ainda não passei um dia em que me achasse bem. Tenho sempre alguma enxaqueca. Desconfio que isto é já da proximidade dos cinquenta e três.

E que tal foi a maçada? – diz-me, já arranjou casa? Como vai a Carolina? A Graziela[9] ainda existe?

Adeus – São só 10 e ½ da noite [,] vou deitar-me. Saudades de todos para o amigo e Carolina

e para ambos um abraço do seu do coração. Cunhado e Amigo
Miguel de Novais

---

1 ∞ Esta carta desfez o equívoco dos biógrafos que confundiam esta viagem a Petrópolis com a ida a Friburgo em 1879. Magalhães Jr. (2008) atribuiu o fato à imprecisão de Nery (1932), que apresentou a carta de 14/02/1882 como a primeira da série entre Nabuco* e Machado, na qual este diz que estava prestes a sair da corte por um tempo a fim de "restaurar as forças perdidas no trabalho extraordinário que tive em 1880 e 1881." Nery então anotou: "ia para Nova Friburgo." Magalhães Jr., confrontando documentos e cartas, chegou à versão fidedigna: após trabalhar excessivamente como oficial de gabinete dos ministros Buarque* e Pedro Luís*, Machado demitiu-se do cargo e foi passar a temporada de verão em Petrópolis. (SE)

2 ∞ Apesar do que diz, Novais continuou morando em Portugal; não há informação de que tenha retornado ao Brasil, nem mesmo de férias. (SE)

3 ∞ Sobre o rei espanhol, ver em [205].

4 ∞ Moeda portuguesa antiga, do tempo de Dom João I (reinado de 1385-1433), que se tornou expressão corrente para definir uma quantia insignificante, a mínima que seja. (SE)

5 ∞ Ocupava a pasta interinamente Fontes Pereira de Melo. Ver em [205]. (SE)

6 ∾ Sebastião José de Carvalho e Melo (1699-1782), conde de Oeiras (1759), marquês de Pombal (1769), natural de Lisboa, oriundo de uma família de pequenos fidalgos, que serviram como soldados, sacerdotes e funcionários públicos. Filho de Manuel de Carvalho e Ataíde (1668-1720) e Teresa Luísa de Mendonça e Melo; estudou direito em Coimbra e serviu o exército por um curto período. Em 1738, foi nomeado embaixador em Londres, experiência fundamental na sua formação de homem público. Em 1755, já como primeiro-ministro, governou com mão de ferro, impondo a lei a todas as classes, desde os mais pobres até a alta nobreza. Impressionado pelo sucesso econômico inglês, buscou implementar medidas semelhantes que levassem ao desenvolvimento a economia portuguesa. (SE)

7 ∾ Miguel dedicou-se por muito tempo às artes plásticas, aliás, desde a época em que morou no Rio de Janeiro há notícias sobre sua atividade nesse campo. Na série de cartas deste volume, diversas vezes faz menção à pintura, seja como apreciador e crítico, seja como pintor, testemunhando uma dedicação bastante intensa e regular à atividade. Na carta [218], dirá: "Eu continuo a sujar telas todos os dias. / O meu *atelier* é uma fábrica." (SE)

8 ∾ Construído no reinado de D. Maria I, o Teatro de São Carlos veio substituir o Teatro de Ópera do Tejo, destruído no terremoto de Lisboa, em 1755. (SE)

9 ∾ Ver em [166].

[207]

Para: JOAQUIM NABUCO
Fonte: ARANHA, José Pereira da Graça. *Machado de Assis e Joaquim Nabuco. Comentários e Notas à Correspondência Entre Estes Dois Grandes Escritores*
São Paulo: Monteiro Lobato, 1923.

Rio de Janeiro, 29 de maio de 1882.

Meu caro Nabuco,

Há cerca de um mês que esta carta devera ter seguido, mas o propósito em que estava de escrever uma longa carta foi retardando a resposta à sua, e daí a demora. "Valha a desculpa, se não vale o canto." E o canto[1] aqui não vale muito, porque afinal vai uma carta mínima, como vê, não querendo prolongar estes adiamentos.

Transmiti ao Arsênio suas palavras, e a autorização que lhe deu para o epitáfio. Ele ficou muito agradecido[2]. Não vi ainda o epitáfio na própria pedra. Ninguém que o veja deixará de reconhecer que era a mais bela homenagem à finada, e o melhor agradecimento ao autor[3].

Compreendo a sua nostalgia, e não menos compreendo a consolação que traz a ausência. Para nós, seus amigos, se alguma consolação há, é a têmpera que este exílio lhe há de dar, e a vantagem de não ser obrigado a uma luta vã ou uma trégua voluntária. A sua hora há de vir[4].

Tenho lido e aplaudido as suas correspondências[5]. Ainda hoje vem uma, e vou lê-la depois que acabar esta carta, porque são nove horas da manhã, e a mala fecha-se às dez. E a minha opinião creio que é a de todos.

Agradeço muito os oferecimentos que me faz, e noto-os para ocasião oportuna, se a houver. Quanto aos retalhos de jornais, quando os achar merecedores da transmissão, aceito-os com muito prazer.

Minha mulher agradece as suas recomendações e pede-me que lhas retribua. Pela minha parte, creio escusado dizer a afeição que lhe tenho, e a admiração que me inspira. A impressão que V*ocê* me faz é a que faria (suponhamos) um grego dos bons tempos da Hélade no espírito desencantado de um budista. Com esta indicação, V*ocê* me compreenderá.

Adeus, meu caro Nabuco, V*ocê* tem a mocidade, a fé e o futuro; a sua estrela há de luzir, para alegria dos seus amigos, e confusão dos seus invejosos. Um abraço do

     Amigo do *Coração*
     M. de Assis.

---

1 ∾ "Entre ferros cantei, desfeito em pranto; / valha a desculpa se não vale o canto." Epígrafe das *Metamorfoses* de Ovídio, na tradução de Manuel Maria Barbosa du Bocage. (IM)

2 ∾ Carta de Nabuco não localizada. (IM)

3 ∾ Sobre o epitáfio no túmulo da esposa de Joaquim Arsênio Cintra da Silva*, ver em [204]. (IM)

4 ∾ Nabuco decidira residir em Londres. (IM)

5 ∾ Artigos publicados no *Jornal do Comércio*. (IM)

[208]

De: CAMPOS DE MEDEIROS
Fonte: Fac-símile do Manuscrito Original.
Revista da Sociedade dos Amigos de Machado de Assis, VIII, Rio de Janeiro, 1958-1961.
Exemplar da ABL.

[Rio de Janeiro,] 3 de junho de 1882.[1]

Excelentíssimo Senhor Doutor Campos de Medeiros[2],

Devolvo-lhe o *Manifesto* do Doutor João Mendes[3], e agradeço-lhe a fineza e a prontidão do empréstimo. Achei-o grave, severo, digno de ser meditado por todos os homens sérios, e escrito com o provado talento daquele nosso compatriota.

   Disponha de quem é, com estima e consideração
     De Vossa Excelência
      amigo e admirador obrigado
       Machado de Assis.

---

1 ∾ No artigo em que se encontrou a carta, não há referência à origem do autógrafo. (SE)

2 ∾ Há pouca possibilidade de este Medeiros e Albuquerque ser o acadêmico José Joaquim de Campos da Costa de Medeiros e Albuquerque (1867-1934), então com quinze anos, muito jovem para ser tratado de "doutor" por Machado de Assis. Por outro lado, o pai do acadêmico era seu quase homônimo: José Joaquim Campos de Medeiros e Albuquerque, hipótese plausível para identificar o missivista. (SE)

3 ∾ João Mendes, como era conhecido publicamente, foi representante paulista na Câmara dos Deputados até 1878, e já afastado dela, redigiu um documento de valor histórico – o Manifesto do Partido Conservador de São Paulo, de 25/03/1882, que é exatamente o texto a que Machado de Assis se refere. João Mendes de Almeida (1831-1898) nasceu em Caxias, Maranhão; líder do Partido Conservador de 1859 a 1878, era uma figura ilustre no meio jurídico e jornalístico brasileiro. Como jornalista fundou diversos periódicos, em que fez a defesa do programa conservador; mas a sua atuação mais significativa foi como defensor da causa abolicionista, sendo o principal redator da Lei do Ventre Livre, de 28/09/1871. (SE)

[209]

De: MIGUEL DE NOVAIS
Fonte: Manuscrito Original, Arquivo ABL.

Benfica, 21 de julho de 1882.

Amigo Machado.

Recebi em tempo competente a sua carta bem como o exemplar do *Tu só tu puro amor* para entregar ao Castiço[1]. Não lho mandarei ainda porque penso ir a Braga muito breve e então serei eu próprio o portador. Pela minha parte, cumpre agradecer-lhe a remessa – ele agradecerá depois.

Sinto que não se pudesse arranjar o Chalé[2] que desejava [;] não sei o que houve com esse negócio que pôde incomodá-lo, porém como não deseja mais uma palavra sobre o assunto, não falarei mais disso. O que posso assegurar-lhe é que eu teria muito prazer em tê-lo por meu inquilino[3].

Não lhe deve ser muito agradável o estar continuadamente mudando de *patrão*. Os ministérios aí sucedem-se uns aos outros com uma frequência pasmosa. Já é o terceiro depois que daí saí – ainda não há um ano – é muito.

Por aqui se são um pouco mais estáveis nem por isso são melhores. Creio que não há em parte alguma no mundo política mais acanalhada do que a portuguesa – não imagina – é uma constante patifaria. Os partidos militantes são como deve saber dois – os Regeneradores [,] tendo por cabeça o Fontes[4], e o progressista [,] de que é o chefe o Braamcamp[5]. [H]á um terceiro, pouco numeroso ainda chamado o *constituinte* de que é comandante o Dias Ferreira[6] – este ainda não esteve no poder com tal denominação. O partido republicano é como o daí [:] não vale dois caracóis.

Ora muito bem – para fazer guerra ao ministério atual (regenerador) unem-se os outros três, usando os meios mais ignóbeis e infames para conseguir a queda do governo.

É uma luta de garotos propriamente dita. A grande questão da atual legislatura foi a aprovação do *Sindicato* – é uma história de uma concessão de uma linha férrea do Douro até Salamanca [,] a cuja empresa o governo garante o juro de 5% aos capitais empregados. É do Porto esta empresa e é o Porto o mais interessado neste negócio.

O governo tinha feito questão de gabinete desta aprovação. A oposição julgou poder dar queda ao ministério fazendo para isso quanta trapaça e pouca-vergonha se podia imaginar. Houveram (*sic*) cenas desgraçadas no parlamento, chegando até ao pugilato. Os *meetings* faziam-se todos os dias e todas as horas, pró e contra — raro foi o dia [em] que o Rei não recebeu, durante esta contenda que durou meses, alguma comissão que vinha representar em sentidos diversos [.] Apesar de tudo o projeto passou nas duas câmaras e a oposição não conseguiu realizar os seus fins.

Aprovado o projeto, organizou-se no Porto uma grande comissão, composta de mais de 400 indivíduos p*ar*a vir a Lisboa agradecer a El Rei e ao Governo a aprovação do projeto. O agradecimento ao Rei era por ele ter concedido a prorrogação das Cortes até se votar o projeto. Esta comissão composta dos homens mais considerados do Porto, figurando os Presidentes dos Bancos [,] da Associação Comercial, Câmara etc. etc. foi aqui recebida a pedrada! — alguns ficaram feridos e decerto o negócio teria tomado proporções m*ui*to sérias se a polícia não interviesse com toda a sua força para que a agressão cessasse. Já vê que não erro chamando-lhe[s] garotos [aos] políticos. Houve ainda para mais escândalo um Jornal que lamentava que tivesse ficado incólume o presidente da Câmara do Porto como o mais estrênuo defensor do Sindicato. [P]arece impossível!

Deixemos porém estas misérias e passemos a outro assunto. Já se publicou o volume que me diz ter no prelo e que devia estar pronto em Junho[7]? Quando estiver publicado e tiver ocasião de enviar-mo não se esqueça.

Parece-me não ter razão para desanimar e bom é que continue a escrever sempre. Que importa que a maioria do público lhe não compreendesse o seu último livro? — há livros que são para todos e outros que são só para alguns. [O] seu último livro está no segundo caso e sei que foi muito apreciado por quem o compreendeu. [N]ão são, e o amigo sabe-o bem, os livros de mais voga os que têm mais mérito[8].

Não pense nem se ocupe da opinião pública quando escrever. A justiça mais tarde ou mais cedo se lhe fará, esteja certo disso, e como o sermão se acabou com o papel terminarei também pedindo-lhe dê saudades nossas a Carolina e para o amigo um abraço do seu do *coração*

Cunhado e am*ig*o
Miguel de Novais

---

1 ∾ Na carta [205], Novais pedira um exemplar da peça em nome de Fernando Castiço, marido de sua enteada Lina. A peça de Machado é uma homenagem a Luís de Camões por ocasião do tricentenário da morte do poeta. Interessado por temas históricos portugueses, Castiço parece ter gostado do texto. (SE)

2 ∾ Em carta de janeiro Miguel comentara: "Ouvi dizer que ia para o Cosme Velho". Em maio, voltou ao assunto: "diz-me, já arranjou casa?" Agora, em julho, conclui pesaroso: "sinto que não se pudesse arranjar o Chalé que desejava." Certo é, portanto, que entre janeiro e julho de 1882, Machado de Assis já tinha intenção de mudar para o Cosme Velho. Mais ainda: entre maio e julho de 1882, tentou alugar um dos chalés da mulher de Miguel, porque este diz: "eu teria muito prazer em tê-lo por meu inquilino". Machado vai realizar o seu desejo somente no início de 1884, quando se mudará para um dos chalés de Joana no Cosme Velho. (SE)

3 ∾ Ao casar-se com Novais, Joana o fez com separação de bens, embora tenha lhe feito uma generosa dotação. Parece que o novo marido passou administrar os bens da esposa, aliás, como era usual à época. Registre-se que na *Nova Numeração dos Prédios da Cidade do Rio de Janeiro* (1965), Miguel de Novais consta como proprietário de dois sobrados na rua de São Pedro 34, no centro do Rio de Janeiro, em 1877. (SE)

4 ∾ Sobre Fontes Pereira de Melo, ver nota 3 em [205].

5 ∾ Anselmo José Braamcamp de Almeida Castelo Branco (1819-1885), político atuante durante o período da Regeneração, em que liderou o Partido Histórico, chamado depois de Progressista. Braamcamp foi ministro dos Negócios da Fazenda e chefe do governo entre 1879-1880; fazia oposição a Fontes Pereira de Melo. (SE)

6 ∾ José Dias Ferreira (1837-1909), advogado, professor, jurista renomado, foi deputado por 25 legislaturas, ministro e presidente do conselho de ministros. Apesar de

seu prestígio como jurista e da força política da família de sua mulher, a sua passagem pelo poder foi curta. (SE)

7 ∽ A tradição biográfica sustenta que Machado de Assis cedo decidiu-se por guardar sigilo junto aos amigos sobre os seus trabalhos literários em andamento; mas, com Miguel de Novais, essa decisão parece não valer. É possível depreender de algumas cartas que Novais está ou respondendo, ou propondo ou aconselhando acerca de alguma inquietação literária que Machado lhe expôs. O presente comentário do missivista refere-se sem dúvida a *Papéis Avulsos*, como se pode confirmar na carta [202]. Para este livro, Machado reuniu contos publicados na imprensa de outubro de 1875 a outubro de 1882. Entre a intenção de publicar em junho, como assinala Miguel, e a efetiva publicação em fins de 1882, é possível que o escritor tenha ampliado o tempo de recolha dos textos para ter uma seleção mais a contento. Sobre o livro, ver em [215], de 20/11/1882. (SE)

8 ∽ Miguel de Novais refere-se a *Memórias Póstumas de Brás Cubas*, romance inicialmente publicado em fascículos na *Revista Brasileira* a partir de 15/03/1880, e em volume no ano de 1881. Novais faz menção ao romance algumas vezes nas cartas e parece ter gostado imensamente dele. Aliás, esse parágrafo assinala claramente o lugar de interlocutor privilegiado que Miguel ocupava em relação ao cunhado. O que teria dito Machado de Assis a Miguel que motivou um parágrafo tão tocante? E, sobretudo, tão verdadeiro para o leitor de hoje? (SE)

[210]

De: ARTUR DE OLIVEIRA
Fonte: Manuscrito Original, Arquivo ABL.

Rio [de Janeiro], 28 de julho de 1882.

Meu Machado,

Agradeço-te imensamente os romances que tiveste a bondade de me emprestar, pedindo-te ao mesmo tempo o obséquio de não mandar mais nenhum, porque tenho muito que ler, e nem tempo nem disposição tenho mais para isso.

Estou coligindo os meus livros, porque antes de partir[1] vou pô-los em leilão; se acabaste os que estão contigo, peço-te que mos devolva.

Dar-me-ei por muito feliz se puder salvar alguma coisa do muito que espalhei aos quatro ventos, porque nesta abençoada terra o livro é considerado — roupa de francês —; quem o compra não é que é o verdadeiro dono, não; — o genuíno, o legítimo, o único dono, enfim, é... quem o tomou emprestado.

Não preciso dizer mais nada a respeito deste assunto, tu, como eu e outras tantas vítimas, bem sabemos por experiência própria, de todas essas misérias.

Meus respeitosos cumprimentos à tua Excelentíssima Senhora.

Teu do Coração
Artur de Oliveira

Princesa dos Cajueiros, 119.

---

1 ∾ A "partida" a que se refere Artur de Oliveira é a própria morte. Uma carta ao pai, de 13/07/1882, descreve o seu sofrimento (Oliveira, 1936):

"Estou sempre na mesma, martirizado, flagelado e dilacerado cruelmente. Só o que ouço são as tais frases sacramentais com que as pessoas alheias à dor e ao sofrimento costumam apurar a paciência dos pobres diabos que como eu, de há muito resignaram-se a todos os martírios. Mas eu não sou de ferro. O corpo e o espírito já capitularam. Venha o descanso, é o meu maior desejo." (IM)

[211]

De: ARTUR DE OLIVEIRA
Fonte: Manuscrito Original, Arquivo ABL.

[Rio de Janeiro,] 10 de agosto de *1882*.

Meu querido Machado

Agradeço-te imenso o vinho que me mandaste, bem como o excelente doce de cidra. Provei-o, e se não fosse a feroz Madame Lynch[1] que mora na minha garganta, creio eu que dava conta dele, como naquela saudosa idade, em que os tachos de marmelada são apenas [,] para nossa gula, — pequeninos pratos para entreter o estômago. Conheci, além disso, os dedos de fada que o prepararam.

Algumas das minhas visitas, porém, inclusive a minha família, foram mais felizes, *en se léchant les babines*[2], como os jovens angorás, com a boa cidra.

Recomenda-me muito e muito à tua *Excelentíssima Senhora*.

Teu do coração
Artur de Oliveira[3]

---

1   A irlandesa Elisa Lynch, mulher de grande personalidade, a essa altura viúva do ditador Solano Lopes. Durante (e após) a guerra contra o Paraguai, Mme. Lynch era abominada no Brasil, representando o que houvesse de pior e mais cruel. (IM)

2   Deliciando-se, "lambendo os beiços". (IM)

3   Onze dias depois desta carta, Artur faleceu. Foi sepultado no mausoléu 59, do Cemitério de São João Batista, tendo sido acompanhado por um grande cortejo de amigos, entre os quais Machado de Assis. (IM)

[212]

De: ARTUR DE OLIVEIRA
Fonte: MACHADO DE ASSIS, Joaquim Maria. *Obra Completa*. Rio de Janeiro: Nova Aguilar, 2008. vol. 2.

[Rio de Janeiro, 14 de agosto de 1882.][1]

[...] O verde das couves espanejava-se em uma onda de pirão, cor de ouro. A palheta de Ruisdael[2], pelo encendido do ouro, não hesitaria um só instante em assinar esse pirão mirabolante, como diria o grande e divino Teo[3] [...]

[Artur de Oliveira]

1 ∾ Ao incluir "O Anel de Polícrates" em *Papéis Avulsos* (1882), Machado dedicou uma longa nota a Artur de Oliveira, que inspirara seu personagem Xavier – *o saco de espantos*. A nota lembra, com saudade e muito carinho, o jovem amigo morto em 21/08/1882. E Machado ali transcreve o artigo que publicou em *A Estação* (31/08/1882), onde citava o fragmento da carta ora apresentada:

> "Sete dias antes de o perdermos, isto é, a 14 deste mês, prostrado na cama, roído pelo dente cruel da tísica, escrevia-me a propósito de um prato de jantar [...]. Vede bem que esta admiração é de um moribundo, refere-se um morto, e fala na intimidade da correspondência particular. Onde outra mais sincera?" (IM)

2 ∾ O pintor holandês Jacob van Ruisdael (1628 ou 1629-1682), cujas paisagens magníficas transmitem a força e, muitas vezes, a dramaticidade da natureza. (IM)

3 ∾ Referência ao escritor francês Théophile Gautier (1811-1872), que Artur de Oliveira conhecera em Paris e a quem chama "o grande e divino Teo"; numa carta a Judith Gautier (Oliveira, 1936), Artur evoca o "vosso glorioso pai, mestre de todos aqueles que professam a religião do Belo Ideal – o imortal e sempre chorado Théophile Gautier". (IM)

[213]

De: COSTA FERRAZ
Fonte: Manuscrito Original, Arquivo ABL.

[Rio de Janeiro,] 7 de setembro de 1882.

Ao distinto Senhor Machado de Assis – oferece o seu admirador

Doutor C. Ferraz[1]

---

1 ∾ Trata-se de um cartão habilmente elaborado. Sobre papel verde, sem sinal de infestação, estão presas duas hastes; uma delas conserva, intacto, um par de folhinhas. Artes do dr. Fernando Francisco da Costa Ferraz? Rodrigo Octavio* conheceu-o na década de 1890, e dedicou-lhe um capítulo em *Minhas Memórias dos Outros* (1935). O doutor, membro da Academia Nacional de Medicina, era médico de nomeada, operador, parteiro, legista "frequentemente ouvido em casos sensacionais de sangue, quando de sua elucidação não participava como perito" e, sobretudo, exímio embalsamador. Figura bizarra:

"Era um velho feio, descurado no trajar, sempre de roupas de fantasia, e, assim, fora da indumentária dos médicos de então, usando bigode arrepiado, maltratado, e quilotado ao fumo do cigarro que lhe não deixava a boca. Míope, sempre trazia lunetas, através de cujos vidros fulgiam olhos vivíssimos. Grande contador de histórias, cronista bem informado, de coisas da cidade e comentador desabusado de casos sociais [...]."

Célebre por seu sistema de embalsamamento, o dr. Costa Ferraz exultou quando soube exumado o corpo do sapateiro Antônio Pichilin, tipo modesto que economizara todos os vinténs para pagar, em vida, os serviços póstumos do doutor, e para garantir a compra de um jazigo imponente. Ao morrer, teve apenas cova rasa, da qual sairia em perfeito estado. Os jornais comentaram o acontecimento macabro, para muita gente, um milagre. O médico visitou, então, aquele pobre *cliente*, encontrando-o despido e íntegro, como a gritar a quem lhe apalpasse os membros: "Sou eu mesmo, o Pichilin; morri há cinco anos, quem me embalsamou foi o dr. Costa Ferraz..." Esse defunto persistente passaria por outras agruras – novas temporadas em cova rasa, mais exumações – e acabou abandonado num galpão do cemitério do Caju, enegrecido, mas inteiraço. Em 1928, a imprensa voltou a lhe dar destaque, e Pichilin finalmente descansaria num elegante jazigo perpétuo, comprado por senhores sensíveis ao seu projeto *post mortem*. Vitória, também *post mortem*, do Dr. Costa Ferraz. Ele, que preservara corpos ilustres (João Caetano, o duque de Caxias, José do Patrocínio, Floriano Peixoto, por quem nutria admiração de "patriota exaltado", e tantos outros), morreu em 1907, sem revelar como lograva a incorruptibilidade dos cadáveres. Resta agora perguntar: em 1882, Fernando Francisco da Costa Ferraz não estaria fascinado por Brás Cubas – cliente que lhe escapara, deixando ao verme o luxo de roer as frias carnes do seu cadáver? As *Memórias Póstumas* eram de publicação recente em livro (1881). E, quanto às hastes e folhinhas, sua permanência não demonstra a suprema arte do embalsamador? Passaram-se 127 anos, e ei-las intactas, no Arquivo de Academia Brasileira de Letras. (IM)

[214]

De: MIGUEL DE NOVAIS
Fonte: Manuscrito Original, Arquivo ABL.

Benfica, 2 de novembro de 1882.

Amigo Machado de Assis

É tempo de responder à sua carta de 9 de Setembro.

Li com interesse a parte que se refere à política brasileira[1] e creio bem na semelhança que encontra na política dos dois países-irmãos [;] como é costume dizer, penso porém que a patifaria por cá é maior ainda. Agora estão as câmaras fechadas, não há questão nenhuma importante a resolver-se e o futuro ano parlamentar será apenas de cavaco entre amigos.

Vamos entrar no inverno e o frio principia já a sentir-se [,] mas pouco. Nós estamos bons, apenas de vez em quando alguma constipaçãozita de pouca monta. Estivemos no Porto em Agosto, em Setembro fomos fazer uma pequena digressão a Santarém e no mês passado fui eu só a Figueira e a Coimbra. Tenho portanto uma vergonha de menos na minha vida [;] parece impossível, mas é verdade, nunca tinha visto Coimbra! gostei – é das cidades mais pitorescas que tenho conhecido. Estas digressões são sempre acompanhadas de uma pequena caixa de tintas, tiro os meus apontamentos do que mais me agrada e chegando a casa trato imediatamente de traduzir na tela com a maior fidelidade que posso o que vi e observei; assim aqui vou enchendo a casa de quadros, porque, desde que estou em Benfica, não faço senão pintar. A nossa casa fica a meia hora da Cidade, já se vê, de carro, e eu poucas vezes lá vou – que hei de então fazer? Não sei escrever romances, nem fazer dramas ou comédias e então vingo-me nos pincéis. Quando for embora faço leilão de tudo e talvez que me paguem as molduras[2].

Queria dar-lhe notícia do aparecimento de algum bom livro, mas não posso infelizmente fazê-lo – aparecem por aí a miúdo uns livritos de versos, de mais ou menos veia poética, mas em todo o caso de insignificante valor [,] algum romance de autores quase desconhecidos da mesma importância e nada mais. Nos teatros tudo quanto se representa é traduzido do francês. No [T]eatro [N]acional D*ona* Maria faz-se a mesma coisa e quando por acaso aparece algum drama original, como por exemplo *O Casamento Civil* – de Cipriano Jardim[3] – que está atual*men*te em cena no referido teatro, dá três ou quatro representações enquanto os amigos do autor se não enfadam de ir lá aplaudir (desculpe os dois pp)[4] e depois acaba para se não falar mais de semelhante coisa – tal é o seu merecimento.

A política tem inutilizado os nossos homens de letras — Pinheiro Chagas[5] [,] que em outro tempo nos dera uma *Morgadinha dos Canaviais*[6], e outras composições dramáticas que quando não tivessem outro mérito tinham o da linguagem, depois que se fez Constituinte — não pensa senão na reforma da Carta. Tomás Ribeiro[7] já nem faz versos nem coisa que se pareça. O Latino Coelho[8] lá nos dá de longe em longe um livro dos varões ilustres, o último dos quais é a primeira parte do Vasco da Gama que o amigo já decerto conhece [,] fora disto é republicano. Por falar em republicanos [,] esteve aqui o Lopes Trovão de passagem para Paris. Foi segundo me consta muito bem recebido pelos correligionários daqui que são da mesma força — dizem-me que ficara encantado de Lisboa [,] o que eu atribuo a esse fato. Lá seguiu para Paris onde me parece não durará muito[9]. Não se sai impunemente de um país tropical para um inverno que deu cabo do Guilherme Azevedo[10].

Estimei saber que o seu *Brás Cubas* estava sendo traduzido para o alemão[11] — são poucas as composições em língua portuguesa que recebem essa honra. Será o tal tradutor homem capaz de sair-se bem da empresa? essa é uma questão importante[12].

Espero que não se esqueça de mandar-me logo que se lhe ofereça ocasião, um exemplar do seu novo livro — *Papéis avulsos*[13] — tenho vontade de lê-lo.

A Julieta não cresce, o que lhe causa um profundíssimo desgosto — continua a medir-se, mas de cada vez que se mede é mais uma desilusão que fica. Se alguém que lhe conhece já a mania lhe diz ao vê-la que a acha mais crescida, fica radiante de alegria, até que, o que é ato contínuo, perfilada no estalão se compenetra da atroz realidade — nem uma linha! Em compensação tem engordado [,] o que mais a desgosta ainda. Tem feito alguns progressos no piano, mas estuda muito pouco — no mais sempre a mesma boa rapariga. Minha mulher cultiva as flores e tem sempre jardineiros às suas ordens, continua a trabalhar incessantemente, desde que se levanta até que se deita e não deixa de ralhar um momento com a Julieta a quem diz sempre não fazer as vontades, satisfazendo todos os caprichos que ela possa ter. [S]ai poucas vezes porque, diz ela, quando sai é um dia perdido! – sempre o mesmo gênio. E como vai a Carolina? sempre preguiçosa em escrever ou quem sabe? talvez falta de tempo.

Eu não lhe escrevo agora, porque esta carta, pelo tamanho [,] parece que chega bem para os dois. A Julieta apanhou-me hoje um selo de 100 réis para uma carta que disse ter escrito à Carolina.

Basta de maçada. É tarde e eu tenho dificuldade em escrever de noite [,] tenho a vista estragadíssima, o que é para mim motivo de muitos aborrecimentos – tenho épocas em que me é absolutamente impossível ler de noite.

Adeus. Sau*d*as de todos

   e um abraço do seu do *Coração*

    Cun*h*ado e am*i*go

     Miguel de Novais

---

1 ∾ Como seria valioso encontrar a carta enviada a Miguel de Novais. Machado de Assis, já maduro, depois de *Memórias Póstumas de Brás Cubas*, fazendo comentários políticos privadamente, certamente seria muito interessante de ler. (SE)

2 ∾ Mais um longo comentário à sua intensa atividade de pintor. (SE)

3 ∾ Cipriano Leite Pereira Jardim (1841-1913). Enquanto em 1880, no Rio de Janeiro, *Tu Só, Tu, Puro Amor...* de Machado de Assis, era a peça representada nas comemorações do tricentenário da morte de Luís de Camões, em Portugal, o drama de Cipriano Jardim – *Camões* – foi representado no Teatro de D. Maria. (SE)

4 ∾ *Applaudir* no original. (SE)

5 ∾ Manuel Joaquim Pinheiro Chagas (1842-1895), romancista, historiador, dramaturgo, jornalista e político, teve grande prestígio como escritor de romances históricos, na linha aberta por Alexandre Herculano, tendo sido um cultor tardio desse recorte romântico. (SE)

6 ∾ Aqui Miguel de Novais se equivocou quanto ao adjunto adnominal para *Morgadinha*. A de Pinheiro Chagas é de *Valflor*; a *Morgadinha dos Canaviais* é o romance de Júlio Dinis, publicado em 1868. Com a peça de Pinheiro Chagas, a companhia de Furtado

Coelho inaugurou o Teatro São Luís no Rio de Janeiro, em 01/01/1870, tendo como protagonista Ismênia dos Santos. (SE)

7 ≈ Tomás Antônio Ribeiro Ferreira (1831-1901), poeta, escritor, jornalista político, formou-se em direito, mas pouco atuou na profissão, enveredando-se cedo pela política portuguesa. Figura proeminente do partido regenerador, exerceu diversos cargos públicos, entre eles, o de ministro da Marinha, de Obras Públicas, governador dos distritos de Braga e do Porto e foi embaixador no Brasil. (SE)

8 ≈ José Maria Latino Coelho (1825-1891), formado em engenharia militar, seguiu a carreira das armas, alcançando o posto de general de brigada do estado-maior de engenharia; foi também escritor, jornalista e político. Membro do Partido Reformista, Latino Coelho participou ativamente da vida política portuguesa no período monarquia constitucional. Elegeu-se diversas vezes deputado, foi par do Reino e ministro da Marinha. Como escritor notabilizou-se por ensaios e obras de caráter histórico. (SE)

9 ≈ Ao contrário do que vaticina Miguel, Lopes Trovão viveu até os 77 anos. Aliás, a respeito da sua passagem por Lisboa, o que mais impressionou Ramalho Ortigão foi a sua magreza. Diz ele em *Costumes e Perfis* (1888):

> "No momento em que passou por Lisboa, Lopes Trovão era de uma magreza comovente. Compreendem-se perfeitamente todos os cuidados que este viajante deu à polícia durante os dias em que esteve hospedado no Hotel Borges, sabendo-se que pelo seu aspecto ele se parecia — até o ponto de iludir os mais perspicazes — como um fio de aletria."

José Lopes da Silva Trovão (1848-1925); médico, jornalista, diplomata, deputado federal em duas legislaturas (1891 e 1894) e senador (1895 e 1902). Foi um dos signatários do Manifesto Republicano de 1870. (SE)

10 ≈ Guilherme Avelino de Azevedo Chaves (1839-1882), poeta, dramaturgo e jornalista. Em 1881, tornou-se correspondente do periódico fluminense – *Jornal do Comércio* – em Portugal, assinando duas crônicas por mês. Ainda em 1881, aceitou a proposta feita por Ferreira de Araújo para tornar-se correspondente da *Gazeta de Notícias* em Paris, lugar que ocupou até a sua morte em 1882. (SE)

11 ≈ Magalhães Jr. (2008) afirma que a tradução ficara aos cuidados de Carlos Jansen, professor de alemão de Machado, mas o projeto não foi a termo, do mesmo modo que o de seis anos depois também não, embora o escritor tenha autorizado Curt Busch von Besa em documento datado de 10/09/1888. *Memórias Póstumas de Brás Cubas* só foi traduzido para o alemão em 1950, com o título de *Die Nachträglichen Memoiren des Bras Cubas* (Conzett & Huber). (SE)

12 ⚭ Miguel demonstra acuidade na observação: a honra de ser traduzido numa língua de tamanha importância e as dificuldades que tal tradução encerra em se tratando de um livro tão singular. É exatamente o fato de expressar suas ideias e percepções que faz dele o interlocutor de maior intimidade com Machado. (SE)

13 ⚭ *Papéis Avulsos*, publicado em fins de 1882, pela editora de Lombaerts & Cia. Sobre o livro, ver em [215], carta de 20/11/1882. (SE)

[215]

Para: FRANKLIN DÓRIA
Fonte: Manuscrito Original. Arquivo Barão de Loreto, Instituto Histórico e Geográfico Brasileiro.

Rio de Janeiro, 20 de novembro de 1882.

Meu caro e ilustre amigo.

Agradeço-lhe as boas palavras, boas e valiosas pelo juiz que as profere. Devia remeter o meu livro[1] a quem tão dignamente figura nas letras da nossa Pátria, ao mesmo tempo que me distingue com a sua constante afeição. Sabe que lhe retribuo cordialmente.

Sempre am*i*go admirador e obr*i*ga*d*o
Machado de Assis

---

1 ⚭ *Papéis Avulsos*, publicado em outubro de 1882, sob a chancela de Lombaerts & Cia. Todos os doze contos ali reunidos saíram antes em periódicos diversos, entre outubro de 1875 e outubro de 1882, tendo alguns sofrido alterações consideráveis; por exemplo, o conto "Uma visita de Alcebíades". *Papéis Avulsos* tem no conto significado similar ao que tem *Memórias Póstumas de Brás Cubas* no romance; ambos assinalam a emergência da singularidade ficcional do escritor, já apartado das amarras ideológicas e da estética romântica, assumindo significações estranhas à concepção literária circulante e, a partir daí, forjando a sua particularíssima obra. (SE)

[216]

De: MIGUEL DE NOVAIS
Fonte: Manuscrito Original, Arquivo ABL.

Benfica, 21 de janeiro de 1883.

Amigo Machado de Assis

Estou de posse de duas cartas suas de 15 de Dezembro passado e 1 de Janeiro corrente. [A] primeira diz o amigo que foi para explicar-me um embrulho que aqui devia ter recebido, que constava de 3 exemplares do seu novo livro[1] de que tinha sido portador o Alferes Chaves[2], na segunda pergunta-me se já o recebi e dá-me notícias sobre o estado de saúde do Monsenhor Ferreira[3] [.] [P]ois meu amigo, o tal embrulho ainda cá não chegou! Como é natural, pelo desejo mesmo que tinha de ler o seu livro tenho feito diligências para saber onde mora o tal *Senhor Alferes* que tão mal soube cumprir com seus deveres.

Já achei quem o conhecesse, mas o que ainda não consegui foi saber onde mora.

Parece-me realmente muito esquisito que um homem se encarregue de uma encomenda não fazendo tenção de entregá-la!

A circunstância de morar eu um pouco longe da cidade não o absolverá da culpa, porque, se não queria procurar-me, podia dirigir-me duas linhas para eu mandar buscar à sua casa a encomenda [.] Conservá-los-á ele ainda em seu poder ou terá obsequiado algum amigo com o embrulho? tudo pode ser.

O único sujeito que me disse conhecê-lo deu-me más informações, porque já lhe tinha feito uma partida igual – tinha recebido uns objetos para entregar a este indivíduo [,] que não suou pouco para os haver às mãos. Enfim eu tanto hei de procurar que o hei de achar e logo que eu consiga receber os livros participar-lho-ei imediatamente.

Vejo que se tem divertido muito e que até já dança o *Reel*[4] — conheço perfeitamente esse bailado por o ter visto dançar muitas vezes a meu pai com as Pintos Leites[5] que a Carolina conheceu perfeitamente.

Isso é de origem anterior ao *God save the Queen*[6]. Pois eu meu amigo não danço coisa alguma. Passamos uma vida de fazendeiros velhos [,] com a diferença que esses ainda jogam o *Baccarat* e *Lansquenet*[7] e eu nem isso jogo. Poucas vezes vou ao teatro e é certo que se não fosse por causa da Julieta nem essas poucas vezes iria [.]

O inverno tem corrido admiravelmente bem e todos nós [,] afora algum ligeiro defluxo, têm tido boa saúde [.] Adeus, meu caro [.]

Dê lembranças minhas a Carolina a quem escrevi há pouco ainda e aceite um abraço do seu

Cunhado e Amigo Sincero
Miguel de Novais

---

1 ∞ Na carta anterior, [214], Novais pedira um exemplar do recém-lançado *Papéis Avulsos*. Agora informa que recebeu uma carta de 15/12/1882, na qual Machado avisa da remessa de três exemplares (possivelmente autografados), por intermédio do alferes Chaves. Como se verá nas três próximas cartas, o "Senhor Alferes" dará a Miguel muito trabalho, a um ponto tal que os cunhados considerarão a remessa perdida, e Machado lhe enviará uma nova: um livro para Fernando Castiço, outro para Gomes de Amorim* e um para Novais. (SE)

2 ∞ Este alferes Chaves, que tanto dissabores causou a Miguel de Novais, não pôde ainda ser identificado. Seria alguém da família do jornalista português radicado no Brasil, Henrique Chaves, um dos fundadores da *Gazeta de Notícias*, periódico para o qual Machado escreveu durante tanto tempo? (SE)

3 ∞ O protonotário apostólico monsenhor José Gonçalves Ferreira era irmão de Joana Maria Ferreira Felício (1835-1897), e foi quem oficiou o seu casamento com Miguel de Novais, bem como o de Machado e Carolina*. Quando celebrou o casamento de Carolina e Machado, José Gonçalves Ferreira era o reitor do Seminário Episcopal São José, situado na ladeira do Seminário, no largo da Mãe do Bispo; era também o prefeito dos estudos e o lente de história eclesiástica da instituição; era capelão do Arsenal de Marinha da corte, celebrando missas na igreja de São João Batista, ali

existente; e, além disso, era diretor do jornal católico *O Apóstolo*. Sobre o casamento de Joana e Miguel, ver carta [157]. (SE)

4 ◈ *Reel* é uma dança folclórica possivelmente originária da Irlanda ou da Escócia que, na primeira metade do século XIX, foi-se espalhando pela Europa e daí para as Américas. Do tipo contradança, caracteriza-se pela formação em roda em que os participantes dançam compondo um oito. Com o nome de *ril* foi apreciada nos salões brasileiros em meados do século XIX, daí chegando aos meios rurais gaúchos, onde ganhou a denominação de *rilo*, sendo incorporada ao folclore do Rio Grande do Sul. (SE)

5 ◈ As filhas de um dos irmãos Pinto Leite: Joaquim, Antônio, Manuel, Caetano, José, João e Sebastião. Embora detentores de algum capital, os irmãos emigraram para o Brasil, onde ampliaram consideravelmente a sua fortuna, retornando alguns à cidade natal, outros transferindo-se para Londres, onde abriram casa bancária, e outros dividindo-se entre os seus negócios no Brasil, Portugal e Londres. As festas em que Miguel viu o pai, Antônio Pimentel de Novais (?-1867), dançar o *ril* talvez tenham ocorrido no belíssimo palacete do Campo Pequeno, mandado construir por Joaquim Pinto Leite, cuja inauguração se deu em 1863, e que existe até hoje no Porto. (SE)

6 ◈ Hino nacional da Grã-Bretanha de autor desconhecido, cantado desde 1745. (SE)

7 ◈ Bacará é um jogo de cartas entre um banqueiro e vários jogadores, em que a carta dez, chamada de *bacará*, equivale a zero, e que consiste em perfazer um número de pontos que se aproxime de nove. Já lansquenê é o jogo de cartas semelhante ao "trinta e um", posto em voga por soldados mercenários alemães nos séculos XV e XVI; no jogo distribuem-se três cartas a cada jogador, com a meta de atingir trinta e um pontos, podendo pedir quantas cartas forem necessárias, mas perdendo sempre que ultrapassar este número. (SE)

[217]

De: JOAQUIM SERRA
Fonte: Cartas de Joaquim Serra a Machado de Assis. *Revista da Academia Brasileira de Letras*, III, Rio, 1911.

Nova Friburgo, 22 de janeiro [de 1883.][1]

Meu caro Machado,
Muito estimarei que... Nada! Não estou para prosas. Outro rumo:

Machado, sobe a serra, que torrado
    Ficarás desta vez!
Manda o ministro à fava, meu Machado,
Manda à fava o Club do xadrez[2],
E vem passar aqui neste montado
    Pelo menos um mês.

Diz ao ministro: oh, Ávila,
    A vila... gem me chama...
O suspiro por mim suspira, e a cáfila
    De figos me reclama.
Oh, Ávila, vê lá se desembuchas,
    Eu quero tomar duchas!
    E vem que já é tarde.
    Aqui tu darás fundo.
Leremos o amigo Bellegarde[3]
E mais as *Sinfonias* do Raimundo[4],
Com a tua overtura pastoril,
    Oh, maestro gentil!

Maus versos, não há dúvida, mas tirem a musa do torpor motivado por 13° centígrados! Com uma temperatura destas não se faz versos; se duvidas, vem fazê-los[5].

Mas vem que o verão aí está épico demais.

Em todo caso escreve-me duas linhas. É tão bom receber uma carta nestas alturas!

    Abraça-te o amigo certo
    J. Serra.

---

1   "Poema de circunstância" em que todos os fatos relacionados situam a carta na década de 1880; mas a referência na terceira estrofe ao ministro Henrique Francisco de Ávila especificou o ano em que foi escrita. Ávila ocupou a pasta do Ministério da

Agricultura, Comércio e Obras Públicas de 07/01 a 24/05/1883; foi substituído por Afonso Augusto Moreira Pena, futuro presidente no regime republicano. (SE)

2 ∞ Machado de Assis, enxadrista apaixonado, frequentou diversas agremiações; por exemplo, o Clube Politécnico, na rua da Constituição 47, tendo na diretoria Artur Napoleão*, o visconde de Pirapetinga e o próprio Machado. No Clube Beethoven, havia uma sala de xadrez, à qual Machado foi assíduo. Em [171], Napoleão propõe questões de enxadrismo de alta complexidade ao escritor. (SE)

3 ∞ Guilherme Cândido Bellegarde (1836-1890), colega de Machado de Assis na Secretaria de Agricultura, poeta e correspondente de *O Futuro* e da *Semana Ilustrada*. (SE)

4 ∞ Lançado pela Livraria e Editora Faro & Lino, na primeira quinzena de janeiro de 1883, *Sinfonias* de Raimundo Correia* (1859-1911) teve prefácio de Machado e foi dedicado a Valentim Magalhães*. O livro é dividido em duas partes. A primeira reúne a produção lírica, de matiz parnasiano, feita em São Paulo, quando ainda estudante de direito. A segunda reúne poemas de inspiração huguiana, que refletem as transformações por que passou ao entrar em contato com o ambiente republicano da academia paulista. Grande entusiasta das *Sinfonias*, Joaquim Serra diz em 20/02/1883, no *Globo*:

> "Artista no que diz respeito à forma, o verso de Raimundo Correia é do mais esmerado lavor. [...] O autor das *Sinfonias* põe no primeiro plano a construção da estrofe, a arte do bem dizer." (SE)

5 ∞ Joaquim Serra tinha um pequeno sítio na região de Nova Friburgo, onde se refugiava do calor da corte. (SE)

[218]

De: MIGUEL DE NOVAIS
Fonte: Manuscrito Original, Arquivo ABL.

Benfica, 19 de fevereiro de 1883.

Amigo Machado de Assis.

Recebi a sua carta de 14 de Janeiro e confesso-lhe que estou admirado com a sua atividade [:] duas cartas com intervalo de menos de 3 meses, escritas pelo Machado de Assis! caso para se atribuir a milagre da Senhora do Lameiro.

Ora sabe o que vou dizer-lhe [?] é que os seus *papéis avulsos*[1] ainda cá não chegaram! Quando tive notícia da remessa, pus em campo a minha polícia para descobrir o tal *Senhor* Chaves; depois de muito trabalho, acertei com quem me disse conhecê-lo, e quando lhe contei ou lhe disse a razão por que desejava saber a sua morada, o tal sujeito [,] que era um amigo meu, torceu o nariz e disse-me "há de ser difícil apanhar à mão a encomenda" [;] onde o homem morava não sabia. Continuei nas minhas diligências e descobri por intermédio de meu enteado, que ele se dava muito com o Silva Pereira[2] [,] ator que aí esteve. Pedi então ao mesmo meu enteado Conde de *São* Mamede[3] para que falasse ao Silva Pereira a fim de obter do Chaves o pacote de que se tinha encarregado para me entregar. O Silva Pereira falou-lhe com efeito e ele respondeu que ia mandá-lo imediatamente ao seu destino. Passaram-se mais quinze dias e [,] encontrando-me com o Silva Pereira [,] lembrei-lhe de novo o negócio, a que ele me respondeu [:] "Neste momento, venho de estar com ele, que me disse ter remetido pelo correio o pacote logo no dia seguinte ao que lhe falei pela primeira vez." [E] como o Silva Pereira quando tratou disto pela primeira vez lhe disse que fazia aquela pergunta obedecendo a um pedido do Conde de *São* Mamede [,] foi bastante para que ele, sendo interrogado sobre o endereço do Pacote, dissesse [:] "mandei-o dirigido ao Conde de São Mamede." Tudo mentira, tudo trampolinada [,] que dá em resultado o amigo perder os livros, e eu sem satisfazer o desejo que tinha de ler aquela sua obra.

Mas onde mora o tal sujeito? pergunto ao *Senhor* Pereira, tenho perguntado a Lisboa inteira: ninguém sabe! e aqui tem o meu amigo em que mãos caíram os tais livros!

Hei de ver se posso apanhá-lo ainda, mas as esperanças já as perdi de todo [.] O homem é pantomimeiro – isso não tem dúvida nenhuma – o que ele fez à encomenda não sei; mas que o correio a não viu lá também é certo. [B]asta de perder tempo falando de tal firma.

Junto a esta carta vai um *memorandum* da livraria Ferin[4] que lhe diz o que há a respeito do livro do Marquês de Pombal, de que me fala na sua carta. Agora mesmo acaba de me pedir o Castiço para [,] em seu nome, lhe perguntar se é possível obter os volumes publicados aí por um sujeito que ele pensa chamar-se Franklin[5] – que são Anais da Biblioteca, ou coisa assim parecida. [D]eseja saber se se vendem em primeiro lugar, e no caso negativo, se é possível, ou se há meio de se obterem de mão do autor, como presente. O Castiço está aqui com a Lina há perto de um mês. No caso que isto se possa arranjar, diga-mo para eu ver se os mando buscar pelo Chaves.

Nós todos vamos passando bem de saúde [,] que é o principal. A Julieta, sempre a mesma coisa [,] pede sempre lembranças para o Machado e Carolina, nunca se esquece da história do Tribunal.

Eu continuo a sujar telas todos os dias.

O meu *atelier* é uma fábrica[6].

Adeus – basta por hoje.

Lembranças nossas e saudades para a Carolina e o amigo recebe um apertado abraço do seu do *Coração Amigo e Cunhado*

Miguel de Novais

---

1 ◌ Em [214], Miguel havia pedido *logo que houvesse ocasião* os *Papéis Avulsos*. Machado remeteu-os por intermédio do alferes Chaves, que se revelou pouco confiável. Esses exemplares não chegaram às mãos de Miguel. (SE)

2 ◌ Francisco Teixeira da Silva Pereira (1839-1904), ator português que viveu no Brasil de 1872 a 1881, apresentando-se na corte e em várias cidades do Império. Depois de fixar-se novamente em Lisboa, continuou a fazer temporadas no Brasil. Mário de Alencar* conta que o gracejo deselegante feito por ele sobre o excesso de frases curtas na tradução machadiana da peça de Racine – *Os Descontentes* – aborreceu tanto o escritor que este suspendeu a leitura, e a peça acabou não indo à cena. Segundo Alencar, o ator teria feito uma alusão desgraciosa à sua gagueira. (SE)

3 ◌ **José Pereira Ferreira Felício** (1853-1905), o 2.º conde de São Mamede, também conhecido como conde Juca. Filho de Joana Ferreira Felício e Rodrigo Pereira Felício, os 1.ºs condes de São Mamede, Juca casou-se com Lídia Smith de Vasconcelos. O casal teve quatro filhos: Joana, Lídia, Alfredo e Frederico. A filha Lídia Maria Pereira Ferreira Felício casou-se (1899) com Joaquim Francisco Assis Brasil (1857-1938),

escritor, diplomata, político e fundador do partido republicano do Rio Grande do Sul. O conde Juca foi também secretário particular do rei D. Carlos I (1863-1908). Além disso, publicou *Don Sébastien et Philippe II, exposé des négociations entamées en vue du mariage du roi de Portugal et de Marguerite de Valois* (G. Pedone-Lauriel: Paris, 1884), documento raro considerado de suma importância para o estudo das relações entre as casas reais europeias do período. (SE)

4 ∽ A Livraria Ferin foi fundada por Mme. Ferin, na rua Nova do Almada, no Chiado e mantém-se na família há seis gerações. (SE)

5 ∽ Miguel de Novais está se referindo a Benjamin Franklin Ramiz Galvão (1846--1938), que fora diretor da Biblioteca Nacional do Rio de Janeiro de 1870 a 1882, e que soubera cercar-se de auxiliares de alta competência e erudição, entre eles, José Alexandre Teixeira de Melo*, Alfredo do Vale Cabral, Capistrano de Abreu* e Meneses Bruno. A partir de 1876, Ramiz Galvão tomou a iniciativa de editar os Anais da Biblioteca Nacional do Rio de Janeiro, que nesta carta figuram como objeto de interesse de Fernando Castiço, por quem Miguel de Novais revela alta consideração. (SE)

6 ∽ Outra referência à sua constante atividade de pintor. Ver nota 7, em [206]. (SE)

[219]

De: JOSÉ VERÍSSIMO
Fonte: Manuscrito Original, Arquivo ABL.

Pará, 4 de março de 1883.

Ilustríssimo Excelentíssimo Senhor Joaquim Maria Machado de Assis

Com esta receberá Vossa Excelência o primeiro número da *Revista Amazônica*[1], da qual sou Diretor.

É uma tentativa, talvez utópica, mas, em todo o caso bem intencionada. Não sei se terá mais, ou, pelo menos, tanta vida como a *Brasileira*[2]. Eu por mim o que posso prometer é que farei tudo para que viva. Mas eu só, e no meio de uma sociedade onde os cultores das letras não abundam, nada posso; e se não fosse confiar na proteção daqueles que, como Vossa Excelência, conservam vivo o amor ao estudo, não a publicaria.

É, pois, para pedir a sua valiosíssima colaboração que tenho a honra de escrever a Vossa Excelência, de quem, há muito que

Sou
Admirador sincero
José Veríssimo[3]

---

1 ◦⇓ José Veríssimo fundou e dirigiu a *Revista Amazônica*, que circulou em 1883 e 1884. (IM)

2 ◦⇓ *Revista Brasileira*, fase dirigida por Henrique Midosi, de 1879 a 1881. Ver em [178]. (IM)

3 ◦⇓ Este é o começo de uma grande amizade e da excepcional correspondência entre Machado e Veríssimo. Vale aqui recordar que, 12 anos depois, Veríssimo dirigiria uma nova *Revista Brasileira*. A resposta de Machado está em [223], carta de 19/04/1883. (IM)

[220]

| De: JOÃO DALLE AFFLALO
| *Fonte:* Manuscrito Original, Arquivo ABL.

Itajubá, 14 de abril de 1883.[1]

Ilustríssimo e Excelentíssimo Senhor Doutor J. M. Machado de Assis.

Excelentíssimo Senhor Doutor

O abaixo assinado, representando os demais sócios fundadores da "Biblioteca Machado de Assis", tem a distinta honra de acusar a recepção da carta de Vossa Excelência datada de 27 do mês próximo passado, acompanhando a mesma um livro – *Os Deuses de Casaca*[2] – que Vossa Excelência nos fez o favor de mandar.

Agradecemos cordialmente aquele mimo e aguardamos ocasião oportuna para fazermos aquisição das futuras obras de Vossa Excelência.

Desejamos saber se Vossa Excelência recebeu o título de benemérito que tivemos o prazer e honra de remeter a Vossa Excelência[3].

Desejamos muito possuir a fotografia de Vossa Excelência [,] por isso tomamos a liberdade de pedir-lhe, esperando que Vossa Excelência atenderá o nosso tão justo pedido.

Deus guarde a Vossa Excelência
O Bibliotecário
João Dalle Afflalo

---

1 ∾ Primeira de uma série de cartas inéditas, enviadas de Itajubá, Minas Gerais. Em 31/01/1883, a *Gazeta de Notícias* noticiava:

"O nosso amigo e colega Machado de Assis acaba de receber de Itajubá, Província de Minas, um ofício em que diversos cavalheiros daquela cidade lhe participam ter feito escolha do seu nome para título de uma biblioteca pública que ali fundaram."

O jornal *O Itajubá* já anunciara a fundação da biblioteca em 25/01/1883, como conta o historiador Armelim Guimarães (1987):

"Várias bibliotecas públicas já se organizaram em Itajubá. A mais antiga, e de maior importância daquele tempo, foi a Biblioteca Municipal Machado de Assis, fundada em 25 de janeiro de 1883 por quatro idealistas obreiros do progresso cultural de Itajubá. Foram eles João Dalle Afflalo, Dr. Cristiano Pereira Brasil, Frederico Schumann Sobrinho e Dr. Geraldino Campista. / Cada sócio fundador cedeu, para iniciar, uma certa quantidade de volumes de sua biblioteca particular. A partir de I.º de fevereiro daquele ano foi franqueada ao público. No seu estatuto rezava que os sócios fundadores eram os proprietários da biblioteca, e que qualquer pessoa poderia ingressar-se como sócio, pagando um mil-réis, de mensalidade, para o que deveria entender-se com o Secretário Frederico Schumann Sobrinho. / A promissora organização iniciou-se com 150 volumes."

Segue-se a transcrição da *Gazeta de Notícias* que abre esta nota, e:

"O consagrado autor de *Quincas Borba* e *Dom Casmurro*, logo assim recebeu a comunicação de Itajubá, imediatamente remeteu aos fundadores da biblioteca uma coleção de suas obras, acompanhada de um honroso ofício, conforme noticiou a folha 'O Itajubá' de 03-03-1883. / Em março do mesmo ano a Biblioteca Machado de Assis já estava com 250 volumes e 61 sócios. E foi crescendo o acervo de livros conforme noticiavam várias edições de 'O Itajubá'. / Com um ano de existência já atingia quase um milheiro de volumes. Até o editor Garnier, do Rio de Janeiro, ofereceu livros, nada menos de 100 volumes. O famoso poeta satírico Padre José

Joaquim Correia de Almeida mandou três obras de sua autoria, sendo 7 volumes das *Sátiras e Epigramas*, I da *República dos Tolos* e I da *Notícia da Cidade de Barbacena*. / E foi-se, em pouco tempo, tornando famosa a Biblioteca dos quatro fundadores itajubenses. Bernardo Saturnino da Veiga, que a visitou em 1883, incluiu-a no *Almanaque Sul-Mineiro de 1885*. A escritora Lúcia Miguel Pereira, no seu livro *Machado de Assis* (Companhia Editora Nacional, pág. 202, edição de 1936), oferece esta nota: / 'De toda parte lhe chegavam ecos dos seus triunfos; basta para mostrar a consagração literária, dizer que em 1883 já funcionava em Itajubá uma biblioteca pública com seu nome. Aplausos anônimos, ou desconhecidos, lhe vinham de todos os quadrantes' [...].''

É privilégio desta *Correspondência de Machado de Assis* tornar público este aspecto da vida do escritor. Excetuando-se uma breve menção de Pereira (1988), tal fato escapou aos biógrafos e outros especialistas. Prova da sua importância é observar que Machado conservou zelosamente um conjunto de cartas vindas de Itajubá (ver em [224], [225], [227], [237], [251] e [264]). Quanto à primeira missiva enviada pelos fundadores e as respostas do mestre, resta a esperança de encontrá-las, assim como vestígios do acervo da Biblioteca. Ver em [237], carta de 11/09/1884. (IM)

2 ∾ Peça de Machado de Assis escrita em 1864, para ser encenada na casa dos irmãos Manuel e Joaquim de Melo*, foi representada em 28/12/1865, no terceiro sarau da associação literária Arcádia Fluminense. Publicou-a o Imperial Instituto Artístico, de Henrique Fleiuss*, em janeiro de 1866. Ignora-se que outras obras machadianas estariam no acervo inicial da Biblioteca, logo ampliado com a doação de Garnier; ver em [224], [225] e [227]. (IM)

3 ∾ Documento ainda não localizado. (IM)

[221]

Para: JOAQUIM NABUCO
Fonte: ARANHA, José Pereira da Graça. *Machado de Assis e Joaquim Nabuco. Comentários e Notas à Correspondência Entre Estes Dois Grandes Escritores.* São Paulo: Monteiro Lobato, 1923.

Rio de Janeiro, 14 de abril de 1883.

Meu caro Nabuco.

Esta carta devia ser escrita há cerca de um mês. Como, porém, uma folha desta corte anunciasse que Você em maio viria ao Rio de Janeiro, entendi esperá-lo. Falei depois ao Hilário[1], que me disse não ter nenhuma carta sua nesse sentido; concluí que a informação não era exata, e resolvi mandar-lhe estas duas linhas, acompanhadas de um livro meu.

Antes de falar do livro, agradeço muito as suas lembranças de amizade, que de quando em quando recebo. A última, um retalho de jornal, acerca da partida de xadrez, foi-me mandada à casa pelo Hilário; pouco antes tinha recebido pelo correio alguns jornais franceses relativos à morte e ao enterro de Gambetta[2]; e ainda há poucos dias tive em mão uma remessa mais antiga, um cartão do "Falstaff Club"[3], noite de 21 de junho de 1882. Vê Você que, se se lembra dos amigos, o correio não o deixa mal, e é pontual transmissor das suas memórias. Oxalá faça o mesmo com o livro que ora lhe envio, *Papéis Avulsos*, em que há, nas notas, alguma coisa concernente a um episódio do nosso passado: a *Época*[4]. Não é propriamente uma reunião de escritos esparsos, porque tudo o que ali está (exceto justamente a *Chinela Turca*)[5] foi escrito como fim especial de fazer parte de um livro. Você me dirá o que ele vale.

E agora, passando a coisa de maior tomo, deixe-me dizer-lhe, não só que aprecio e grandemente as suas cartas de Londres para o *Jornal do Comércio*, como que os meus amigos e pessoas com que converso, a tal respeito, têm a mesma impressão. E olhe que a dificuldade, como Você sabe, é grande, porque no geral as questões inglesas (não só as que Você indicou em uma das cartas, e se prendem aos costumes e interesses locais, mas até as grandes) são pouco familiares neste país; e fazer com que todos as acompanhem com interesse, não era fácil, e foi o que Você alcançou. Sua reflexão política, seu espírito adiantado e moderado, além do estilo e do conhecimento das coisas dão muito peso a esses escritos. Há um trecho deles, que não sei se chegou a incrustar-se no espírito dos nossos homens públicos, mas considero-o como um aviso, que não devia sair da cabeceira deles: é o que se refere à nossa dívida. Palavras de ouro, que oxalá não sejam palavras ao vento. A insinuação relativa à perda de alguma parte da região brasileira abre uma porta para o futuro.

Adeus, meu Nabuco, continue a lembrar-se de mim, assim como eu continuo a lembra-me de Você, e deixe-me apreciar o seu talento, se não posso também gozar do seu trato pessoal. Um abraço do

    Amigo e admirador afetuosíssimo
      M. de Assis.

---

1 ✧ O médico Hilário Soares de Gouveia*, casado em 1870 com Iáiá (Rita Nabuco de Araújo), irmã de Joaquim. Machado sempre o teve em alto apreço. Ver em [165]. (IM)

2 ✧ Léon Gambetta (1838-1882), político francês republicano. (IM)

3 ✧ O *New York Times*, de 20/06/1882, estampou na seção "*London gossip of the day*", enviada de Londres em 20/05/1882, este comentário:

"O primeiro espetáculo dramático do Falstaff Club vai ocorrer na próxima quinta-feira; será administrado pelo Sr. Charles Wyndham, cuja filha fará o *début* na ocasião. É possível que a discordância de alguns patrocinadores do clube resulte em sérias mudanças na organização daquela instituição. A sede do clube é uma das mais bonitas de Londres, mobiliada num estilo luxuoso e equipada com todos os recursos modernos. Um aspecto da 'sociabilidade' da instituição é um encontro semanal entre fumantes; o Príncipe de Gales é um visitante ocasional e prometeu comparecer ao primeiro espetáculo dramático."

Essa descrição contemporânea à carta leva a imaginar Joaquim Nabuco frequentando a elegante agremiação. (IM)

4 ✧ Revista quinzenal de variedades, dirigida por Joaquim Nabuco; circulou de novembro de 1875 a janeiro de 1876. (IM)

5 ✧ Em *Papéis Avulsos* (1882), Machado explica numa nota referente ao conto "A Chinela Turca":

"Este conto foi publicado, pela primeira vez, na *Época*, n.º 1 de 14 de novembro de 1875. Trazia o pseudônimo de *Manassés*, com que assinei outros artigos daquela folha efêmera. O redator principal era um espírito eminente, que a política veio tomar às letras: Joaquim Nabuco. Posso dizê-lo sem indiscrição. Éramos poucos e amigos. O programa era não ter programa, como declarou o artigo inicial, ficando a cada redator plena liberdade de opinião, pela qual respondia exclusivamente. O tom (feita a natural reserva da parte de um colaborador) era elegante, literário, ático. A folha durou quatro números." (IM)

[222]

De: MIGUEL DE NOVAIS
Fonte: Manuscrito Original, Arquivo ABL.

Lisboa 17 de abril de 1883.[1]

Amigo Machado de Assis.

Recebi a sua carta de 26 de Março à qual respondo, agradecendo os pêsames que nos dirige pelo falecimento do Monsenhor Ferreira[2].

Felizmente não se realizou a viagem que ele tentava à Europa. Se cometiam a imprudência de o deixar embarcar, era certo que sucumbiria na viagem, e então a acontecer tal, melhor foi assim.

Ainda nada pude obter do S*enho*r Alferes Chaves[3]! – não foi possível encontrá-lo em casa[4]; depois ainda tentei por intermédio do Geraldo de Vecchi[5] que o amigo conhece, receber os livros. O h*o*mem desculpou-se não sei como de os não ter mandado, mas que ia imediatamente remeter-mos. [P]assado[s] dias, disse-lhe que já os tinha mandado, e não se lembrava quando disse que mos remeteria [,] que dois meses antes já tinha dito ao Silva Pereira que os tinha dirigido pelo Correio ao Conde de S*ão* Mamede[6] – Trampolinices – e a perda total dos volumes – aqui está tudo. Eu já estou há m*ui*to convencido que o Correio é sempre o portador m*ai*s seguro.

Há tempos vi na *Gazeta de Notícias* um pequeno trabalho seu a "Igreja do diabo" [,] que agradou m*ui*to. Creio que alguns jornais daqui o transcreveram [;] o *Constituinte* de Braga sei eu que o transcreveu em folhetim – porque me foram mandados pelo Castiço os dois números em que vinha publicado.

Então com que ainda em busca da casa para morar? Faço ideia de quanto lhe deve custar essa mudança, e parece-me que só a efetuará qu*an*do a pessoa que vai ocupar a sua lhe entrar pela porta dentro com armas e bagagens[7].

Nós estamos agora no Hotel Universal em Lisboa, desde o princípio do mês. Temos a nossa casa em Benfica, mas como minha mulher já não podia suportar o mau serviço de criados e tendo-se dado o caso de ficarmos no fim de Março só com o cozinheiro, visto que a Ana já tinha embarcado para o Rio de Janeiro, resolvi não tomar mais nenhum por enquanto e para descansar minha mulher viemos para aqui, e logo que o tempo esteja bom para viajar pelo Minho por lá passaremos alguns meses.

No correio desta Corte já fiz os competentes avisos a fim de que as cartas dirigidas a Benfica me fossem entregues aqui no Hotel e já aqui recebi aquela a que respondo, mas como sigo para o Minho onde permanecerei até o mês de Setembro ou princípios de Outubro, as cartas com que se digne mimosear-me até lá devem ter a direção seguinte [:] *Miguel de Novais – Chiado – números 25 e 27 – Lisboa* – deste ponto me serão remetidas para onde quer que eu me ache [,] é seguro [;] e assim pode escrever sempre até segundo aviso [.]

Agradeço-lhe também as diligências que tem feito para obter os livros que pede o Castiço.

De saúde não há novidade por cá – tudo vai bem. Minha mulher, que está neste momento a escovar um vestido pede-me para dizer a Carolina que desculpe não lhe escrever agora porque não está com boa disposição de espírito para fazê-lo[8], o que será breve.

Adeus [,] lembranças de todos e um

abraço do Seu do *Coração*
Cunhado e amigo
Miguel de Novais

---

1   Em *O Reflexo no Espelho*, artigo em que foi transcrita grande parte da correspondência de Miguel de Novais a Machado de Assis, Pérola de Carvalho datou esta carta de 14/04/1883; porém o manuscrito não deixa dúvida: 17/04/1883. (SE)

2   Monsenhor José Gonçalves Ferreira era irmão de Joana, mulher de Miguel de Novais, e oficiou-lhes a união em 1876. Sobre o casamento, ver em [157]. Detalhes sobre o monsenhor em [216]. (SE)

3 ～ Sobre o "trampolineiro" alferes Chaves, ver em [216]. (SE)

4 ～ Miguel de Novais insistia em suas buscas pelo alferes. Há três cartas em que volta ao assunto, o que dá a medida do quanto desejava reaver os livros. Certamente essa atitude não escapava à percepção do escritor, o que ajuda a compreender por que Miguel de Novais era um dos amigos epistolares mais íntimos, um dos poucos com quem Machado realmente se abria. Não se pode esquecer que Machado de Assis é o escritor dos *indícios* psicológicos. (SE)

5 ～ Seria este senhor algum parente do primeiro marido da atriz Gabriela da Cunha, José Felice de Vecchi? Seja como for, Geraldo de Vecchi andou em algum momento pelo Rio de Janeiro, já que Miguel de Novais diz a respeito dele: "que o amigo conhece". Sobre Gabriela e de Vecchi, ver tomo I. (SE)

6 ～ Ver nota 3 em [218].

7 ～ Ainda a questão da mudança de casa, evento que só acontecerá no ano seguinte, quando finalmente Machado realizará o desejo de viver no Cosme Velho. (SE)

8 ～ Talvez em função da recente perda do irmão, o monsenhor José Gonçalves Ferreira. (SE)

[223]

Para: JOSÉ VERÍSSIMO
Fonte: MACHADO DE ASSIS, Joaquim Maria.
Obra Completa. Rio de Janeiro: Nova Aguilar,
2008. vol. 3.

Rio de Janeiro, 19 de abril de 1883.

Ilustríssimo Excelentíssimo Senhor José Veríssimo.

Recebi a carta de Vossa Excelência e o I.° número da *Revista Amazônica*. Na carta, manifesta o receio de que a tentativa não corresponda à intenção, e que a *Revista* não se possa fundar. Não importa; a simples tentativa é já uma honra para Vossa Excelência, para os seus colaboradores e para a Província do Pará, que assim nos dá uma lição à Corte.

Há alguns dias, escrevendo de um livro, e referindo-me à *Revista Brasileira*[1], tão malograda, disse esta verdade de La Palisse[2]: "que não há revistas, sem um público de revistas"³. Tal é o caso do Brasil. Não temos ainda a massa de leitores necessária para essa espécie de publicações. A *Revista Trimestral* do Instituto Histórico vive por circunstâncias especiais, ainda assim irregularmente, e ignorada do grande público.

Esta linguagem não é a mais própria para saudar o aparecimento de uma nova tentativa; mas sei que falo a um espírito prático, sabedor das dificuldades, e resoluto a vencê-las ou diminuí-las, ao menos. E realmente a *Revista Amazônica* pode fazer muito; acho-a bem feita e séria. Pela minha parte, desde que possa enviar-lhe alguma coisa, fá-lo-ei, agradecendo assim a fineza que me fez, convidando-me para seu colaborador.

Sou com estima e consideração,

Admirador e obri*gad*o confrade
Machado de Assis.

---

1 ∾ *Revista Brasileira*, da chamada fase Midosi. Ver em [178] e [219]. (IM)

2 ∾ Jacques de Chabannes, senhor de La Palice (1470-1525). Marechal de França morto na batalha de Pávia, ele mereceu uma canção dos seus comandados que, para dizer de sua bravura até a morte, formularam versos desajeitados: *Hélas, La Palice est mort / Il est mort devant Pavie / Hélas, s'il n'était pas mort / Il serait encore en vie*, ou seja, se não tivesse morrido, ainda estaria vivo. Versões gozadoras logo surgiram, todas elas repletas de obviedades no gênero. Uma verdade de La Palice (ou Palisse, como era voga escrever no Brasil) passou a ser sinônimo de afirmação cretina, do nosso "óbvio ululante". O humor de Machado de Assis encontrou nessa figura um terreno fértil. (IM)

3 ∾ Crônica publicada em *A Estação* (31/03/1883). (IM)

[224]

De: JOÃO DALLE AFFLALO
Fonte: Manuscrito Original, Arquivo ABL.

Itajubá, 2 de maio de 1883.

Ilustríssimo e Excelentíssimo Senhor Doutor Joaquim Maria Machado de Assis.

Tenho a honra de acusar a recepção da carta que Vossa Excelência fez o favor de dirigir-me em 24 passado.

Por ela vejo que Vossa Excelência recebeu o diploma, bem como a minha carta em que acusava o recebimento dos *Deuses de Casaca*.

Fiquei sumamente contente e agradecido sabendo que Vossa Excelência tendo ocasião oportuna de falar da nossa Biblioteca com o Senhor Garnier, conseguiu arranjar com o mesmo alguns volumes[1].

A boa vontade que Vossa Excelência tem de fazer prosperar o nosso cometimento, é uma grande prova de proteção e arrimo que muito penhorou-me e aos meus amigos.

Consignamos aqui o nosso voto de eterna gratidão e reconhecimento.

Indico a Vossa Excelência nessa Corte, a casa de Schmidt, Carneiro & Peixoto, à rua 1.º de Março, n.º 119, para ser entregue o caixote de livros que o Senhor Garnier nos fez o favor de brindar-nos.

A ele também agradecemos cordialmente tão grande e importante presente, assegurando-lhe que jamais deixaremos em olvido tão mimosa dádiva.

Ansiosos aguardamos receber a fotografia de Vossa Excelência.

Sou, com elevada estima e consideração,

De Vossa Excelência
Amigo Obrigadíssimo e Criado,
João Dalle Afflalo

---

1 ∾ O editor e livreiro Baptiste Louis Garnier ofereceria 100 volumes. Sobre a Biblioteca Machado de Assis, ver em [220]. (IM)

[225]

De: JOÃO DALLE AFFLALO
Fonte: Manuscrito Original, Arquivo ABL.

Itajubá, 23 de maio de 1883.

Ilustríssimo e Excelentíssimo Senhor Doutor J. M. Machado de Assis.

Fui honrado com uma carta de Vossa Excelência de 16 do corrente, a qual respondo-lhe:

Fico avisado de que o Senhor Garnier já fez entrega da caixa de livros aos Senhores Schmidt, Carneiro & Peixoto em o dia 16 ou 17[1].

Logo que receber os livros oficiarei ao Senhor Garnier, agradecendo-lhe e enviando-lhe um diploma de sócio benemérito.

Eu e os meus amigos agradecemos a sua preciosa e amável fotografia, que Vossa Excelência nos fez o favor de mandar. Aguardamos recebê-la.

Agradecemos também o honroso oferecimento de seus grandes e importantes favores a nós dispensados.

Sou com elevada estima e consideração
De Vossa Excelência
Amigo Obrigadíssimo e Criado
João Dalle Afflalo

---

1 ∾ Ver em [224].

[226]

> De: MIGUEL DE NOVAIS
> *Fonte:* Manuscrito Original, Arquivo ABL.

Lisboa, 27 de maio de 1883.

Amigo Machado.

Recebi sua estimada carta de 14 de abril com os dois volumes dos *Papéis avulsos*[1] e os anais da Biblioteca que vão destinados ao Castiço[2]. No mesmo dia em que os recebi fui entregar ao Gomes de Amorim[3] o que lhe era oferecido. Achando-se então muito doente dos olhos e com proibição expressa de ler ou escrever, pediu-me para que lhe agradecesse enquanto não podia escrever-lhe [,] o que só faria em todo o caso só depois de ler o livro. Eu li-o ligeiramente porque a curiosidade era grande, com tenção de repetir a leitura com mais vagar e atenção para dizer-lhe o que pensava do livro – depois, tem andado [tanto] de mão em mão, (estando atualmente com o Ramalho[4]) que não pude lê-lo até agora como desejava.

Pareceu-me tudo aquilo muito notável por uma fina observação e como estudos filosófico-críticos acho-os magníficos – gostei – e espero o regresso do volume para o reler mais detidamente. Ainda não falei com o Ramalho depois que lho mandei. Enquanto aos anais da Biblioteca, devo confessar-lhe que, se eu soubesse que era obra de tanto vulto, não lha teria pedido – e depois o amigo fez muito mal em mandar tudo aquilo pelo correio[5]. Vejo que lhe custou um dinheirão e francamente não valia a pena. Se eu pudesse prever isto não lhe teria [,] como já disse [,] feito o pedido e quando o fizesse dir-lhe-ia que metesse tudo em um caixão e remetesse por qualquer navio de vela. [É] muito boa a pessoa que ambos servíamos, não há dúvida, mas não me parece que valesse a pena de qualquer sacrifício. O último volume [,] que veio pelo "Orenoque"[6], ainda o não recebi. Só chegou a Lisboa no dia 23 a bordo do Niger que o descarregou na Alfândega como encomenda e para o tirar de lá é preciso despachos e mil formalidades que se não cumprem em três dias e fica o volume muito caro.

[E]is o que são estas coisas [,] declaro que não peço mais nada. [D]esculpe-me por esta maçada que lhe dei involuntariamente.

Diz-me a Carolina em uma carta que me escreveu ultimamente que já têm casa na rua do Marquês de Abrantes[7]. [A]inda bem que não foram para o Caminho Velho[8] – quando me disse que pensava ir para aquela rua [,] lamentei-o sinceramente. [É] insuportável pela quantidade de mosquitos que há naquela rua. Verdade seja que eu já estive alguns dias morando na rua do Marquês de Abrantes com o Faustino e saí de lá pelo mesmo motivo[9]. Fui tomar um quarto na Cidade, onde estive, enquanto o Faustino residia ali. A Carolina ainda se há de lembrar disso. Eu, pela minha parte, não compreendo como se possa passar uma noite com a música acompanhada de ferroadas dos tais insetos [;] mas o que é fato é que vive muito boa gente nestas condições e dormem (sic) suponho eu, perfeitamente bem – Questões de hábito. Eu até arranjei, quando morei na tal rua, um saco de arame que enfiava na cabeça todas as noites quando me deitava [,] também tive luvas, mas lembra-me que tudo isso não evitava as mordidelas – é insuportável. Oxalá que a casa que vai ocupar ou que já deve estar ocupando esteja isenta dessa praga.

Nós vamos depois de amanhã para Braga, e pela província do Minho passaremos o verão. Quando escrever fará favor de remeter-me as cartas com direção à *Rua do Chiado*, 27 – Lisboa. Desta casa me serão enviadas para onde quer que eu me ache.

Adeus meu caro – basta por hoje.

Saudades nossas para a Carolina
e um abraço do seu do *Coração*
Cunhado e amigo obrigado
Miguel de Novais

1 ⚭ Em [209], de 21/07/1882, Novais quis saber quando sairia o volume prometido para junho daquele ano. Em [214], de 02/11/1882, declara que deseja ler o recém-lançado *Papéis Avulsos*. Em [216], de 21/01/1883, informa que o alferes Chaves não lhe entregou os três exemplares enviados. Nesta, de 27/05/1883, avisa que recebeu finalmente os novos exemplares enviados por Machado junto com uma carta de 14/04/1883. (SE).

2 ⚭ Os *Anais da Biblioteca Nacional do Rio de Janeiro* começaram a ser editados em 1876, sob a administração de Benjamin Franklin Ramiz Galvão. Tinham a função de oferecer a transcrição de obras do acervo julgadas de interesse, seja pela raridade, pelo ineditismo ou pela singularidade. Tinham também a função de formar o registro comentado da bibliografia dos mais célebres escritores do acervo, bem como de dar à publicidade os trabalhos de mérito produzidos pelos funcionários da instituição ou por estudiosos de fora da biblioteca. Fernando Castiço, historiador português e bibliófilo, que viveu e teve negócios no Rio de Janeiro, conhecedor da origem e da importância da instituição, teve o interesse despertado pela publicação. (SE)

3 ⚭ Em [202], Novais intercedeu fortemente por Gomes de Amorim*, que vinha se sentindo desprezado pelo fato de ter enviado a recém-lançada biografia de Garrett, e Machado não acusara sequer o recebimento. (SE)

4 ⚭ Miguel de Novais era amigo de longa data do jornalista Ramalho Ortigão. Sobre ele, ver em [267] e [268], cartas de 19/08/1887 e 26/12/1887, respectivamente. (SE)

5 ⚭ Em [218], carta de 19/02/1883, Miguel pede os *Anais da Biblioteca Nacional do Rio de Janeiro* em nome de Fernando Castiço, marido de sua enteada Lina. Até aquela data, a Biblioteca Nacional editara dez substanciais volumes. Teria Castiço pedido toda a coleção desde 1876? Parece. (SE)

6 ⚭ *Orenoque* era um dos 57 navios a vapor da *Compagnie des Messageries Maritimes* em operação nas linhas do oceano Atlântico; cobria a rota Bordeaux-Buenos Aires, parando em portos brasileiros. A *Messageries* tinha a sua sede na 28 rue Notre-Dame-des-Victoires, Paris e escritórios executivos em Bordeaux e Marseille. No Rio, Tomás Bertolini era o agente de viagens, com escritório na rua da Alfândega, 1, 1.º andar. (SE)

7 ⚭ A frase – *Diz-me a Carolina em uma carta que me escreveu ultimamente que já têm casa na rua do Marquês de Abrantes* – pode ser indicativa de mais um endereço do casal antes da ida definitiva para a rua do Cosme Velho. A expressão *ter casa* deve ser aí interpretada no sentido de "conseguir uma casa". Como houve um espaço de tempo entre a carta que recebeu de Carolina e a que escreve neste momento para Machado, seria possível que o casal já tivesse mudado. A ida para a rua Marquês de Abrantes estava definida, mesmo

que não houvesse materialmente ocorrido. A dúvida de Miguel não é se Carolina e Machado mudariam, mas se já teriam ou não mudado para a nova residência, tanto que conclui a respeito dos mosquitos que atormentavam os moradores de Botafogo: "Oxalá que a casa que vai ocupar ou que já deve estar ocupando esteja isenta dessa praga". Como um acordo de aluguel nesse tempo não se revestia de grandes formalidades legais, muitas vezes bastava que locador e locatário ajustassem as condições e estava feito o negócio, é possível que tenha residido ali nesse ano de 1883 até a transferência para o Cosme Velho no início de 1884. (SE)

8 ⁕ Em contraposição ao Caminho Velho para Botafogo (depois rua Senador Vergueiro), a rua Marquês de Abrantes era chamada de Caminho Novo. (SE)

9 ⁕ Sobre esse momento da vida dos irmãos Novais, ver, no tomo I, carta [81].

[227]

De: JOÃO DALLE AFFLALO
Fonte: Manuscrito Original, Arquivo ABL.

Itajubá, 4 de junho de 1883.

Ilustríssimo e Excelentíssimo Senhor Doutor Joaquim Maria Machado de Assis.

Escrevi a Vossa Excelência em 23 do mês próximo passado, acusando a sua de 16 do mesmo mês.

Agora faço novamente, comunicando a Vossa Excelência que já estou de posse da caixa de livros que o Senhor B. L. Garnier ofereceu à Biblioteca Machado de Assis[1].

Peço a Vossa Excelência o especial favor de fazer chegar às mãos do Senhor Garnier o ofício e o diploma que junto desta tenho o prazer de remeter-lhe.

O presente do Senhor Garnier foi por demais importante e eu e meus bons amigos congratulamo-nos com Vossa Excelência por tão bonito mimo.

Agradecemos sinceramente o retrato que Vossa Excelência nos ofereceu e ele já está colocado em o lugar de honra em o salão da nossa biblioteca. A biblioteca já conta com 580 volumes e temos esperanças lisonjeiras de que com os valiosos esforços de Vossa Excelência futuramente tomará ela maior desenvolvimento.

No ofício que dirigimos ao Senhor Garnier pedimos-lhe o retrato a fim de colocá-lo também em o salão da biblioteca como sócio benemérito da mesma.

Esperamos que ele nos fará a vontade.

Ainda mais uma vez agradecemos a Vossa Excelência tantos e tão grandes favores a nós dispensados.

Aqui estou sempre às ordens de Vossa Excelência.

Sou com elevada estima e consideração

De Vossa Excelência
Amigo Obrigadíssimo e Criado,
João Dalle Afflalo

---

1 ∾ Ver em [224] e [225].

[228]

Para: FRANKLIN DÓRIA
Fonte: Manuscrito Original. Arquivo Barão de Loreto, Instituto Histórico e Geográfico Brasileiro.

[Rio de Janeiro,] 9 de junho de 1883.

Excelentíssimo Amigo Senhor Conselheiro Franklin Dória.

Agradeço muito cordialmente a benevolência do seu pedido[1] e a presteza com que o fez, e fico inteirado de que, pelo que ouviu, parece a Vossa Excelência haver probabilidade de solução favorável. Qualquer que seja, porém, não diminui o seu obséquio, nem a minha lembrança e reconhecimento.

Peço-lhe que aceite os protestos de particular simpatia e elevado apreço com que sou

De Vossa Excelência
amigo afetuosíssimo e sincero admirador
Machado de Assis

---

1 ◈ Não se pôde apurar a que Machado se referia. O que se pode afirmar é que Dória, além de privar da intimidade do Imperador, era um nome de prestígio dentro e fora do seu partido, com muita influência nas esferas de governo. Teve atuação brilhante no gabinete do liberal Saraiva (1880-1882): primeiro como presidente de Pernambuco (21/06/1880 a 07/04/1881), conflagrada por lutas entre os chefes locais; em seguida, como titular da pasta da Guerra (15/05/1881 a 21/01/1882) e interino da dos Negócios Estrangeiros (03/11/1881 a 21/01/1882). Em 1883, data da presente carta, não exerce missão oficial; dedicava-se à advocacia e a seus projetos pessoais, entre eles, o da Exposição Pedagógica, o do Museu Escolar Nacional e o da Associação dos Homens de Letras do Brasil. Sobre a presidência de Pernambuco, ver em [182]. (SE)

[229]

De: JOAQUIM DE MELO
Fonte: Manuscrito Original, Arquivo ABL.

[Rio de Janeiro,] 5 de setembro de 1883.

Amigo Machado de Assis,

Agora que ando rebuscando fatos relativos ao Rio de Janeiro antigo, necessito folhear o *Tombo das Terras Municipais*, pelo Doutor Haddock Lobo[1], livro que há tempos lhe emprestei.

Será possível vê-lo, ainda que seja por pouco tempo?

Se o houvesse no Gabinete de Leitura[2], eu não o incomodaria hoje.

Se for possível, peço que mo mande à rua Floresta[3] número 92, 1.º andar.

Sempre
Seu am*i*go antigo e obr*i*g*a*do,
J.ᵐ de Melo

---

1 ~ Trata-se do médico Roberto Jorge Haddock Lobo, cujo livro — *Tombo das Terras Municipais que Constituem Parte do Patrimônio da Ilustríssima Câmara Municipal da Cidade do Rio de Janeiro* — foi editado pela tipografia de Paula Brito, em 1863, constituindo-se ainda hoje em fonte de pesquisa e consulta. Roberto Jorge Haddock Lobo morava num dos mais a antigos caminhos do bairro da Tijuca, a rua do Engenho Velho, que hoje em dia leva o seu nome. (SE)

2 ~ Sobre o Gabinete Português de Leitura, ver em [180].

3 ~ Esta rua começava no fim da rua Itapiru, em frente ao cemitério de São Francisco de Paula, e terminava no alto do morro de Paula Matos, em Santa Teresa, na cidade do Rio de Janeiro. (SE)

[230]

Para: FRANCISCO RAMOS PAZ
Fonte: Manuscrito Original. Seção de Manuscritos, Fundação Biblioteca Nacional.

[Rio de Janeiro,] 1.º de outubro de 1883.

Meu caro Paz,

Se queres ouvir boa música[1], aceita este bilhete que te manda o velho am*i*go

Machado de Assis

Note B*e*m
É no Cassino Fluminense[2], no dia 4.

---

1 ~ Referência aos concertos públicos promovidos pelo Clube Beethoven. Este clube foi um capítulo marcante na vida associativa de Machado, sensível e competente

apreciador da música. Fundado em 04/01/1882, sob a direção do empresário e violinista amador Kinsman Benjamim, funcionou inicialmente na rua do Catete 102, onde se realizavam concertos exclusivos para os sócios. Com a melhoria das finanças, devido à ampliação do quadro social, adquiriu uma bela casa no largo Glória, abrindo seus concertos para o público feminino. Copiosa informação sobre o clube, dotado de biblioteca e sala reservada aos enxadristas, existe em crônicas machadianas e nos trabalhos de amigos, estudiosos e biógrafos, como Rodrigo Octavio* (ver em [265], carta de 29/03/1887), Wehrs (1997) e Magalhães Jr. (2008). Machado foi operoso bibliotecário do clube (ver em [231], sem data, e [243], carta de 11/05/1883). (IM)

2 ~ Os grandes concertos do Clube Beethoven se realizavam no Cassino Fluminense. Conta Rodrigo Octavio* (1935):

"Para o grande mundo, dando arras de uma existência brilhante, que de fora todos ignoravam, o Clube celebrou nos luxuosos salões do Cassino Fluminense, hoje [em 1935] Automóvel Clube, alguns concertos que foram, no seu tempo, dos mais notáveis acontecimentos sociais e artísticos do Rio de Janeiro."

Vale lembrar que grande parte da minissérie *Capitu*, dirigida por Luís Fernando Carvalho e apresentada pela TV Globo em 2008, teve como cenário o ex-Cassino Fluminense. (IM)

[231]

Para: MEMBROS CORRESPONDENTES DO CLUBE BEETHOVEN
Fonte: Fundação Biblioteca Nacional. *Catálogo da Exposição do Centenário de Nascimento de Machado de Assis. 1839-1939*. Rio de Janeiro: Ministério da Educação e Saúde, 1939. Transcrição do manuscrito original.

RASCUNHO DE OFÍCIO, SEM DATA,
ENVIANDO DIPLOMA

[Rio de Janeiro, provavelmente 1883.]¹

Monsieur

J'ai l'honneur de vous faire remettre, par l'entremise de Son Excellence Monsieur le Ministre du Brésil à ... le diplôme de Membre Correspondent du Club Beethoven, de Rio de Janeiro.

En vous décernant ce titre, le Club Beethoven a voulu rendre un double hommage à votre glorieux nom. Car non seulement vous êtes de ceux qui s'imposent par le génie, mais encore vous êtes particulièrement vénéré dans notre Club où plusieurs de vos beaux ouvrages ont été executés.

Vos talents, monsieur e cher maître, n'ont plus besoin de cet hommage nouveau et lointain; ne l'acceptez donc que comme un écho affaibli de l'admiration que vous inspirez à tous ici, dans ce pays si nouveau et si curieux de tout ce qui a rapport à votre grand art.

Agréez, monsieur,[2]

---

1 ∾ Documento pertencente ao arquivo de Américo Jacobina Lacombe (ver [243], carta em 11/05/1885). Entre os sócios correspondentes – compositores que tinham obras executadas nos concertos do Clube Beethoven –, figuraram Charles Gounod (1818-1893), Camille Saint-Saëns (1835-1921) e Jules Massenet (1842-1912). É interessante observar que, constituído por figuras da elite brasileira e estrangeira, o clube tenha escolhido o já consagrado autor de *Brás Cubas* para redigir a minuta em francês, cujo estilo revela, discretamente, a singular elegância machadiana. Sobre o Clube Beethoven, ver em [230]. (IM)

2 ∾ TRADUÇÃO DA CARTA:

Senhor, / Tenho a honra de vos enviar, por intermédio de sua Excelência o Senhor Ministro do Brasil em ..., o diploma de Membro Correspondente do Clube Beethoven, de Rio de Janeiro./ Outorgando-vos este título, o Clube Beethoven quis prestar uma dupla homenagem ao vosso glorioso nome. Porque não sois apenas um daqueles que se impõe pelo gênio, mas sois ainda particularmente venerado em nosso Clube, onde muitas de vossas belas obras foram executadas. / Vossos talentos, senhor e caro mestre, dispensam esta homenagem nova e vinda de longe; não a aceiteis, senão como um eco discreto da admiração que inspirais a todos aqui, neste país tão novo e tão curioso sobre tudo o que diz respeito a vossa grande arte. / Aceitai, Senhor ... (IM)

[232]

Para: "LULU SÊNIOR" – FERREIRA DE ARAÚJO
Fonte: Fundação Biblioteca Nacional. "Balas de Estalo". *Gazeta de Notícias*, 1884. Setor de Periódicos. Microfilme do original impresso.

[Rio de Janeiro,] 13 de março de 1884.[1]

Meu caro Lulu Sênior.

Você que é de casa[2] – podia tirar-me uma dúvida.

Acabo de ler nos jornais a notícia de que estão coligidos em livro artigos hebdomanários, da *Gazeta de Notícias*, denominados *Coisas Políticas*[3], atribuindo-se a autoria de tais artigos ao diretor da mesma *Gazeta*.

Eu até aqui conhecia este cavalheiro como homem de letras, amigo das artes e um pouco médico. Nunca lhe atribuí a menor preocupação política, nunca o vi nas assembleias partidárias, nem nos órgãos de uma ou de outra das novas *escolas* políticas, como diria o redator da *Pátria*, que usa aquele vocábulo de preferência a qualquer outro – no que faz muito bem. Não vi o nome dele em nenhum documento político, não o vi entre candidatos à câmara dos deputados, ou à vereança que fosse.

Isto posto, caí das nuvens quando li que as *Coisas Políticas* eram desse cavalheiro. Se quer que lhe fale com o coração nas mãos, não acredito. Não bastam a imparcialidade dos juízos, a moderação dos ataques, nem a sinceridade das observações; e, se você não fosse um pouco parente dele, eu diria que não bastam mesmo o talento e as graças do estilo para atribuírem-lhe tais crônicas. Acho nelas um certo gosto às matérias políticas, que, depois do efeito produzido por uma citação de Molière na câmara, suponho incompatíveis com as aptidões literárias.

Esta última razão traz-me ao bico da pena um tal enxame de ideias, que eu não sei por onde principie, nem mesmo se chegaria a acabar o que principiasse. Restrinjo-me a dizer que o diretor da *Gazeta*, versado nas modernas doutrinas, não havia de querer desmenti-las em si mesmo. A especialização dos ofícios é um fato sociológico. Isto de ser político e homem de letras é uma coisa que só se vê naqueles países da velha civilização, onde perdura a tradição latina de Cícero, e a tradição grega de Alexandre, que dormia com Homero à cabeceira. O próprio Alexandre (se o Quinto Cúrcio[4] é sincero) fazia discursos de bonita forma literária. Daí o uso de pôr no governo da Inglaterra um certo helenista Gladstone ou um romancista da ordem de Disraeli[5]. As sociedades modernas regem-se por um sentimento mais científico. Sentimento científico não sei se entendo o que é: mas eu contento-me com dar uma ideia, embora remota.

E daí, meu amigo, pode ser que me ache em erro, e que, realmente, as *Coisas Políticas* sejam do diretor da *Gazeta*. Mas então, força é dizer que anda tudo trocado. Não há uma semana, o correspondente de Londres, do *Jornal do Comércio*[6], dizia que os conservadores pedem ali a dissolução da câmara, mas que os liberais a *temem, porque estão no governo*. Se isto não é o mundo da lua, não sei o que seja. Um vizinho, padrinho de um dos meus pequenos, a quem li esse trecho da correspondência, na segunda-feira à tarde, só hoje de manhã acabou de rir. Creio que você o conhece: é o X., antigo comandante do 5.º batalhão da guarda nacional da corte, o batalhão de Sant'Ana, uma pérola.

Se é assim, se as coisas são tais, então cumprimenta por mim o nosso Ferreira de Araújo, dizendo-lhe ao mesmo tempo que continue, e cá me tem a lê-lo e relê-lo, e adeus.

Lélio[7]

---

1 ~ Data de publicação.

2 ~ "Lulu Sênior" foi um dos pseudônimos de Ferreira de Araújo, brilhante diretor da *Gazeta de Notícias*, jornal que teve colaboração machadiana. (IM)

3 ~ Em 12/03/1884, a seção "Avisos" estampara:

"**Ferreira de Araújo** – *Coisas Políticas*, artigos publicados na *Gazeta de Notícias*, em 1883. Um volume de 258 páginas. À venda no escritório desta folha e nas principais livrarias. Preço 3$000." (IM)

4 ✎ Autor latino do século I. Sua *História de Alexandre* é considerada pitoresca, embora imprecisa. (IM)

5 ✎ William Ewart Gladstone (1809-1898) e Benjamin Disraeli (1804-1881).

6 ✎ Joaquim Nabuco*. (IM)

7 ✎ Pseudônimo inspirado em personagem da *commedia dell'arte*, tipo aventureiro, fantasioso e elegante, mesmo em suas bobagens. Nas "Balas de Estalo" (01/01/1884), há uma divertida pista:

> "Lélio é aquele literato chefe, poeta, dramaturgo e romancista, que depôs a sua coroa de burocrata da agricultura e a sua filosofia *braz cúbica* para fazer em Balas de Estalo uma boa *réclame* da Camisaria Especial."

No dia seguinte ao da publicação da carta aberta de "Lélio", outro cronista da mesma seção, dito "Zig-Zag" (Henrique Chaves, também diretor da *Gazeta*), considerou o livro do corpulento Araújo, *Coisas Políticas*, um "volume grosso como um dicionário e como o próprio autor", prosseguindo, jocoso: "Não direi claramente a minha impressão, com receio de arriscar meu lugar de baleiro honesto e trabalhador." (IM)

[233]

Para: FRANCISCO RAMOS PAZ
Fonte: Manuscrito Original. Seção de Manuscritos, Fundação Biblioteca Nacional. Coleção Francisco Ramos Paz.

[Rio de Janeiro,] 30 de março de 1884.

Paz,

Conto ir, mas um pouco mais tarde, entre três e quatro horas. Até lá.

Teu do Coração
Machado de Assis[1]

I ∾ Este bilhetinho ao velho amigo Paz foi escrito num **domingo**. Talvez, no enigmático encontro, estivesse o outro grande amigo português, Manuel de Melo (ver em [276], carta de 03/07/1889). (IM)

[234]

De: MIGUEL DE NOVAIS
Fonte: Manuscrito Original, Arquivo ABL.

Lisboa, 22 de junho de 1884.

Meu Caro Machado de Assis

Mais vale tarde do que nunca, diz o ditado e diz bem. Acho que o amigo terá razão se se queixasse de mim, não o fazendo admiro a generosidade e grandeza de alma; em compensação, a Carolina queixa-se amargamente do meu silêncio sem razão nenhuma.

Agora aqui está como são as coisas. Desde que a nossa Julieta pensou em casar-se[1] comecei a ter muita coisa que me preocupasse, cartas e mais cartas para o amigo Miranda[2] a fim de pedir-lhe a remessa de papéis necessários, depois contas-correntes, mais tarde escrituras e o diabo [;] enfim, que se não possa dizer que me absorvia o tempo todo, é contudo verdade que me tornava inábil para tudo. Foi neste período que recebi penso que duas cartas do amigo, afetando na forma do costume de grandes missivas, metendo entre uma e outra linha o espaço de 50 centímetros aproximadamente, mas enfim foram sempre duas cartas a que eu devia responder imediatamente, mas que não foi pelas razões expostas [,] que espero sejam submetidas à sua alta consideração [,] resultando daí plena absolvição do meu aparente pecado.

[D]epois deste exórdio, era justo que entrasse em matéria, mas qual será o assunto que possa interessá-lo neste Velho Mundo, onde os homens e as coisas o amigo só conhece pelo que lê[3]?

A política está aqui em um perfeito caos em que ninguém se entende. Havia dois partidos militantes, o Progressista na oposição e o Regenerador ou Conservador, no poder. Deste é o herói principal – Fontes Pereira de Melo⁴ – homem considerado pelos correligionários grande estadista [,] respeitado ainda como tal pelos adversários, mas que eu penso e com fundadas razões, que se dá aqui o caso de dizer [:] Na terra dos cegos quem tem um olho é rei. Chama-se grande estadista a um homem que emprega a todos os amigos e conhecidos, que não tendo onde anichá-los, por não caber mais gente nas repartições de Estado, cria novas repartições só com o fim de dar empregos. Que por este sistema tem sempre vazios cofres do tesouro, e quando não há absolutamente dinheiro para coisa alguma – pede emprestados alguns mil contos [,] torna a gastá-los num momento, torna a pedir mais e assim é que a dívida cresce de dia para dia, e a receita é sempre muito inferior à despesa. Se é isto ser grande estadista está ao alcance de todos sê-lo igualmente.

Agora trata-se da reforma da Carta Constitucional.

Havia um grupo de indivíduos que formavam um partido à parte chamado o *Constituinte* – capitaneado pelo José Dias Ferreira⁵. Era este que queria a reforma. O Fontes opunha-se e [,] ainda o ano passado, ouvi ele dizer no Parlamento que tinha viajado todo o país e que todos pediam caminhos de ferro, mas que ninguém queria a reforma da carta [,] o que ele achava ser uma medida perigosa e inoportuna. Poucos meses depois é ele que chama ao poder dois membros importantes do tal Partido Constituinte, Chagas e Aguiar⁶ que [,] apesar de se dizerem homens muito honestos [,] não duvidam associar-se a um partido cujo chefe eles injuriavam no Parlamento e na Câmera dos Pares, e é o mesmo Fontes que propõe a reforma da Carta. Para isto entrou também num acordo com o Partido Progressista e tal imbróglio soube arranjar que ninguém hoje sabe o que é, nem o partido a que pertence. Enfim, uma pouca-vergonha por toda a parte. Agora trata-se das eleições da Câmara Constituinte, em que os republicanos trabalham com toda a força para eleger deputados seus. Veremos no que dá toda esta trapalhada.

Note porém o amigo que em qualquer dos partidos que suba ao poder quando caiam os conservadores não vejo gente melhor do que a que está!

A imoralidade e a corrupção é enorme[7] e os resultados de tudo isto há de ser a perda total do país.

A mim mete-me tanto nojo tudo o que se passa nesta política que nunca me ocupo dela; mas que posso eu contar-lhe daqui que lhe dê algum interesse saber? – coisa nenhuma e então lá vai este nojo da política.

Já não moro em Benfica, estou de mudança para a Rua do Salitre em Lisboa e provisoriamente no Hotel Universal.

Querendo escrever-me, o que estimarei muito [,] dirigirá as suas cartas para a Rua do Salitre, digo, para a Rua do Chiado *número* 27, porque é possível que logo depois da instalação vá passear um pouco pelo Minho e assim ser-me-ão as cartas entregues com toda a certeza [.]

Minha mulher vai passando sofrivelmente e eu não tenho também razão de queixa enquanto à[8] saúde. O que desejávamos era vê-lo por cá breve. É absolutamente necessário que se resolva a fazer uma viagem até a Europa. Imagine quantos livros poderia produzir em passeio de dois anos! Aqui tem cama e mesa e tudo o mais de que carecer. É vantagem de que nem todos podem dispor.

Adeus – resolva-se[9] e

> manda o seu do *Coração*
> Amigo e Cunhado
> Miguel de Novais

---

1 ∾ Maria Julieta Pereira Ferreira Felício (1865-1947), filha caçula de Joana de Novais, casou-se a 23/02/1884 com Francisco de Campos de Castro de Azevedo Soares, 2.º conde de Carcavelos, instalando-se em Braga. (SE)

2 ∾ Como Julieta era brasileira, a sua documentação para o casamento deve ter vindo do Rio de Janeiro por intermédio deste Sr. Miranda, que possivelmente era o bastante procurador para tais assuntos. Além disso, havia também a sua *legítima* parte na herança do conde de São Mamede, seu pai, a ser resolvida. (SE)

3 ∞ Miguel estava em campanha para sensibilizar Machado e fazê-lo ir à Europa. (SE)

4 ∞ Sobre Fontes Pereira de Melo, ver em [205].

5 ∞ Sobre José Dias Ferreira, ver em [209].

6 ∞ Em 24/10/1883, o ministro de governo Fontes Pereira de Melo, pertencente ao Partido Regenerador, agregou a seu governo os deputados constituintes históricos, Manuel Pinheiro Chagas (1842-1895) e Antônio Augusto de Aguiar, o primeiro assumindo a pasta da Marinha e o segundo a de Obras Públicas. (SE)

7 ∞ Assim no original. (SE)

8 ∞ Idem.

9 ∞ Certamente mais um voto de estímulo ao indeciso *quase-viajante* Machado de Assis. Diversas vezes, Miguel de Novais expressou o desejo de ver o casal Assis em Portugal. Em algum momento desse longo trabalho de convencimento, Machado parece ter cedido e fez planos de viajar à Europa, pois, em carta posterior, Miguel dirá: "Não me fala muito no seu projeto de viagem". Sobre o assunto, ver carta [269], de 04/03/1888. (SE).

[235]

Para: UM AMIGO
Fonte: Manuscrito Original. Seção de Manuscritos, Fundação Biblioteca Nacional.

[Rio de Janeiro, junho de 1884.]

Meu amigo[1],

Prometi-lhe um artigo para o livro que se vai imprimir, comemorando mais um progresso do *Liceu Literário Português*[2], e sou obrigado a não lhe dar nada do que era minha intenção. Tinha planeado uma apreciação longa e minuciosa das instituições literárias e outras dos portugueses no Brasil; faltou-me o tempo e descanso do espírito.

Escrever somente algumas reflexões acerca do papel dos portugueses na América é cair na repetição. Louvar o ardor com que eles se organizam em associações de beneficência, de leitura e de ensino, a tenacidade dos seus esforços, a dedicação de todos, constante e obscura, com os olhos no bem comum e no lustre do nome coletivo, é dizer, e menos bem, o que em todos os tempos se tem escrito, pouco depois que o Brasil se separou da mãe-pátria para continuar na América o que a nossa língua produziu na Europa.

Não é menos sabido, – e, porventura, é ainda mais notável, no que respeita às associações de ensino e leitura, – que todos esses esforços e trabalhos saem das mãos de uma classe de homens, geralmente despreocupada da vida mental. Tem-se por efetiva e constante a incompatibilidade do ofício mercantil com os hábitos do espírito puro; os portugueses na América não raro mostram que as duas coisas podem ser paralelas, não inimigas, – que há um arrabalde em Cartago para uma aula de Atenas[3]. Desenvolver essa observação por meio de um estudo minucioso e individual das instituições portuguesas, entre nós, – tal era a minha ideia. Entre elas ocuparia brilhante lugar o *Liceu Literário Português*, uma das mais antigas e notáveis. Há longos anos criada, trabalhando na sombra, com diversa fortuna, ao que parece, mas nunca extinta, nem desamparada, veio galgando os tempos até o grau próspero em que a vemos. Homens, em cujos ombros pesam cuidados de outra ordem e vária espécie, deram a esse grêmio o melhor das afeições, a devoção do espírito, e um zelo que, se alguma vez afrouxou, não morreu nunca, nem lhe entrou o desalento, e a prova é que do tronco pujante brotam novos galhos, onde circula a mesma vida, de onde penderão frutos de saúde, que incitarão a outros, e ainda a outros. Cultores do pão, sabem que nem só de pão vive o homem.

Desculpe se não acudo como quisera ao seu amável convite e creia na afeição e estima do

Machado de Assis[4].

1 ◊ Com plena convicção, identificamos o destinatário: **Luís de Faro**. A carta de Machado de Assis foi incluída no livro O *Liceu Literário Português (1868-1884)*, edição comemorativa da inauguração do novo edifício, impressa por Moreira, Maximino & Cia em julho de 1884. Faro integrava a diretoria da instituição e, sobre esta, assinou longa notícia histórica. Examinando os diversos textos apresentados no livro, é lícito concluir que Luís de Faro organizou a publicação. Tal fato escapou aos especialistas, e agora vem à luz. Várias vezes Machado se referiu a Faro e ao seu sócio, Lino de Assunção, na Livraria Contemporânea e na editora (Faro & Lino), que os dois inteligentes portugueses mantiveram com grande sucesso. Em crônica ("Balas de Estalo", 16/10/1883), fala de certo mandarim, em visita à corte, atribuindo-lhe uma carta hilariante, não traduzida "para não lhe tirar o valor". Vai dirigida a "Vu pan Lélio" e, num chinês imaginário misturado com termos em português, encontra-se esta: **"Faro e Lino papyros, biblos, makó gogó. Lino abatukamu. Faro abatiki. Eba u late!"**. (IM)

2 ◊ No livro O *Liceu Literário* encontra-se o "Auto da inauguração do edifício para **aulas noturnas e públicas**" (p. 15). Isso explica a finalidade da instituição, que Machado de Assis comentará em sua carta. Logo abaixo se lê o endereço, "rua da Saúde n.os 1 e 3 (largo da Prainha)", logradouro que passara a se chamar praça Vinte e Oito de Setembro – data da promulgação da Lei do Ventre Livre – e é a atual praça Mauá. No prédio, antiga Academia de Marinha, "de onde saíram muitos desses heróis, que, em holocausto à pátria, sacrificaram a vida", com a presença do Imperador e de altas autoridades signatárias do "Auto de Inauguração", começava uma fase gloriosa do Liceu, no dia 11/06/1884, data eleita em comemoração da vitória brasileira na batalha naval do Riachuelo (1865), durante a guerra contra o Paraguai. A *Gazeta de Notícias* (ver [232]) publicou um artigo laudatório, em 13/06/1884:

> "Não foi simplesmente uma festa esplêndida a inauguração das aulas do Liceu; foi mais. Foi um verdadeiro acontecimento, que ficará gravado na história do Brasil. / O que é, o que vale aquela associação, todos o sabem; a sua história em poucas palavras se conta: aquela associação representa o esforço, a dedicação, o trabalho incessante de alguns portugueses beneméritos, a favor da instrução do povo. Ali, naquela casa, não há nacionalidades; a quem bate às suas portas, não se pergunta de onde vem, não se indaga a que religião pertence; uma única coisa se indaga: o que quer aprender. Por isso, tem caminhado, tem progredido, a ponto de ser hoje o primeiro entre os primeiros estabelecimentos de instrução desta capital."

Era a instrução gratuita, noturna, para os modestos trabalhadores do centro da cidade. Após a labuta diária, podiam eles ir, a pé, ao Liceu, onde teriam aulas de excelente nível. Lino de Assunção incumbiu-se do capítulo "O Edifício" no livro acima referido, oferecendo esta estupenda descrição do Rio machadiano:

"O visitante que subir ao observatório astronômico do Liceu Literário Português, voltando as costas à esplêndida baía verá que em torno se de si se estende a parte mais densa e populosa do Rio de Janeiro, a mais comercial e laboriosa, a que mais precisa aproveitar as horas da noite, intermédias do trabalho e do descanso, para se melhorar intelectualmente. Se deste observatório, como centro, descrevermos uma semicircunferência com raio de três quilômetros, aproximadamente, teremos uma curva que roçará o canto oeste do Arsenal de Guerra, cortará a rua da Misericórdia, galgará ao cimo dos morros do Castelo e Santo Antônio, tendo atravessado as ruas da Ajuda e da Guarda Velha perto do seu ponto de bifurcação; passará nas ruas do Lavradio e do Senado, dividirá diagonalmente o jardim do Campo da Aclamação; e depois de ter passado por detrás da estação da estrada de ferro D. Pedro II, irá no caminho do **morro do Livramento**, tendo atravessado as ruas Senador Pompeu e Barão de São Félix, quase na confluência com a do General Caldwell, vindo a terminar no morro da Saúde, com prévia passagem por grande número de ruas **deste ativo e condensado bairro**."

Aos imigrantes e a brasileiros, sem acesso à educação formal, o Liceu Literário Português oferecia cursos elementares de leitura, escrita e rudimentos da aritmética. Depois, gradualmente, conhecimentos humanísticos e científicos, até o nível superior. Neste, os alunos estudariam francês, inglês, alemão e italiano; aritmética, álgebra, geometria e trigonometria; astronomia, cosmografia, física, meteorologia e química; e melhor dominariam a história e a geografia, assim como a caligrafia, o desenho linear e geométrico, o desenho de ornato e figura, a escrituração mercantil, a taquigrafia e a náutica. Por tudo isso, Machado de Assis – que tivera como paisagem da meninice o morro do Livramento e a Prainha, e que, por falta de recursos, tornara-se um autodidata – reconhece o significado do Liceu, louvando-lhe os méritos sociais e culturais em sua carta. O Liceu continua vivo, exemplarmente, agora cuidando da língua portuguesa em cursos gratuitos de pós-graduação, e tendo à frente a competência notória do professor e acadêmico Evanildo Bechara. (IM)

3 ∞ Esta admirável frase inspirou o título do primeiro capítulo de Luís Viana Filho (1965): "Entre Cartago e Atenas". (IM)

4 ∞ Machado se mudara para o chalé do Cosme Velho no primeiro semestre de 1884, período em que reduz sua colaboração na *Gazeta de Notícias* a uma crônica por mês. Possivelmente a mudança de casa e a tristeza de perder dois velhos amigos, Manuel de Melo (Milão, 4 de fevereiro) e Bernardo Guimarães (Ouro Preto, 10 de março), tenham motivado a desculpa de "não acudir como quisera" ao convite para escrever mais longamente sobre o Liceu Literário Português. (IM)

[236]

Para: FRANKLIN DÓRIA
Fonte: Manuscrito Original. Arquivo Barão de Loreto, Instituto Histórico e Geográfico Brasileiro.

[Rio de Janeiro,] 22 de agosto de 1884.

Excelentíssimo Amigo Senhor Conselheiro Franklin Dória.

Aceito, e muito cordialmente, as boas palavras de Vossa Excelência na carta que tenho presente acerca das minhas *Histórias sem data*¹. Vou fazendo como posso esses meus livros, e um pouco também como no-lo permitem as nossas circunstâncias literárias², mas folgo principalmente com a aprovação dos bons e dos entendidos, como Vossa Excelência, cuja amizade me honra, e cujo talento admirei sempre.

Sou, com a maior consideração e afeto,
De Vossa Excelência
Admirador, amigo muito obrigado,
Machado de Assis

---

1 ⁕ Publicado pela Casa Garnier em agosto de 1884. Todos os contos foram anteriormente publicados entre fevereiro de 1883 e maio de 1884, sendo que dos dezoito quinze na *Gazeta de Notícias*. Este é o segundo livro da fase inaugurada por *Papéis Avulsos*, em que as grandes linhas do conto machadiano se consubstanciam: a fantasia moralizante ("As Academias de Sião"), os perfis femininos ("Singular Ocorrência", "A Senhora do Galvão") e o estudo da personalidade aparente em contraste com a profunda ("Galeria Póstuma", "Fulano"). (SE)

2 ⁕ Neste momento Franklin Dória, Ladislau Neto* e João Severino da Fonseca estavam envolvidos com a fundação da Associação dos Homens de Letras, evento ocorrido dias depois – 30 de agosto, no Liceu de Artes e Ofícios, a que por sinal Machado compareceu assinando o livro de presença. (SE)

[237]

De: JOÃO DALLE AFFLALO
Fonte: Manuscrito Original, Arquivo ABL.

Itajubá, 11 de setembro de 1884.

Ilustríssimo e Excelentíssimo Senhor Doutor Machado de Assis.

Amigo e Senhor,

Com todo o prazer e honra acuso recebida a carta de Vossa Excelência de 3 do corrente, a qual passo a responder-lhe:

Agradeço-lhe em meu nome e no dos meus dignos amigos o valioso livro *Histórias sem data* que Vossa Excelência dignou-se enviar à Biblioteca "Machado de Assis", obra esta que é mais um troféu para as glórias de Vossa Excelência.

Aproveito o ensejo para comunicar-lhe que fizemos presente da nossa biblioteca à Câmara Municipal desta cidade e que na ocasião em que a recebeu em comissão, assegurou-nos louvando e agradecendo tão valioso e quão precioso presente, haviam de destinar de seu orçamento uma quantia para ser empregada em compras de livros, a fim de aumentá-la.

A nosso pedido, será conservado o preclaro e ilustre nome de Vossa Excelência na biblioteca, que doravante denominar-se-à *Biblioteca Municipal Machado de Assis.*

Esperamos que Vossa Excelência aprovará a nossa resolução, pois que tornando-se a biblioteca pública e auxiliada pelos cofres da Câmara e também do Governo, muito em breve teremos a glória de vê-la tocar ao marco dos nossos desejos[1].

Aqui fico às ordens de Vossa Excelência.

Sou de Vossa Excelência Amigo Obrigadíssimo e Criado

João Dalle Afflalo[2]

1 ❧ A criação da Biblioteca Machado de Assis está contada em nota à carta [220]. Agora transcrevemos a referência ao seu destino, nas palavras do historiador Armelim Guimarães (1987):

> "Supondo melhor custodiar a Biblioteca, de modo a garantir a sua preservação e continuidade (e nisso se enganaram...), seus fundadores decidiram doá-la à Municipalidade, o que solenemente fizeram em 25 de janeiro de 1884, quando a organização completava um ano de existência ("O Itajubá", edições de 19 de janeiro e 2 de fevereiro de 1884, a Ata da Câmara Municipal, de 15 de janeiro do mesmo ano). Pediam apenas os doadores que se conservasse o nome do patrono que escolheram, tendo a Câmara apenas acrescentado a palavra *Municipal*, ficando Biblioteca Municipal Machado de Assis. O bibliotecário eleito foi Sebastião Maggi Salomon, que competira, na votação, com João Dalle Afflalo, um dos fundadores da Biblioteca, e que havia proposto desempenhar o cargo por 5% menos do que qualquer proposta... (atas da Câmara Municipal, de 01-08-1884 e 16-01-1885). E foi assim que desapareceu logo, sem deixar nenhum vestígio de seu acervo, a famosa Biblioteca..."

O desaparecimento "sem deixar vestígio" é uma verdade, salvo notícia em contrário. Mas não foi um desaparecimento tão rápido, posto que o Sr. Sebastião Maggi Salomon* enviou duas cartas a Machado de Assis, ambas com o título de "Bibliotecário": a primeira para obter a assinatura gratuita de dois importantes jornais (ver em [251], carta de 09/06/1886; na segunda (ver em [264], de 18/10/1886), cumprimentará Machado pela homenagem que recebeu no 22.º aniversário de publicação das *Crisálidas*. Sobre esse ato público, ver em [254], carta de 06/10/1886. (IM)

2 ❧ O idealizador da Biblioteca morreria aos 28 anos, em 10/11/1885, deixando quatro filhinhos. (IM)

[238]

De: MIGUEL DE NOVAIS
Fonte: Manuscrito Original, Arquivo ABL.

Lisboa, 16 de setembro de 1884.

Rua do Salitre número 353

Meu caro amigo

Não sei se lhe devo resposta a alguma carta ou se estamos quites – não tratarei disso [.] Depois de dois meses de passeio pelo Minho, e grande parte do tempo em Braga[1] – no Bom Jesus do Monte[2] [;] regressei a Lisboa e acho-me instalado na minha e sua casa, não em Benfica, mas na Cidade de Lisboa, na Rua do Salitre número 353[3].

Muito trabalho com a mudança e instalação, mas finalmente, tudo corre ao presente na melhor ordem. De saúde não vamos mal [;] de dinheiro, não posso dizer o mesmo enquanto os amigos não derem providências para que eu obtenha as libras que gasto mais baratas. Isto de pagá-las a doze mil e tanto réis, é bárbaro.

Quem me dera vê-lo ministro das finanças a ver se remediava este mal. Enfim, vai-se vivendo como se pode e o que vale é que os receios do Cólera[4] e os princípios higiênicos para o evitar [,] ou pelo menos atenuar-lhe os efeitos[5] – mandam que se coma pouco. É uma compensação ao câmbio de 19 ½.

Já sei que por aí se trata de lazaretos e hospitais para os coléricos – que medo! Assim nós os tivéssemos tão longe.

Não sei se seremos ou não obsequiados com a tal visita [;] em todo o caso eu espero-o com rosto sereno e o maior sossego de espírito.

Não vale mesmo a pena da gente se afligir – isto de morrer de cólera, de tifo ou de pneumonia é tudo a mesma coisa. O Joaquim Braga[6] que foi casado com a Joaninha [,] ainda há poucos dias o vi no Bom Jesus de perfeita saúde e [,] em três dias [,] desapareceu deste mundo por efeito da última das três citadas moléstias. É provável que ele e toda a família estivessem munidos de preventivos do Cólera. [E]ste mundo é assim, não vale dois caracóis.

Julieta está a banhos na Apúlia[7] e coitada! tem passado bastante incomodada. Lança tudo o que come [,] mas não cessa de comer para ter sempre que lançar [:] ossos do ofício[8].

A política está em calmaria, são férias, tudo anda a refrescar-se pelas praias. [G]rande balbúrdia haverá quando se abrirem as cortes constituintes, que é de crer não constituirão nada.

E como vai o amigo e a Carolina? – ela também não tem tempo para escrever. [T]enho realmente pena de a ver assim vergada ao peso do trabalho para granjear o pão dos filhos e curar da sua educação – não sei como se resiste a tanto. Naturalmente não quer arriscar-se a escrever alguma carta que não deva como resposta – faz bem, a gente nunca deve ser intrometida.

Quando publicar mais alguma coisa não se esqueça de mandar-me um exemplar[9]. [E]u farei o mesmo logo que me resolva a fazer a impressão das minhas obras.

Adeus – escreva – diga-nos alguma coisa daí. Minha mulher pede desculpas de não ter ainda escrito e manda para um e outro mil saudades.

Adeus
seu Sempre amigo
e cunhado obrigado
Miguel de Novais

---

1 ∾ É possível que Miguel viajasse muito a essa região e, sobretudo, permanecesse mais tempo em Braga pelo fato de as filhas de sua mulher Joana viverem ali: Maria Julieta, casada com o 2.º conde de Carcavelos; e Lina, casada com o estimadíssimo Fernando Castiço. (SE)

2 ∾ Bom Jesus do Monte situa-se na freguesia de Tenões, a 5 km de Braga; é um santuário católico, com acesso por uma imponente escada de 600 degraus, cuja subida já compõe o ritual de fé do peregrino. Ao longo dos 116 m de altura, o peregrino (ou o turista) contempla uma vintena de pequenas capelas que recriam o caminho feito

por Jesus em direção à cruz. O escadório está dividido em três partes: o do pórtico, o dos cinco sentidos e o das três virtudes. Em estilo neoclássico, ela foi construída entre 1784 e 1811, em substituição à igreja primitiva que estava em ruínas; possui ainda o mais antigo elevador em funcionamento da Península Ibérica, projetado pelo suíço Niklaus Riggenbach (1817-1899), inaugurado em 25/03/1882. Registre-se que Fernando Castiço escreveu um opúsculo de 16 páginas intitulado *Memória Histórica do Santuário do Bom Jesus do Monte* (Braga, 1884). (SE)

3 ∾ A tradicional rua do Salitre, em Lisboa, atravessa as freguesias de São Mamede e do Coração de Jesus, ligando o largo do Rato à avenida da Liberdade, por meio de uma descida íngreme e estreita. Este topônimo fixou-se no século XVII, tendo o antigo – da Palmeira – caído em desuso. O novo nome originou-se das diversas nitreiras ali existentes, das quais se extraía o nitrato de potássio, popularmente conhecido como salitre. (SE)

4 ∾ Na Espanha, houve diversos surtos epidêmicos de cólera no século XIX. No ano de 1884, no pequeno povoado ribeirinho ao Tajo (Tejo), Mocejón, na província de Toledo, houve um grave surto da doença. De um total de 196 óbitos naquele ano, 120 se deram por cólera-morbo. A Junta de Saúde espanhola determinou medidas higiênicas e profiláticas. Ao espalhar-se a notícia, uma reação em cadeia se estabeleceu. O governo português, então, também determinou medidas de controle sanitário na fronteira com a Espanha. A carta de Miguel de Novais faz uma crítica ácida ao que supõe seja o uso político do sentimento de pânico que uma epidemia de cólera pode provocar. (SE)

5 ∾ A teoria de Novais é que o governo fazia essas manobras sanitárias com finalidade política, ou seja, para que o povo, ocupado com o medo de um dano físico iminente, não se desse conta dos problemas graves e reais que assolavam a economia portuguesa. (SE)

6 ∾ Joaquim de Carvalho Braga, marido de Joana Maria, uma das enteadas de Miguel de Novais. Eles se casaram em 12/11/1869, na mesma cerimônia que celebrou a união de Machado e Carolina*. O diminutivo "Joaninha" para diferenciá-la da mãe, também Joana, assim como toda a indicação em si – *"que foi casado com a Joaninha"* – têm a função de facilitar o reconhecimento do morto por Machado. (SE)

7 ∾ Julieta está "a banhos" na praia de Apúlia, no concelho de Esposende, que, além de ser região de veraneio, é um sítio arqueológico importante. Nas redondezas da Vila Menendiz ou de Mendo, a 800m do mar, foram encontradas cerâmicas dos séculos I a.C. e I d.C. A Vila de Mendo, nos campos da Ramalha, coincide com os limites entre as freguesias de Apúlia e Estela, e remonta à época da romanização da Lusitânia. (SE)

8 ∾ Maria Julieta estava grávida de seu 1.º filho, Nuno de Campos e Castro Pereira de Azevedo Soares, que mais tarde será o 3.º conde de Carcavelos. Nuno nascerá cinco

meses depois. A referência aos "ossos do ofício" seria um modo um tanto rude de se referir às agruras da gravidez. (SE)

9 ❧ Reiteradas vezes Miguel de Novais manifestou interesse pelos livros de Machado. (SE)

[239]

De: CONSTANÇA ALVIM CORREIA
Fonte: Manuscrito Original, Arquivo ABL.

[Sem local,] 4 de dezembro de 1884.[1]

Amigo Conselheiro[2]

Aí vai ele[3], o primeiro que me emprestou e que, contra a sua teoria, volta melhorado, civilizado e capaz de sofrer com mais resistência os rigores do tempo.

Assim como o vê está ele há mais, muito, mais de um ano, à espera de ter uma ocasião de ser entregue a seu dono. Mais recentemente deitei-lhe o endereço... e foi ficando.

E agora que diz de tudo isto, em prosa, ou em verso? Eia um enigma!...

Não acha que devo exigir outra quadra, pelo menos, como satisfação à sua injustiça.

Quer dizer-ma em lugar de a escrever? Tenho sempre o mesmo prazer em vê-lo aqui[4], assim como a Dona Carolina a quem peço apresente meus cumprimentos.

Com todo o apreço e estima, a ex-*Helena* e futura...?...[5]

Constança A. Correia.

---

1 ❧ Constança Alvim Correia estava viúva, embora não se saiba a data exata da morte de Henrique Correia Moreira, seu marido. Sabe-se que faleceu entre 1883-1884, pois até 1884 seu nome constava do *Almanaque Laemmert*, que era editado de um ano para outro. É provável, portanto, que tenha falecido ou no fim de 1883 ou no início de 1884.

Diga-se, aliás, que a presente carta vem em papel tarjado, indicativo de luto. Constança casou-se em segundas núpcias em 1888, com o barão de Oliveira Castro. (SE)

2 ∞ Sobre o assunto, ver em [149]. (SPR)

3 ∞ Certamente Machado lhe emprestara um livro. Seria algum de sua autoria? Ou algum de sua coleção particular? (SE)

4 ∞ Enquanto o marido esteve vivo, Constança morava na Praia de Botafogo, no Rio de Janeiro. Nesta carta, há sugestão de uma distância maior, que tanto pode ser espacial quanto temporal ou ambas. Há algum tempo não se veem, seja pela distância física ou pelas vicissitudes da vida. Além disso, Constança costumava veranear em Petrópolis, onde seu pai, Miguel Cordeiro da Silva Torres e Alvim, era o superintendente da Imperial Fazenda de Petrópolis. Talvez tenha escrito de lá, já que o teor de sua carta sugere uma distância maior do que a que poderia haver entre Botafogo e Cosme Velho. (SE)

5 ∞ Constança Alvim Correia faz uma dupla alusão. A primeira, aliás, bastante enigmática, quando chama a si de ex-*Helena*, a personagem machadiana de 1876. A segunda é uma virtualidade: — *futura...* Esta alusão soa como uma interrogação indireta a respeito do próprio futuro: casaria outra vez ou permaneceria viúva? (SE)

[240]

De: GOMES DE AMORIM
Fonte: MAGALHÃES JR., Raimundo. *Vida e Obra de Machado de Assis.* Rio de Janeiro: Record, 2008. vol. 3.

[Lisboa,] 6 de dezembro de 1884.

Meu querido poeta e bom amigo,

Em tempo recebi o seu excelente livro *Papéis Avulsos*, que teve o poder de me fazer passar menos amargamente algumas horas de minha triste vida, o que de todo o coração lhe agradeço. Agora, pelo enteado do nosso bom Miguel Novais[1], recebi as *Histórias Sem Data*[2], que ainda não pude começar a ler, porque a *desinfetomania*[3] dos senhores encarregados de zelar pela saúde pública o empestou horrivelmente para me livrar da peste! Ando com ele ao ar por todas as janelas, durante este arejamento já mais de oito dias, e ainda não consegui purgar o pobre livro do cheiro atroz com que o infectaram... para o desinfetar.

Agradeço-lhe reconhecidíssimo estes dois primorosos dons de sua elegantíssima e erudita pena, sentindo não possuir todas as produções, para enriquecer a minha livraria e o meu espírito.

Pelo *Senh*or Visconde de Sistelo remeto ao nosso amigo *Senh*or *Dou*tor Antônio Henriques Leal, diretor do Internato de Pedro II[4], o último tomo do meu *Garrett, Memórias Biográficas*. De um ou de outro destes senhores receberá V*oss*a E*xcelênci*a, e fará o favor de o reclamar, se lho não mandarem, o seu exemplar, que vai subscritado. Este trabalho, de que já lhe mandei os dois primeiros volumes, tem tido em Portugal um verdadeiro sucesso, talvez por não se estar aqui no costume de não ter medo de dizer a verdade, custe o que custar. Perdi algumas amizades para ser fiel à minha consciência, à justiça e à verdade; mas penso que a estima pública me compensou largamente daquele prejuízo. Infelizmente, para o que não há compensação é para os sacrifícios de dinheiro! Gastei perto de mil libras esterlinas na edição dos três volumes num país onde já não se leem senão jornais e maus livros franceses! Contava com o auxílio do Rio de Janeiro, mas fui absolutamente infeliz; tendo mandado quinhentos exemplares do tomo I.º ao Conde de S*ão* Salvador de Matosinhos[5], este não fez caso deles, e fui obrigado a retirá-los, ao cabo de 4 anos, perdendo perto de 300 exemplares, entre estragados e extraviados! 300 coleções truncadas! Não tive aí quem erguesse a voz, na imprensa, chamando a atenção para o meu trabalho, e o resultado foi tristíssimo!

Rogo-lhe, meu excelente amigo, que leia pacientemente o meu trabalho, e que honre o autor e a obra com alguns artigos de sua esclarecida crítica[6]. Pode ser que com isso me ajude a vender por aí alguns exemplares, com que contribuirá para me salvar do naufrágio econômico. Aqui quase toda a gente que escreve o tem feito largamente. Se tivesse meio de fazer aí transcrever as críticas, talvez me fosse útil. Mas algumas das melhores são muito extensas, e os jornais do Rio quererão dinheiro para as publicar — e dinheiro é que eu preciso! Perdoe a maçada: são poucas, mas boas! Os meus respeitos a sua Ex*celentíssi*ma família, e dê notícias suas ao

De V*ossa Excelência*
Am*igo* e colega ob*rigadíssi*mo,
Francisco Gomes de Amorim

---

1 ࿇ Joaquim Pereira Felício. (IM)

2 ࿇ Sobre a atenção de Miguel de Novais para com Gomes de Amorim, ver em [202], [205] e [226]. (IM)

3 ࿇ Medidas de prevenção contra o cólera-morbo, ver em [238]. (IM)

4 ࿇ Antônio Henriques Leal (1828-1885), historiador e biógrafo de Gonçalves Dias. Ver em [34], tomo I. (IM)

5 ࿇ João José dos Reis (1820-1888), 1.° conde de São Salvador do Matosinhos, veio de Portugal para o Brasil aos 13 anos de idade; oito anos depois já estava estabelecido no comércio, atuando em sociedade com Antônio José do Amaral, de quem foi também genro. Em 1847, enviuvou de Joaquina Maria Amaral Reis, casando-se com Henriqueta Januária da Silva Reis, com quem teve 10 filhos. Foi presidente da Companhia Brasileira de Navegação a Vapor, do Banco Comercial Brasileiro e o principal fundador do *Brazilian and Portuguese Bank*, mais tarde *English Bank of Rio de Janeiro*, com sede em Londres. Foi diretor do Banco do Brasil e da Associação Comercial do Rio de Janeiro; fundou várias companhias de seguro, como a Garantia, a Confiança e Fidelidade, além da Companhia de Comércio e Lavoura. Foi benemérito de diversas instituições de auxílio e caridade, entre elas, a Sociedade de Beneficência Portuguesa; foi sócio benemérito do Gabinete Português de Leitura e estimulou e protegeu as artes e os artistas. (SE)

6 ࿇ Em 1866, Machado comentara *Cantos Matutinos e Efêmeros*, livros de versos de Gomes de Amorim. Ver em [48], tomo I. (IM)

[241]

De: MIGUEL DE NOVAIS
Fonte: Manuscrito Original, Arquivo ABL.

Lisboa, 5 de janeiro de 1885.

Amigo Machado

Que tivesse festas muito alegres é que de coração lhe desejamos.

Acabo de receber uma carta da Carolina em que me diz que o amigo tencionava escrever-me, mas antes disso, compete-me a mim fazê-lo para agradecer-lhe o livro que fez favor de mandar-me pelo Quincas[1], e posso assegurar-lhe que, todos os outros que vieram foram entregues às pessoas a quem eram endereçados[2].

Já li duas vezes estas suas histórias sem data[3]. O meu amigo adotou um gênero, de que eu aliás gosto muito, que pode agradar a muitos como agrada, mas que não fará de Machado de Assis um escritor popular[4]. Se fossem essas as suas ambições não seria aquele o caminho de realizá-las, mas o amigo mira mais alto e chega com certeza ao que deseja.

Ninguém menos que eu habilitado para dar a minha opinião sobre um livro [,] qualquer que seja, e consequentemente nenhuma opinião de menos importância do que a minha; mas gosto destas suas histórias porque vejo nelas muito estudo, muita observação e muito engenho na urdidura. Naqueles pequenos contos, à primeira vista, singelíssimos, há muita filosofia – [A] *Igreja do diabo* – acho magnífico e bem feito de uma vez. – [*As*] *Academias de Sião* têm também a meu ver grande mérito e percebo estes (*sic*), como percebo outros muitos [,] dos contos de que se compõe o volume – devo-lhe confessar porém que, alguns há em que lhe não meto dente. Como eu porém não me contento com lê-los uma vez só [,] talvez venha a compreender o que por enquanto ainda me aparece um pouco velado.

Eu precisava dizer-lhe alguma coisa para provar-lhe que li o seu livro e mais ainda, que o estudo. É possível e até provável que tenha dito asneira, o que não admira, porque me tem acontecido isso muitas vezes.

[V]á aturando tudo e vá sempre mandando um exemplar do que for produzindo. Lembra-me agora; parece-me que ainda não há publicado em livro aquele seu belo conto *O cão de lata ao rabo* – que foi [,] penso que [,] publicado na *Gazeta de Notícias* e aqui transcrito em outros jornais – é preciso não o deixar perder[5].

Nós por aqui vamos passando no mesmo estado de monotonia habitual.

Para variar, parece que a nossa Julieta se prepara para ser mãe[6] qualquer destes dias – parece peta! – mas, feliz ou infelizmente é verdade. Principia muito cedo, e nestas coisas, mau é o começar. O que é verdade é que eu por causa *deles* e *delas* [,] quer dizer [,] dos rapazes e das raparigas, acho-me aqui encalhado há mais de três anos e o corpo principia já a pedir-me folia – não me serve esta vida[7], e no ano que principia agora, hei de sair de Portugal infalivelmente, salvo caso de morte; espera-me a exposição de *Anvers*[8] onde hei de ir ou só, ou acompanhado[9]. É preciso aproveitar o pouco tempo que me resta em ver alguma coisa mais [;] estou já muito velho, e daqui a 50 anos já não sirvo para nada, e cinquenta anos meu amigo passam-se num momento.

Diga a Carolina que lhe escreverei no próximo paquete. Hoje está muito frio e eu tenho andado malacafento. Ainda não saí à rua este ano; um impertinente incômodo de garganta de pouca importância, mas aborrecido pela teimosia em não querer deixar-me, faz que não tenha vontade nenhuma de sair. O meu amigo é que está feliz, não tem por lá terremotos nem cólera-morbo – e nós cá temos de tudo – cólera nas vizinhanças e terremotos em casa – ainda assim, o que por aqui tem havido é nada em relação ao que tem sucedido pela Espanha[10]. O amigo nunca sentiu um tremor de terra, pois olhe que não é de todo desagradável. É uma dança macabra que tem o que quer que é de interessante.

Ainda assim, bom será que continue a não ter ocasião de gozar o divertimento.

Adeus meu caro. Acabou-se o papel. [É] preciso pôr termo ao cavaco. Dê lembranças a Carolina e creia-me seu *Cunhado* dedicado

Miguel de Novais

1 ∞ Joaquim Pereira Felício, nascido em 20/12/1860, era um dos filhos do primeiro casamento de Joana, mulher de Novais, e, pelo comentário, Quincas devia estar no Rio de Janeiro. Sobre Joana e seus filhos, ver em [157] e [269], carta de 04/03/1888. Sobre o seu primeiro marido, Rodrigo Pereira Felício, ver Ubiratan Machado (2008). (SE)

2 ∞ Ver nota 1 em [216].

3 ∞ Esta carta contém um comentário mais ou menos longo de Novais sobre alguns contos de *Histórias sem Data* (1884), observações que hoje devem ser levadas em conta considerando que era um interlocutor a quem Machado tinha em alta conta; Miguel dizia-lhe com sinceridade de suas impressões de leitor típico; além disso, não era comprometido por uma atitude reverente diante, a essa altura, do incensado mestre do romance e do conto brasileiros. Fazia as suas observações algumas vezes com grande acuidade, outras um tanto ingenuamente, mas quase sempre com uma dose de sensibilidade e independência consideráveis; e, por fim, Miguel tinha um humor bastante singular, o que talvez divertisse Machado. Miguel diz, a certa altura, de seus próprios comentários críticos: "É possível e até provável que tenha dito asneira, o que não admira, porque me tem acontecido isso muitas vezes." Nada mais machadiano. (SE)

4 ∞ Muito significativa a observação, pois, alguns anos mais tarde, Miguel traduzirá do italiano para o português o popularíssimo *Cuore*, de Edmondo De Amicis (1846--1908), pelo qual se encantou a ponto de editá-lo e distribuí-lo às suas expensas. *Coração* é um livro de formação moral para meninos e jovens, e que foi grande sucesso de público em toda a Europa e Américas. No Brasil a tradução de Novais, adaptada ao português brasileiro por Valentim Magalhães*, tem no prefácio o seguinte comentário:

> "[...] coube-me o exemplar n.º 462 da edição de 500 exemplares numerados que foi tirada em Lisboa **da tradução de Miguel de Novais** – edição destinada exclusivamente às escolas daquela capital e da qual nenhum exemplar foi vendido." (SE)

Mais tarde, saiu uma nova tradução brasileira do livro feita por João Ribeiro e que, parece, deu origem às edições brasileiras posteriores; entretanto, em Portugal, as edições continuaram a circular a partir da tradução de Miguel de Novais. (SE)

5 ∞ É bom observar o cuidado e a intuição de Miguel de Novais em recomendar ao cunhado que preservasse "Um cão de lata ao rabo", considerado hoje em dia uma pequena obra-prima do estilo machadiano. A fantasia saiu pela primeira vez em *O Cruzeiro*, na edição de 02/04/1878; talvez naquela ocasião Novais não o tivesse lido, porque em abril de 1878 ou já devia estar na Europa ou em viagem. Ver carta [157]. A referência de Miguel deve ser a uma reedição na *Gazeta de Notícias* que, aliás, tinha Ramalho Ortigão entre os correspondentes, e era grande amigo de Miguel de Novais. (SE)

6 ∞ Maria Julieta estava no final da gravidez de seu 1.º filho, Nuno de Campos e Castro Pereira de Azevedo Soares, que nasceu em 16/02/1885, trinta e seis dias depois desta carta. (SE)

7 ∾ Desabafo a respeito de viver nos últimos três anos excessivamente em torno dos filhos de Joana e suas famílias, sem viajar e sem se divertir. Talvez Miguel se sentisse um tanto preterido. Apesar de ser uma dama educada e rica, Joana estava sempre envolvida com as providências exigidas por suas casas, ou então com os filhos e agora envolvida com a chegada do neto. É bom lembrar que Miguel de Novais não tinha descendência direta. (SE)

8 ∾ Na carta [249], Miguel faz diversas observações sobre a sua ida à Bélgica, viagem que fez com a mulher, o que significa que convenceu Joana a deixar a vida em família para acompanhá-lo, já que diz sobre seu desejo de ir à Exposição de Anvers: "onde hei de ir ou só, ou acompanhado." (SE)

9 ∾ Mais um indício de seu desconforto com a situação. (SE)

10 ∾ Essa carta foi escrita cinco dias depois do fim de uma série de abalos sísmicos que provocou muita destruição na Espanha. O primeiro ocorreu no dia de Natal de 1884, pouco depois das 21h, com magnitude 6,8 na escala Richter, epicentro em Arenas Del Rey, província de Granada. Por cerca de 20 segundos o território andaluz tremeu violentamente, resultando em cerca de 800 vítimas fatais, 1500 feridos e 4400 casas destruídas. Quatro dias depois, em 29, a terra voltou a tremer, ainda com epicentro em Arenas Del Rey, fazendo novas vítimas. Na véspera do Ano-Novo, outro abalo, dessa vez em Torrox, na província de Málaga, com magnitude semelhante à do primeiro, provocou mais mortes e destruição. Depois, em 27/01/1885, com epicentro em Alhama de Granada, um novo terremoto devastou a região. Após essa série de tremores, um frio intenso se instalou e cobriu de neve todo o território, dificultando as operações de resgate e reconstrução. (SE)

[242]

Para: VALENTIM MAGALHÃES
Fonte: Fundação Casa de Rui Barbosa. *A Semana,* 1885. Biblioteca São Clemente, Coleção Plínio Doyle. Impresso original.

ARTUR BARREIROS

[Rio de Janeiro, 21 de fevereiro de 1885.][1]

Meu caro Valentim Magalhães.

Não sei que lhe diga que possa adiantar ao que sabe do nosso Artur Barreiros[2]. Conhecêmo-lo: tanto basta para dizer que o amamos. Era um dos melhores da sua geração, inteligente, estudioso, severo consigo, entusiasta das coisas belas, dourando essas qualidades com um caráter exemplar e raro: e se não deu tudo o que podia dar, foi porque cuidados de outra ordem lhe tomaram o espírito nos últimos tempos. Creio que, em tendo a vida repousada, aumentaria os frutos do seu talento, tão apropriado aos estudos longos e solitários e ao trabalho polido e refletido.

A fortuna, porém, nunca teve grandes olhos benignos para o nosso amigo; e a natureza, que o fez probo, não o fez insensível. Daí algumas síncopes do ânimo, e umas intermitências de misantropia a que vieram arrancá-lo ultimamente a esposa que tomou e os dois filhinhos que lhe sobrevieram. Essa mesma fortuna parece ter ajustado as coisas de modo que ele, tão austero e recolhido, deixasse a vida em pleno carnaval. Não era preciso tanto para mostrar contraste e a confusão das coisas humanas.

Não posso lembrar-me dele, sem recordar também outro Artur, o Artur de Oliveira[3], ambos tão meus amigos. A mesma moléstia[4] os levou, aos trinta anos, casados de pouco. A feição do espírito era diferente neles, mas uma coisa os aproxima, além da minha saudade; é que também o Artur de Oliveira não deu tudo o que podia, e podia muito.

Ao escrever-lhe as primeiras linhas desta carta, chovia copiosamente, e o ar estava carregado e sombrio. Agora, porém, uma nesga azul do céu, não sei se duradoura ou não, parece dizer-nos que nada está mudado para ele, que é eterno. Um homem de mais ou de menos importa o mesmo que a folha que vamos arrancar à árvore para juncar o chão das nossas festas. Que nos importa a folha?

Esta advertência, que não chega a abater a mocidade, tinge de melancolia os que já não são rapazes. Estes têm atrás de si uma longa fileira de mortos. Cada um dos recentes lembra-lhes os outros. Alguns desses mortos encheram a vida com ações ou escritos, e fizeram ecoar o nome além dos limites da cidade. Artur Barreiros (e não é dos menores motivos de tristeza) gastou o aço em labutações estranhas ao seu gosto particular; entre este e a necessidade não hesitou nunca, e acanhou em parte as faculdades por um excessivo sentimento de modéstia e desconfiança. A extrema desconfiança não é menos perniciosa que a extrema presunção. "As dúvidas são traidoras", escreveu Shakespeare; e pode-se dizer que muita vez o foram com o nosso amigo. O tempo dar-lhe-ia a completa vitória; mas o mesmo tempo o levou, depois de longa e cruel enfermidade. Não levará a nossa saudade nem a estima que lhe devemos.

Machado de Assis

---

1 ◈ Data de publicação no n.º 8 de *A Semana*, revista fundada e dirigida por Valentim Magalhães. Diz o editorial:

"Faleceu no dia 17 do corrente, às 6 horas da tarde, vítima de uma afecção pulmonar, o nosso ilustre confrade e estimado amigo Artur Barreiros. [...] A redação d'*A Semana*, compungida e enlutada pelo falecimento recente de Artur Barreiros, apresenta de novo as suas condolências a sua Exma. Família e à pátria. [...] Em outro lugar desta folha encontrará o leitor algumas linhas de Machado de Assis, o ilustre mestre, sobre esse nosso inditoso amigo."

Na primeira fase de *A Semana* (03/01/1885 a 21/04/1888), Machado publicou esta carta aberta, uma homenagem à atriz Eleonora Duse (17/07/1885), os poemas "Mundo interior" (20/03/1886) e "Perguntas sem resposta" e as cartas [247] e [248], de 07/11/1885. (IM)

2 ◈ Artur Barreiros (1856-1885), jornalista muito atuante, escrevera um artigo biográfico sobre Machado de Assis para a revista *Pena e Lápis* (10/06/1880) e ampliou informações dessa natureza quando se tornou editor da *Galeria Contemporânea do Brasil*, publicando um número dedicado a Machado, em 1884. (IM)

3 ◈ A doença e a morte de Artur de Oliveira* são registradas em [210], [211] e [212], cartas que levariam Machado a se referir à intimidade da correspondência particular: "Onde outra mais sincera?" (IM)

4 ◈ Tísica. (IM)

[243]

Para: DOMINGOS LOURENÇO
LACOMBE
Fonte: LACOMBE, Américo Jacobina. *Relíquias da Nossa História.* Belo Horizonte: Itatiaia, 1988.

[Rio de Janeiro,] 11 de maio de 1885.

Caro amigo S*enho*r Lacombe[1].

Disse ontem ao barão[2] que iria hoje ao clube[3], mas a mesma razão que me impediu ontem de ir à sua casa é a que não me deixa cumprir o que prometi. É o caso que um cirurgião veio-me a uma das orelhas com um bisturi, ontem mesmo, e recomendou-me que evitasse a umidade para não sobrevir uma erisipela. Trata-se de um quisto que ia crescendo e mandei extrair. Como vê já choveu, vai chover mais, e sopra um vento úmido.

Como, porém, desejo não faltar nunca ao serviço do nosso Clube, peço-lhe que, se for coisa urgente, pode mandar à nossa casa, Cosme Velho, 14[4], e eu amanhã mandarei pronta, ou então que me diga se amanhã mesmo se pode fazer o que é, de dia e a que horas.

Em suma, disponha de mim, e o mesmo digo ao nosso vice-presidente. Quando é a reunião? É sempre terça-feira? E a que horas?

Adeus, até breve.

Do *Coração*

Machado de Assis

---

1 ∞ Utilizou-se a transcrição do historiador e acadêmico Américo Jacobina Lacombe, filho do destinatário, que conservou em seu excepcional arquivo a carta "de pequeno formato e escrita numa letrinha regular e legível". (IM)

2 ∞ Rodolfo Smith Vasconcelos (1846-1926), 2.º barão de Vasconcelos, nobre luso-brasileiro, foi genealogista e autor do *Arquivo Nobiliárquico Brasileiro* (1918). Amigo, parceiro de xadrez e vizinho fiel de Machado de Assis no Cosme Velho, casou-se com Eugênia Virgínia Felício, filha dos condes de São Mamede; sua sogra, Joana Ferreira Felício, tornou-se cunhada de Carolina* ao contrair segundas núpcias com Miguel

de Novais*. Era ela a proprietária do chalé alugado por Machado em 1884, onde morou até o fim da vida. Dentre os filhos dos Smith Vasconcelos, Jaime foi afilhado de Machado e Francisca, depois casada com Heitor Basto Cordeiro*, deu valiosos testemunhos biográficos sobre Machado e Carolina. (IM/SE)

3 ∾ O Clube Beethoven, ver em [230], [231] e [266], carta de 29/03/1887. Machado foi bibliotecário do clube, Domingos Lourenço Lacombe, segundo secretário, e o barão Smith de Vasconcelos, vice-presidente. (IM)

4 ∾ O famoso chalé do Cosme Velho teve sua numeração alterada para 18 em 1894. (IM)

[244]

De: JOAQUIM SERRA
Fonte: Cartas de Joaquim Serra a Machado de Assis. *Revista da Academia Brasileira de Letras*, III, Rio, 1911.

Friburgo, 22 de maio [de 1885.][1]

Caro mio,

Se a sua modéstia ofendo,
Figure que não ouviu;
Senão Machado de Assis,
É como lhe ia dizendo,
Você provou belamente,

Sem x
E sem giz,
Que do sangue a transfusão
Transforma de repente.
O bispo Myriel em João Valjão[2].

Aceita a teoria,
Como aceitou-a o rei Ptolomeu,

Pergunto eu
A ti e ao rei Pedro seu segundo,
Que é da Academia
E sabichão profundo:
– De que sangue precisa neste instante
O heroico partido dominante[3]?
De que sangue carece a situação?
Vamos salvá-la já co' a transfusão...

Já teve sangue de rato...
E deu-se mal com as gotas:
Exausta, semiviva
Deixou-a em desbarato
Essa advocacia de patotas,
Administrativas...
Já teve sangue de cobra
E rastejou de sobra
No paço imperial...
Mordeu o zé-povinho,
O veneno porém não foi fatal,
Viva o permanganato!

Sangue d'águia teve ela por momentos
E perdeu-se nas nuvens. Muito em breve
Faleceram-lhe alentos
E que sangue ela teve?
De cerdo imundo e voraz,
E num chiqueiro escuro ei-la que jaz!

Que sangue traz pra a história
Saraiva da Pojuca?[4]
O sangue da raposa? Essa é finória
E não meterá a mão lá na cumbuca.

A situação está mal;
F – i – m – Fim!
Mandem chamar o Dória[5],
E o Barral
E o Serafim[6]!

....

E acabou-se a história.
E assiste à *fonccionata*
O povo, que nada diz?
Ai, que sangue de barata
Injetou neste país?

....[7]

(Volta se queres prosa.)
Isto pinta as emoções de quem espera o desfecho da crise[8]. Emoções de um filósofo, que já nada tem com as coisas daqui, e bem poderia ir para o Egito como aqueles dois, que tão bem engenhaste.

A esta hora estará tudo claro, e não mais terá razão de ser este acervo de interrogações.

O que há de porém fazer quem vive longe do movimento e ainda se deixa ficar nestas montanhas, pelo menos até o fim do mês?

Se não me escreveres nestes 10 dias, é provável que nos vejamos nestes 11. Em todo caso, abraça-te já o

Velho amigo
J. Serra.

I [1] Nessa carta em versos, Serra está se referindo ao "Conto Alexandrino" de Machado de Assis, recém-publicado em *Histórias sem Data* (1884). Nesse conto, dois sábios cipriotas viajam para Alexandria, a fim de tentarem uma experiência científica destinada a provar que o sangue de rato bebido em condições apropriadas por seres humanos pode transformar qualquer pessoa em ratoneiro, isto é, ladrão. Os dois filósofos fazem em si mesmos a experiência, e se transformam em larápios consumados. Serra usa essa metáfora para satirizar a política brasileira a propósito da aprovação da Lei dos Sexagenários. (SPR)

2 ⁕ Nos *Miseráveis* de Victor Hugo, o bispo Myriel é um santo sacerdote que regenera, por meio de sua bondade cristã, o forçado Jean Valjean. (SPR)

3 ⁕ Referência ao Partido Liberal, ao qual pertencia o conselheiro Manuel de Sousa Dantas, cujo gabinete caíra em 06/05/1885, abrindo uma grave crise política. Sobre as motivações da queda do gabinete, ver a seguir a nota 8. (SE)

4 ⁕ Referência irônica à empresa de beneficiamento de açúcar montada por investidores capitaneados pelo conselheiro Saraiva, que constantemente ia ao Recôncavo Baiano cuidar de seus interesses. O engenho central da Pojuca, em Catu, às margens da estrada de ferro Bahia ao São Francisco, era um empreendimento de grande porte; a sua pedra fundamental foi lançada em 16/03/1880 e já em 18/11/1880 estava operando. Mantinha alguns interesses familiares, embora fosse uma sociedade anônima fechada, que incorporou o maior número possível de acionistas para formar um grosso capital de giro, tendo como principais acionistas: o conselheiro José Antônio Saraiva, o coronel José Freire de Carvalho, José Augusto Chaves, Antônio Ferreira Veloso e Félix Vandesmet. (SE)

5 ⁕ Referência à firme e pacificadora atuação de Franklin Dória* como presidente de Pernambuco, logo após o "Morticínio de Vitória", em que opositores locais entraram em luta pelas ruas de Vitória de Santo Antão, e que resultou em 20 feridos graves e 14 mortos, disseminando um clima de desordem e intranquilidade públicas. Sobre o morticínio, ver em [182]. (SE)

6 ⁕ Possivelmente, Serafim Muniz Barreto, presidente da Câmara Municipal da cidade do Rio de Janeiro entre 1880 e 1882. (SE)

7 ⁕ As linhas pontilhadas aparecem no texto.

8 ⁕ O senador Manuel Pinto de Sousa Dantas, nomeado a 06/06/1884, presidiu o 32.º gabinete, cujo mérito foi o grande impulso dado por seu projeto ao abolicionismo. Dantas convidou Rui Barbosa, que em conflito com os escravistas e a Igreja, estava fora do ministério, mas redigiu o *Projeto Dantas*, que definia diretrizes para a emancipação: idade do escravo, omissão da matrícula e transgressão de seu domicílio legal. Ao fixar os 60 anos como idade limite à condição de escravo, sem indenização aos proprietários, desencadeou duros protestos. Ao fundamentar a emancipação pela omissão de matrícula, obrigando a novo registro dos escravos no prazo de um ano, promovia a libertação quase imediata de todos os menores de 14 anos (Lei do Ventre Livre). Além disso, a prova de filiação libertaria os que nasceram após a proibição do tráfico (1831), ou os que fossem filhos de escravos contrabandeados. Ao vedar a transferência de domicílio, evitava que as províncias do norte e nordeste vendessem os negros aos grandes centros no sudeste; e, por fim, ainda propôs um plano de assistência ao liberto, mediante a instalação de colônias agrícolas para os que não obtivessem empregos. O projeto dividiu os liberais e

provocou a ira dos conservadores e dos escravistas. Submetido à moção de desconfiança, mas com apoio do Imperador, o gabinete dissolveu a assembleia e convocou novas eleições. Foram as mais violentas do Império, vencidas por deputados apoiados pelos escravocratas. Não conseguindo sustentação, o gabinete Dantas caiu e o Imperador nomeou o conselheiro Saraiva (06/07/1885) para dar prosseguimento à questão. Saraiva promoveu emendas ao projeto, que acabou aprovado por um terceiro gabinete, o de Cotegipe. Afinal aprovada, a Lei Saraiva-Cotegipe, ou dos Sexagenários, era muitíssimo menos abrangente do que o projeto original de Sousa Dantas. (SE)

[245]

De: CAPISTRANO DE ABREU
Fonte: Revista da Academia Brasileira de Letras.
Rio de Janeiro, XXXVII, 1931.

[Rio de Janeiro,] 16 de julho de 1885.

My dear,

Tenho a honra de lhe apresentar o *senhor* João Ribeiro Fernandes[1], meu amigo e sucessor na Biblioteca Nacional, poeta distinto e não menos distinto linguista.

Pondo em comunicação dois espíritos superiores, sei que entre ambos se estabelecerão as melhores e mais cordiais relações, com o que muito folgarei.

Bien à vous
J. Capistrano de Abreu

---

1 ∞ O sergipano João Ribeiro* (1860-1934), que se notabilizaria na crítica literária, entrou para a Biblioteca Nacional por concurso, da mesma forma que Capistrano de Abreu, admitido em 1879. (IM)

[246]

> Para: ENEIAS GALVÃO
> *Fonte:* GALVÃO, Eneias. *Miragens.* Rio de Janeiro: G. Leuzinger & Filhos, 1885. Setor de Obras Raras. Fundação Biblioteca Nacional. Coleção Francisco Ramos Paz.

[Rio de Janeiro,] 30 de julho de 1885.

Meu caro poeta[1],

Este seu livro[2], com as lacunas próprias de um livro de estreia, tem as qualidades correspondentes, aquelas que são, a certo respeito, as melhores de toda a obra de um escritor. Com os anos adquire-se a firmeza, domina-se a arte, multiplicam-se os recursos, busca-se a perfeição que é a ambição e o dever de todos os que tomam da pena para traduzir no papel as suas ideias e sensações. Mas há um aroma primitivo que se perde; há uma expansão ingênua, quase infantil, que o tempo limita e retrai. Compreendê-lo-á mais tarde, meu caro poeta, quando essa hora bendita houver passado, e com ela uma multidão de coisas que não voltam, posto deem lugar a outras que as compensam.

Por enquanto fiquemos na hora presente. É a das confidências pessoais, dos quadros íntimos, é a deste livro. Aos que lho arguirem, pode responder que sempre haverá tempo de alargar a vista a outros horizontes. Pode também advertir que é um pequeno livro, escolhido, que não cansa, e eu acrescentarei, por minha conta, que se pode ler com prazer, e fechar com louvor.

Que há nele alguns leves descuidos, uma ou outra impropriedade, é certo; contudo vê-se que a composição do verso acha da sua parte a atenção que é hoje indispensável na poesia, e, uma vez que enriqueça o vocabulário, ele lhe sairá perfeito. Vê-se também que é sincero, que exprime os sentimentos próprios, que estes são bons, que há no poeta um homem, e no homem um coração.

Ou eu me engano, ou tem aí com que tentar outros livros. Não restrinja então a matéria, lance os olhos além de si mesmo, sem prejuízo, contudo, do talento. Constrangê-lo é o maior pecado em arte. Anacreonte, se quisesse trocar a flauta pela tuba, ficaria sem tuba nem flauta; assim também Homero, se tentasse fazer de Anacreonte, não chegaria a dar-nos, a troco das suas imortais batalhas, uma das cantigas do poeta de Teos.

Desculpe a vulgaridade do conceito; ele é indispensável aos que começam. Outro que também me parece cabido é que, no esmero do verso, não vá ao ponto de cercear a inspiração. Esta é a alma da poesia, e como toda a alma precisa de um corpo, força é dar-lho, e, quanto mais belo, melhor; mas nem tudo [deve] ser corpo. A perfeição, neste caso, é a harmonia das partes.

Adeus, meu caro poeta[3]. Crer nas musas é ainda uma das coisas melhores da vida. Creia nelas, e ame-as.

Machado de Assis

---

1 ⚭ Carta publicada como prefácio de *Miragens*. Sobre cartas dessa natureza, ver em [159]. (IM)

2 ⚭ Abaixo do título, *Miragens*, tem-se "Poesias de Eneias Galvão. Estudante de Direito de São Paulo. Com uma carta de Machado de Assis". O volume de apenas 20 páginas reúne oito poemas, escritos entre 1882 e 1885, e tem esta dedicatória do autor: "A meu pai / o Marechal de Campo / Visconde de Maracaju". O pai era o militar Rufino Eneias Gustavo Galvão; sobre o irmão deste, homônimo do poeta, ver em [110]. No exemplar consultado, lê-se: "Ao laureado escritor Dr. Raul Pompeia, oferece / O autor". (IM)

3 ⚭ Lúcio de Mendonça* castigou o jovem poeta na sua seção de crítica em *A Semana* (14/11/1885): "um versejar morno e sorna do princípio ao fim", concluindo que tais pecados literários não podem "acontecer à luz pública e com uma carta de Machado de Assis." Observe-se, porém, que é na alusão marota a Anacreonte, trocando a flauta pela tuba, que se encontra o verdadeiro espírito do prefaciador. (IM)

[247]

Para: VALENTIM MAGALHÃES
Fonte: Fundação Casa de Rui Barbosa. *A Semana*, 1885. Biblioteca São Clemente. Coleção Plínio Doyle. Impresso original.

[Rio de Janeiro, 7 de novembro de 1885.][1]

Ilustríssimo amigo e colega Doutor Valentim Magalhães.

Recebi de V. a incumbência de fazer parte de uma comissão que tem de escolher três sonetos dentre os quarenta e cinco recolhidos pela *Semana*, por ocasião da morte de Victor Hugo[2].

Devolvendo os sonetos que acompanharam a carta de V. declaro-lhe que, a meu ver, podem ser escolhidos para os prêmios anunciados os de *números* 32, 24 e 29. Há ainda dois ou três que poderiam ocupar o terceiro lugar; mas, conquanto alguns defeitos de forma sejam comuns ao outro, pareceu-me que neste avultavam menos e daí a escolha. Análogos senões se podem notar nos de *números* 32 e 24, e principalmente neste, mas há neles uma ideia poética, exposta com clareza e felicidade.

Não é preciso advertir que a escolha é relativa, nem lembrar ainda, (o que fica dito), que os sonetos apontados não têm aquele cunho de perfeição que há direito de exigir de um poema tão curto.

Disponha de quem é colega, admirador e amigo obrigado.

Machado de Assis

---

1 ∞ Carta publicada em *A Semana*, n.º 45, sob o título "Sonetos a prêmio". (IM)

2 ∞ Concurso instituído pela revista em 11/06/1885, cujo resultado teve mais de um adiamento devido à escassez de concorrentes. Isto se observa na leitura dos vários números de *A Semana*. Final de outubro, com 45 sonetos inscritos e autores sob anonimato, há uma divergência na classificação proposta pelo júri – Adelina Lopes Vieira, Machado de Assis e Lúcio de Mendonça*. Convoca-se então Afonso Celso de Assis Figueiredo para desempatar. Em vez de três (conforme previa o regulamento), saem quatro vencedores: Alberto de Oliveira*, Antônio Soares de Sousa Júnior, Henrique Magalhães, irmão mais

moço de Valentim, e, como primeiro colocado, um certo "M. V.", nada mais nada menos que o próprio Valentim Magalhães, dono e diretor da revista. (IM)

[248]

> Para: VALENTIM MAGALHÃES
> *Fonte:* Fundação Casa de Rui Barbosa. *A Semana*, 1885. Biblioteca São Clemente. Coleção Plínio Doyle. Impresso original.

Corte, 7 de novembro de 1885.[1]

Meu caro Valentim.

Respondo-lhe afirmando, o que era, aliás, desnecessário. Recebi os sonetos do certame Victor Hugo, apenas com indicação do número de cada um deles, sem a menor notícia dos seus autores.

Creia-me agora e sempre.

Amigo afetuoso colega e admirador.

Machado de Assis.

---

1 ∞ Carta publicada em *A Semana*, n.º 46, de 14/11/1885, com este preâmbulo:

"Do nosso ilustre colaborador Machado de Assis, um dos julgadores dos sonetos a prêmio, recebemos a seguinte carta, que por ter vindo tarde, somente no presente número pôde ser publicada."

A premiação, divulgada uma semana antes, deve ter ferido os brios de vários anônimos ilustres. Por isso, além da justificativa da escolha, como se vê na carta [247], os outros jurados se apressaram em dar seus depoimentos de absoluta lisura, sendo estes publicados também em 07/11/1885. Uma carta de Valentim para Lúcio de Mendonça* revela a "temperatura" do certame. (IM)

[249]

De: MIGUEL DE NOVAIS
Fonte: Manuscrito Original, Arquivo ABL.

Lisboa, 23 de novembro de 1885.

Rua do Salitre, 353.

Amigo Machado.

Não ficarei esperando dois outros meses pelo Paquete que deve levar a resposta à sua carta de 2[3][1] do passado que apreciei como coisa rara[2] – não senhor! [D]epois que a recebi é este o primeiro paquete que parte para o Rio [;] e é este portanto o que lhe leva notícias nossas e a certeza de que a sua carta chegou ao seu destino, não como saiu daí sem entrelinhas, rasuras, ou coisa que dúvida faça, mas machucada e retalhada pelos golpes do facão higiênico com que a sábia junta de saúde, auxiliada pelo nobre ministro do Reino[3] [,] *crê* preservar o país da febre amarela, do Cólera e de todos os flagelos da humanidade. Isto é uma história porque nem uns nem outros acreditam na eficácia de tais medidas, faço-lhes essa justiça [;] mas enfim, é preciso deitar poeira nos olhos do público que, infelizmente, louva e aplaude todas estas farsas de proveito imediato para os atores e autores, mas muito nocivas à moralidade e algibeira dos espectadores[4].

Não imagina o que por aqui se faz para evitar (dizem eles) que o Cólera nos visite[5]! – é incrível! Cordões sanitários em toda a fronteira de Espanha [;] cordões cerrados compostos de toda a força armada do país e tão cerrados que ainda há pouco foram apanhados já em Portugal, muito distantes da raia cinco juntas de bois, burros carregados de contrabandos diversos, e 10 ou 12 homens que acompanhavam etc. etc.[,] e tudo isto transpôs o tal cordão sanitário sem que pessoa alguma desse por isso! Como este [,] têm se repetido muitos outros fatos que provam não passarem de grande burla todas estas medidas.

Depois há os Lazaretos na fronteira para os procedentes de Espanha [;] são, segundo me dizem [,] grandes barracões de madeira onde chove como no meio da Rua [,] e as paredes que dividem os aposentos dos diversos quarentenários de ambos os sexos são lençóis presos por uma corda! De pouco serve trazer dinheiro no bolso porque não há nada de que se precisa e [,] segundo me informam, falta m*ui*tas vezes que comer. De modo que, um homem que vem de Espanha de perfeita saúde, raro deixa de sair doente do Lazareto!

Agora, para que não julgue que isto é má-língua e desejo de dizer mal, vou provar-lhe que se engana.

Tenho percorrido quase toda a Europa e nunca encontrei em país nenhum, nem me consta que exista, mesmo lá pela América[6] um governo tão atencioso e delicado com os viajantes como é o governo português.

Imagine o meu amigo que em toda a linha de caminhos de ferro de Lisboa ao norte do país e do norte ao sul [,] já se vê [,] há empregados especiais que recebem a gratificação de 4£500 r*éis* por dia para – desejar boas-noites – ou boa-noite – aos passageiros em trânsito. [D]e modo que, o amigo vem de Braga com destino ao Porto [,] na penúltima estação antes de chegar a esta cidade, para o comboio e aparece-lhe à portinhola da carruagem um sujeito bem-vestido que lhe diz – Boa-noite – o senhor responde-lhe agradecendo a amabilidade com – Boa-noite. Vem do Porto para Lisboa, chega a Coimbra, as m*es*mas atenções – boa-noite – boa-noite. [R]epete-se no Entroncamento a mesma forma de cumprimento, e quem não conhece a significação de tudo isto fica maravilhado do ponto a que no nosso país atingiu a amabilidade pública. O amigo mesmo está maravilhado do que ouve.

[A]gora saiba: estes sujeitos são cirurgiões militares que se acham nesta comissão, que lhe[s] é gratificada com uma libra por dia para examinarem os viajantes, fazerem rigorosa inspeção a fim de verificar se [,] dentre eles, algum haverá que tenha rompido o cordão sanitário e que venha com sintomas de Cólera.

Eles, que sabem perfeitamente que o fim aparente é esse, mas que o real é o recebimento da gratificação; e sabendo muito bem que só para os ajudar a viver é que se criaram tais lugares, limitam-se àquele simples cumprimento, ganham a libra e vão se deitar até o dia ou noite seguintes em que passa de novo o comboio e que eles vêm fazer jus a outra libra com a pontualidade com que os empregados públicos no nosso país se distinguem sempre que se trata de receber dinheiro.

Quando se abrirem as Cortes, o Ministro do Reino, Barjona de Freitas, dá conta do que fez, animado pelo zelo de saúde pública, diz que se gastaram em medidas sanitárias 2 mil e tantos contos de réis – a Câmara aplaude – louva o Ministro pela sua atividade e bom senso com que soube aplicar tão insignificante verba, que nos livrou do flagelo do cólera e acabado isso Ministro, médicos e toda a caterva empregada nesta farsada fica a pedir a Deus que lhes não falte com ao menos uma pontinha de Cólera, todos os anos [,] para arranjarem a sua vida. [E] aqui tem o meu amigo que por causa destas poucas-vergonhas, não pude realizar o meu itinerário e que sem tenção nenhuma de ir à Inglaterra tive de fazer essa viagem para embarcar em Southampton no vapor inglês que faz a carreira do Brasil – o *Mondego*[7] – a bordo do qual cheguei no dia 27 de setembro com três dias de viagem. Nunca houve Cólera em Bordéus, mas o sábio Ministro entendeu sujeitar a 5 dias de quarentena os passageiros procedentes da França. Desta sábia medida resultava o seguinte – Encontrei-me em Paris com um amigo que vinha para Portugal e saímos daquela cidade no mesmo dia [,] ele seguiu para Bordeaux onde embarcou no vapor das *Messageries*[8], eu segui para Inglaterra e embarquei no mesmo dia a bordo do Paquete da Mala Real[9]. Chegamos à barra de Lisboa com diferença de horas, ele foi para o Lazareto[10] e eu vim para casa: a procedência era a mesma – vínhamos ambos de Paris!

Quando saí de Lisboa, em Maio, não se falava ainda em Cólera – estive em Madri alguns dias, segui a Paris e depois de quatorze dias naquela cidade tomei o caminho de Bruxelas para ir ver a Exposição de Anvers. A exposição de Anvers foi, por assim dizer [,] um pretexto para me decidir a fazer a viagem, porque, a dizer-lhe a verdade, estas exposições são sempre a mesma coisa. Vista a de 78 em Paris[11], todas as outras ficam muito aquém — falta a harmonia e o grandioso do *ensemble* — falta a multidão elegante e luxuosa que percorre em vistosos trens[12] as avenidas que conduzem ao Palácio ereto especialmente para a exibição dos produtos de todas as nacionalidades, [por]que nenhuma [nação] se nega ao convite quando ele parte da França — e aqui na Europa, só Paris ou Londres pode[m] fazer exposições dignas de serem vistas.

Anvers é um belo porto de mar, cidade muito comercial e bonita até, — mas é uma cidade de segunda ordem; e quando se propõe a fazer uma exposição internacional, só o pode conseguir com grande esforço [,] e o sucesso de tal empreendimento há de ser forçosamente mesquinho.

As exposições hoje são grandes bazares e nada mais — novidades não aparecem e tudo quanto ali se vê reunido já nós conhecemos pelas vitrines dos *Boulevards* de Paris e pelas exposições de indústrias nacionais que se fazem anualmente, na Itália, na Bélgica [,] Áustria [,] Alemanha [,] Suíça etc. etc. A aparência exterior é tudo — lá dentro todas são iguais.

Estivemos em Bruxelas dezoito ou vinte dias e dali íamos a Anvers visitar a exposição, jantávamos lá e regressávamos a Bruxelas ao fim da tarde. [O] trajeto de Bruxelas a A*n*vers fazia-se em 57 minutos e havia constantemente comboios de ida e volta. Algumas vezes fiz a viagem com o seu amigo Ribeirinho — que vive em Bruxelas. Dali segui ao Luxemburgo, Estrasburgo até Lucerna — na Suíça [,] onde me demorei poucos dias [,] fazendo a viagem pelo S*ai*nt-Gothard[13] até Milão.

Esta viagem do S*ai*nt-Gothard é tudo quanto se pode imaginar de m*ai*s belo como natureza — não se imagina nem a sei descrever — é um encanto. [A] estrada é um arrojo e perigosíssima pelos precipícios enormes; a cada momento nos parece ver a locomotiva a despenhar-se por aqueles fraguedos cortados perpendicularmente não havendo entre o *rail* da locomotiva e a beira do abismo a distância de oito polegadas! — é horroroso mas é belo[14]. [O] célebre túnel[15] é uma obra gigantesca — empregam aqui toda a velocidade que podem produzir duas máquinas, uma adiante outra atrás [,] e atravessa[-se] aquela colossal montanha em 23 minutos.

Paramos uns oito dias em Milão e seguimos a Turim, onde nos demoramos m*ais* tempo [,] mas o calor era insuportável e não tínhamos a coragem de seguir p*ara* o sul da Itália [,] resolvemos portanto depois de 15 dias de permanência na Cidade ir p*ara* o Lago Maggiore esperando encontrar ali o ar que nos faltava em Turim – engano – o calor continuou com intensidade tal que por m*ui*to tempo o termômetro marcava à sombra 32 a 34 graus centígrados! e assim estivemos estacionado[s] pelas margens daquele esplêndido lago – 50 dias.

No fim de agosto o calor parecia declinar e resolvemos voltar a Milão e de lá seguir p*ara* Florença [,] Roma, Nápoles etc., mas principiam a aparecer casos de moléstias suspeitas por estas cidades, começam os exames sanitários, receios do Cólera e eu não me atrevi a seguir viagem [.] O que eu temia sobretudo era a possibilidade de achar-me em Florença [,] Roma ou Nápoles [,] rebentar por fatalidade o Cólera no ponto em que me achasse e aí ficava eu sitiado a aguentar com o repuxo pelo tempo que eles entendessem e depois confesso-lhe que a ideia de ser atacado pelo Cólera num hotel e removido para um Hospital não me sorria nada.

Estive em Milão a ver no que paravam as modas porque se naquela cidade houvesse alguma coisa, punha-me logo em caminho da Suíça. Enfim depois de m*ui*tos cálculos e reflexões m*ais* ou menos judiciosas, resolvemos voltar a Paris pela mesma estrada de S*ain*t-Gothard e de lá seguir a Bordeaux p*ara* embarcar em direção a Portugal.

Ao chegar a Paris recebo a notícia de que os vapores de Bordeaux eram aqui obrigados a quarentena, e como tinha feito o protesto de não voltar ao Lazareto onde estive quando vim do Rio de Janeiro[16] [,] tomei a deliberação de que já lhe falei de ir a Southampton para embarcar.

Ora já vê por esta rápida descrição de minha viagem que não foi m*ui*to agradável. O meu projeto executou-se até a primeira ida a Milão, mas depois ficou totalmente prejudicado – primeiro, por causa do excessivo calor, e depois, em consequência do Cólera.

Agora devo dizer-lhe o itinerário feito [:] era, de Milão, digo [,] de Estrasburgo ir à Suíça, percorrer as diferentes cidades que aliás já conheço, lagos, montanhas etc. [V]oltar à Itália por Turim [,] seguir a Florença, Roma, Nápoles, até Pompeia [;] voltar atrás, visto que se não pode fazer de outro modo e ir a Gênova, dali, seguir pelo Mediterrâneo parando em Nice [,] San Remo e todas aquelas lindíssimas localidades onde é costume fazer-se estação de inverno, até chegar a Marselha [,] tomava depois o caminho de ferro até Barcelona [,] daí a Madri e Portugal.

Teria sido para mim muito mais agradável isto, porque, ainda não conheço esta viagem chamada de Cornija pelas margens do Mediterrâneo.

[E] afinal cá estou outra vez, no ponto de partida sem saber quando sairei de novo [,] o que atualmente me parece difícil, principalmente porque sinto já em minha mulher pouca disposição para viagens.

De mais tudo vai razoavelmente bem de saúde, e todos se recomendam muito – estes todos são minha mulher [,] Julieta e marido, Rodrigo, Isabelinha[17].

O Quincas[18] esteve aqui e voltou para Paris – está, diz ele – a estudar Veterinária.

Adeus meu caro aguente-se com esta estopada, dê sau*d*ades a Carolina e creia-me seu am*i*go do *Coração*

Miguel de Novais

---

1 ⁌ No manuscrito, o segundo algarismo está apagado. Seguiu-se a lição de Pérola de Carvalho (1964). (SE)

2 ⁌ Novais apreciou como "coisa rara" o tamanho da carta? Ou seria a expansão do espírito? (SE)

3 ⁌ Augusto César Barjona de Freitas (1834-1900) exercia o cargo de ministro do Reino, para o qual fora designado em 24/10/1883, permanecendo até 23/02/1886.

Jurista e professor de direito, político ligado ao Partido Regenerador, foi deputado em diversas legislaturas, foi par do Reino e ministro da Justiça por três vezes. (SE)

4 ❧ Para Miguel, o governo fazia tais manobras para que o povo não percebesse os problemas que assolavam a economia e a política portuguesas. Miguel expõe seu ponto de vista em [238]. (SE)

5 ❧ Sobre cólera-morbo, febre amarela e junta de saúde, ver em [238].

6 ❧ Novais oscilará no significado que atribui ao vocábulo "América". Nesta carta refere-se aos Estados Unidos da América. Na carta [268], ao referir-se à volta de Ramalho Ortigão do Brasil, usará também "América", forma amplamente encontrado em documentos até os fins do século XVIII, sobretudo em testamentos de portugueses, oriundos do Minho e radicados no Brasil, que declaravam ter vindo a "esta América" tentar a sorte, fazer fortuna. Este uso começou a declinar em fins do século XVIII, início do XIX. (SE)

7 ❧ Trata-se da *Royal Mail Steam Packet Company*, empresa de navegação a vapor da linha Southampton, com nove paquetes em atividade: Tagus, Elbe, Neva, Tamar, Trent, Douro, Minho, Guadiana e *Mondego*. A companhia tinha a sua agência no Rio de Janeiro, situada na rua Primeiro de Março, 49. (SE)

8 ❧ A *Compagnie des Messageries Maritimes* fazia o transporte de cargas, passageiros e correio. Sobre a empresa, ver em [226]. (SE)

9 ❧ Diversas vezes encontram-se traduções desse tipo nos textos do século XIX. No *Jornal da Tarde*, tem-se a tradução de Oliveiro Twist, cujo autor é Carlos Dickens; aqui há também Paquete da Mala Real para *Royal Mail Packet*. (SE)

10 ❧ Lazareto em Lisboa, ver em [191].

11 ❧ Exposição de Paris de 1878, ver em [157].

12 ❧ O que Miguel de Novais chamou de *trem* é *le tramway*, ou seja, o bonde. (SE)

13 ❧ Miguel de Novais utiliza a expressão *Saint-Gothard* para designar três coisas diferentes. Neste momento, fala do trem que cruza o maciço alpino de *Saint-Gothard*, na fronteira de quatro cantões suíços, passando pelo desfiladeiro de *Saint-Gothard* e pelo túnel também de *Saint-Gothard*. (SE)

14 ❧ O maciço de *Saint-Gothard* que o trem cruza é uma cadeia de montanhas dos Alpes suíços na fronteira dos cantões de Valais, Tessino, Uri e Grisões, na região sudeste do país, limitando-se ao norte com o principado de Liechtenstein e Áustria e ao sul com o norte da Itália. A passagem estreita entre os contrafortes do maciço conhecida como desfiladeiro de *Saint-Gothard* constituiu-se durante anos num *ponto forte* de grande importância estratégica; o seu controle deu ensejo a inúmeros levantes dos primeiros cantões contra

o domínio dos Habsbourg, sublevações que permitiram a constituição do estado suíço. As suas montanhas oscilam entre 2000 a 3600 m de altitude. O desfiladeiro que Miguel de Novais atravessou situa-se a 2108 m de altitude e tem 26 km de extensão, ligando Andermett no cantão de Uri a Ariolo no cantão de Tessino. (SE)

15 ∽ O túnel de *Saint-Gothard* faz parte do eixo ferroviário transalpino de *Saint-Gothard*, longamente projetado pelo engenheiro Gottlieb Keller a partir de 1853. Somente depois de um tratado de cooperação financeira assinado entre a Itália, a Suíça e a Alemanha, em 1871, a concessionária *Compagnie du Chemin de Fer de Saint-Gothard* teve condições de entregar a construção do túnel ao engenheiro e empresário genovês Luigi Favre, obra que foi executada entre 1872 e 1881, sendo o túnel entregue à circulação em 01/01/1882. (SE)

16 ∽ Sobre o episódio, ver carta [191].

17 ∽ Rodrigo Pereira Felício é marido de Isabelinha, filho de Joana, a mulher de Miguel de Novais. (SE)

18 ∽ Quincas é um dos filhos do primeiro casamento de Joana. Sobre ele, ver em [241]. (SE)

[250]

Para: LÚCIO DE MENDONÇA
Fonte: MACHADO DE ASSIS, Joaquim Maria.
Obra Completa. Rio de Janeiro: Nova Aguilar, 2008.

Corte, 4 de março de 1886.

Meu caro Lúcio.

Não lhe respondi logo nos primeiros dias, porque era preciso tratar de um ponto de sua carta, e mais tarde, quando já estava tratado o ponto, meteram-se adiantamentos. Peço-lhe que me desculpe. O ponto é o da Safo[1]. Falei ao Araújo[2], que me disse não convir o romance para a *Gazeta de Notícias*, por ter o Daudet[3] carregado a mão em alguns lugares.

O Faro[4] e o Garnier não podem tomar a edição; disse-me este último que cessara inteiramente com as edições que dava de obras traduzidas, por ter visto que não eram esgotadas, ou por concorrência das de Lisboa, ou porque, em geral, o público preferia ler as obras em francês.

Não falei a mais ninguém, porque estes são os editores habituais. Os outros terão as mesmas e mais razões.

Quanto ao retrato, aí lhe mando um; guarde-o como lembrança de amigo velho.

Agora reparo que, no fim da sua, me pedia que fosse breve, e eu deixei passar tantos dias. De novo lhe peço que me desculpe, tanto a demora, como a letra em que isto vai.

Creia-me sempre
amigo e admirador afetuosíssimo
M. de Assis.

---

1 ✎ Alphonse Daudet (1840-1897) escreveu em 1884, o romance *Safo*. Certamente é a respeito dele que fala Machado de Assis. Sobre a poetisa Safo, ver carta [11], tomo I. (SE)

2 ✎ Jornalista José de Sousa Ferreira de Araújo*, diretor da *Gazeta de Notícias*, para a qual Machado colaborava desde 1881. Sobre o periódico, ver Ubiratan Machado (2008). (SE)

3 ✎ Machado dá entender que o romance não poderia ser publicado na *Gazeta de Notícias* porque Ferreira de Araújo considerou-o inapropriado para ser veiculado em folhetim. (SE)

4 ✎ O editor Luís de Faro e Oliveira, um dos sócios da Livraria Contemporânea, fundada em parceria com Tomás Lino de Assunção (1844-1902), e depois da retirada deste, a partir de 1885, com Cornélio Pereira Nunes. Já o Garnier citado é obviamente o editor das obras de Machado, Baptiste Louis Garnier. (SE)

[251]

De: SEBASTIÃO MAGGI SALOMON
Fonte: Manuscrito Original, Arquivo ABL.

Cidade de Itajubá, 9 de junho de 1886.[1]

Ilustríssimo e Excelentíssimo Senhor,

Como bibliotecário da "Biblioteca Machado de Assis" desta cidade, desejando abrilhantar o arquivo da mesma com a aquisição de bons jornais, nesta data dirigi-me aos dignos Diretores da *Gazeta de Notícias* e da *Gazeta da Tarde* solicitando a remessa dos mesmos importantes diários.

Mas como já não seja a primeira vez que faça este pedido sem resultado satisfatório, rogo a Vossa Excelência o obséquio de empenhar-se com as aludidas Diretorias para que não seja em vão este justo pedido que ora faço-lhes.

Confiando em que Vossa Excelência prestará este bom serviço aos habitantes desta cidade, que tão acertadamente escolheram o nome de Vossa Excelência para título de sua primeira Biblioteca, agradeço desde já a Vossa Excelência a quem Deus guarde.

Ilustríssimo e Excelentíssimo Senhor
Doutor Machado de Assis
o Bibliotecário
Sebastião Maggi Salomon

---

1 ∾ Carta em papel com carimbo "BIBLIOTECA / MACHADO DE ASSIS / ITAJUBÁ / MINAS GERAIS". Sobre esta biblioteca ver em [220] e [237]. (IM)

[252]

De: GUIMARÃES JÚNIOR
Fonte: Manuscrito Original, Arquivo ABL.

LEGAÇÃO IMPERIAL DO BRASIL

Lisboa, 21 de junho de 1886.

Meu querido Machado de Assis.

Apresento-te com o máximo prazer o portador desta, o *Excelentíssimo Senhor Doutor* Antônio Feijó[1], ultimamente nomeado Cônsul de Portugal no Rio Grande do Sul, e Adido à Legação Portuguesa no Rio de Janeiro, onde pretende demorar-se algum tempo.

Antônio Feijó, como sabes, é um dos mais corretos e maviosos poetas da moderna geração portuguesa. Reúne ao seu poderoso talento, cheio de inspiração, as primorosas qualidades de um artista digno de figurar ao lado de Coppée[2], em França, e de Machado de Assis no Brasil. Dito isto, creio que não posso ser mais eloquente nem mais justo.

Recebe-o, pois, como um confrade que nos honra, e fá-lo entrar na roda dos nossos amigos e irmãos de letras, aos quais tu o apresentarás com todos os seus títulos de glória e brasões de guerra.

Aqui fica, entretanto, esperando as tuas ordens o teu velho

Camarada, fraternal amigo,
e Constante admirador,
Luís Guimarães

---

1 ◦◦ Joaquim de Castro Feijó (1862-1917), poeta e diplomata de família portuguesa ilustre. Fez os estudos preparatórios no Porto e matriculou-se na Universidade de Coimbra em 1877, onde integrou a juventude literária e boêmia. Em 1882 publicou *Transfigurações*, o primeiro de muitos livros de poesia, num roteiro que partiu das raízes românticas, cursando depois um caminho marcado pelo pessimismo de Schopenhauer, por Leopardi, pelo positivismo de Comte e pelas doutrinas de Spencer, e por novas tendências ao longo da extensa obra. Como diplomata, ocupou os postos mencionados

nesta carta e, ainda, o de cônsul em Pernambuco. Daí transferiu-se para a Suécia, onde gozou de grande prestígio e permaneceu até morrer. (IM)

2 ∾ François Coppée (1842-1908), poeta e dramaturgo francês. Estreou com *Réliquaire* (1865), escreveu comédias e coletâneas de versos marcadas pela busca da perfeição formal dos parnasianos, cabendo citar *Les Humbles* (1872), livro que lhe valeu muita popularidade por celebrar as alegrias e tristezas da gente humilde de Paris. (IM)

[253]

> Para: LUÍS LEOPOLDO PINHEIRO JÚNIOR
> *Fonte:* PINHEIRO JÚNIOR, Luís Leopoldo. *Tipos e Quadros.* Rio de Janeiro: (sem indicação), 1886. Biblioteca São Clemente, Fundação Casa de Barbosa. Coleção Plínio Doyle.

[Rio de Janeiro, 1886.][1]

[...] Tão tarde lhe dou a resposta prometida é que não queria imitar o descoco do crítico, objeto de um dos seus sonetos, que leu a primeira página de dois livros, e louvou justamente o mau, e censurou o bom. Daí a demora, daí e de mil outras circunstâncias, que não aponto aqui, para não demorar a carta.

Li o seu livro todo, de princípio a fim, e digo-lhe que absolutamente descabido no livro só acho o último soneto, em que declara não poder acreditar que seja poeta. Outros há que poderiam ser emendados aqui e ali, a matéria de alguns parece menos apropriada; mas em geral, reconheço com muito prazer que domina o verso, que ele lhe sai expressivo e flexível.

Também notei, em muitas composições, um como que desencanto que me admira nos seus verdes anos. Há nessas uma intenção formal de desfazer nas ações humanas, dando-lhes ou apontando-lhes a causa secreta e pessoal, ou então pondo-lhes ao lado a ação ou o fato contrário. Deus me livre de lhe dizer que não tenha razão, em muitos pontos, e ainda menos de lhe aconselhar que faça outra coisa. Noto apenas a minha impressão, diante dos versos de um moço, que eu supunha inteiramente moço.

E aqui observo que um dos mais bonitos sonetos é aquele que tem por título *Aparências*², em que se trata de um amigo do poeta, festivo e divertido, mas que leva na alma o espinho da agonia. Vendo a alegria do livro, e a tristeza fundamental de algumas páginas, era capaz de jurar que o amigo do poeta era o próprio poeta.

Não me diga nada em prosa, continue a dizê-lo em verso.

Aperta-lhe a mão o

Amigo etc. (*sic*)
Machado de Assis³

---

1 ∾ Carta inserida em "Ao Leitor" do volume *Tipos e Quadros*. O texto se tornou mais conhecido quando republicado na *Revista do Brasil*, n.º 12, junho de 1939. A ele faz referência Galante de Sousa (1955), sendo aquela a fonte reproduzida pela Nova Aguilar (2008), em *Crítica*. A edição *princeps*, agora consultada, permitiu não só fazer as necessárias retificações, como também circunstanciar a apresentação machadiana. Informa o autor:

"Os presentes sonetos foram escritos para serem lidos apenas numa associação literária, o *Congresso Literário Guarani*, de Niterói. Depois, por instigações de amigos, publiquei quase todos no *Fluminense*, órgão da imprensa local. Finalmente, a transcrição que de grande número deles fizeram alguns jornais das províncias sugeriu-me a ideia de colecioná-los em volume. / Não quis porém dar este passo sem ouvir antes dois Mestres que me honraram com a sua amizade, os laureados poetas Dr. Teixeira de Melo e Machado de Assis. Ambos animaram-me no meu propósito, o primeiro verbalmente e o segundo por meio da seguinte carta [...]"

As relações de Machado com o tio do jovem poeta, o cônego Fernandes Pinheiro* (ver em [109]), podem ter contado um pouco na benevolência para com o sonetista estreante. Sobre apresentações de jovens poetas, ver em [159] e [246]. (IM)

2 ∾ Itálico, na edição de 1886, da qual copiamos o soneto que contrapõe a uma certa galhofa, presente nos demais, alguma "tinta da melancolia":

"Podes rir-te à vontade e andar a noite e o dia / por teatros, salões, passeios e festejos / de toda a espécie enfim; e podes mil ensejos / procurar de abismar-te em férvida alegria. // Tu não me enganas, não; – por mais que com mestria / componhas o semblante e mostres mil desejos / de voar do prazer nos rápidos voltejos, / eu vejo na tua alma o espinho de agonia. // Neste mundo egoísta, agrava a sua sorte / quem procura fazer a todos confidentes: / com o alheio pesar há pouco quem se importe. // Bastam-te já, amigo, as dores que tu sentes: / fazes bem em fugir a outra inda mais forte: / expor tua desgraça ao rir dos indiferentes." (IM)

3 ❧ Acrescenta Pinheiro Júnior:

"Escusado é dizer que da coleção vista pelo Sr. Machado de Assis desapareceram alguns sonetos e outros muitos sofreram depois alterações. / É portanto sob a responsabilidade dos dois Mestres supracitados que público este volume. Entretanto, seja qual for o mérito literário das composições nele contidas, apraz-me crer que as almas ingênuas, os *simples* aos quais Guerra Junqueiro se dirige na *Velhice do Padre Eterno*, terão alguma coisa a lucrar com a sua leitura."

Sobre a recepção ao volume, informa Sacramento Blake (1883-1902) que "A *Vida Fluminense* [...] critica[-o] severamente". Encontramos uma anotação de Plínio Doyle, afirmando que tal crítica se acha em *Vida Moderna*, n.º 12, de 25/09/1886. (IM)

[254]

De: CIRO DE AZEVEDO
Fonte: Manuscrito Original, Arquivo ABL.

[Rio de Janeiro, até 6 de outubro de 1886.][1]

Ao Senhor Machado de Assis, escultor a um tempo vigoroso e delicado de nossas letras, trago a sincera menagem do meu respeito e elevada consideração, lamentando que a obscuridade do meu nome, me fizesse esquecido do organizador da festa comemorativa do aparecimento das — *Crisálidas* —.[2]

Certo, em tão fino convívio só devam figurar literatos e daí o motivo de minha ausência; consinta porém o generoso escritor na oferenda de muitas prolfáças e do meu apreço como noviço literário[3],

Ciro de Azevedo[4]

1 ∾ Esta carta, inédita, foi lida durante o banquete oferecido a Machado de Assis em comemoração do 22.º aniversário da publicação de *Crisálidas*. Embora sem data, pode ser considerada a primeira mensagem da correspondência que se estende até [264], carta de 18/10/1886. (IM)

2 ∾ Machado conservou vários retalhos de jornais, bem como o exemplar da revista *A Semana* (09/10/1886), onde seu retrato – uma litografia de Lopes Roiz – ilustra a capa. Era a consagração, como informa a *Gazeta de Notícias* no próprio dia do banquete, 06/10/1886:

> "CRISÁLIDAS / Com este título, há mais de vinte anos, apareceu o volume de um poeta que estreava. / Quem era? / Apenas os seus íntimos poderiam dizê-lo, e o que deixara após si – muitos anos de esforço, de luta, de vitória em que conseguiria educar o espírito, alevantar a sua condição, afirmar, depurar suas aspirações. / Desde então o seu nome tem ido crescendo. / Ao poeta sucedeu o jornalista pronto, incisivo e malicioso que nossos leitores tantas ocasiões têm tido de apreciar. / A este sucedeu o contador de estilo castigado, de fábula engenhosa, de conclusões inesperadas e sutis. / Ao contador superpôs-se o romancista em que as cenas mais arrojadas casam-se com as verdades mais pungentes. / Psicologicamente não tem sido menor a sua evolução./ O primeiro livro mostra-nos um espírito apaixonado pelos clássicos portugueses, entusiasmado pelos estudos antigos. Cada livro novo é um alargamento de horizontes, é a renovação da forma, a inalação de teorias novas, um passo marcado com o progresso geral. A sua filosofia é sem dúvida triste; com ela, dir-nos-ão, não se descobriria a América; mas não menos certo é que sem ela estaríamos ainda hiantes em presença do bezerro de ouro. / Na geração atual Machado de Assis é o melhor e mais puro e genuíno representante de nossas letras. Por isso o dia de hoje é memorável e digno de comemoração dos que admiram o poeta de *Falenas* e o romancista de *Brás Cubas*."

Este perfil, sem assinatura, talvez tenha vindo do seu amigo mais próximo e antigo: Francisco Ramos Paz*. Embora não tenha ido à festa, foi um dos organizadores da homenagem a Machado. Quem mais autorizado a se incluir entre "os seus íntimos"? (IM)

3 ∾ Sobre o banquete das *Crisálidas*, reproduz-se aqui a minuciosa notícia intitulada "Machado de Assis", que a *Gazeta de Notícias* publicou no dia 07/10/1886. Tal relato complementa a nota 1, e, para conforto do leitor, foi feita uma exceção à norma adotada, mantendo-se a visibilidade dos parágrafos:

> "Amigos, admiradores, colegas e discípulos de Machado de Assis reuniram-se ontem no hotel do *Globo*, onde ofereceram ao **atual chefe da literatura brasileira** um banquete comemorativo da data de aniversário da publicação do seu primeiro volume, *As Crisálidas* (*sic*).

Ao banquete concorreram as seguintes pessoas, colocadas na ordem exposta:

Ao centro Machado de Assis, e ao lado direito – Ferreira de Araújo, Elísio Mendes, Demerval Fonseca e Artur Azevedo; à esquerda – Dr. Belisário de Sousa, Henrique Chaves, Alfredo Gonçalves e Carlos de Laet; em frente – Dr. Castro Rebelo Júnior, Dr. Raul Pompeia, Capistrano de Abreu, Vale Cabral, Filinto de Almeida, Dr. Valentim Magalhães, Olavo Bilac e Paula Ney.

Por ser impedido de comparecer, obrigado por afazeres, faltou um dos promotores da festa, o Sr. F. Ramos Paz.

A esta reunião de admiradores do grande romancista, poeta, exímio prosador, e chefe da literatura brasileira hodierna, presidiu a maior cordialidade, animação e alegria, falando em nome dos promotores do cortejo comemorativo o Sr. Dr. Belisário de Sousa, distinto membro da assembleia provincial do Rio de Janeiro.

O discurso do ilustre deputado, médico e homem de letras, foi uma rápida e brilhante resenha, habilmente feita, da vida daquele que era alvo da manifestação das pessoas ali reunidas; – do homem que, tendo surgido com Francisco Otaviano, na poesia; com este, Saldanha Marinho, Firmino, Farnese e Quintino, no jornalismo; com Manuel de Almeida e Salvador de Mendonça, no romance; não se deixou deslumbrar pelas rútilas claridades da carreira a mais pomposa – a da política – que lhe era aberta, e, conservando-se fiel à sua vocação, traçou ao seu espírito um único caminho: o do fito ao alvo.

Daí quedar-se no seu gabinete, a ler, a estudar, a trabalhar, para conseguir a posição culminante que adquiriu na literatura: a de chefe consagrado, e de chefe que em vida assiste à sua glorificação, levada a efeito por aqueles que hoje o consideram o mais elegante, o mais puro cultivador da língua, o mais feliz dos nossos *contadores*, o mais profundo dos nossos psicólogos romancistas.

O Dr. Belisário terminou o seu discurso, dizendo que até a sua palavra devia necessariamente ser brilhante – embora a não reconhecesse assim – pois que lhe emprestavam brilho a sincera admiração e o respeito dos literatos que o cercavam, e lhe haviam delegado a delicada incumbência de saudar ao seu chefe atual.

O inspirado discurso do Dr. Belisário de Sousa foi saudado por uma prolongada salva de palmas.

Após esse discurso, o Sr. Elísio Mendes propôs que nenhum outro brinde fosse levantado durante a reunião, que não tivesse por alvo Machado de Assis, sendo apenas permitida a exibição de trabalhos dedicados ao mesmo literato.

Aprovada esta proposta, **Machado de Assis agradeceu o discurso e a manifestação feita ao seu espírito e ao seu caráter, observando que ontem, por feliz coincidência, festejava-se simultaneamente o aparecimento do seu primeiro livro, há vinte e dois anos, e o seu primeiro discurso... ontem mesmo.**

Tiveram a palavra, logo depois de servido o champanhe:

– Valentim Magalhães, que ofereceu a Machado de Assis o seu último volume de contos – *Vinte Contos*, com uma dedicatória em soneto.

– Filinto de Almeida leu uma ode arcádica – A Machado de Assis – trabalho de elevado valor literário.

– Olavo Bilac leu uma poesia intitulada *Tentações de Xenócrates*, belíssimo trabalho de grande fôlego, forma impecável e grande elevação de ideias, que lhe valeu uma verdadeira ovação.

– Dr. Castro Rebelo recitou um belo soneto, de sua lavra, trabalho como todos os lidos nesta reunião.

– Artur de (*sic*) Azevedo, um trecho da sua tradução da *Escola de Maridos*, de Molière, traduzido com a arte e o brilhantismo que se notam nos seus trabalhos.

– Demerval da Fonseca, uns versos recitados por Filinto de Almeida, saudando o mavioso cantor, poeta e filósofo.

– Dr. Carlos de Laet, saudando Machado de Assis como artista, em nome do Sr. comendador Mafra.

– Valentim Magalhães leu uns versos de Alfredo de Sousa, saudação ao grande poeta e romancista.

– Olavo Bilac leu uma saudação feita em um bilhete de visita por Alberto de Oliveira ao seu mestre – Machado de Assis.

[–] Raul Pompeia, saudando Machado de Assis como filósofo.

Foram lidos durante o banquete:

Uma carta de Manuel da Rocha, saudando o grande Machado de Assis.

Um telegrama de Raimundo Correia, datado de Vassouras, e concebido nos seguintes termos:

'Saúdo e associo-me de coração aos que hoje lhe rendem merecida homenagem.'

Outro telegrama, de Lúcio de Mendonça, assim concebido: 'Às saudações que ora recebe, associo-me, caro mestre, com vivo entusiasmo.'

Uma carta de Ciro de Azevedo, associando-se à homenagem prestada ao grande literato.

Terminou o banquete por um outro discurso, brilhantíssimo, do Dr. Belisário de Sousa, brindando ainda uma vez a Machado de Assis.

O *menu* do banquete foi o seguinte:

Potage: Purée d'artichauts aux croûtons; Hors-d'oeuvre: Petites caisses d'huîtres; Relevées: Badejo, sauce à la Chambord, Filets de boeuf à la Montglas; Entrées: Gibier piqué à la Régence, Aspic de homard à la gelée; Coup de milieu: punch à la Montpensier; Rôtis (*sic*): Dinde truffée à l'Impériale, Jambon d'York; Entremets: Asperges sauce au beurre, Blanc-manger de fraises au kirsch, Chantilly à la parisienne, Grosse glace moulée; dessert assorti.

Vins: Madère, Sauterne[s], Châteaux (*sic*) Margaux, Pomard, Rhum Jamaique, Champagne Frappé, Porto, Liqueurs.

Tinha o *menu* impresso as seguintes designações relativas aos lugares ocupados: *Crisálidas* (Machado de Assis); *Lulu Sênior* (Ferreira de Araújo); *Curso forçado* (Elísio Mendes); *Rialto* (Demerval da Fonseca); *Elói o herói* (Artur Azevedo); *Gambetta de Icaraí* (Belisário de Sousa); *Sinais de alta taquigrafia* (Henrique Chaves); *comendador Oliveira Rodrigues* (Alfredo Gonçalves); *Microcosmo* (Carlos de Laet); *Livro de um amigo* (Castro Rebelo); *Canções sem metro* (Raul Pompeia); *Frei Vicente Salvador*, vol. 1.º (Capistrano de Abreu); *Frei Vicente Salvador*, vol. 2.º (Vale Cabral); *Cavalheiro Paz* (F. Ramos Paz); *Filindal* (Filinto de Almeida); *José do Egito* (Valentim Magalhães); *Ouvir estrelas* (Olavo Bilac); *Ceará* (Paula Ney).

A excelente festa terminou às 10 ½ horas da noite." (IM)

4 ∞ O "noviço" esquecido, que envia prolfáças (parabéns), tinha então 28 anos; publicara *Estudos Sociais e Literários* (1880) e, em 1885, assinava artigos em *A Semana*, de Valentim Magalhães*. (IM)

[255]

De: RAIMUNDO CORREIA
Fonte: Telegrama Original, Arquivo ABL.

N.º de ordem 14 – Prefixo 8u – N.º de palavras 27
De Vassouras para Alfândega.
Apresentado no dia 6 do 10 de 1886 – às 1h 15m. T*arde*.
O telegrafista Faria
Urgente. Hotel O Globo
Rua Direita
A Machado de Assis

[Vassouras, 6 de outubro de 1886.]

Saúdo-o e associo-me de coração aos que hoje lhe rendem merecida homenagem [.][1]

Raimundo Correia[2]

---

1 ∞ Ver em [254].

2 ∞ O poeta era juiz da vara de órfãos e ausentes em Vassouras. (IM)

[256]

De: LÚCIO DE MENDONÇA
Fonte: Telegrama Original, Arquivo ABL.

N.º de ordem 14 – Prefixo 8u – N.º de palavras 27
De Valença para Alfândega.
Apresentado no dia 6 do 10 de 1886 – às 2h 30m. T*arde.*
O telegrafista Faria
Machado de Assis
Hotel O Globo
Corte

[Valença, 6 de outubro de 1886.]

Às saudações que ora recebe associo-me caro Mestre com vivo entusiasmo [.][1]

Lúcio de Mendonça[2]

---

1 ∞ Ver em [254].

2 ∞ Lúcio de Mendonça instalara seu escritório de advocacia em Valença (1885), mantendo permanente contato com o meio literário, político e jornalístico do Rio de Janeiro. (IM)

[257]

De: ALBERTO DE OLIVEIRA
Fonte: Cartão Manuscrito Original, Arquivo ABL.

[Rio de Janeiro, 6 de outubro de 1886.]

No dia de hoje[1], ao Mestre e Amigo, abraça
ALBERTO DE OLIVEIRA[2]
Outubro 6 de 1886

---

1 ∞ Ver em [254].

2 ∞ Nome impresso no cartão. (IM)

[258]

De: ROCHA de CAMPINAS
Fonte: Manuscrito Original, Arquivo ABL

[Rio de Janeiro, 6 de outubro de 1886.][1]

Machado de Assis, por ora no Globo

O portador é o meu ajudante do plenário.

Pelo aniversário da primeira filha[2], precursora da valentia das outras, felicitações do

Rocha de Campinas[3].

---

1 ❧ Manuscrito em formulário da Repartição Geral de Telégrafos, sem preenchimento dos campos específicos, não se tratando, portanto, de um telegrama. A informação sobre o portador está escrita no campo "Carimbo da estação com a data". (IM)

2 ❧ Ver em [254].

3 ❧ O **Rocha de Campinas** pode ser **Manuel** Jorge de Oliveira **Rocha**, "o Rochinha, fundador de *A Notícia*" (Magalhães Jr., 2008), pela absoluta semelhança da letra, nesta mensagem, com a de um bilhete sem data, em papel timbrado do referido periódico, documento assinado por **Rochinha**, que Machado conservou. Registre-se também que, na longa matéria sobre a homenagem ao autor de *Crisálidas*, há a seguinte informação: "Foram lidas, durante o banquete: / Uma carta de **Manuel da Rocha**, saudando o grande mestre [...]." Suspeitamos que o tal "portador" fosse Valentim Magalhães*, muito ligado àquele jornalista. (IM)

[259]

Para: LÚCIO DE MENDONÇA
Fonte: Revista da Academia Brasileira de Letras, XXI. Rio de Janeiro: 1929.

Corte, 7 de outubro de 1886.

Meu caro Lúcio de Mendonça, poeta e amigo.

Muito obrigado, pela felicitação. Chegou-me à hora própria, e foi lida entre aplausos[1], que aceitei como sinal da aprovação da nossa amizade, já de alguns anos, e sempre a mesma. Adeus, abrace de longe, o

                Velho amigo e confrade
                M. de A.

---

1 ∾ Ver em [254].

[260]

Para: RAIMUNDO CORREIA
Fonte: Manuscrito Original. Seção de Manuscritos, Fundação Biblioteca Nacional. Coleção Adir Guimarães.

Corte, 7 de outubro de 1886.

Meu caro Raimundo Correia,

    A distância não tira a memória aos amigos[1]. O seu telegrama de ontem chegou a tempo de ser lido pelos que cá estavam comigo, e pensavam no ausente[2]. Muito obrigado pelas suas boas palavras, e um cordial aperto de mão. Adeus, caro poeta; saudades do

                Velho amigo e confrade
                Machado de Assis.

---

1 ∾ Machado escrevera um prefácio muito elogioso para as *Sinfonias* de Raimundo Correia. Ver em [217]. (IM)

2 ∾ Ver em [254].

[261]

De: JOAQUIM DE MELO
Fonte: Manuscrito Original, Arquivo ABL.

[Rio de Janeiro,] 7 de outubro de 1886.

Amigo *Senhor* Machado de Assis,

Meus parabéns pela festa de ontem, justa homenagem a seus altos merecimentos literários, maiormente reconhecidos[1].

Não vou (*sic*) pessoalmente porque o meu estado de saúde continua a ser muito precário.

Creia-me no entanto sempre

Seu *amigo* certo,
J^m de Melo

---

1 Ver em [254].

[262]

De: "SILVIO DINARTE" – ALFREDO D'ESCRAGNOLLE TAUNAY
Fonte: Manuscrito Original, Arquivo ABL.

Rio de Janeiro, 7 de outubro de 1886.

Machado de Assis

De nada me avisaram. Fiquei assim privado de unir a minha voz à de quantos com toda a justiça exaltavam os méritos do eminente literato.[1]

Muito sinto, pois ninguém mais do que eu aprecia e respeita um dos grandes cultores da nossa língua.

Aperta-lhe com sinceridade a mão

O amigo e colega
Sílvio Dinarte[2]

---

1 ✢ Ver em [254].

2 ✢ Pseudônimo usado por Taunay no jornalismo. (IM)

[263]

Para: "SÍLVIO DINARTE" – ALFREDO D'ESCRAGNOLLE TAUNAY
Fonte: MACHADO DE ASSIS, Joaquim Maria. *Obra Completa*. Rio de Janeiro: Nova Aguilar, 2008. vol. 3.

Rio de Janeiro, 7 de outubro de 1886.

Meu caro Sílvio Dinart[1],

Agradeço-lhe de coração as suas palavras, ao mesmo tempo que me desvaneço de as ler tão cálidas e espontâneas. Servem-me ainda, de animação.

Creia que se não foi avisado, lá esteve, todavia no pensamento, e lá estaria sempre, qualquer que fosse a distância, não sendo possível tratar de letras brasileiras sem acudir à memória de todos o autor daquela joia literária que se chama *Inocência* e de tantos outros livros de valor.

Aperta-lhe igualmente a mão o amigo e colega

Machado de Assis

---

1 ✢ Resposta às congratulações de Taunay [261], tratando-o pelo pseudônimo literário (aliás, "Dinarte"). (IM)

[264]

De: SEBASTIÃO MAGGI SALOMON
Fonte: Manuscrito Original, Arquivo ABL.

Itajubá, 18 de outubro de 1886.

Ex*celentíssi*mo S*en*hor D*ou*to*r* Machado de Assis,

Cá das montanhas de Minas, onde da glória dos heróis só rumorejam os perdidos ecos, consenti, ilustre Mestre, que um obscuro admirador do portentoso talento de um dos maiores gênios nacionais da geração hodierna, lhe envie também o mesquinho presente de suas saudações[1].

À manifestação de alto apreço que por ocasião do 22.° aniversário da publicação de vosso primeiro livro – as *Crisálidas* – início de uma brilhante série de valorosas produções, vos dirigiu a 6 do corrente uma parte dos melhores escritores e poetas nacionais, residentes na Capital, eu, humilde observador do progresso intelectual de nossa cara pátria, associo-me de todo o coração, saudando a Machado de Assis – o Mestre da literatura e poética nacional – em meu nome e no de (...)[2] das boas letras.

Tomando a liberdade de escrever esta a V*ossa* Ex*celênci*a, tenho a honra de subscrever-me com a mais subida consideração e respeito

Patrício e Criado ob*rigadíssi*mo
Sebastião Maggi Salomon
Bibliotecário da B*iblio*te*c*a M*unici*pal Machado de Assis[3]

---

1 ∾ Ver em [254].

2 ∾ Ilegível. (IM)

3 ∾ Sobre o bibliotecário, ver em [238] e [251]. (IM)

[265]

Para: FERREIRA VIANA
Fonte: MAGALHÃES JR., Raimundo. *Vida e Obra de Machado de Assis.* Rio de Janeiro: Record, 2008. vol. 3.

[Rio de Janeiro,] 12 de fevereiro de 1887.

Ilustríssimo Excelentíssimo Senhor Presidente

Já li a revista que me distribuiu, intitulada *O Chuva*. Creio que poderá ser licenciada, mas peço que, à semelhança do que se deu com *O Boato*, façamos uma reunião do Conservatório. Vossa Excelência designará o dia e a hora, avisando-se ao nosso colega Taunay. Quanto ao lugar acho que poderá ser o mesmo, aqui, na secretaria.

Amigo e obrigado de Vossa Excelência
Machado de Assis[1]

---

1 ∞ Machado foi censor do Conservatório Dramático na primeira fase (ver em [16], tomo I) e na segunda, que durou de 1871 até 1880; ver em [122]. Abriu-se uma terceira fase, e Machado viu-se novamente vogal, nomeado por Ferreira Viana, respeitado jurista, político e presidente do Clube Beethoven; sobre este, ver em [230] e [243]. No cargo de censor, Machado continuou mantendo a atitude de rigor moral e o zelo pela linguagem que marcaram seus julgamentos anteriores. Da derradeira fase, existem 12 pareceres na Biblioteca Pública do Maranhão; foram eles doados por Artur Azevedo* (Magalhães Jr., 2008). Ainda não se identificou a autoria das revistas mencionadas nesta carta. (IM)

[266]

Para: RODRIGO OCTAVIO
Fonte: Manuscrito Original, Arquivo Particular.

Cosme Velho, 29 de março de 1887.

Meu caro e distinto colega Doutor Rodrigo Octavio.

A assembleia geral dos sócios do Club Beethoven reelegeu-me para o cargo que tinha na Diretoria; e, pelos estatutos, não posso exercer cargo de diretor em outra associação análoga.

Obrigado assim a demitir-me da presidência do Grêmio de Letras e Artes e do lugar que a bondade dos meus amigos e colegas me deu no conselho diretor, peço-lhe que apresente esta carta aos seus dignos companheiros, acrescentando que conservo o lugar de sócio e desejo ao Grêmio o maior desenvolvimento e brilhante futuro.[1]

Creia-me sempre,

admirador[2] amigo e obrigado
Machado de Assis.

Ilustríssimo Senhor
Doutor Rodrigo Octavio,
Digníssimo Secretário Geral do Grêmio de Letras e Artes
x x x[3]

---

1 ~ Optou-se por anotar esta carta reproduzindo o registro do próprio destinatário em *Minhas Memórias dos Outros* (1935) sobre Machado de Assis e o Grêmio de Letras e Artes.

"Em 1887, fundou-se nesta cidade o Grêmio de Letras e Artes, que recolheu, desde logo, a adesão de um respeitável número de artistas e letrados. / Machado de Assis, cujo nome fora escrito no quadro social, foi eleito seu Presidente; declinou, porém, da honra, alegando em carta de 28 (*sic*) de março de 1887, que ainda conservo, que pertencia à Diretoria do Clube Beethoven, cujos Estatutos não permitiam que seus diretores fizessem parte de outras associações congêneres. [...] Machado, conduzido por não sei que poderosas circunstâncias, contra todos os índices de sua vida, entrou para o Clube Beethoven e condescendeu em se deixar fazer um de seus diretores. Ventos iguais não sopraram, porém, para nosso lado e não quis presidir a sociedade de homens de letras e artistas, fundada em 1887; o posto na diretoria do Beethoven lhe serviu de pretexto. / O natural, porém, é que ele, homem previdente e cauto, certamente acreditava (e com segurança o acreditou!) que o pessoal heterogêneo e irrequieto do Grêmio não era de tipo de criar uma sociedade que lhe conviesse à calma do temperamento e ao recato do feitio. Com ele, Paula Ney, havia sido eleito Secretário Geral... / Na deficiência de sede, obteve-se para a reunião, que se efetuou à noite, a sala do Clube Tiradentes, numa das ruas paralelas à rua do Ouvidor, Rosário ou Hospício, nas proximidades de Uruguaiana, zona, a tais horas, impressionantemente soturna. Foi isso aos 12 de fevereiro, data que encontrei registrada nos meus assentamentos. / Procedeu-se nessa reunião à eleição da mesa, e foi essa a última reunião do Grêmio, porque ocorreu um caso inaudito... Um dos confrades, não encontrando papel mata-borrão para secar a chapa em que escrevera, com grossa pena e muita tinta, o nome de seu candidato, teve a sem-cerimônia irreverente de a secar na larga testa do busto em gesso do Mártir da Independência, patrono do Clube, que pousava num consolo ao fundo do amplo salão... O ato irrefletido deixou indelével e comprometedoramente inscrito, em nítida mancha de tinta, um nome, de trás para adiante, na altiva fronte alvíssima... E esse ato, certamente apenas por distração, foi tomado por uma propositada afronta ou manobra intencional de algum monarquista irritado, e valeu para o grêmio nascente por um mandado de despejo... O Grêmio teve de se acomodar numa pequena sala de aluguel, num primeiro andar da rua do Hospício, onde residiu os três meses que teve de vida. / Não se enganara Machado. / Aliás, esse havia sido o vaticínio de muita gente. O *Jornal do Comércio* de 14 de fevereiro de 1887 deu na *Gazetilha* minuciosa notícia da instalação do Grêmio. Nas *Várias*, entretanto, seção criada pelo velho Castro e em que, em algumas linhas, em verso (os versos deviam ser de Otaviano Hudson, o poeta oficial da casa) dardejava finas setas de ironia, às vezes pungentes, apareceu nesse mesmo dia o seguinte comentário: // *Depois de sérios estudos / Conseguiu-se sem mais tretas / Formar-se nesta cidade / O clube de homens de letras.* // *Que surpresa! que vitória! / É coisa de se admirar / Que se formasse tal clube / Sem ser depois de um jantar.* // *Pois, senhores, mil aplausos / Pela dispensa de açordas, / Mas não queiram literatos; / Chamados de letras gordas.*"

A respeito do Clube Beethoven, ver em [230]. (IM)

2 ∾ No original, um "e" rasurado. (IM)

3 ∾ Envelope conservado com a carta. Machado endereçou-o ao *Club*, escrevendo sobre essa palavra o correto "Grêmio". (IM)

[267]

De: MIGUEL DE NOVAIS
Fonte: Manuscrito Original, Arquivo ABL.

Lanhelas, 19 de agosto de 1887.

Amigo Machado de Assis

A sua carta de 11 de Junho merecia uma resposta pronta, mas coincidiu a chegada dela com a minha instalação em Lanhelas[1], onde estou há dois meses, e onde é provável que me demore até Outubro. Nestas instalações há sempre muito que fazer, e assim é que adiando sempre só hoje achei ocasião oportuna para responder-lhe ao assunto principal, pondo de parte já se vê a data de 11 de Junho de que, com franqueza, não valia a pena de lembrar-se a não ser como comemoração da batalha do Riachuelo[2]. Em todo o caso agradeço de coração os seus cumprimentos.

Tratemos agora dos seus livros[3] e das dificuldades que se opõem à sua divulgação neste país, como eu desejava[4], dificuldades que me parecem insuperáveis. Compreende perfeitamente que eu sem discutir o que vale o Machado de hoje comparado com o Machado de ontem, porque um e outro me agradam, tenho desejo de apresentá-lo tal qual é e os que travassem relações com o Machado de hoje é de crer que não fosse necessário convidá-los a que procurassem conhecer o Machado de ontem. Mas à vista do que me expõe, pareceu-me a empresa quase impossível. Os livros impressos aí não podem vender-se cá por causa do preço excessivo por que ficam e é por isso que os editores das suas obras não tentam mandar para aqui nenhuns exemplares. Não haveria inconveniente nenhum, penso eu, em que o amigo imprimisse um livro em Portugal e que esse mesmo se divulgasse depois pelo Brasil, visto que nos dois países se fala a mesma língua, mas não lhe conviria decerto pelo lado de interesses, porque, apesar de eu não saber nem aproximadamente o preço que lhe dá aí um editor por um dos seus livros, estou certo que não haveria aqui nenhum que lhe desse quantia idêntica.

Em primeiro lugar porque [,] embora lhe conheçam o nome, não lhe conhecem os livros [;] e em segundo porque o mercado é realmente mesquinho para que um editor se anime a arriscar grandes somas em tal empresa. Ora eu, como já lhe disse, editava com muito gosto um livro seu, não pretendia ganhar dinheiro, e por isso, deduzidas as despesas da impressão, os lucros seriam todos para o autor. [M]as, aqui, apresenta--se a maior das dificuldades – *a revisão das provas*. Estas só podem ser revistas pelo autor, e era quase impossível fazer-se uma publicação quando as provas carecessem de quarenta ou cinquenta dias para entrarem de novo na tipografia já corretas e prontas a servir. Eram precisos (*sic*) meia dúzia de anos para a conclusão de um livro de 300 páginas [,] e é preciso notar que a revisão das prim*ei*ras provas não bastava, e que seria ainda necessário voltar à mão do autor a prova chamada de prelo – um impossível!

Mais fácil seria a revisão de uma obra que já tivesse sido publicada em jornal, e essa, aqui mesmo se poderia fazer, mas não há o mesmo interesse quando se sabe que a obra foi publicada. Não há remédio senão esperar para mais tarde, quando o amigo Machado vier aqui com manuscrito debaixo do braço, resolvido a permanecer um ano cá por estas terras [,] então sei que terá tempo para assistir à publicação e cuidar da revisão das provas. Espero que ainda se resolva a fazê-lo.

A estas horas já deve ter falado com o amigo Ramalho[5], que partiu daqui a 23 do passado[6]. Estou convencido que gostará dele: é um grande conversador.

Novidades que possam interessá-lo por aqui não há.

Lanhelas é uma bela aldeia, o que não quer dizer que não seja um dos pontos mais belos do país.

É uma aldeia, mas passa-me constantemente o caminho de ferro pela porta. [A] estação fica a seis minutos da casa que habito. [P]aralela à estrada de ferro, e na distância de três ou quatro metros, uma estrada de rodagem que parece uma sala de visitas; é sobre esta estrada que dá a frente da minha casa e mais além em frente, o Rio Minho[7] e do lado de lá a Galiza [,] o que quer dizer que num quarto de hora ou vinte minutos saio de casa e entro pela Espanha dentro. É só atravessar o rio. Muito perto de mim tenho um amigo de trinta e tantos anos, casado, com nove filhos, tendo o mais novo cinco anos – uma família que nos estima m*ui*to e que nos faz todos os dias excelente companhia.

Fora disto, há pelas proximi*da*des algumas casas de morgados antigos[8], com suas famílias que também se cansam em obsequiar-nos [.] Temos um jardim a principiar em frente da casa e uma mata de carvalheiros no fundo. [F]oi este ano a primeira vez que para aqui vim passar a estação calmosa e onde continuarei a vir na mesma época enquanto estiver por Portugal.

A Julieta já aqui esteve por duas vezes, saindo há poucos dias para Apúlia onde está a banhos[9]; agora está (sic) aqui o Rodrigo e Isabelinha[10]. Mas que me importa a mim que ele esteja em Lanhelas ou em Freixo de Espada à Cinta?[11] dirá o Machado depois desta grande estopada. Tem razão, já agora não tenho remédio a dar-lhe.

Falemos do tal quadro do seu amigo Ferreira de Araújo[12]. Infelizmente não posso satisfazê-lo no que ele tanto deseja saber. Lembro-me perfeitamente do quadrinho de que também eu gostava muito. [E] lembro-me também que o comprei aí no Rio num leilão – em que leilão? não me recordo. – Será flamengo? não sei – considerava-o como tal, mas não o afirmo, parece-me porém poder assegurar que é um original e que é bom – mais nada lhe posso dizer. O que lhe digo é que se eu voltasse para o Rio, e ele me aparecesse outra vez à venda, comprava-o de novo[13].

O seu Imperador lá está por Paris em afetuoso convívio com os sábios da terra. Não o vi aqui porque já estava fora de Lisboa quando ele chegou, e a distância do sítio onde me acho, à capital, é apenas de 86 a 87 léguas, bagatela. O que posso dizer-lhe porém é que ele desta vez parece ter compreendido melhor o papel que representa porque tem sido muito mais respeitado, apreciado e estimado do que foi das outras viagens. Deu-se algumas vezes ao ridículo com os excessos da sua democracia, já se vê democracia falsa como é a de todos os monarcas do mundo, mas que em todo o caso ainda quando se queira afetar é preciso fazê-lo com certa arte, para não ofender os parceiros, e era isso que ele não fazia. Agora tem se comportado muito melhor e tem sido e continua a ser muito mais considerado. Já sabia que a Princesa Imperial tinha sido recebida com muitas demonstrações de afeto, e eu, aqui para nós, estimei isso bem, apesar de não morrer de amores pelos reis nem pelos Príncipes, não deixando ainda assim de tributar-lhes o respeito devido como vê pelo uso que fiz do P grande.

Mas é que eu pensava no que poderia suceder se o Imperador por fatalidade faltasse dum momento para o outro, enquanto ela se achava cá pela Europa, e as consequências que daí podiam resultar, e muito especialmente para quem tem interesses aí. Nada, que vá vivendo, que Deus lhe dê muita saúde e que deixe estar o Belisário[14] com a pasta da fazenda por muito tempo a ver se as coisas tomam caminho.

Adeus meu caro. Leia como puder – é uma folha só mas tem mais palavras do que as quatro folhas da carta a que respondo[15]. Agora se me disser que uma palavra sua vale por meia dúzia das minhas não tenho dúvida nenhuma em concordar. Como não a tenho em repetir sempre que sou seu

Amigo e Cunhado obrigado
Miguel de Novais

Vou escrever a Carolina.

---

1 ✤ Lanhelas é a freguesia ao norte do concelho de Caminha, distrito de Viana do Castelo, na região do Alto Minho. Confronta-se a norte com Gondarém, concelho de Vila Nova de Cerveira, ao sul com Seixas, a oeste com Sopo e Vilar de Mouro e a leste com o rio Minho. O caminho de ferro de que fala Novais é o ramal Valença-Viana do Castelo, que chegou a Lanhelas em 1880. (SE)

2 ✤ A data parece ser muito cara a Machado de Assis: aniversário de Miguel e do afilhado de Carolina* e Machado, neto de Joana, mulher de Miguel. Eugênia Virgínia Ferreira Felício (1852-1929) casara-se com Rodolfo Smith de Vasconcelos (1846-1926). O casal teve Francisca, Guiomar, Leonor e Jaime (1884-1933), o "Tico" (de tiquinho de gente), para quem Machado compôs a quadrinha em seu primeiro ano de vida: "Viva o dia onze de junho, / Dia grande, dia rico, / Batalha do Riachuelo / Dia dos anos do Tico." (SE)

3 ✤ Levar a sua literatura para fora do Brasil foi um desejo que o escritor tentou realizar algumas vezes. Miguel, leitor sincero e razoavelmente desinteressado, cedo atribuiu valor de universalidade aos textos de Machado. Por que era tão difícil ver as suas obras distribuídas no mercado editorial português, mesmo se o editor fosse ele Miguel? – essa é a questão longamente tratada nesta carta. A franqueza e a minúcia da resposta de Novais deixam transparecer, mais uma vez, o grau de confiança existente entre eles. A resposta não é um exercício de diplomacia para sair-se bem com o marido de sua irmã. Miguel usa argumentos objetivos: o preço excessivo dos livros importados, o alto investimento em um nome de valor mas pouco conhecido em Portugal, o mercado editorial fechado apostando só em nomes consagrados pelo público português e,

se todos esses obstáculos fossem transpostos, e o livro fosse editado em Portugal, havia ainda a dificuldade para a revisão das provas, com o autor morando no Brasil. (SE)

4 ∾ Mesmo que tenha sido por diletantismo, em algum momento Miguel de Novais cogitara tornar-se editor. Quando isso se deu e se foi uma atividade regular são aspectos que restam ainda por esclarecer, mas é fora de questão que ao menos um livro editou: *Coração*, de Amicis. (SE)

5 ∾ José Duarte Ramalho Ortigão (1836-1915) nasceu no Porto, terra de Miguel de Novais, e ali iniciou a sua vida profissional no prestigiado *Jornal do Porto*. Ganhou notoriedade e passou rapidamente a colaborar em outros periódicos, inclusive, tornou-se correspondente da *Gazeta de Notícias*, do Rio de Janeiro, para o qual produziu, entre outras, as famosas *Notas de Viagem* (1878). (SE).

6 ∾ Ramalho Ortigão viajou em 23/07/1887 e, na carta seguinte, de 26/12/1887, Novais informa que ele já havia retornado. A respeito da viagem ao Brasil, Magalhães Jr. (2008) diz que, tão logo chegou à corte, Ramalho viajou a São Paulo, a fim de conhecer a cidade que já se projetava internacionalmente como centro econômico. Na volta de São Paulo, Ferreira de Araújo*, da *Gazeta de Notícias*, ofereceu-lhe um banquete a que compareceram políticos, artistas e intelectuais. Registre-se que Machado deve tê-lo conhecido ou na redação do jornal, ou na casa de um dos irmãos de Ramalho, ambos moradores do Cosme Velho, bem perto do chalé do escritor. Sobre os irmãos do escritor português, ver nota 3 em [268]. (SE)

7 ∾ Esse rio nasce na serra de Meira na Galícia, a 750 m de altitude, percorrendo cerca de 300 km em direção ao oceano Atlântico onde deságua, ao sul da Guarda e ao norte de Caminha. Os 75 km finais, do rio Minho, entre Melgaço e a sua foz, traçam a fronteira entre a Espanha e Portugal. (SE)

8 ∾ Morgado é uma condição vinculada a certos bens, os quais deviam ser transmitidos exclusivamente ao primogênito de uma família, sem que este os pudesse vender. Por isso, Novais fala de antigos morgados, em razão da característica de inalienabilidade desses bens. (SE)

9 ∾ Depois de casada com o conde de Carcavelos, Julieta passou morar em Braga. Algumas vezes nas cartas, Miguel dá notícia de que ela estava "a banhos" na praia de Apúlia. Sobre essa região, ver em [238]. (SE)

10 ∾ Rodrigo Pereira Felício, um dos filhos de Joana; Isabelinha, mulher de Rodrigo. (SE)

11 ∾ "Mas que me importa a mim que ele esteja em Lanhelas ou em Freixo de Espada à Cinta?" Expressão cujo sentido é "que me importa se ele está aqui ou em qualquer outro lugar!" Freixo de Espada à Cinta é o nome de um concelho na região trasmontana. (SE)

12 ~ Jornalista José Ferreira de Sousa Araújo*, um dos proprietários da *Gazeta de Notícias*, periódico fundado em 1875, e para o qual Machado de Assis escreveu regularmente durante muitos anos. (SE)

13 ~ A consulta a respeito de pintura tem razão de ser. Miguel de Novais, além de pintor, conhecia a matéria pois tinha formação em belas-artes; era também frequentador de exposições e leilões e colecionador de obras de arte. Tinha o gosto por autores desconhecidos, nos quais a sua sensibilidade apostava; por exemplo, cedo percebeu o valor da obra de José Malhoa (1855-1933), pintor português hoje em dia muito valorizado no mercado de arte internacional. Ainda no Porto, na década de 1860, comprou a tela "A Parreira", sobre a qual Ramalho Ortigão em *Arte Portuguesa* (1944) comenta:

> "Malhoa, que em outras exposições nos mostrava interessantes documentos da sua viva e corajosa aptidão, aparece-nos agora como um luminista extraordinário à Cláudio Loreno.[...] O quadro *A parreira*, adquirido por Miguel de Novais alumia a casa como uma janela aberta sobre o azul do espaço às 11 horas de uma manhã sem nuvens." (SE)

14 ~ Francisco Belisário Soares de Sousa (1839-1888), formado em direito por São Paulo, jornalista, deputado (1862 e 1869), senador (1887), diretor do Banco do Brasil (1873-1878) e ministro da Fazenda no gabinete Cotegipe, de 20/08/1885. Na juventude, como jornalista, colaborou no *Diário do Rio de Janeiro*. (SE)

15 ~ Apesar da queixa de Miguel, Machado de Assis, que era um missivista econômico, por vezes até mesmo formular, escreveu-lhe quatro páginas. No acervo compulsado até agora, poucas vezes encontraram-se cartas assim. Miguel certamente era um interlocutor especial; alguém com quem Machado falava de política brasileira, comentava sobre seus livros ainda em execução, confiava as suas angústias literárias, expressava as suas dúvidas, encomendava listas de livros e pedia pequenos favores. (SE)

[268]

De: MIGUEL DE NOVAIS
Fonte: Manuscrito Original, Arquivo ABL.

Foz do Douro, 26 de dezembro de 1887.

Amigo Machado de Assis.

Há muito tempo que se não digna dar-me notícias suas, o que não direi que seja muito desculpável. Que eu o não tenha feito compreende-se, porque há três meses que eu, e todos nós passamos uma vida desgraçada. Há três meses, na Foz com um frio insuportável, mal acomodados e em frente a um espetáculo tristíssimo, de dia e de noite a ver sofrer horrivelmente um homem novo, cheio de vida ainda há bem pouco tempo, atormentado por uma moléstia que o leva irremediavelmente à sepultura... e nós aqui – esperando o momento fatal que pode dar-se hoje, amanhã, daqui a um mês e quem sabe?

Quando viemos de Lanhelas[1] para aqui, no 1.º de Outubro, supunha-se que ele não viveria quinze dias, mas passou esse mês, correu todo o mês de Novembro, estamos a tocar o fim do ano e ele, infeliz, ainda vive! mas não imagina, nem de longe [,] o martírio que é para ele esse resto de vida que ainda tem! [H]orrível! Já deve saber que me refiro ao Castiço[2], porque decerto já sabe do estado dele e da moléstia que o acometeu.

Passemos a outro assunto.

Chegou o Ramalho[3] da sua viagem à América[4] e por uma carta que dele recebi há poucos dias, vejo que vem encantado da viagem. O que ele diz da sociedade brasileira e das senhoras, especialmente, é quanto pode ser de mais lisonjeiro. Fala-me também de si com um entusiasmo extraordinário; e não quero repetir-lhe aqui tudo o que ele me diz a seu respeito para que não fique vaidoso – terminava por dizer-me que era seu verdadeiro amigo [,] creio-o. Estou com muita vontade de falar com ele, mas à vista do que lhe exponho, não sei quando irei para a minha casa em Lisboa. Estou arriscado a passar o inverno cá pelo norte, o que me contraria bastante.

E como está a Carolina? Essa entendeu não dar cavaco a ninguém e por isso não a incomodarei escrevendo-lhe. Para as pessoas no caso dela, o maior favor que se lhe pode fazer é não a obrigar a responder a uma carta, e para que lhe não pese essa obrigação o único meio é este que adotei: não lhe parece?

Estou com as mãos geladas e mal posso segurar a pena, mas era necessário que não adiasse mais o dever de dar-lhe boas-festas e boas-entradas do novo ano de 88. O costume é velho e o estilo é este – não conheço outro. Adeus. Lembra*n*ças a todos e um abraço do seu do Co-*ração*

Miguel de Novais

---

1 ◌ Sobre Lanhelas ver em [267]. (SE)

2 ◌ Fernando Castiço, marido de Lina, enteada de Miguel. É fora de dúvida a grande estima de Miguel por Castiço; as cartas anteriores em que se refere a ele são o testemunho disso. Portugueses que fizeram a América, os dois tinham em comum a vida no Rio de Janeiro; além disso, Castiço era culto e rico, dois valores que o burguês Miguel muito prezava. Fernando Castiço morrerá em 04/02/1888. Não há informações sobre a doença que o vitimou. Teria sido tuberculose? Detalhes em [269], de 04/03/1888. (SE)

3 ◌ Segundo Francisca de Basto Cordeiro (1965), o jornalista português tinha dois irmãos que moravam no Cosme Velho: Antônio de Barros Ramalho Ortigão (1869-1937) e Joaquim da Costa Ramalho Ortigão (1842-1925). Este último havia feito uma bem-sucedida carreira comercial. Chegou em 1855-1856, indo trabalhar na casa de comissões Viúva Seve & Cia., depois na casa comercial Sousa Breves & Cia., da qual se tornou sócio; e por fim abriu a casa Ortigão & Cia. Joaquim atuou no Gabinete Português de Leitura e exerceu a vice-presidência do Centro do Comércio e da Lavoura, instituição que cuidava dos interesses agrícolas e comerciais brasileiros, sobretudo do mais importante ramo de negócios da época: o café. Sobre o assunto, ver nota 3 em [196]. (SE)

4 ◌ Miguel a maioria das vezes usa topônimos específicos para designar o lugar no qual viveu de 1868 a 1881: ora Rio de Janeiro, ora Brasil, ora Império. Somente na presente carta, se vale da forma "América" para significar Brasil. Em [249], usa a forma numa variação dentro do mesmo campo semântico para se referir aos Estados Unidos da América. Registre-se que, em testamentos de portugueses oriundos do Minho e radicados no Brasil até fins do século XVIII, "América" era uma das maneiras de se referir ao novo mundo e, por extensão de sentido, à colônia. Há documentos notariais que atestam esse uso. Ver nota 6, em [249]. (SE)

[269]

De: MIGUEL DE NOVAIS
Fonte: Manuscrito Original, Arquivo ABL.

Lisboa, 4 de março de 1888.[1]

Meu caro amigo Machado.

Estamos finalmente instalados outra vez na nossa casa da rua do Salitre depois de 9 meses de ausência. Não posso descrever-lhe a vida que levamos nos últimos cinco meses depois que de Lanhelas partimos para a Foz [,] que foi em 20 de setembro do ano findo. É preciso notar que, quando saímos de Lanhelas e que fomos alugar casa na Foz [,] dizia eu que a vida do pobre Castiço se não prolongaria além de 15 dias, e nessa persuasão tomamos uma casa, única que encontramos devoluta naquela época, casa mal mobiliada, como são todas as que se alugam na Foz, sem conforto de qualidade alguma, mas que julgamos tolerável por pouco tempo. A moléstia infelizmente para ele prolongou-se muito e só cinco meses depois, em 4 de fevereiro, faz hoje um mês, é que ele exalou o último suspiro. O que se passou durante este tempo, os sofrimentos horrorosos do doente não se descrevem. Havia feito testamento mês e meio antes de morrer, declarou querer ser enterrado em Braga, e na segunda-feira 6 do mês findo fui eu com o João Gomes e o Carcavelos acompanhar o cadáver até Braga. Regressamos à Foz no dia 7 e depois de arranjar a tudo o que era necessário dali saímos no dia 11, para o Porto [,] onde ficamos até quarta-feira de cinza acompanhando nesse dia a viúva para Braga, de onde ela regressou com a mãe faz hoje oito dias [,] tendo eu vindo para Lisboa três dias antes para arranjar a casa que estava fechada havia 9 meses.

Já não sei quantas cartas recebi do amigo nestes últimos tempos, nem poderia encontrá-las de momento, se pretendesse responder a cada uma separadamente, o que sei é que a penúltima que recebi vinha acompanhada de uma da Carolina para minha mulher, li a que me era dirigida, e pus a outra de parte para entregar-lhe quando ela regressasse de Braga, o que é certo [,] porém, é que nunca mais, até hoje, apesar de ter revolvido tudo pude encontrar nenhuma das tais cartas. A sua estava aberta, porque a li; a da Carolina para minha mulher ficou fechada, ficando por consequência, nós ambos, ignorando o seu conteúdo. É a primeira vez que tal me acontece. [D]iga isto mesmo à Carolina para que ela se não queixe de falta de resposta à sua carta.

A Lina pede-me para agradecer-lhe em seu nome as expressões de amizade com que a ela se refere, e agradece igualmente os extratos dos jornais que mandou em referência ao falecimento do marido; assistência à missa etc. etc.[2]

Eu, por enquanto, ainda me acho muito estúpido demais para tentar conversar com o amigo sobre outros assuntos e por isso, reservando-me para mais tarde para fazê-lo, não deixarei de perguntar-lhe com todo o interesse se é verdade que existe algum projeto de viagem até cá. Todos esperam por essa visita ansiosamente: não imagina o prazer que nos dariam com a realização dessa viagem[3]. Já lhe disse, e seria até escusado dizer-lhe que têm casa [,] cama e mesa à sua disposição e a melhor vontade dos donos da casa em ser-lhes agradável.

Adeus. Desculpe-me não ser mais extenso, e creia sempre na muita am*iza*d*e* do seu do C*ora*ç*ão*

*A*m*ig*o e c*unh*ado
Miguel de Novais

Nós, Lina e Julieta pedem (*sic*) at*enta*s e saudosas lembranças p*a*ra Carolina e Machado.

---

1 ◈ Carta inédita, em papel tarjado. Morrera Fernando Castiço, marido de Lina, a enteada de Miguel. Ver em [268]. (IM)

2 ◈ O *Jornal do Comércio* de 10/02/1888 publicou na seção dedicada aos avisos fúnebres o seguinte convite:

"+ **FERNANDO CASTIÇO** / D. Lina Castiço, Miguel de Novais e sua senhora, os Condes de S. Mamede, os Viscondes de Carcavelos, (Francisco),

Joaquim Pereira Felício (ausentes), Rodrigo Pereira Felício e sua senhora, convidam seus parentes e amigos para assistirem a missa que por alma de seu **marido, genro e cunhado, Fernando Castiço,** falecido no Porto, mandam rezar na igreja de S. Francisco de Paula, amanhã, sábado 11 do corrente, às 9 horas, pelo qual antecipam os agradecimentos."

Anúncio semelhante foi publicado no dia 11, com a óbvia substituição de "amanhã" por "hoje". (IM)

3 ∞ Vinha de longe o convite para a viagem à Europa, que Machado nunca realizou. Ver em [234] e [267]. Assinale-se que esta carta fala de um *projeto*, comentado por alguém da intimidade dos dois cunhados ou, talvez, de Carolina. Ela deixara Portugal em maio de 1868 e devia ter muitas saudades de sua terra, de seus parentes e amigos, mas no Rio de Janeiro permaneceu para sempre. Quanto a Machado — que como Brás Cubas apenas "viajou à roda da vida" —, haveria mesmo algum *projeto*? Dois motivos poderiam impedi-lo de conhecer outras terras: o medo de crises epilépticas, durante a travessia e a excursão, e as limitações impostas pelo serviço público; o consciencioso funcionário só se licenciou por esgotamento e doença. Caso o *projeto* fosse verdade, veríamos um Machado diferente daquele que, instado a viajar por Salvador de Mendonça*, Nabuco* e Magalhães de Azeredo*, nunca manifestou tal disposição. (IM)

[270]

De: MIGUEL DE NOVAIS
Fonte: Manuscrito Original, Arquivo ABL.

Lanhelas, 6 de agosto [de] 1888.

Amigo Machado de Assis.

Estou de posse da sua carta de 20 de junho a que respondo, principiando por agradecer-lhe os cumprimentos por ter chegado aos 59 anos. É muito, mas por ora estou com disposições de viver outro tanto, o que não quer dizer que tenho a certeza de chegar aos 60.

Vamos andando até ver no que isto dá.

Ocupa-se principalmente na sua carta da questão da abolição da escravatura, da popularidade que a Princesa adquiriu com esse fato, do futuro do Brasil, e dos seus receios, e da propagação da ideia republicana[1].

Estou ao fato de tudo o que aí se passou, pelos jornais que me foram remetidos pelo Rodrigo[2]; e ao contrário do que pensa muita gente, abstraindo mesmo dos diretamente interessados em que as coisas se conservassem no estado em que estavam, acho que foi um grande passo no caminho do progresso e parece-me que se fez como se devia fazer.

Os conservadores, aqueles que desejavam a continuação da escravatura [,] veem hoje tudo por um prisma horroroso. Veem a agricultura perdida completamente, uma crise tremenda de que ninguém sairá incólume, e mil outras coisas terríveis. Falam já da necessidade de fazer montarias aos libertos como se faz aos lobos para acabar com os assassinatos, os roubos, a pilhagem, os defloramentos etc. Como se cada negro liberto fosse pôr em fato[3] logo um assassino, um malvado e um ladrão.

Os abolicionistas, ao contrário, veem tudo por um prisma cor-de-rosa, têm crenças, e devem ter, na grande e humanitária reforma, mas eu penso que o caminho que há de levar a colher os frutos com a grande medida não se apresentará isento de escolhos e tropeços que levarão alguns anos a fazer desaparecer de todo. A crise deve dar-se infalivelmente, mas não será tão medonha como supõem os primeiros, nem tão ligeira como a creem os segundos. Feriram-se muitos interesses é verdade, e suposto eu pense que nada importa a ruína [,] ainda que fosse completa, de algumas dúzias de fazendeiros ricos, comparada com o grande ato de justiça que se praticou com a lei de 13 de Maio, compreendo que eles se mordam de raiva, que ataquem o Ministério, que vociferem contra a sanção dessa lei ou que lancem sobre a Princesa a responsabilidade dos males que sofrem. Tudo isso é natural. Reagem criando *Clubs* republicanos, jornais defendendo as mesmas ideias, mas os anos vão passando, os negócios, ainda naturalmente, não vão readquirindo as forças perdidas, e apesar de eu acreditar piamente que o Brasil há de fatalmente ser republicano [,] penso também que o não será ainda nestes vinte anos mais chegados. Estou convencido que, quando daqui a meia dúzia de anos se principiarem a sentir os efeitos benéficos da nova lei, que muitos desses mesmos que hoje desejariam ver por terra a monarquia, não pensarão mais em cooperar para a sua guarda, hão de dar vivas ao Imperante e talvez, quem sabe? [,] lamentem que se não tivesse feito há mais tempo o que se faz agora. O que é certo é que se o Rio Branco [,] quando propôs e fez aprovar a lei do ventre livre, tivesse dado logo o golpe decisivo com a lei da emancipação, já tudo estava hoje no bom caminho e seu nome [,] coberto de glória[4].

Sei que nessa época era muito mais difícil aferi-lo [,] e que as coisas não correriam com a mesma placidez de agora – porque a ideia de emancipação foi se generalizando, caminhando porém a passos lentos [,] adquirindo cada dia mais terreno, radicando-se no espírito de todos mais ou menos intensamente a necessidade absoluta de acabar por uma vez essa vergonha social, de modo que, preparadas assim, entravam já certas, ou seria certo de que a abolição era quase um fato consumado.

Os fazendeiros, os ricos é que [,] habituados à vida ociosa e viciosa [,] nem sequer se deram ao trabalho de pensar e refletir sobre os acontecimentos de todos os dias que fatalmente conduzia[m] a este resultado [,] e na sua indolência deixavam de dar um passo que os habituasse a poder viver sem o auxílio do braço escravo desde o momento que este lhe faltasse – porque, o fazendeiro previdente, e creio que algum houve que merecesse o epíteto, teria muito tempo para fazer a substituição do braço escravo, lentamente [,] sem prejuízo sensível e quase por assim dizer sem diminuição dos seus interesses [;] não o fizeram [,] deixaram-se ficar no *dolce far niente*, e agora grasniram – é bem fato.

Basta de escravatura, eu talvez dissesse para aí muita tolice, não duvido, mas enfim o amigo a desculpará [;] mas o tempo está muito quente e a gente fica assim meio estúpido com o calor.

Não me fala muito no seu projeto de viagem – muito bem – não fale, não diga-me nada mas venha[5]. Estou convencido que gostará, depois de ter percorrido esse mundo europeu de vir descansar aqui, um pouco em Lanhelas.

É uma aldeia lindíssima, mas uma aldeia onde tenho oito comboios, linha férrea, a passar pela porta todos os dias, uma estrada de rodagem igualmente a passar-me pela porta e paralela ao caminho de ferro com distância de 5 ou 6 metros, e na mesma distância de poucos metros da linha férrea – de modo que posso andar no mesmo dia em caminho de ferro, carruagem e barco tudo em frente de casa.

Adeus. Lembranças de todos nós e creia-me seu

amigo e criado
Miguel de Novais

---

1 ∾ Esta carta, inédita, revela um Machado disposto a comentar, na correspondência pessoal, acontecimentos políticos e sociais brasileiros, expondo os próprios receios. A desenvoltura da resposta é notável. Sobre o momento imediatamente posterior à proclamação da República, encontra-se um excelente relato de Miguel em [278], carta de 27/12/1889. (IM)

2 ∾ O enteado Rodrigo Pereira Felício. (IM)

3 ∾ Quadrilha. (IM)

4 ∾ Machado – o "Manassés" que louvara o visconde do Rio Branco (ver em [144]) – mostrou sempre explícito entusiasmo pela lei de 28 de setembro, e cuidou da sua boa aplicação, como funcionário graduado do Ministério da Agricultura. O verbete "Abolição" em Ubiratan Machado (2008) aborda e desenvolve o tema, aqui apenas anotado. (IM)

5 ∾ Nota sobre o "projeto de viagem" está desenvolvida em [269]. (IM)

[271]

Para: RODRIGO OCTAVIO
Fonte: Cartão Manuscrito Original, Arquivo Particular.

[Rio de Janeiro, 11 de outubro de 1888.]

Ao bom amigo e distinto poeta Rodrigo Octavio agradece

MACHADO DE ASSIS

as felicitações pelo aniversário das primogênitas e felicita-o pelo seu próprio aniversário, hoje, 11 de outubro 1888[1].

14, COSME VELHO.

1 ○ O destinatário completava 22 anos. Quanto às "felicitações pelo aniversário das primogênitas", o agradecimento faria mais sentido em **1886**, quando foi amplamente celebrado o 22.º aniversário de publicação das *Crisálidas*. Conta Rodrigo Octavio (1935):

> "A lembrança que guardo de Machado de Assis é das mais intensas da minha vida. / Encontrei-me com ele, pela primeira vez, no banquete oferecido a Luís Guimarães [Júnior] quando, de Lisboa, onde desde muitos anos servia como Secretário de Nossa Legação, veio a esta Capital, em 1886, após o retumbante sucesso do livro *Sonetos e Rimas*. No vasto salão do segundo andar do velho *Globo*, hotel desde muito desaparecido, e que foi clássico local de banquetes, à sombra das frondosas figueiras bravas do Carceler, esse banquete reuniu a flor de nossas letras. Machado presidiu, e eu, estudante ainda, tendo publicado, pouco antes, meu livrinho dos *Pâmpanos*, fui honrado com um convite, distinção que me subiu à cabeça e me fez crer que eu era alguma coisa! [...] Nesse mesmo ano, um pouco mais tarde, outro banquete comemorou o vigésimo [segundo] aniversário da publicação das *Crisálidas*, primeiro livro de Machado. O banquete foi a 6 de outubro, fim de ano, tempo em que andava eu agarrado aos livros, em São Paulo. Daí mandei ao Poeta festejado um pobre soneto a que Olavo Bilac, recitando-o, quis generosamente dar todo o prestígio de sua glória nascente."

O relato do banquete (ver em [254]) e as efusivas cartas de Bilac* a Rodrigo não se referem à recitação do soneto "A Machado de Assis", que foi incluído pelo autor no volume *Poemas e Idílios* (1887). (IM)

[272]

De: ALFREDO D'ESCRAGNOLLE TAUNAY
Fonte: Manuscrito Original, Arquivo ABL.

Petrópolis, 31 de março de 1889.[1]

Machado de Assis

Muito e muito estimei a essa merecida promoção[2]. Embora seródia, trouxe grandes alegrias aos seus amigos e admiradores dos seus talentos e qualidades peregrinas como cavalheiro e literato.

Mil felicitações do

Amigo e colega
Escragnolle Taunay

Post Scriptum. A Sociedade Central o cumprimenta.

---

1 ∾ Papel timbrado: "Sociedade Central de Imigração / Rio de Janeiro 1883 / Pro Brasilia / Libertate – Labor"

"A Sociedade Central de Imigração, criada em 1883, tinha como principal função promover a imigração europeia. Entre seus principais membros estavam os abolicionistas, o membro do partido conservador Alfredo d'Escragnolle Taunay, o engenheiro e Carl von Koseritz. Em seu periódico, chamado *A Imigração*, eram veiculadas duras críticas aos chineses, considerados como o 'pestilento fluido emanado da podre civilização da China', 'uma raça atrofiada e corrupta', 'bastardizada e depravada'. A tese da Sociedade de Imigração é que o Brasil necessita da imigração europeia muito mais por matizes culturais e civilizatórios do que apenas como mão de obra, apoiando a todas as diretrizes que facilitassem a vida do imigrante europeu no Brasil, bem como a sua naturalização." (Carvalho, 1998). (IM)

2 ∾ Em 30/03/1889, Machado de Assis foi promovido a diretor da Diretoria de Comércio da Secretaria de Estado da Agricultura, Comércio e Obras Públicas. Taunay receberia o título de visconde em 06/09/1889. (IM)

[273]

De: JOÃO BRÍGIDO DOS SANTOS
Fonte: Biblioteca Pública de Fortaleza. *O Libertador*, 1890. Microfilme do original impresso.

Ceará, 1.º de junho de 1889.

Ilustríssimo *Senhor* Doutor Joaquim Maria Machado de Assis.

Na questão que V*ossa* Excelência conhecerá das minas de Viçosa[1], defendi o direito do *Senhor* Antônio Rodrigues Carneiro contra poderoso de então, tendo encontrado sempre os mais sérios embaraços na Secretaria de Agricultura da qual esse negócio depende em parte.

Agora dá-se uma anomalia, que entendo dever comunicar a V*ossa* *Excelência.*

Em 9 de janeiro deste ano, expediu-se a certidão firmada pelo S*enhor* barão de Guimarães², na qual se disse que tinha sido assinada pelo conselheiro Tristão de Alencar Araripe, como procurador do barão de Ibiapaba³, uma petição de 18 de junho de 1888, número 39 B 88.

Se disse mais que outra petição do mesmo barão, de 1.º de agosto do mesmo ano, número 50 B 88, tinha sido assinada também pelo sobredito procurador.

Na fé deste documento, meu constituinte fez reparos pela imprensa da Corte, de estar a requerer pelas Secretarias de Estado, em litígios como o do *Senhor* Ibiapaba, um membro do corpo legislativo do Supremo Tribunal de Justiça!

Seguiu-se, porém, que requerendo o *Senhor* Carneiro nova certidão dessas petições, na que se lhe expediu, firmada em 18 de maio deste ano, por V*ossa* *Excelência,* já não figura como procurador signatário o sobredito conselheiro Araripe, mas um filho deste – o engenheiro Artur de Alencar Araripe.

Uma das duas certidões, portanto, há de não ser verdadeira, e dá-se o caso de ter sido induzido em erro ou V*ossa* *Excelência* ou o *Senhor* barão de Guimarães, pelo oficial que extraiu uma das duas certidões.

Trazendo este fato ao conhecimento de V*ossa* *Excelência,* cuja probidade folgo reconhecer, peço-lhe a explicação que julgar razoável, e sendo preciso me obrigo a produzir os dois documentos que estão a se desmentirem.

Prevaleço-me da ocasião para significar-lhe a estima, respeito e consideração, com que sou

De V*ossa* *Excelência* a*tento* ve*nerador* e criado

J. Brígido.

---

1 ↝ Esta carta era julgada perdida devido a um incêndio que destruiu parte dos arquivos do jornal *O Libertador*, onde o advogado João Brígido a transcrevera num artigo por ele publicado em 20/08/1890. Conhecia-se a resposta de Machado de Assis, em carta de 16/08/1889 (ver em [277]), porque fora reproduzida integralmente por Magalhães Jr. (2008) quando o jornal ainda existia, mas não se conhecia a presente

carta, não reproduzida pelo biógrafo. No entanto, pude obter o texto graças ao zelo incansável de Oscar Araripe e do seu amigo José Augusto Bezerra, que descobriu na Biblioteca Pública de Fortaleza um microfilme reproduzindo o exemplar relevante do referido jornal. Quanto à substância do assunto, assinale-se que o jornalista João Brígido defendia, como advogado, os interesses de Antônio Rodrigues Carneiro, que solicitara concessão do governo imperial para explorar as minas de cobre de Pedra-Verde, no atual município de Viçosa do Ceará. Segundo João Brígido, seu constituinte estava sendo preterido em favor de Joaquim da Cunha Freire, barão de Ibiapaba, melhor apadrinhado, e acusava implicitamente Machado de Assis, alto funcionário do Ministério da Agricultura, Comércio e Obras Públicas, do qual dependia a questão, de ter sido conivente com esse favorecimento ilícito. No artigo de 20/08/1890, o jornalista indica várias "anomalias" no tratamento da matéria, mas refere-se, nesta carta, a apenas uma delas, o fato de que numa certidão sobre o assunto expedida pelo barão de Guimarães, antecessor de Machado de Assis no cargo, figurava como procurador de Ibiapaba o conselheiro Tristão de Araripe, ao passo que em certidão posterior, agora assinada por Machado de Assis, constava como procurador de Ibiapaba o nome do filho de Tristão de Araripe, o engenheiro Artur Araripe. A insinuação, aqui, é que o conselheiro Tristão de Araripe, membro do supremo Tribunal de Justiça, e portanto alto funcionário do Estado, estava exercendo advocacia administrativa, procedimento antiético que se teria procurado esconder depois, substituindo, na certidão assinada por Machado, o nome de Tristão de Alencar Araripe pelo de seu filho, um simples particular. (SPR)

2 ∾ José Agostinho Moreira Guimarães (1824-1905), formado pela Faculdade de Direito de São Paulo, deputado provincial, no Rio de Janeiro, diretor de instrução pública, autor de trabalho sobre a Exposição de Paris. Agraciado com o título de barão em 26/07/1881. (IM)

3 ∾ Joaquim da Cunha Freire (1827-1907), barão de Ibiapaba, rico negociante, sete vezes presidente da província do Ceará; alinhou-se com o conselheiro Alencar como candidato ao senado do Império. (IM)

[274]

De: MAGALHÃES DE AZEREDO
Fonte: Manuscrito Original, ABL.

São Paulo, 2 de junho de 1889.

E*xcelentíssi*mo Amigo e S*en*ho*r*.

Os muitos afazeres a que me tenho visto obrigado desde que vim da Corte[1], impediram-me até hoje o escrever-lhe, dever este, que peço desculpa de não ter cumprido há mais tempo.

Vossa Excelência teve a bondade de tomar sobre si o encargo de propor ao Senhor Lombaerts a impressão do meu livro de versos[2], e informar-me do que houver a tal respeito.

Aproveitando-me dessa fineza, à qual de todo o coração sou grato, devo dizer a Vossa Excelência — porque convém que o editor o saiba — que o volume com certeza não passará de 200 páginas, quando muito, em 8.º, que o papel deverá ser bem regular, o tipo proporcional à dimensão das folhas, e que não são precisos mais do que 450 ou 500 exemplares. Isto, Vossa Excelência far-me-á o obséquio de comunicá-lo ao Senhor Lombaerts[3], não esquecendo empregar toda a sua influência com ele para que faça tudo pelo mínimo preço; pois, ainda que sei que um escritor, ao publicar o seu primeiro trabalho, não deve mirar a nenhum lucro, contudo cumpre reconhecer que a economia deve presidir aos gastos de quem, como eu, embora haja de que viver, ainda, por sua pouca idade e suas condições, não pode ganhar honradamente com o suor de seu rosto aquilo que consome.

Espero que Vossa Excelência, logo que puder, me escreverá sobre este negócio, e me fará o prefácio, que gentilmente prometeu para o meu livro.

Peço-lhe [,] permita-me que lhe envie qualquer dia o meu retrato; e estimarei muitíssimo se me der em troca o seu.

Ainda uma vez agradeço a amabilidade, com que me tratou quando aí estive, assegurando-lhe que lhe voto e votarei sempre o mais vivo reconhecimento, e que Vossa Excelência pode contar-me no número de seus admiradores e discípulos dedicados, e, se não é ousadia pretendê-lo, no de seus amigos.

Reiterando as expressões do meu respeito e estima, ofereço a Vossa Excelência meus fracos préstimos, no pouco para que servirem.

Carlos Magalhães de Azeredo.

Rua do Riachuelo, 43.

---

1 ∾ Carlos Magalhães de Azeredo (1872-1963) estava na cidade de São Paulo desde meados do ano anterior, quando entrou nos preparatórios para o curso de direito da

faculdade do largo de São Francisco. Havia se mudado na companhia da mãe, para a casa na rua do Riachuelo, endereço que consta no corpo da presente carta. Em outubro de 1889, entrou na faculdade. (SE)

2 ∾ Trata-se das *Inspirações da Infância*, livro que acabou não sendo publicado. (SE)

3 ∾ O Sr. Lombaerts de que fala Azeredo é Henrique Lombaerts (Henri Gustave, 1845-1897), filho do fundador da Livraria Lombaerts, o belga Jean Baptiste Lombaerts (1821-1875). Depois de certo tempo, a Lombaerts tornou-se também tipografia e encadernadora renomada. Machado conheceu os dois Lombaerts, porém foi com o filho que manteve contato estreito, escrevendo na *Estação* por ele dirigida e frequentando assiduamente a roda de intelectuais na livraria. Registre-se que B. L Garnier imprimiu dois livros de Machado na tipografia Lombaerts: *Quincas Borba* e *Histórias sem Data*. (SE)

[275]

De: MAGALHÃES DE AZEREDO
Fonte: Manuscrito Original, ABL.

São Paulo, 3 de julho de 1889.

Ex*celentíssi*mo Amigo e Se*n*hor.

Há muitos dias que eu devera ter-lhe escrito, e só o faço hoje, porque passei algum tempo com forte constipação, dores de cabeça e febre intermitente, o que me impediu de acudir ao cumprimento de minhas obrigações[1].

Quanto às condições, que a casa Lombaerts apresenta para imprimir o meu livro, devo responder afirmativamente. O papel é ótimo e o tipo conveniente. Contudo, se isso importasse considerável abatimento na despesa, não faria mal que o papel fosse um pouco inferior[2].

Quando V*ossa* E*x*celência falar com o editor, pode dizer-lhe isso; contudo, se a diferença no preço não for grande, prefiro esta qualidade de papel.

Envio a V*ossa* E*x*celên*c*ia com esta carta o meu retrato, como lhe prometi há dias. Escusado é repetir que o seu será aceito com imenso prazer, se mo mandar.

Espero que V*ossa* E*x*celência me dará o prólogo, ou já, ou quando o volume for para o prelo.

O Campos escreveu-me outro dia, dando-me excelentes notícias daí. Quanto sinto não poder ir à Corte no dia 12 deste mês, em que os estudantes pretendem dar um passeio para assistir às festas de 14³. Enfim, vou-me consolando a pensar que há revezes muito mais graves que esse.

Tenha a bondade de recomendar-me à sua Excelentíssima Senhora, embora não tenha eu a honra de a conhecer.

Aceite, com a renovação dos meus agradecimentos, as expressões do afeto e respeito, com que sou

de Vossa Excelência,
Admirador e discípulo dedicado,
Carlos Magalhães de Azeredo.

Rua do Riachuelo, 43.

---

1 ◈ Os biógrafos de Machado de Assis, ao falar das relações de amizade entre ambos, em geral, aludem ao sintoma de hipocondria, estabelecendo-o como um dos muitos pontos de identificação entre os dois. (SE)

2 ◈ Apesar do aparente acerto na negociação para imprimir as *Inspirações da Infância*, que marcaria a estreia do jovem poeta nas letras, o livro de poemas acabou não sendo publicado, malgrado a boa vontade e o empenho de Machado de Assis. Azeredo estreará somente nove anos depois com o livro *Procelárias*. (SE)

3 ◈ Por essa época a festa de 14 de julho, marcando a queda da Bastilha, era ruidosamente comemorada pelos estudantes e intelectuais brasileiros. (SE)

[276]

Para: FRANCISCO RAMOS PAZ
Fonte: Manuscrito Original. Seção de Manuscritos, Fundação Biblioteca Nacional. Coleção Francisco Ramos Paz.

[Rio de Janeiro,] 3 de julho de 1889.

Meu caro Paz,

Não sabia que a urgência era tal. Cuidei que era apenas tipográfica. Durante os dois dias santos tive aqui trabalho da Secretaria, e fui jantar fora, como te disse, no sábado. De noite, não trabalho[1]. Daí o desgosto de devolver as provas sem prefácio. Era meu desejo fazer uma narração de parte da vida do Melo[2], suas ocupações literárias, os domingos que passávamos juntos, lendo [,] achando, trocando ideias[3], a fisionomia moral do nosso amigo e o contraste daquele beneditino com aquele elegante; não pôde ser, paciência. Desculpa-me, e adeus.

      Velho am*i*go
      Machado de Assis

P*ost* S*criptum*
Li a tua nota; está boa.
M. de A.

---

1 ∽ Problemas da vista, que são detalhadamente comentados em [163]. (IM)

2 ∽ Ramos Paz estava preparando um livro em homenagem ao amigo comum Manuel de Melo. Sobre este, ver em [161]. (IM)

3 ∽ Em [233], há referência sobre esses encontros dominicais. (IM)

[277]

Para: JOÃO BRÍGIDO DOS SANTOS
Fonte: Biblioteca Pública de Fortaleza.
O Libertador, 1890. Microfilme do original impresso.

Rio de Janeiro, 16 de agosto de 1889.[1]

Il*ustríssi*mo Ex*celentíssi*mo S*en*ho*r* João Brígido dos Santos.

 Respondo à carta que V*ossa* Exc*elência* me escreveu[2], em data de 1.º de junho último, dizendo-lhe que nas petições, indicadas por V*ossa* Ex*celência*, do barão de Ibiapaba, apresentadas a esta Secretaria de Estado, relativamente às minas de Viçosa, assina como procurador o S*enh*or Artur de Alencar Araripe, conforme tudo examinei.

Constando isso mesmo da minha certidão de 18 de maio deste ano e dizendo o contrário uma certidão do meu antecessor, o Senhor barão de Guimarães, concluiu Vossa Excelência que um de nós foi induzido em erro pelo oficial que extraiu um daqueles documentos. Ao que extraiu a minha certidão não há que acusar por troca de nomes, porque os copiou exatos. O empregado que extraiu a do meu antecessor, já aqui não está; segundo vê Vossa Excelência, não posso adiantar nada a este respeito.

Sou, com estima e respeito, de Vossa Excelência,

atento venerador e obrigado
Machado de Assis.

---

1 ∽ Esta carta foi divulgada por João Brígido no seu artigo de 20/08/1890. Ver em [273]. (IM)

2 ∽ Ao tomar conhecimento das denúncias do jornalista cearense, Machado de Assis reagiu, escrevendo uma enérgica defesa em 11/09/1890, intitulada "Secretaria de Agricultura":

"O Sr. Dr. João Brígido escreveu no *Libertador* do Ceará, de 20 do mês findo, um artigo, a que é mister dar alguma resposta. Não recebi a folha, mas várias pessoas a receberam, naturalmente com o artigo marcado como está no exemplar que um amigo me fez chegar às mãos. Este sistema não é novo, mas é útil, é o que se pode chamar uma carta anônima assinada. / [...] o Sr. João Brígido me acusa pela carta que lhe escrevi, há um ano, pela demora das certidões, diz que os créditos da secretaria desceram tanto, no regime anterior, que muitos ministros saíram com reputação prejudicada; e, finalmente, escreve isto: que eu, ao passo que lhe guardava sigilo inviolável acerca das conclusões, não o guardava para o plutocrata, que, pelo vapor de 30 de junho ou outro, assegurara que o meu parecer era a seu favor. / Não sei o que assegurou o Sr. Barão de Ibiapaba, a quem só de vista conheço. Desde, porém, que eu afirmo que jamais confiei a ninguém, sobre nenhum negócio da secretaria, a minha opinião dada ou por dar nos papéis que examino – e desafio a que alguém me diga o contrário – creio responder suficientemente ao artigo do Sr. João Brígido. / *Plutocrata* exprime bem a insinuação maliciosa do Sr. Dr. João Brígido; e o *processo de Filipe da Macedônia* [suborno], frase empregada no mesmo período, ainda melhor exprime o seu pensamento. Eu sou mais moderado; faço ao Sr. Dr. João Brígido a justiça de crer que em tudo o que escreveu contra mim não teve a menor convicção." ("A Pedidos", *Gazeta de Notícias*, 12/09/1890.) (IM)

[278]

De: MIGUEL DE NOVAIS
Fonte: Manuscrito Original, Arquivo ABL.

Lisboa, 27 de dezembro de 1889.

Amigo Machado de Assis.

Ora graças a Deus! Parece impossível, mas é verdade que só hoje recebi notícias do Rio depois dos extraordinários acontecimentos do dia 15 de Novembro.

A impressão causada em todo este país com a notícia da revolução foi enorme. Eu fui dos que não acreditei (*sic*) na proclamação da república. Duvidei da veracidade desse telegrama, não porque desconhecesse o alcance da propaganda republicana, nos últimos anos; porém supunha [,] e como eu [,] pensava a maior parte da gente que conhecia alguma coisa do Brasil, que nada se faria durante a vida do Imperador.

A maioria das pessoas que tem, como eu, aí tudo ou parte de sua fortuna, ficaram (*sic*) verdadeiramente aterradas com a confirmação da notícia. Alguns conheço eu que até emagreceram – coitados!

Eu, talvez em consequência do meu temperamento [,] recebi a notícia com espanto sim, mas sem o menor alvoroço. É que eu nunca me atemorizei com a República – é de todos os sistemas de governo o que mais me agradou sempre e fiquei tão descansado com a garantia dos meus haveres, como estava no tempo do Império[1]. A maneira excepcional como se operou a mudança completa das instituições [,] sem sangue, sem violências, nem desordens, parecia realmente inacreditável. O modo como se portou o governo provisório [,] com o Imperador deposto, produziu aqui a melhor impressão, resultando daí as simpatias ao governo provisório. Até aqui tudo foi muito bem. Chega o Imperador[2] e parece que mesmo por determinação do governo provisório, foi o Imperador esperado a bordo pelo Ministro Brasileiro[3] aqui residente e recebido com todas as honras devidas à Majestade. As almas mais sensíveis compadeceram-se ao vê-lo bastante magro e abatido [;] a Imperatriz, essa parece que vinha bastante doente, e doente tem estado ainda. Ele porém, conversou sempre alegremente, perguntando por diversos literatos que ele conhecia[4], informando-se dos livros ultimamente publicados etc. etc. Nos dias em que aqui se demorou, visitou as escolas, o curso superior de letras, o túmulo de Herculano[5], São Vicente de [F]ora[6], foi a Sintra duas vezes, visitou o Camilo, a Condessa de Edla[7], foi a Queluz[8], enfim não descansou um momento. O público recebeu-o sempre com respeito e simpatia.

Os jornais porém, especialmente de Lisboa, que são em geral, muito acanalhados, principiaram a lastimar a sorte do Imperador, e para serem agradáveis ao novo rei[9], não acharam outro meio senão o de principiar a desacreditar a revolução, comentando sempre de um modo desfavorável os atos do governo da República, dando vulto aos boatos espalhados adrede para negócio, com a alta e a baixa de fundos, fazendo grande espalhafato com uns telegramas forjados em Londres e Hamburgo, para o mesmo fim — telegramas aterradores que faziam crer que o Brasil estava todo a nadar em sangue! uma pouca-vergonha. Correu como certo, e o fato é que se disse daí para aqui, que tinham sido fuzilados 150 marinheiros da armada, que se tinham feito inúmeras prisões [,] deportações [,] encarceramentos, o diabo! Os jornais sempre com a dignidade que os caracteriza, sem tratar de averiguar a veracidade destas notícias, clamaram contra os membros do governo, recomendaram aos possuidores de títulos brasileiros, que os vendessem sem perda de tempo, porque tudo aí estava em completa anarquia! Eu, já se vê [,] não acreditava em nada disso, e nunca me preocupei com o que lá tinha — mas confesso que tinha um ódio aos tais jornalistas... Neste meio-tempo aparece um escrito do V*isconde* de [O]uro [P]reto a que chamam manifesto, em que ele conta os fatos, já se entende, a seu modo, com o fim de justificar o seu procedime*n*to, como presidente que era do último governo monárquico. Cá na minha opinião não justifica coisa nenhuma, senão que fez em tudo isso um papel de sendeiro, e diz que foi traído pelo primo Rufino[10].

Não lhe mando este manifesto porque decerto já o terá lido. No dia seguinte, dizem logo os jornalecos que o movimento nasceu da traição, faltando-lhe portanto a nobreza de nascimento, condição indispensável para a sua vida e prosperidade.

Esta má vontade, para não dizer patifaria da imprensa lisbonense, exacerbou os ânimos dos portugueses que estiveram no Brasil, e amanhã aparece um protesto com um número considerável de assinaturas, entre as quais figura a deste seu amigo, contra as diatribes da imprensa em menoscabo do Brasil e do seu governo.

A colônia brasileira que aqui reside, que não é muito numerosa, mas que é cheia de vida porque é quase toda de rapazes[11], e que são hoje todos republicanos, estão com razão indignados contra o procedimento da imprensa.

Basta por hoje, continuarei amanhã

29 de Dezembro.

Ontem não escrevi, mas continuarei hoje o cavaco sobre o nosso assunto, abrindo porém um doloroso parênteses para dizer-lhe que ontem às 2 ½ da tarde faleceu no Hotel do Porto, no Porto, a Imperatriz do Brasil[12].

Aquela pobre senhora chegou aqui muito doente, esteve quase sempre recolhida no Hotel [,] seguiu depois para Coimbra, onde se achou pior, indo acabar na minha terra os seus martírios. Quem nos diria a nós [,] há dois meses [,] que a Imperatriz do Brasil viria morrer ao Porto! Paz à sua alma.

O Imperador parece-me que também não irá longe. Os abalos que tem sofrido, suposto ele aparente uma completa indiferença pelos acontecimentos que os destronaram, produzirão os seus efeitos. Ele está gasto, alquebrado, e o frio que tem feito por aqui este inverno, deve ser-lhe muito prejudicial.

O Ministro Rui Barbosa tem telegrafado para aqui, ora ao Ministro Brasileiro ora a Latino Coelho[13] [,] desmentindo muitas calúnias que esta gente se apraz em considerar fatos verdadeiros. Acho que fez mal em dar-lhe satisfações. Perde o tempo, e chama-se a isso gastar cera com ruins defuntos. O melhor de tudo, entendo eu, é deixá-los ladrar e não lhe dar cavaco nenhum.

Leio hoje nos jornais que causará má impressão aí um fato que se dera no nosso porto durante a demora do *Alagoas*. Não me parece que haja razão da parte do Governo Republicano em incomodar-se com tal acontecimento. A coisa foi assim: o vapor que trouxe a bordo o Imperador entrou o nosso porto com a bandeira do Império arvorada como parece lhe tinha sido ordenado pelo governo daí. Depois do desembarque arriou a bandeira, porém como é costume que os navios sustos no porto tenha[m] arvorada a bandeira de sua nação, eles entenderam, ou tinha[m] ordem para isso, em arvorar a bandeira da República. Ora, essa bandeira, que nem mesmo era ainda a aprovada pelos Estados do Brasil, era uma bandeira desconhecida; e o capitão do porto, cumprindo com as leis que regem a marinha, deu ordem para que se arriasse a bandeira. Entrou depois neste negócio, o Ministro brasileiro aqui residente, teve conferências com o Ministro dos Estrangeiros e não sei se também com o de Marinha, para resolverem o conflito, e antes que ele se resolvesse o navio saiu do porto, seguiu o seu destino e não houve mais nada de importante nesta questão, na qual, segundo o meu modo de ver o capitão do porto fez o que lhe cumpria visto que o governo do Brasil não deu até hoje, segundo penso [,] um passo para que a República fosse reconhecida pelos países estrangeiros. Que significa portanto, para nós, aquela bandeira, que nem mesmo era a bandeira da república do Brasil? Eles têm imensa razão de queixar-se da imprensa de Lisboa especialmente, porque se tem portado vilmente, porém na questão da bandeira não lhes acho razão.

E creia o amigo que toda a gente sensata estigmatiza o procedimento da imprensa lisbonense, não digo imprensa portuguesa porque os jornais do Porto [,] justiça seja feita [,] têm sido muito mais dignos nas suas apreciações. Envio-lhe junto um documento curioso dirigido às Câmaras por um deputado Abreu, desculpando-se com o presidente de não poder comparecer à reunião que se efetuou para o juramento do novo Rei às Cortes e que teve lugar ontem 28 [,] mas pedindo que por ocasião da abertura das Câmaras se lance um voto de louvor aos novos estados do Brasil, pela maneira como se efetuou a revolta que foi causa de mudança das instituições. Este, penso que lhe chegará lá em primeira mão [;] mando-lhe também um artigo do *Século*[14] – do Latino Coelho – que é bom, como tudo quanto sai de sua pena autorizada. Eu, como deve supor [,] interesso-me tanto quanto o meu amigo pode interessar--se pelo bom andamento dos negócios aí. Atritos, há de os haver por força, mas estou convencido que não faltará força ao governo para os debelar quando apareçam; e é de fé para mim, que uma vez organizado o país sob o novo regímen, há de prosperar mais em dez anos, e avançar mais do que o fez em cinquenta anos do velho regímen. Esta é a minha convicção.

Correu também como certo que tinham sido confiscados os bens do Imperador e Imperatriz [;] nunca acreditei nisso, porque a nova República que tantas atenções, com louvor do mundo inteiro, tinha tido com o Imperador [,] não havia de reduzi-lo à última miséria confiscando-lhe os bens. Hoje, com grande satisfação minha vejo confirmadas as minhas convicções por um telegrama de Rui Barbosa[15], que diz achar-se lavrado até um decreto que garante ao Imperador todos os bens que aí possui [,] dando-lhe dois anos para a liquidação; entanto estranhei eu o subsídio de 5.000 contos que o governo lhe ofereceu, bem como a conservação da lista civil, que tudo achava demasiada generosi*dade* [,] como estranhei também o ter-se-lhe retirado agora a dotação prometida. Mas enfim, eles lá tiveram sua razão para o fazer. Pode ser que os amigos do Imperador, os interessados na conservação do Império, conspirem contra a República [;] o Imperador com certeza não conspira.

Diz-se aqui, e com todos os avisos de verdade [,] que havia desinteligências sérias entre o Conde d'Eu e o Imperador. [O] Conde d'Eu insistia junto do Imperador para que ele abdicasse na Princesa Imperial, que por seu turno abdicaria no filho [,] e penso que tanto importunou o Imperador com isto que ele lhe respondera bruscamente, que não abdicava nem abdicaria fossem quais fossem os acontecimentos que se sucedessem. Isto parece que não oferece a menor dúvida. Ele está também bastante doente e penso que não sobreviverá por muito tempo à Imperatriz. Tenho pena dele, suposto eu encare tudo isso como ossos do ofício. Remeto-lhe também o protesto que os portugueses que residiram no Brasil fazem contra a imprensa portuguesa pela maneira indecorosa como falam dos acontecimentos do Brasil. Já em cima lhe falo deste protesto.

Basta de cavaco. A carta vai já longa, e se continuo deste modo, sairá o paquete no dia I de Janeiro sem a levar ao seu destino. E já que escrevo nesta ocasião justo é que me não esqueça de dar-lhe as Boas-festas e muitas felicidades para o novo ano, estimando que a Carolina a quem dará saudades nossas se ache absolutamente livre da moléstia que a tem perseguido.

Nós vamos passando menos mal apesar da epidemia que tem grassado por toda a Europa, e que tem atacado milhares de pessoas aqui em Lisboa. Dá-se-lhe o nome de *Influenza* – a que nós chamamos aportuguesando o termo – *Influência* [.] O que é certo é que alguns jornais estão quase forçados a suspender a publicação que é feita tarde e a más horas, por ter o pessoal doente; o mesmo sucede nos estabelecimentos que carecem de um certo número de operários para satisfazer os compromissos com os seus fregueses.

Por cá também tem chegado. Já teve minha mulher, o Rodrigo, Carcavelos, Julieta, o pequeno Nuno, o Juca[16], os criados cá de casa etc. etc.

Felizmente é uma epidemia benigna – dois ou três dias de cama basta[m] – principia por dores de cabeça, quebramento de corpo [,] febre que sobe sempre a 40 graus [,] dores nos rins e outros incômodos desta natureza.

Combate-se com antipirina, sanapismos[17], suadouros e tudo o que serve ordinariamente a debelar as constipações. Minha mulher nunca chegou a ficar de cama [,] mas, talvez por isso, há mais de 10 dias que sofre mais ou menos dos sintomas que caracterizam a tal moléstia. Ainda assim é preciso cuidado porque em Paris, Madri, Viena e outras capitais tem degenerado em pneumonias e pleurisias com resultados fatais. Eu por enquanto estou incólume, o que não quer dizer que daqui a alguns momentos me não ache *influenzado*.

É certo que em Paris esteve minha mulher perigosamente doente [,] em consequência do que, fui forçado a demorar-me ali mais um mês do que tencionava, e deixar de fazer a minha viagem à Itália que tinha projetado encetar na mesma semana em que ela caiu doente. [E] aí está como eu saindo de casa para gozar alguma coisa mais do que aqui, passei uma época de martírios e aflições, sem poder sair do quarto onde estava a doente, de quem fui único enfermeiro durante o período da moléstia. Quando ela já se levantava, chegou a Paris a Lina, Julieta, Carcavelos, Rodrigo, Isabelinha e Quincas [,] e ainda ali se demoraram todos[18] quinze dias, pois saímos de Paris no dia 1.º de Novembro [,] chegando a Lisboa no dia 3.

Há tempos falou-me o amigo Machado de dois livros que tinha na forja[19], e depois de muitos meses decorridos, nada mais me diz sobre o assunto. Ora bem, não se esqueça quando saírem a lume de mandar-me um exemplar.

Para que não diga que abuso demais da sua paciência [,] digo-lhe adeus pedindo-lhe que seja menos preguiçoso e que me diga o que por aí se vai passando. Lembranças ainda mais uma vez a Carolina e creia na sincera amizade do seu do *Coração*

Miguel de Novais

---

1 ∽ Miguel de Novais viveu no Rio de Janeiro de fins de 1868 a 1881, quando voltou a Portugal e, embora tenha declarado em carta a Machado que se ressentia da readaptação à vida portuguesa, jamais tornou a viver no Brasil. (SE)

2 ∽ A família imperial foi banida por força do decreto n.º 78-A de 21/12/1889, aplicado pelo governo provisório da República brasileira, e assinado pelo marechal Deodoro, Benjamim Constant, Quintino Bocaiúva* e Rui Barbosa. (SE)

3 ∽ Ministro plenipotenciário Francisco Xavier da Costa de Aguiar de Andrada, barão de Aguiar de Andrade (1876), diplomata brasileiro acreditado junto ao governo português. (SE)

4 ∾ Os biógrafos de D. Pedro II aludem unanimemente ao progressivo desinteresse pelos assuntos de Estado e o crescente entusiasmo pelos assuntos científicos e literários. (SE)

5 ∾ Dentre as reformas arquitetônicas empreendidas no mosteiro dos Jerônimos, a da sala do Capítulo teve atenção especial; foi preparada para receber o túmulo de Alexandre Herculano (1810-1874), cujo papel na preservação dos arquivos portugueses e o paciente trabalho de reconstrução da história lusitana conferiram-lhe o reconhecimento de seus contemporâneos e pósteros. O túmulo fora inaugurado em 1888, portanto um passeio ainda inexplorado e bem adequado aos interesses do o ex-imperador, homem muito ligado às letras, à ciência e à história. (SE)

6 ∾ No mosteiro de São Vicente de Fora está localizado o Panteão dos Bragança, a última dinastia portuguesa, da qual D. Pedro II descendia, e onde sua mulher D. Teresa Cristina foi sepultada, após morrer de síncope cardíaca num hotel da cidade do Porto, dias depois da proclamação da República brasileira. Sobre a morte de D. Teresa Cristina, ver neste mesmo documento a continuação datada de 29 de dezembro. (SE)

7 ∾ Viúva de D. Fernando II, de origem suíço-alemã, educada em Boston, Elise Hensler (1836-1929) era cantora de ópera e, como membro da Companhia de Ópera de Laneuville, em 1860, cantou no Teatro Nacional de São João e, depois, no Teatro São Carlos, quando conheceu D. Fernando II. Casou-se com ele em 1869 e enviuvou em 1885. Moravam no Palácio da Pena em Sintra. (SE)

8 ∾ Na cidade de Queluz, concelho de Sintra, distrito de Lisboa, o ex-imperador deve ter visitado o Palácio de Queluz, construído no século XVIII por seu avô, também chamado Pedro, marido de D. Maria I, a Rainha Louca. Com o incêndio do Palácio da Ajuda em 1794, Queluz tornou-se a residência oficial do príncipe regente (futuro D. João VI), até o embarque da família real portuguesa para o Brasil em 1808. D. Pedro II, parece, além de fazer passeios de cunho histórico, fazia também uma última visita sentimental. (SE)

9 ∾ D. Luís I (1838-1889) havia falecido em 29 de outubro, assumindo o trono D. Carlos I (1863-1908), o novo rei a que Miguel de Novais faz referência. (SE)

10 ∾ Rufino Eneias Gustavo Galvão (1831-1909), visconde de Maracaju, ministro da guerra do governo deposto, filho do coronel Antônio José Fonseca Galvão, que na Guerra do Paraguai comandou as forças brasileiras no Mato Grosso, e pai do poeta Eneias Galvão*, a quem Machado prefacia em [246]. (SE)

11 ∾ Remanescia a tradição de estudar em Coimbra. (SE)

12 ∾ D. Teresa Cristina Maria de Bourbon Duas Sicílias e Bragança (1822-1889) sofria de grave lesão cardíaca e, abalada com os acontecimentos que presenciou no paço e com a forma como foi tratada a família imperial na noite e madrugada do embarque no *Alagoas*, não se recuperou do choque e faleceu na tarde de 28 de dezembro,

conforme Miguel assinala. A família imperial, ao chegar à cidade do Porto, ocupou todo o primeiro piso do Grande Hotel do Porto, instalando-se D. Teresa Cristina no quarto 16, do qual pouco saiu e onde veio a falecer. Após a sua morte, antes de viajar a Paris, D. Pedro comprou a cama em que ficou a ex-imperatriz. Registre-se, por fim, que esse hotel, inaugurado em 27/03/1880, ainda está em funcionamento, sendo um dos mais tradicionais da cidade. (SE)

13 ∾ Nesse momento, José Maria Latino Coelho (1825-1891) era deputado pelo Partido Republicano português, daí talvez a alusão de Miguel de Novais. Sobre essa figura política ver em [214]. (SE)

14 ∾ Diário matutino editado em Lisboa, fundado pelo jornalista Sebastião Magalhães Lima em 1880, e que existiu até 1978. (SE)

15 ∾ Rui Barbosa (1849-1923) era o novo ministro da Fazenda do governo provisório republicano. (SE)

16 ∾ José Pereira Ferreira Felício, o 2.º conde de São Mamede cujo apelido era Juca. O conde Juca foi também secretário particular do rei D. Carlos I (1863-1908). (SE)

17 ∾ Provavelmente uma variante não dicionarizada para *sinapismo*. (SE)

18 ∾ Filhos, noras e genros de Joana Novais. Sobre o assunto, ver em [157] e [269]. (SE)

19 ∾ Mais uma vez o retraído Machado de Assis fez do cunhado o confidente de suas inquietações literárias, revelando-lhe o que vinha produzindo. Um dos livros certamente é *Quincas Borba*, que virá a lume em 1891; o outro talvez seja *Várias Histórias*, cujos contos foram recolhidos da *Gazeta de Notícias* entre 1884 e 1891, mas publicado somente em 1896. (SE)

[279]

Para: MAGALHÃES DE AZEREDO
Fonte: AZEREDO, Carlos Magalhães de. *Memórias*. Rio de Janeiro: Academia Brasileira de Letras, 2003. Coleção Afrânio Peixoto.

[Rio de Janeiro, sem data.]

[...] Achei-lhe em tão verdes anos algumas qualidades que só o tempo costuma trazer ou desenvolver. Vê-se que à espontaneidade corresponde o estudo. Daí resulta que, como este antes se aplicou aos modelos clássicos, e talvez principalmente ao do século XVIII, há em muitos versos um ressaibo menos moderno. A alma ingênua do poeta aparece nos versos, qualquer que seja o motivo, ou descantando pequenas flores e mínimos cuidados, ou entestando com assuntos graves e altos. Há tristezas e melancolias frequentes, e até desespero da vida. Acredito aqui na sinceridade da expressão, a despeito dos seus dezessete anos, mas quer-me parecer que ela lhe terá sido sugerida pela leitura assídua das Escrituras, que as tem admiráveis quando nos descrevem o valor ínfimo de todas as coisas [...]. Seguramente que nem sempre as boas qualidades dominam; mas um dos ofícios do tempo é polir os talentos que se aplicam, como me parece que o seu se há de aplicar. [...][1].

[Machado de Assis]

---

1 ᔐ A reprodução desse trecho foi feita por Magalhães de Azeredo em suas *Memórias*, sem indicação da data, apenas aludindo à publicação malograda das *Inspirações da Infância* apesar de uma carta animadora e indulgente que recebera de Machado de Assis, e então reproduz o trecho acima. (SE)

Caderno suplementar

[53 A]

De: CONDE DE LA HURE
Fonte: Fundação Biblioteca Nacional. *Diário do Rio de Janeiro*, 1866. Setor de Periódicos. Microfilme do original impresso.

Rio, 19 de outubro de 1866.[1]

Meu caro *Senhor* Machado de Assis[2].

Prepara-se uma grande festa, a festa das vitórias pacíficas, a festa que mais do que as outras merece um *Te Deum* e as bênçãos solenes da igreja.

Vai abrir-se a Exposição Nacional[3]. Todos os trabalhadores, todos os produtores, os filhos do país e os filhos de outras nações que vivem no solo brasileiro, enriquecendo-o por sua indústria, entram todos naquela pacífica arena, cheios de uma nobre emulação para a conquista das recompensas que devem consagrar o seu talento, a sua aptidão, o seu trabalho, a sua perseverança e às vezes o seu gênio.

As exposições públicas, nacionais, dos produtos das artes e da indústria, datam do fim do século passado. Sully, ministro de Henrique IV rei da França, teve anteriormente a ideia das exposições; Colbert, Turgot também pensaram nisto, mas as grandes feiras de então supriam em parte as exposições, e além disso davam aos fabricantes e aos compradores a vantagem de comparar os produtos franceses, com os produtos similares estrangeiros. Com efeito havia feira tal, como a de Beaucaire, que atraía os comerciantes e as mercadorias das regiões remotas, da Armênia, da Pérsia, do Tibet[e]. No reinado de Luís XVI, a ideia de uma exposição nacional foi estudada com solicitude e alguns membros dos Estados-Gerais reclamaram a sua organização. Os infortúnios dos tempos fizeram adiar esses projetos.

Francisco de Neufchâteau, ministro do interior, voltou a eles alguns anos depois, e data de 1798 a primeira de todas as exposições nacionais. Desde esse momento, continuaram, ao princípio todos os anos, depois de quatro em quatro anos, e ao mesmo tempo que atestaram os progressos da indústria francesa, foram um dos mais possantes meios de emulação entre os fabricantes. Também contribuíram de certo para apagar as distinções de província e fortificar a unidade, a homogeneidade, que fazem a força e a glória da França. As outras nações, a Áustria, a Prússia, a Espanha, etc., acompanharam a nação francesa na via das exposições nacionais; a Inglaterra foi uma das últimas a adotar.

Foi pelo comércio que as nações se conheceram, que se estabeleceram as relações de povo a povo, que a paz se tornou o bem supremo e a guerra o flagelo mais pernicioso e menos desculpável, pois que é o resultado de uma ou de muitas vontades humanas; é pelas exposições nacionais que os homens de todos os pontos do Império aprendem a estimar-se, procuram caminhar juntos na estrada do progresso que é a do bem-estar geral; e assim também as exposições universais abatem a pouco e pouco as barreiras entre as nações, ensinam aos povos a se conhecerem e apreciarem uns aos outros, cada qual na sua força, no seu trabalho, na sua verdadeira glória, e melhor do que os melhores tratados diplomáticos, contribuem para apagar as rivalidades e as guerras, pela demonstração material, palpável, das vantagens da paz, da união, da universal fraternidade dos povos.

As exposições dos produtos do trabalho, uma das mais belas conquistas da ciência economista, foram objetos de muitos louvores e têm a rara vantagem de estar ao abrigo da crítica. Nacionais, têm de bom o serem um belo inventário, útil e curioso, da força produtiva de um país. Respondem a uma necessidade social, e serão uma das maiores e certamente uma das mais puras glórias de um país.

Não há, ou pelo menos não deve haver entre os expositores, mais que uma emulação, a de produzir muito e bem, em condições regulares, a fim de obter, em seu quinhão e recompensa, um bem-estar proporcional ao trabalho de cada um.

A exposição não é uma arena de combate, não é também um simples torneio, mais ou menos brilhante, é melhor e mais elevado que isso; tende a fazer passar para o domínio dos fatos uma das maiores leis harmônicas da sociedade humana: a da solidariedade completa de todas as sociedades humanas.

Assim como Cartago se gabava de ser filha da velha Tiro, assim também os brasileiros glorificam-se de ser filhos da velha Europa, e todos têm a nobre ambição de implantar, na sua terra origem, a civilização de sua mãe, os progressos da idade moderna.

Pela segunda vez vão eles comparar os frutos do seu trabalho, registrar os progressos realizados há cinco anos e preparar-se para figurar dignamente na grande revista das obras humanas, das obras da paz, que a França, a nação belicosa [,] convida todos os povos a irem passar no seu Campo de Marte transformado, – magnífico sintoma do tempo! – naquele Campo de Marte, teatro de tantas revistas militares, e que por tanto tempo só repetia o ruído das armas.

Vão concorrer todos os produtos; todas as indústrias, com a nobre e velha agricultura à frente, todas as artes, vão exibir os seus tesouros e maravilhas.

O Brasil vai contemplar-se nas suas obras.

Os produtos imateriais terão também, em certa proporção, a sua exposição, o seu concurso; a ciência aplicada à agricultura terá as suas recompensas. É esse um dos grandes pensamentos do regulamento de 11 de Outubro último.

A agricultura, a indústria em geral e o comércio que depende dela, eis o alvo a que se deve dirigir hoje a mocidade brasileira. Não vos envergonheis, mancebos, por serdes agricultores, operários, industriais, manufatureiros, comerciantes; porquanto nisso é que está a glória do vosso país, a força e a grandeza da vossa pátria e a vossa própria fortuna.

Olhai em torno de vós, muito fabricante rico que começou seu capital e conquistou a fortuna pelo trabalho, pela observação, pela experiência, pela atividade, pela ordem, pela economia. Esse, seja embora sapateiro, padeiro ou carpinteiro, se é homem honesto, não é mais digno de honra que o homem inútil que descansa de nada ter feito e põe toda a ambição e glória em fazer-se chamar doutor, mesmo quando é apenas bacharel?

Acreditai-me, mancebos, deveis abandonar a divisa: *paciência*, e tomar a divisa francesa: *en avant*, ou a do ianque: *Go ahead*. Não deveis continuar a dizer: "Os nossos pais faziam assim, por que fazemos diversamente?" Dizei antes: "Façamos mais, façamos melhor que ontem; acrescentemos o nosso trabalho, a nossa experiência, à experiência e ao trabalho das gerações passadas; honremos os nossos pais e nós próprios aos olhos das gerações futuras."

Comparai em todos os países a sorte dos rapazes sem fortuna que se fazem operários ou caixeiros e a sorte dos que também não têm fortuna, e cujos pais fizeram sacrifícios para metê-los em uma faculdade, e vede que geralmente vexam-se deles, e, exceto um pequeno número que, pelo gênio, sai da turba, qual é a sorte desses mancebos? A busca dos lugares públicos, a humilhação do caráter, ou, se são advogados, ficarem obrigados, para viver, a defender todas as causas, ainda que lhes repugnem, ainda as piores.

Que fazem os operários, filhos de operários? Se são honestos, perseverantes, acham trabalho, pagam-lhes melhor a mão de obra, à proporção que se lhes aumenta a habilidade. Se se conservam nas colinas, tornam-se chefes, contramestres, e muitas vezes sócios. Se são bastante fortes e enérgicos para serem independentes, começam por obter ferramenta, e com as suas economias, caminham para um sucesso que depende deles próprios.

Se são lavradores, melhoram as suas terras, aperfeiçoam os métodos de cultura, e os instrumentos aratórios, e fazem-se, com auxílio da agricultura, mãe de todas as indústrias, um caminho seguro para o bem-estar, a independência e a honra.

Faz-me isto lembrar que um simples trabalhador de verdade, de nome Grangé, foi em 1836, creio eu, condecorado com a Legião de Honra, em Paris, pela mão do rei, por ter aperfeiçoado uma chácara.

Ide ver a exposição, comparai, refleti e reconhecei que é ali que está a fonte da riqueza pública, da grandeza nacional e do bem-estar individual.

Cumpri a minha promessa, meu caro *Senhor* Machado de Assis, e se puder, escrever-lhe-ei as minhas impressões, depois da minha ou das minhas futuras visitas à Exposição Nacional. Procurarei não aborrecer os leitores do *Diário do Rio*, que terão sempre, em todo caso, a facilidade de não me lerem.

Dito isto, meu caro senhor, faço-lhe os protestos dos meus sentimentos de estima.

CONDE DE LA HURE.

Post Scriptum — Tenho à vista o Regulamento para a Exposição Nacional de 1866, e vejo na página 36 um ponto duvidoso para mim. Os expositores que estiverem na corte terão direito a um *passe* para o dia da abertura? Se não têm, não é conveniente que estejam, e até que sejam obrigados a estarem perto dos seus objetos expostos prontos para darem todas as explicações que possam ser pedidas?

Acrescente isso à minha carta, porque eu estou persuadido de que, se é preciso pagar 2$, muitos expositores deixarão de lá ir.

Se uma grande massa de pessoas contenta-se com ver e admirar os trabalhos e produtos expostos, há, todavia, uma parte dos visitantes que não dispensam as explicações dadas pelos próprios expositores.

Achamos isto tão convincente e tão fácil que estamos certos de que a ilustre comissão diretora aceitará imediatamente a ideia[5].

---

1 ∞ Data de publicação da primeira de dez cartas que V. L. Baril, conde de la Hure, dirigiu a Machado de Assis, um dos principais redatores do *Diário do Rio de Janeiro*. As cartas subsequentes figuram em [53 B], [53 C], [54 A], [55 A], [55 B], [56 A], [57 A], [59 A], [59 B] e [62 A]. Muitas contêm notas de rodapé introduzidas pelo conde de la Hure, e são identificadas pelas iniciais CDLH. Essas notas foram transpostas para o final de cada carta, juntamente com as notas da própria equipe, identificadas pelas iniciais IM ou SPR. Aproveito a oportunidade para agradecer à professora Andréa

Portolomeos, Doutora pela UFF, que "decifrou" as dez cartas, apesar das precárias condições de legibilidade, e digitou-as em brevíssimo tempo, com excepcional competência. (SPR)

2 ~ No final de 1866, Machado de Assis ficou praticamente sozinho à frente do jornal: o diretor Saldanha Marinho assumira a presidência da província de Minas Gerais, levando o redator Henrique César Muzzio* como auxiliar (ver [56], [60], [61] e [62], tomo I), e a outra figura de peso na folha, Quintino Bocaiúva*, viajara aos Estados Unidos com o intuito de promover a imigração de norte-americanos (ver em [59], [63] e [68], tomo I). Nessa desconfortável posição de "Servidor de três amos" (Magalhães Jr., 2008), assoberbado – e também interessado em divulgar a Exposição Nacional (ver nota 3) –, Machado abriu grandes espaços na folha para seu providencial auxiliar na cobertura do evento. A carta I, precedida por um relato da cerimônia de inauguração, informa:

> "O senhor Conde de la Hure dirige a um dos redatores desta folha a seguinte carta, que é a primeira de uma série que pretende escrever para o *Diário do Rio*, acerca da Exposição Nacional. O *Diário do Rio* agradece desde já o concurso que lhe presta o Sr. Conde de la Hure."

Observa-se, já nesta carta, que a colaboração do conde foi previamente acertada: "Cumpri a minha promessa, meu caro Sr. Machado de Assis, e se puder, escrever-lhe-ei as minhas impressões [...]." A evidência do conhecimento mútuo aparece em [62 A]. (IM)

3 ~ A Exposição Nacional, apresentada no prédio onde se instalaria a Casa da Moeda (1868) e que hoje abriga o Arquivo Nacional, tinha sido precedida por exposições provinciais, e destinava-se a preparar a participação do Brasil na grande Exposição Universal de Paris, a realizar-se em 1867. O governo imperial atribuía grande importância a essa exposição, realizada quando o país estava em guerra com o Paraguai, a fim de demonstrar o caráter não belicoso do Império, inteiramente voltado para o desenvolvimento pacífico da ciência, da técnica e da indústria. A Exposição Nacional foi aberta com a presença do Imperador, no mesmo dia em que saía publicada esta carta. (SPR)

4 ~ Machado acrescenta, no final da transcrição:

> "Estamos de acordo com as observações que o Sr. Conde de la Hure faz no *post scriptum* da sua carta. Seria conveniente que ao menos uma vez por semana os expositores estivessem presentes para dar aos visitantes as explicações que estes desejassem, e nesse dia para maior comodidade, podia-se elevar o preço da entrada." (IM)

[53 B]

De: CONDE DE LA HURE

Fonte: Fundação Biblioteca Nacional. *Diário do Rio de Janeiro*, 1866. Setor de Periódicos. Microfilme do original impresso.

II

Rio de Janeiro, 23 de outubro de 1866.

Meu caro *Senhor* Machado de Assis.

Está aberta a Exposição Nacional e é diariamente visitada.

Ab jove principium[1]. Os acontecimentos da inauguração foram o discurso de *Sua Excelência* o *Senhor* presidente da comissão e a nobre resposta de Sua Majestade Imperial.

O discurso de *Sua Excelência* o *Senhor* José Ildefonso de Sousa Ramos é uma exposição modesta dos trabalhos da comissão que ele preside e um resumo claro e fiel dos resultados obtidos. Os belos sentimentos que exprime e os fatos que assinala fazem a maior honra ao caráter e ao talento do orador. Todos os brasileiros louvam-no e agradecem-lhe a justiça que ele faz aos seus esforços, a animação que lhes dá, e a rara dedicação com que ele e todos os membros da comissão, desempenham a árdua tarefa que lhes foi cometida. Os filhos da França ser-lhe-ão reconhecidos pelo que *Sua Excelência* diz da sua nobre e cara pátria.

Quanto a mim, aprecio altamente a maneira com que [o] orador fez ressaltar os benefícios da liberdade do trabalho, que já está livre das peias e dos males do passado, e com que mostrou que a ciência, a agricultura, a indústria e o comércio são os árbitros da paz perpétua. Unamo-nos em uma só voz, e, em nome dos mais caros interesses brasileiros, felicitemos todos os homens sábios e zelosos pelos serviços reais que prestam ao país.

Se o velho Horácio voltasse ao mundo para visitar uma exposição moderna, é aí que poderia exclamar: *Audax Japeti Genus!*[2] Mas, para nós, que estamos acostumados às surpresas das descobertas, às maravilhas da indústria, às conquistas da agricultura, a tarefa é diferente. Não é bastante um ponto de exclamação ou uma frase bonita. Precisamos [,] por nós próprios e pelos que nos acompanham, examinar os resultados do caminho percorrido, ver se nada esquecemos, se nada deixamos atrás de nós, e se tudo quanto traçamos, melhoramos ou criamos, está em boas condições para continuar a nossa viagem na estrada do progresso.

Pela minha parte, fiz quatro visitas à Exposição, mas isso não basta, e eu creio que dez vezes outro tanto mal bastariam para apreciar tudo.

Deixo desde já verificado que muitas indústrias que existem, mesmo nesta capital, nada expuseram. Não estão representadas a tinturaria, a marcenaria, a funilaria e outras. Receariam esses fabricantes que os seus produtos fossem considerados como demasiado vulgares? Mas são esses produtos que se preferem numa Exposição. O útil, bom e barato, eis o que deve dominar. A Exposição não é um museu de objetos de luxo ou de curiosidade, e nem por isso a maior parte dos expositores deixa de crer o contrário. Estou longe de atacar o luxo, que é uma das formas da riqueza pública e um dos elementos da grandeza de um povo; mas não é aí que reside a força da indústria; a força está no consumo ou no uso habitual dos objetos fáceis de produzir, das coisas necessárias, cômodas e baratas.

Em suma, a Exposição pode dar uma ideia do caráter das diversas indústrias, quer nacionais, quer estrangeiras e do seu estado de adiantamento; mas para muitos e para mim particularmente, fornece ela mui poucos esclarecimentos sobre fatos que deveríamos conhecer. Nada se sabe, nem quanto ao custo, nem quanto à taxa dos salários, nem quanto ao juro dos capitais empregados, nem quanto ao número de operários de cada oficina, máquina, ou fábrica, nem quanto à força ou número dos instrumentos e ferramentas empregadas pelo fabricante, nem quanto às relações entre o desenvolvimento dos diversos ramos do trabalho dos expositores e o bem-estar geral da população. Também não se sabe o nome do verdadeiro produtor, isto é, do operário que executou o trabalho.

Não veja nestes reparos nenhum desejo de denegrir a Exposição e os expositores. Quero ser franco e livre na expressão do meu modo de ver, porque não tenho outro interesse senão o de ser útil, mas não quero, meu caro senhor, que se possa supor que sou pouco indulgente com uma nação onde a indústria começa, nem que se possa crer que eu desconheço o talento da comissão, o seu zelo infatigável e seu trabalho incessante, que produziram mais e melhor do que se poderia esperar, no meio de dificuldades que eu aprecio tanto mais exatamente quanto que sei, por experiência, como elas nascem facilmente e a cada instante na execução de um trabalho em que toma parte um grande número de pessoas.

Quando digo que quisera ver figurar o nome do operário no produto, é também sem diminuir a parte do patrão, que concebeu a ideia, velou e dirigiu a execução, porque é sabido que eu sempre coloco a ideia em primeiro lugar. Sei também que no seu país, em virtude da situação especial de uma classe de homens operários, é difícil, talvez impossível, fazer o que se fará mais tarde, como em França, onde os operários, e os próprios criados recebem recompensas oficiais por seu zelo, aptidão, boa e frutífera execução do seu trabalho. Não obstante eu quisera fazer justiça a todos: à dignidade intelectual do homem que concebe e manda, e à mão inteligente que trabalha a matéria, amassa, lima, põe em fermentação, redu-la à obediência, abranda-a e vivifica-a.

O que eu vi principalmente na Exposição são os produtos excepcionais, criados fora da lei da economia que rege o trabalho útil. Para-se diante da maior parte das vitrinas e admira-se não um produto que corresponda às exigências do consumo, mas um produto trabalhado ou um fabricado anúncio.

Ao lado disso, sou o primeiro a reconhecê-lo, há produtos úteis, belos, bons e baratos; há expositores modestos que terão o primeiro lugar nos meus estudos futuros, porque eu examinarei particularmente os seus produtos.

Para esse exame e a notícia que vou dar no estimável *Diário do Rio*, preciso do concurso deles e reclamo-o. Não sou enciclopédico, e posto que conheça a mor parte dos processos de fabrico e dos produtos, há sempre coisas que só o produtor pode explicar e fazer compreender exatamente. Se aliviarem meu trabalho com suas obsequiosas informações, agradecer-lhes-ei dizendo nestas cartas a minha exata maneira de ver, a minha imparcial apreciação. Sozinho posso enganar-me, mas eles falarão e eu ouvirei; mostrarão e eu examinarei. *Audi alteram partem*[3]. Desculpe o latim; não me suponha da escola de Julio Janin[4].

A exposição, em seu conjunto, presta um serviço particular ao Brasil, mostrando-lhe as suas próprias riquezas que ele geralmente não conhece, e ainda que não tirasse outra vantagem além da indicação, classificação e ordenação dos produtos e dos fatos, bastaria isso para dar-lhe uma incontestável razão de ser. O programa organizado pela comissão é por si só a base de uma enciclopédia brasileira, que se viesse a executar-se, poderia dar uma ideia exata deste belo e vasto Império e seria o mais precioso monumento para a indústria atual da nação.

Disse-lhe há dias, meu caro senhor, que o art. 31 do Regulamento da Exposição não conferia ao júri a apreciação dos produtos de belas-artes, e que eu não me sentia capaz de constituir-me juiz por mim só em tão delicada matéria; assim que, a esse respeito, abster-me-ei quanto possa, e se, por acaso, vier a falar de alguma obra de arte, isso não prejulgará nada para a obra em si mesma, nem para os artistas que eu omitir.

Depois de subir a pequena escada, que fica perto da sala dos minerais, acho-me diante dos produtos dos *Senhores* Bouchaud e Aubertie, fundidores de tipos. Nunca vejo um ou mais objetos relativos à tipografia sem pensar na obscuridade que reina ainda acerca da origem desta sublime invenção. Bem sei que, se se acreditar em um fragmento de um livro chinês, citado pelo padre Duhalde, já na China se conhecia a tipografia 1120 anos antes de Jesus Cristo, e que é certo ser ela vulgar nesse país 5 ou 6 séculos antes da nossa era. Quanto à Europa, apenas vejo, antes da imortal descoberta de Gutenberg, um pedaço de Cícero[5], um de Quintiliano[6] e outro de São Jerônimo[7], que falam de letras móveis que serviam para marcar, escrever ou imprimir. O caso é que desde esse tempo e ainda depois da xilografia, para cartas de jogar (1329) ou para imagens (1423), demos passos de gigante, e que hoje a arte tipográfica e a de gravura e fundição de tipos atingiram a uma perfeição difícil de suplantar.

A exposição dos *Senhores* Bouchaud e Aubertie é bonita, porém muda; não nos dá nem o preço, nem os processos de fabrico; não sabemos se esses senhores fazem gravar os seus *contre-poinçons* (o molde que abre a matriz) de aço, se fazem eles próprios as matrizes, ou se estas lhe chegam feitas, já justificadas pelo prumo e linha de adaptação do molde. Que processo de fundição seguem eles? empregam o polimátipo de Henri Didot?

Não sabendo nada disso, tive de limitar-me a ver os produtos e as matrizes de vinhetas expostas. Os tipos são bons, as matrizes bem gravadas, e, se são feitas aqui, felicito os artistas. Entretanto não deixo de perguntar por que razão a medalha da Exposição Universal de 1855 é tão bem feita, tão limpa, com o perfil de Napoleão III, tão semelhante, e uma medalha com águia é igualmente tão perfeita e expressiva, ao passo que a medalha da Exposição do Brasil de 1861, cuja imagem está em todos os espécimes dos *Senhores* Bouchaud e Aubertie, deixa tanto a desejar como gravura de letras e como semelhança do *Senhor* D. Pedro II? Não foi escolhido o mesmo artista ou um artista do mesmo talento para fazer as duas medalhas?

Os *clichés* de metal são notavelmente bem feitos e fazem lembrar os que vêm nos espécimes dos mais hábeis fundidores de Paris. As gravuras de madeira são de bela execução. Entre os espécimes impressos, a *filosofia* corpo 10, n.º 1, e o *cícero* corpo 11, n.º 4, são puros e bem feitos; os tipos de fantasia, de cartazes, etc., são lindíssimos; a letra *inglesa*, sobretudo o corpo 20, deixa alguma coisa a desejar; a *gótica* é boa, e eu notei particularmente a do corpo 18. As vinhetas para formar os quadros e os cantos, embora sejam geralmente boas, são menos felizes, e há algumas que pecam pela *justificação (approches)*.

Apesar desses pequenos defeitos, que eu talvez exagero, os produtos dos *Senhores* Bouchaud e Aubertie são bons e bonitos, e a matéria que eles empregam parece de boa qualidade. Sinto que não indicassem os seus preços, o que sempre se faz. Em suma a indústria desses senhores é das mais dignas de atrair a atenção.

O Senhor Lourenço Winter é um tipógrafo de luxo, e os brilhantes produtos que expôs em dois quadros e num lindo volume em 4.° merecer-lhe-ão por certo a aprovação de todos os conhecedores. Execução limpa e boa, perfeita mesmo, um certo número de objetos expostos. O Senhor Winter é um homem de talento e muito gosto, que deve ser ajudado por hábeis operários. Mas quanto pede pelas suas obras?

O Senhor Leopoldo Heck é um notável litógrafo; diante de sua exposição, fica-se sem saber a que atender mais. Há, entre outras lindas coisas, um diploma do instituto politécnico, uma águia num rótulo *Vieux Cognac*, e muitas lindas litografias que fixaram a minha especial atenção. A cromolitografia, que serve de título ao seu quadro, é obra de mestre.

Por hoje, meu caro senhor, termino a minha carta já longa, não sem recomendar-lhe um objeto curioso, mas inútil, um *trompe-l'oeil* de papéis, cartas, litografias, etc., executado à mão pelo Senhor Francisco Libório Fernandes, de Belém (Pará).

Sábado mandar-lhe-ei outra carta.

Renovo-lhe os protestos dos meus sentimentos de estima.

CONDE DE LA HURE.

[Carta publicada em 26/10/1866.]

---

1 ～ Virgílio, Écloga III, v. 60: "Comecemos por Júpiter". (SPR)

2 ～ "Os filhos audaciosos de Japhet." (Horácio, livro I, ode III). Os filhos de Japhet eram Prometeu, Titã e Saturno. (SPR).

3 ～ "Ouve a outra parte". (SPR)

4 ～ Escritor e crítico francês (1804-1874). (SPR)

5 ～ *De natura*, C II, cap, XXXVII. (CDLH)

6 ～ *De Instit. Orat.*, C I, 25. (CDLH)

7 ～ *Epistola a Loetha*, I, VII. (CDLH)

[53 C]

De: CONDE DE LA HURE
Fonte: Fundação Biblioteca Nacional. *Diário do Rio de Janeiro,* 1866. Setor de Periódicos. Microfilme do original impresso.

III

Rio de Janeiro, 27 de outubro de 1866.

Meu caro *Senho*r Machado de Assis.

Falei-lhe, na outra carta, do *Senho*r Leopoldo Heck e dos seus lindos trabalhos litográficos; tratarei hoje de um talento particular desse artista: o desenho a pena. Reproduziu ele a pena uma gravura de Tony Johannot, e fez três retratos, dos quais um de *Sua Majestade* o Imperador D. Pedro II. São mui notáveis essas obras. O desenho a pena é dos mais difíceis; para chegar a desenhar com tanta pureza como o *Senho*r Heck, é preciso muito exercício e audácia. O retrato do Imperador está feito com extremo cuidado, *ad unguem*[1]; vê-se que o artista não se dispôs a reproduzir os traços característicos com escrupulosa fidelidade: pensou e pensou bem, que uma cabeça é mais semelhante de caráter geral do conjunto que pela minuciosa imitação de todas as feições. Adivinha[m]-se o pensamento e a vida naquele pequeno retrato do augusto modelo, e o olhar possui o fogo de gênio que medita e da força que impõe, a *mens divinior*[2].

Não é possível deixar de ver na mesma sala duas grandes paisagens do *Senho*r Venet, bem trabalhadas, apesar da maneira larga e segura do artista. Uma delas mostra-nos o hospício de Pedro II, visto da colina de Copacabana; a baía de Botafogo destaca-se bem na frente do edifício, que se desenha graciosamente no meio da paisagem das cercanias. A outra tem por assunto uma parada de tropeiros; os grupos são naturais e bem dispostos; o todo é desenhado e pintado com rara felicidade. Para ser perfeito, precisaria esse quadro uma leve e fácil modificação na perspectiva do segundo plano. O *Senho*r Venet julgará melhor do que eu.

É um artista cujo mérito está tão acima da crítica, que eu nem tenho intenção de fazer-lhe nenhuma. Ainda que o quisesse Apeles me vedaria: — *Ne sutor ultra crepidam*[3].

Parei igualmente diante das lindas miniaturas dos Senhores Antônio José da Rocha e Guimarães. Como deixar de vê-los? Fazem-me lembrar as belas obras dos Aubry, dos Mansion, dos Millet, dos de Meligran, e outros. Os esboços estão superiormente apagados; a execução do artista dissimulou perfeitamente a passagem do pincel. Estou longe de comparar o talento desses dois senhores entre si, ainda que fosse capaz de fazê-lo. Souberam, com a maior habilidade, vencer a capacidade do *faire pointillé*, (trabalho a pontos) dissimulando o quanto isso custa, e conseguiram uma bela transparência, um notável aveludado nas mais finas carnações. O *faire hachures* (trabalho a traços) foi hábil e artisticamente empregado. Nem um nem outro perdeu de vista a recomendação de Piles no seu *Tratado de pintura*: o apropriado das cores e a arte de bem aproveitá-las. A *Leda com o cisne* e a *Virgem descobrindo o rosto do Cristo morto* são duas belas obras.

Reparo agora que me aventurei a falar das belas-artes, a respeito das quais prometi não dizer coisa alguma. Mas, descansem, não é como juiz, é apenas como amador.

Deve-se pôr a fotografia entre as belas-artes? A questão tem sido e está sendo debatida... *Adhuc sub judice lis est*[4]. Não serei eu quem a resolva. Não posso deixar a sala dos produtores dessa arte sem mencionar os retratos de tamanho notável, a fumo ou coloridos, e outros muitos dos Senhores Guimarães & C., Stahl Wanschaffe, Gaspar & Guimarães e Pacheco. Os retratos de Suas Majestades o Imperador e a Imperatriz, do Senhor Stahl de Wanschaffe [,] são de boa e bela execução. O Senhor Leuzinger expôs panoramas, paisagens, reproduções de gravuras ou de litografias, em que a fotografia trabalha com perfeita fidelidade, igualando o que se faz de melhor atualmente. Diante da fotografia do Senhor Leuzinger, indico-lhe como perfeição tipográfica a página dos preços correntes desse expositor, impressa na mesma casa dele, com tinta de diversas cores, tudo de um lindo gosto e de um belo efeito.

O Senhor Guimarães, como artista que é, quis que a tabuleta da sua exposição de fotografias não fosse uma obra vulgar, e pediu a outro artista, que a fizesse (o Senhor A. James). O escudo do Brasil e a coroa que lhe está sobreposta são do melhor efeito e execução; as folhagens que servem de moldura à tabuleta toda são lindíssimas, graciosas e de gosto. Recomendo-lhe isso; mas veja de dia, porque de noite, não se pode ver bem, apesar do gás. Atrás da tabuleta do Senhor Guimarães há outra tabuleta assinada pelo mesmo nome; esta é simples e sem pretensão; todavia atrai os olhos pela leveza, pela segurança, e se ousasse dizê-lo, pela rapidez de mão que parece estar-se vendo. Faz-se e far-se-á cada vez mais no Rio de Janeiro um grande uso da pintura de ornamento, e faz gosto ver tão belos espécimes desta arte útil na Exposição Nacional.

O Senhor Bolgiano é um escultor de mármore, recomendando-se por um bem-acabado trabalho, que é um escudo brasileiro em alto relevo com a coroa imperial por cima, tudo de mármore branco de Carrara, emoldurado de mármore preto. Lembra-me ter visto, há tempos, o Senhor Bolgiano trabalhando nesta obra; pressagiei logo o que seria e o que é: bem executada, notavelmente simples e bela, acabada com perfeição até nas mais simples minúcias. O mesmo expositor apresenta-nos um pedestalzinho ou soco de mármore branco do Brasil, a cujo mérito de execução liga-se o de ser feito com um produto nacional natural.

Devo voltar ao Senhor Leuzinger, que tem muitas especialidades e ocupa em cada uma delas lugar distinto. Expôs ele alguns registros como impressor, pautador e encadernador. A parte tipográfica é excelente, feita com bons tipos novos, filetes inteiros e colchetes de bela proporção. O pautado é igual ao que se produz de melhor; vê-se que a *menée* e a *retourne* foram feitas com cuidado; o ponteado é exato e os instrumentos foram regularmente molhados. Talvez que o Senhor Leuzinger use de processos mecânicos que tornam mais fáceis a regularidade e a justeza da pauta. Quanto à encadernação dos registros o Senhor Leuzinger tem poucos rivais. É sólida, rica e simples ao mesmo tempo. Há um registro coberto de pergaminho que atrai as vistas de todos os visitantes.

Pois que falo de encadernadores não posso deixar de citar o *Senhor* João Leon Chauvet, que expôs dois registros solidamente encadernados com gosto, mas que não se pode ver através da vidraça; nem o *Senhor* Lombaerts, para quem abro um parágrafo especial.

O *Senhor* Lombaerts é conhecido no Rio de Janeiro e o que eu pudesse dizer nada acrescentaria à sua reputação. O objeto capital de sua exposição é a Constituição Belga. Os ornamentos da encadernação dão testemunho do talento do gravador dos ferros e da habilidade daquele que os empregou. A face superior da capa mostra-nos um conjunto de figuras alegóricas bem-acabadas: o leão belga; a Constituição irradiante, alumiando o espaço em roda de si, até as bandeiras de preto, amarelo e vermelho, colocadas em cada lado; a indústria, caracterizada por um caminho de ferro; a carta da Holanda rasgada; à esquerda, os símbolos das artes, entre os quais nota-se a arma da *Brabançonne*; à direita, um fuste de coluna emblemática da divisão dos Países Baixos; etc. etc. A face inferior apresenta o perfil do rei e da rainha; mas como gravura não é excelente.

Ao pé desse trabalho excepcional estão as encadernações comuns, simples ou ornadas, mais ou menos ricas. Observa-se principalmente *L'Enfer du Dante*, *L'Evangile d'une grand'mère*, *Christophe Colomb* e *Le Ciel*, cuja encadernação azul, estrelada de prata e com filetes pretos, está de acordo com o título da obra. Há também meias encadernações, trabalhos mais modestos, mas que nem por isso menos estimáveis, e que mais estimaríamos se soubéssemos os preços; *ad valorem*, como se diz na alfândega.

Reina a moda em matéria de encadernação como em muitas outras coisas humanas. O *Senhor* Lombaerts sabe amoldar-se a todos os gostos, a todas as exigências. Na encadernação da Constituição belga, soube evitar o peso, que era o escolho dessa acumulação de ornamentos. As capas de todos os seus livros são bem encurvadas (*cambrées*) e bem alombadas; as cabeceiras do livro são lindas e sólidas, o que é essencial. A orla das folhas, dourada, branca, jaspeada ou fingindo mármore, é bem trabalhada e bem polida. Lamento não ter podido abrir os livros, a fim de examiná-los melhor, mas estou certo, de antemão, que as folhas que seguem à capa são bonitas, e que não há margens irregulares, nem pontos de folhas dobradas (*lavrons*).

Falarei ainda de um belo álbum, rija e formosamente encapado, com cantos e fechos de metal branco, exposto pelo *Senh*or Seekler, de São Paulo. Há também meias-encadernações e encadernações de papelão, do Maranhão, que são simples e têm merecimento, se acaso a barateza é que as distingue. Algumas destas são moles e ameaçam durar pouco.

Alguns volumes foram impressos no Maranhão, e estão bons; o papel não é escolhido, nem tampouco os tipos, mas talvez custe barato. Todavia, o impressor deveria ter notado que há páginas demasiado brancas, e outras demasiado pretas, quase maculadas, por defeito de excesso de tinta. Vê-se que não houve muito cuidado no pôr a tinta no rolo e no preparar a máquina.

O *Senh*or Sivindo Ribeiro (do Pará) expõe encadernações de registros, simples e sólidas. A questão de preço decidirá de muito desse trabalho, que não sai do ordinário.

Não quero terminar, meu caro senhor, sem voltar ao que lhe disse na minha carta passada, sem fazer um *da capo*[5], como se diz em música. Achei na Exposição algumas obras de funilaria, algumas de tinturaria, mas pouca coisa; falarei delas em tempo e lugar próprio. Falta completamente a marcenaria simples, ordinária; e poucos objetos há de marcenaria de móveis usuais. É verdade que todos os dias chegam novos objetos das províncias e que a lacuna vai talvez se preencher. Terei eu visto ou procurado mal? mas o caso é que ainda não achei nada de gravura em metal ou em pedras finas para anéis, etc.

Até breve.

Renovo-lhe os protestos dos meus mais especiais sentimentos de estima.

CONDE DE LA HURE.

[Carta publicada em 27/10/1866.]

1 ◈ "Até a unha". Aplica-se a uma descrição ou retrato fiel até os mínimos pormenores. (SPR)

2 ◈ *Cui mens divinior atque os / magna sonaturum, des nominis hujus honorem.* (Horácio, *Sátiras*, Livro I, iv, versos 43 e 44.) "Reserva a honra deste nome (de poeta) a quem possua uma alma divina e a quem for capaz de dizer coisas grandiosas." (SPR)

3 ◈ "Não [julgue] o sapateiro além da sandália". Segundo Plínio, o Velho, resposta que teria sido dada pelo pintor Apeles a um sapateiro que depois de ter criticado a maneira pela qual uma sandália fora representada num quadro, atreveu-se a criticar outros aspectos do quadro. (SPR)

4 ◈ Literalmente: "A questão ainda está sendo apreciada pelo juiz." Decisão pendente, em aberto. (SPR)

5 ◈ Termo italiano que significa, literalmente, "desde a cabeça", isto é, desde o início. É usado em música para indicar na partitura que uma determinada passagem deve ser repetida desde o começo. (SPR)

[54.A]

De: CONDE DE LA HURE
Fonte: Fundação Biblioteca Nacional. *Diário do Rio de Janeiro*, 1866. Setor de Periódicos. Microfilme do original impresso.

[IV]

Rio de Janeiro, 31 de outubro de 1866.

Meu caro *Senho*r Machado de Assis.

Atrai-me a arte, e, cada vez que vou à Exposição, é à sala de cima que faço minha primeira visita, aquela onde está exposta meia dúzia de obras de pintura dignas desse nome e dignas da atenção de todos.

Devo falar-lhe do brilhante quadro do *Senho*r Vítor Meireles de Lima, representando *Lindoia morta* numa praia. Como desenho, é belo; como colorido, é perfeito. Do mesmo pintor há dois retratos muito apreciados: o do visconde de Guaratiba e o do marquês de Abrantes; ambos são cheios de vida e de expressão. O S*enho*r Meireles é o célebre pintor a quem devemos *A primeira missa no Brasil.*

O S*enho*r Le Chevrel faz-se notar por uma pequena cena de S*ão* Bartolomeu, e por uma composição mitológica fantástica, a chegada de Baco aos paços de Netuno. Essas duas obras são notavelmente desenhadas, os personagens estão postos com vigor; entretanto, uma crítica severa acharia no primeiro quadro certas incorreções, que o artista não quis corrigir porque fazem parte do efeito que ele queria produzir; e no segundo, dissera-se que o rosto do deus das águas e do filho de Sêmele não tem aquela majestade que convém aos deuses. Esses defeitos, – se são defeitos –, nem por isso impedem que o S*enho*r Le Chevrel tenha um lugar na primeira linha dos artistas do Brasil.

Não sairei desta sala sem mencionar também a graciosa coleção de moscas e colibris, desenhados entre flores que lutam de magnificência com esses leves habitantes do ar. É lindo, fresco, engraçado, bem desenhado, colorido com felicidade. As avezinhas são cheias de verdade, as flores são ricas de exatidão. Lembram-me estes dois versos de Boucher.

Je ne m'etonne point qu'à l'école de fleurs
Le peinture ait appris de secret des couleurs.[1]

O que dá ainda maior encanto é que está assinado por: Uma brasileira. Horácio encarrega-me de dizer a essa hábil e modesta artista: *Pulchre, bene, recte!*[2]

Não longe daí, repare de passagem num quadro de borboletas que parecem verdadeiras, e que são de papel recortado e colorido. Alguns insetos, pregados aqui e ali por entre as flores, aumentam a ilusão. Não é inútil esse trabalho do S*enho*r Valentin, pode servir para conservar a imagem exata desses leves insetos, muitas vezes demasiado frágeis, ou demasiado difíceis de encontrar, e facilitar o estudo dos lepidópteros àqueles que não querem fazer disso uma especialidade científica.

Depois da minha carta anterior, o *Senhor* Laemmert expôs produtos da sua litografia em volumes encadernados ou meio-encadernados. A impressão não é esmerada, nem perfeita; é um pouco compacta. Todavia, não posso deixar de recomendar-lhe a página do título do álbum espécimes de tipos empregados pelo *Senhor* Laemmert. Essa página, impressa com tintas de cores, é de bom acabado. O papel dos livros é geralmente muito ordinário e sem a alvura necessária. As meias-encadernações são boas e asseadas; as encadernações têm ouro de sobra, pecam pelo gosto. É tudo trabalho de habilidade, e provavelmente barato. A perfeição, o ideal da indústria, é reunir o útil e o agradável. *Omne tulit punctum qui miscuit utile dulci*.[3] Seja isto dito para todos os expositores e produtores.

Numa das salas baixas, *Senhor* Antônio Mendes Ribeiro Júnior expôs encadernações de álbuns, de registros, e meias-encadernações de livros. Há um álbum de capa cor-de-rosa e flor-de-lis, azul e vermelho na orla das folhas; outras encadernações são adornadas de ouro. Tudo é brilhante, mas de falso luxo; é pouco sólido, e deve ser coisa muito barata.

Passo natural e forçadamente sem parar diante de certo museu de coisas importantes e igualmente de uma infinidade de outras coisas que apenas têm uma utilidade relativa, e às vezes duvidosa. Tal é, por exemplo, a exposição do *Senhor* Raimundo Odoni, que nos apresenta para gravar e escrever em vidro e metais uns pedacinhos de quartzo Syalin colorido, engastados em crayons. Convido esse expositor e outros do mesmo gênero a lerem o 86.º epigrama do livro 2.º de Marcial, e meditarem neste verso: *turpe est difficiles habere nugas*[4].

Chego, meu caro senhor, a outra sorte de produtos. Proponho-me a falar dos chapéus e dos sapatos, e depois de outra indústria relativa: o fabrico de formas (ô) de sapato.

Hoje desejo ter maior espaço neste excelente jornal; preciso apressar-me; há tanta coisa que ver na Exposição, e eu apenas começo.

A primeira veste do homem foi o chapéu, e por muito tempo apenas serviu-se dele como ornamento de guerra, a fim de dar-lhe maior altura e parecer mais temível ou mais imponente; ou como arma defensiva, a fim de preservar o crânio dos golpes que lhe atirassem.

A este respeito permita-me um parêntesis, que não tem a menor ideia de ser [uma] crítica. A Exposição não é um museu, está entendido. Se há homens a quem o título de brasileiro seja absolutamente indisputável, por direito de antiguidade, de prioridade são evidentemente os indígenas do Brasil; esse pensamento está vazado em bronze na praça da Constituição. Ora, por que os produtos da indústria dos indígenas brasileiros não são expostos do mesmo modo que os outros produtores? Compreendo que, colecionando-se os produtos da indústria instintiva dos pássaros ou dos insetos, fiquem todos reunidos no mesmo espaço, na mesma prateleira. Mas não compreendo que se use o mesmo com homens. Por que puseram os chapéus, as armas, as roupas, e os utensílios dos indígenas de mistura, em um só ponto? Por que não estão os seus utensílios com os dos outros brasileiros, os seus chapéus com os outros chapéus, as suas armas com as outras armas? Um rótulo distinguiria tudo. Para ser lógicos vamos pôr os nossos chapéus de seda ou de feltro ao lado das nossas balas de artilharia, os nossos utensílios e os nossos estofos entre os modelos de navios, e os nossos ornamentos de roupa ou de ourivesaria no meio das máquinas por vapor.

Dito isto, volto aos chapéus. Os dos antigos não eram feitos como os nossos, porque o *pileum* era apenas um casquete de pele de carneiro; o *petasus* ou *galerus* era um *pileum* com abas largas; o *birrus*, um barrete pontudo, e o famoso *pileum phrygium*, um barrete com ponta recurvada. A Idade Média apenas conheceu os capuzes de estofo.

Os chapéus de feltro, que nasceram em França, começaram a ser usados na Europa, nos começos do 14.º século. No reinado de Carlos VII só eram usados em tempo de chuva. Durante muito tempo foi um grande luxo usar chapéu, porque era vedado aos padres sob pena de suspensão e excomunhão. Os primeiros chapéus de feltro foram pequenos com uma pluma em cima. A pouco e pouco puseram-lhes asas, depois de uma aba circular, enfeitados com uma presilha e um penacho.

Fizeram-se cedo os chapéus cilíndricos; mas a adoção destes, data apenas do fim do século XVIII, e são hoje os mais geralmente usados. A forma e a dimensão das abas, varia[m] de tempos a tempos, mas o ridículo chapéu cilíndrico é sempre o que usa um homem *comme il faut*[5].

Fabrica[m]-se chapéus com toda a espécie de materiais: de feltro, de pelúcia, de seda, de algodão, de palha, de palma, de couro, etc.

O feltro é a matéria principal da maior parte dos chapéus que figuram na Exposição. É um estofo fabricado de fibras de lã ou de pelos de certos animais entrelaçados entre si por meio de uma operação que se chama *foulage*. De todas as suas substâncias a lã é a mais própria para isso; misturada com pelo de coelho dá um estofo mais consistente. O pelo de lontra dá leveza ao feltro, mas torna-o fácil de quebrar-se.

Como todos os pelos empregados para fabricar o feltro não se entrelaçam com facilidade pelo *foulage*, com o auxílio de substâncias particulares, provoca-se um arrepio dos pelos que os torna mais fáceis para obter o resultado desejado. Esta operação, chamada *secretaje*, foi inventada em 1730 por um chapeleiro francês chamado Mateus, que aplicou então uma solução de azotato (*sic*) de mercúrio.

Para ser bom, o chapéu de feltro deve ser mole, não quebrando-se ao contato da mão, com um pelo basto, de cor uniforme.

Os chapéus de seda nasceram na Espanha; são compostos de um esqueleto de feltro grosseiro ou tela, chamada *galette*, coberta depois com uma capa de seda. A capa é um estofo cuja trama é de algodão, e que tem só de um lado pelos de seda mais ou menos largos. Antes de ser encapada, a *galette* deve ser untada de uma substância impermeável.

Os chapéus aparecem pela primeira vez em uma exposição que teve lugar em Paris no ano de 1802; foi porém unicamente na de 1806 que se concedeu a primeira recompensa a esta indústria.

A Exposição Nacional oferece-nos hoje considerável número de amostras da chapelaria brasileira. Os *Senhores* Machado & Dias têm bons chapéus de feltro pretos e pardos, a preços módicos, de 5$500 a 9$.

O *Senhor* José Antônio de Siqueira apresentou bonitos chapéus de seda a 7$, de castor pardo a 12, e de casimira a 6$000.

Os *Senhores* Gonçalves & Braga expuseram feltros de diversas qualidades a partir do preço de 4$ em diante. São de tal sorte flexíveis que é possível dobrá-los e guardá-los na algibeira.

O *Senhor* Antônio Joaquim da Silva Bastos (da Bahia) exibiu produtos mais baratos. Há chapéus de feltro inconsistentes desde 1$400 até 2$400; e chapéus firmes a 5$500.

O *Senhor* Felipe Correia de Mesquita Borges fabricou lindos chapéus bem reforçados e bem debruados; redondos e dobradiços; todos porém sem indicação dos preços.

O *Senhor* Agostinho Machado tem 6 chapéus de feltro, de boa qualidade, simples e bonitos. O preço é 5$, ali marcado; não indica se é o de todos eles indistintamente.

Os *Senhores* Álvaro d'Armado e Guimarães mostram-nos 2 chapéus de seda levíssimos, pois que um pesa 29 e o outro 30 oitavas; também têm-nos pardos, cilíndricos, muito apreciáveis, e um chapéu de camurça amarela –; não encontramos porém declaração de preços.

O *Senhor* José Maria Pereira de Castro exibe chapéus de bela qualidade de seda preta a 9$; castor pardo, 15$, e pano 8$.

Os dos *Senhores* Bernardo & Raythe são de feltro firmes e fortes, e de lontra sem indicação dos preços. Isto mesmo acontece com os elegantes chapéus de seda, castor ou de fantasia pertencentes aos *Senhores* Chastel & C. [.]

Os *Senhores* Costa e Braga & C. tornam-se recomendáveis por seus chapéus de seda, feltro, e por um que é dobradiço e que se pode guardar em estojo apropriado.

O *Senhor* José Fernandes de Campos Arcos se distingue pelos preços de seus chapéus de feltro redondo, a 5$ e 6$.

Os *Senhores* Braga Costa & C. fabricam igualmente chapéus de feltro ordinários.

Os *Senhores* Pereira de Castro & Irmãos foram premiados em 1861. A bela fabricação de seus chapéus de seda, pardos, casimira, os destinados aos eclesiásticos tornam estes expositores dignos de menção.

O *Senhor* João Backes (de Porto Alegre) expõe chapéus de seda ordinários, alguns de feltro, um de junco muito fino, 2 chapéus de palha etc., mas sem os preços.

Não há barretinas; ali apenas vimos um ou 2 quepes. Os fabricantes de bonés militares não se apresentaram.

Os chapéus de palha, junco, folhas, fibras vegetais diversas, piaçava, etc., cosidos, ou trançados acham-se em uma das salas do primeiro pavimento. Aí não se encontra nome de expositor nem os preços. Sei que das províncias vieram muitos objetos desacompanhados das indicações requisitadas pela honrada comissão. Alguns destes chapéus estão colocados em tal altura que não podem ser examinados. Na mesma sala há 2 chapéus encerados para marinheiros.

Os adornos de cabeça, feitos de penas pelos indígenas estão com os demais objetos da indústria destas tribos.

A indústria da chapelaria merece por certo ser animada, os produtos exibidos são geralmente bonitos e bons; não se pode ainda fazer comparação entre os preços porque falta deles ainda a maior parte. Os chapéus de feltro baratos constituem o que se chama na oficina feltros dourados[6]. Todos os que foram expostos estão bem engomados (*apprêtés*)[7] e o ajeitamento da forma (*croisée à la foule*)[8] bem executado.

Passemos à sapataria.

O calçado envelheceu bastante, porém menos que a arte dos penteados. O 1.º calçado foi a alpercata destinada a resguardar a planta do pé. Seria história curiosa a das origens, modificações, e aperfeiçoamento das diversas formas do calçado.

Então ver-se-ia que os Romanos designaram pelo termo, *calceamentum*, *calceus*, tudo o que hoje compreende a palavra calçado; que o termo *calceus* designava também um sapato de couro preto, atado com tiras da mesma matéria; que as botinas se chamavam *ocreo ef* que os camponeses calçavam o *gabartion*; os habitantes das cidades os *abuleoe*. As mulheres nobres usavam as *peribarides*; as outras as sandálias; as meretrizes a *per[...]ica*; e os adolescentes a *laconica*. A palavra *baxea* indicava uma espécie de sandálias; *caliga* o calçado de todos os militares; *crepida et solea*, o dos passeios de cidade; *aluta* uma botina de pelo de cabra que subia aos tornozelos; *soccus* os tamancos.

O calçado de pano tinha o nome *phocasium*, e os *mulleus* cobriam o pé inteiramente. O *cothurnus* servia, no teatro, para tornar mais altos os atores que o traziam por cima da crépida.

Hoje, com o nosso calçado variado, bem-talhado, acomodando bem o pé, um bom sapateiro deve reunir uma grande porção de conhecimentos diversos: deve saber escolher bons instrumentos, apreciar — coisa importante — a qualidade e a forma das sovelas, a boa constrição dos bisegres, conhecer perfeitamente os couros, os estofos, os fios de cânhamo e de seda, os tecidos elásticos, os barbantes; ter gosto na escolha e aplicação dos enfeites como presilhas e laços; possuir grande presteza de mão, e dar à obra as mais minuciosas precauções relativas ao asseio.

E na minha opinião não basta isso, porque eu consideraria como melhor sapateiro que os outros aquele que, a todos os conhecimentos práticos, reunisse o conhecimento da anatomia do pé, aquele que não se contentasse com tomar simplesmente a medida, mas que prestasse atenção ao andar, à idade, à figura do indivíduo. Um sapateiro que saiba a posição dos nervos plantares externa e interna, a direção das artérias e das veias saberia também que o tolhimento das articulações, a compressão das veias ou dos tendões pode dar lugar a graves acidentes; conhecendo bem a estrutura dos dedos, evitar-nos-ia as pungentes dores dos calos, calosidades, tumores.

No seu próprio interesse, o sapateiro deve ser bom apreciador das formas que compra, dos couros mal preparados; utilizar os destroços para fazer novas solas, etc.

Há bons sapateiros no Rio de Janeiro, fabricando tão bem como na Europa, a julgar pelas amostras da exposição.

O *Senhor* José Moreira de Queirós é um dos primeiros; já teve medalha no Brasil e em Londres. Trabalha especialmente em calçado de homem. A sua exposição consiste em botas de montar, bem trabalhadas, demasiado ricas para custarem pouco; em botinas de homem bem-acabadas; sapatos rasos elegantes. Há apenas uma coisa que merece reparo: é demasiado luxuoso para calçado de homem. Não são modelos que se devam seguir, porque o excesso em tudo é um defeito que é sempre útil evitar.

O *Senhor* José Caetano Carneiro expõe também bonitas botas de montar, de 30$ de custo; botas ordinárias de boa qualidade, bom couro, sola fina, a 15$; botinas de cabrito, a 10$. É tudo bem trabalhado.

Os *Senhores* J. Campos & Filho expôs (*sic*) também belíssimo calçado; as botas de montar são simples e sólidas; as botinas de fantasia para homem, os sapatos rasos, são superiormente trabalhados. Lamento a ausência de botinas ordinárias, mas o catálogo desses senhores diz-me que as vendem a 11$, 12$ e 13 o par, de couro fino de bezerro ou cabrito.

O calçado enviado pelos expositores das províncias não são (*sic*) tão cuidados. O de Sergipe não tem graça, nem elegância. Os que trazem o nome dos *Senhores* Purgarilho & C. são muito ordinários como obra, e os preços parecem-me grandes: 10$, 12$ e 15$ botinas para homem.

Há, embaixo, com os objetos de seleiro, um par de grandes botas, cujo mérito consiste no bem-acabado da sola e cujo cano imita escamas. É um trabalho de paciência, um objeto de capricho, que não tem elegância, nem luxo, nem utilidade. É exposto, creio eu, pelo *Senhor* Tarquínio Teotônio de Alves Guimarães.

O calçado fabricado na casa de correção fazem-se (*sic*) notar pela modicidade do preço, modicidade contra a qual não pôde lutar a indústria livre. Veem-se aí botas a 10$, sapatos pretos de pele grossa a 3$. O resto na mesma proporção. Como trabalho, é de boa execução; como matéria, de boa qualidade corrente.

A emulação é o móvel de todos os expositores de calçado; cada qual quer fazer mais e melhor que os outros. O *Senhor* Moriamé, já recompensado com uma medalha de prata na primeira exposição, é certamente aquele que apresentou objetos mais variados, mais completos. Calçado de todo o gênero (exceto botas), de toda a espécie, para senhoras, para meninas, para homens, meninos e até para bonecas; mas estes sapatos têm só o fim de fazer parar diante deles as crianças. Seria longo passar uma revista aos cinquenta pares de calçados expostos pelo *Senhor* Moriamé; não empreenderei este trabalho. Mais do que as belas amostras, fabricadas provavelmente com o intuito da exposição, há, na vitrina desse expositor, uma coisa que me interessa e a toda gente: é a lista dos seus preços correntes. Vejo aí que as botinas para senhoras vendem-se a 42$ a dúzia de pares, o que faz 3$500 cada par; as botinas de meninas, nas mesmas condições, 3$; as botinas gaspeadas, 4$350; os sapatos de tacão menos de 2$; botinas de bezerro ou cabrito para homem, 6$500, e 1$500 mais cada par com sola grossa; etc., etc. Além de todo esse calçado de uso ordinário, de que o *Senhor* Moriamé fabrica quantidades consideráveis (ao menos 4.000 pares cada mês), com um pessoal de mais de cem operários e operárias, faz também sapatos de fantasia, de teatro, etc., dos quais expôs espécimes bem trabalh[ad]os. As chinelas, os sapatos rasos de cetim, as botinas simples, sem costura, as botinas de homem, tudo é superiormente trabalhado. Nota-se particularmente um par de tamancos para homem, feitos de couro, com tacão oco, que se pode pôr nas botinas em tempos de chuva, e adaptar-se por meio de uma mola, que os impede de sair do pé; é bonito, sólido, mais elegante que os socos de borracha e certamente mais sadio, porque o couro deixa ao ar mais fácil circulação que a borracha.

É só ao pé de uma exposição desta que se pode fazer uma ideia das dificuldades que encontram os sapateiros para levar a semelhante grau de aperfeiçoamento, de solidez, todos esses envoltórios mais ou menos leves e graciosos em que se metem os pés delicados das mulheres de todas as idades e condições. Se alguma coisa censuro é a altura ridícula de alguns talões, que devem certamente incomodar as belas andarilhas que introduziram a moda. Esperemos que, como todas as modas, essa mude por sua vez: *Varium et mutabile semper*[9].

O Senhor Guilherme tem a especialidade da fantasia; é a sua exposição quem o diz. O Senhor Guilherme, que foi premiado no Rio de Janeiro e em Londres, tem também a especialidade dos tacões de pau altos, porque eu não creio que a sua exposição contenha mais de quatro pares de tacões de couro. À exceção de um par de botinas cinzento-claro, de outro cor castanha, tudo mais é realmente de pura fantasia. Fazenda de xadrez enfestada; calçados enfeitados, guarnecidos, bordados, recamados de penugem de cisne, de ouro e de prata, tudo é brilhante, engraçado, fresco, rosado, azul, vermelho, preto, branco, amarelo, etc. Tudo isso brilha, está feito com asseio, e faz honra aos fabricantes de guarnições. Todavia lamenta-se que os pontos que prendem a fazenda à sola sejam demasiado visíveis nos lados dos sapatos. Mas é um pequeno defeito num negócio de pura fantasia. Dos preços não se trata; não se fazem calçados destes para vender-se às dúzias; far-se-ão mesmo dois semelhantes?

O Senhor J. da Cunha trabalha com asseio e cuidado. Expôs lindas botinas, sapatos de fantasia; há nesse calçado tacões de pau e tacões de couro. Não trazem os preços; mas como a maior parte das coisas expostas são de fantasia, a coisa explica-se.

Como se vê, a sapataria fez louváveis e felizes esforços, e deve prosperar cada vez mais. É deplorável que seja obrigada a mandar vir de fora a quase totalidade de suas matérias-primas, por serem as nacionais demasiado caras, ou de qualidade muito inferior.

A arte de formeiro é nova, porque outrora o sapateiro fazia as formas de que precisava. Ainda hoje, é raro que um sapateiro cuidadoso não faça às formas que compra mudanças, adições, cortes, antes de dá-las aos seus operários.

As que vêm da Europa são ordinariamente de pau de bordo ou pau de *foyard* raramente de nogueira. As que se fazem no Brasil são quase todas de jenipapo.

A arte de formeiro compreende, além disso, o fabrico das formas longas e chatas para as lavadeiras de meias de seda; as formas da mão, para as luvas, com os dedos separados; as formas de chapéu, e utensílios de madeira para os alfaiates, lavadeiras de roupa feita, etc.

Um bom formeiro devia ser sapateiro, isto é, devia saber pôr um sapato, o que facilitaria seu trabalho e ajudá-lo-ia a aperfeiçoar as suas formas ao gosto de seus clientes.

Quando os pedaços de madeira estão já desbastados pela enxó, são trabalhados com a plaina para fazer as formas, e depois polidos com uma lima e finalmente raspados com lixa. É esse o modo de fabrico usual. Há um modo mecânico muito mais exato e rápido e por conseguinte menos custoso.

Há dois expositores de formas: o *Senhor* Adolfo Leterre e o *Senhor* Leterre Aristide. A vitrina do *Senhor* Adolfo Leterre contém formas ordinárias, bem feitas, segundo todas as regras da arte e particularmente cuidadas para a exposição. Há formas partidas, outras ligadas por tarraxa e virolas, etc.; encospas mecânicas, botas de pau para tabuletas de sapateiro. É trabalho bem feito; o melhor que pode ser. Não há preço, mas em compensação, há um reclame escrito e animado pelo expositor, no qual adianta-se ele demasiado — seja-me lícito dizê-lo, — servindo-se de um nome augusto e respeitado para fazer valer a mercadoria. Há um fabricante de chapéu que fez coisa análoga, mas eu espero que ambos compreenderão que há conveniências que se devem observar. É duro para um francês ter de dizer isto a outro francês.

O *Senhor* Leterre Aristide é um dos expositores que responderam ao meu apelo, pondo-se à minha disposição para todas as explicações que eu desejava. Trabalha ele por máquina, e eu fui visitar-lhe o estabelecimento. O que dá merecimento ao trabalho do *Senhor* Leterre Aristide é a barateza, a rapidez de execução e a regularidade do trabalho. Com a máquina, pode exercer, além da indústria ordinária do formeiro, o fabrico de cabeças de pau para fabricantes de bonecas, raios de roda de carro, coronhas, pés de cadeira e móveis, etc. É um operário inteligente e perseverante a quem se deve desejar o melhor sucesso. Expôs produtos em diversos estados de adiantamento, e permitia assim julgar o valor do processo mecânico que emprega.

A máquina, de que lhe falarei mais minuciosamente em outra carta, é um instrumento de reprodução, que pode, nas mãos de um homem hábil, adquirir um grande grau de exatidão. Quando um modelo é colocado entre os dentes que devem retê-lo, e diante de uma roda perfeitamente circular, que acompanh[a] todos os contornos, reproduz-se de um lado, na mesma linha, com exatidão notável. O pedaço de pau, apenas desbastado, transforma-se em um minuto em um objeto semelhante ao modelo, ou diferente um pouco, à vontade do operário. Por exemplo, uma forma delgada, estreita na ponta, pode ser reproduzida de tal maneira que a nova forma seja espessa e larga na ponta, numa medida determinada, conservando aliás, todas as outras proporções que serviu de modelo.

Como tenho de falar-lhe ainda nesta máquina, em tempo e lugar competente, isto é, por ocasião das máquinas de exposição, *non erat hic locus*[10] paro aqui por hoje.

Renovo-lhe, meu caro Machado de Assis, os protestos dos meus especiais sentimentos de estima.

CONDE DE LA HURE.

[Carta publicada em 06/11/1866.]

---

1 ⚭ Os erros de imprensa são aqui tão numerosos que é mais simples citar corretamente os versos de Boucher: *Je ne m'étonne point qu'à l'école des fleurs / La peinture ait appris le secret des couleurs*. ("Não me surpreendo que na escola das flores / A pintura tenha aprendido o segredo das cores.") (SPR)

2 ⚭ "Belo, muito bem, perfeito!" (Horácio, *De arte poetica*, verso 428). Elogios insinceros ou exagerados, dos quais, segundo Horácio, devem desconfiar os autores. (SPR)

3 ⚭ "Conquistou todos os sufrágios aquele que mesclou o útil ao agradável." (Horácio, *De Arte Poetica*, verso 343. (SPR).

4 ∞ "É uma vergonha malbaratar esforços em futilidades." (SPR)

5 ∞ "De bom tom." (SPR)

6 ∞ Chama-se *douradura* a mais linda variedade de pelos. E expressão – feltros dourados – é aplicada aos de qualidade inferior quando à sua superfície se superpõe uma camada uniforme e delgada de pelos mais finos do que os da produção de feltro. (CDLH)

7 ∞ O *apprêt* – dos chapéus consiste na introdução de uma cola que deixando à fazenda inteira flexibilidade, aglutina-lhe as partes feltradas, torna-a mais consistente, mais firme e mais suscetível de conservar a forma que lhe dá. (CDLH)

8 ∞ *Croisée à la foule* é o complexo de movimentos que é necessário fazer para envolver sucessivamente o feltro sobre todos os lados que apresenta sua figura, e calca-o com igualdade a cada um destes movimentos. (CDLH)

9 ∞ A passagem completa é *varium et mutabile semper foemina*, "a mulher é sempre algo de vário e mutável." (SPR)

10 ∞ "Não era aqui o lugar." (SPR)

[55 A]

De: CONDE DE LA HURE
Fonte: Fundação Biblioteca Nacional. *Diário do Rio de Janeiro*, 1866. Setor de Periódicos. Microfilme do original impresso.

V

Rio de Janeiro, 10 de novembro de 1866.

Meu caro *Senhor* Machado de Assis.

Falando-lhe, há dias, das encadernações expostas pelo *Senhor* Lombaerts, caí num erro involuntário, e muito explicável, mas que eu quero reparar. A encadernação do belo volume da Constituição Belga foi feita sem o emprego dos ferros de que ordinariamente se usam na arte de encadernador. O trabalho foi todo executado em papelão grosso, sobre o qual se aplicou o couro colorido, e ornamentado, de sorte que os relevos nem são côncavos nem convexos, mas sim, cheios, sólidos e destinados para indefinida duração. O *Senhor* Lombaerts fez mesmo punções que lhe eram necessárias a fim de aplicar convenientemente o couro e melhor concluir seu trabalho, trabalho para o qual dispensou a arte de gravador, e conseguiu produzir uma obra cujo mérito não está somente na execução, mas em grande parte na concepção. Sabia bem que o *Senhor* Lombaerts era homem de gosto; suas obsequiosas explicações provam-me que é artista.

Entre os objetos de incontestável utilidade, é preciso abrir espaços para os cofres, caixas, malas de viagem, etc., sobretudo em um país, onde, como no Brasil, se viaja muito.

Há dois expositores deste gênero de produtos, mas permita, meu caro senhor, que apenas trate de um. O outro, a respeito de quem me calo, agradecer-me-á por não falar de suas obras; sei que as coisas que ele expõe são de grande peso, e não haveria receio de escalavrá-las, mas seu dono por certo se doeria das minhas apreciações.

O *Senhor* Próspero Derenusson, bauleiro importante e fabricante de canastras, exibiu 10 malas com repartimentos e 4 cofrezinhos. Tudo isto acha-se feito com o cuidado e gosto dignos dos operários de Paris dedicados a este gênero de trabalho. Há malas com gavetas, com divisões para chapéus-de-sol ou luvas; malas de compartimentos separados ou aderentes, como se queira; — malas com armários, com carteira, com espelhos, com cabides para chapéus de senhora etc. Os preços variam entre 110$, 115$ e 130$. Quase todas estas malas têm fechaduras de segredo com duas voltas; são cobertas com peles não curtidas de vaca, com o couro do porco de Santa Catarina, com verniz, marroquim, fazenda, etc. Todos estes couros são preparados no Brasil.

A obra é elegantemente acabada, muito leve e sólida. Facilmente se vê que essas malas são bem unidas, sem covas, que foram bem desempenadas, que enfim a madeira foi bem aplainada (*bois bien rasé*)[1]. Na maior parte encontra-se um compartimento especial para chapéus de senhora; dois sarrafos, colocados convenientemente em face um do outro, recebem uma régua que se esconde nos encaixes de onde saem e voltam com suma facilidade; nas paredes da mala estão fixos 2 tubos de papelão fino que entram no interior dos chapéus, mantém-nos em seu lugar e podem receber alfinetes para dar mais segurança a cada chapéu; os compartimentos para vestidos, camisas, e outras peças do vestuário, são formados por um engradamento que entra justo na mala, descansa sobre travessas ou pequenos sarrafos, e cujo fundo é formado por galões sólidos e cruzados. As madeiras são especialmente o pinho, choupo, faia e raramente o carvalho.

O *Senhor* Derenusson não é somente bauleiro, é também excelente enfardador. Sabe-se que o enfardamento é uma arte que demanda muita habilidade, ainda mais, costume, além da inteligência. Enganar-se-ia quem pensasse que é um ofício não difícil e de importância medíocre. Luís XIV bem o sabia, pois que tinha criado uma administração especial para os que se dedicavam a este trabalho, e lhes prometia escolher um síndico e oficiais.

O *Senhor* Derenusson vai todos os dias à Exposição abrir suas malas, e mostrá-las aos visitantes que as desejam examinar.

Por falar nisso, submeto aqui, aos expositores uma ideia que talvez não achem de todo inútil. Os expositores de produtos semelhantes ou análogos não se poderiam combinar entre si para ter constantemente um agente encarregado de mostrar as obras expostas, explicá-las, e cuidar delas? Persuado-me que a honrada comissão, cujo zelo infatigável ouço gabar por toda a parte, facilitar-lhes-ia este meio simples e pouco dispendioso para fazer melhor apreciar seus produtos expostos e mesmo os que estão em via de fabricação. Seis, 8, ou 10 expositores reunidos não teriam necessidade de fazer cada um, mais que um leve sacrifício para remunerar generosamente um agente e escolhido tanto quanto fosse possível fora do círculo dos empregados nas casas dos atuais expositores. Assim o público acharia, na realização desta ideia, a satisfação de um de seus mais ardentes desejos: isto é, ver o produto sem o intermédio do vidro, e conhecer-lhe o valor.

O expositor aí acharia, por sua vez, um meio mais direto de submeter o que fabrica, o que expõe, à apreciação do grande júri da opinião pública.

Depois do salão mineralógico, observei a exposição dos produtos pirotécnicos dos Senhores José North & C., e demorei-me em examiná-los. Assim vou falar deles. *Utendum e ventu* (*sic*)². Com o consumo dos foguetes que presencio por toda parte, sou forçado a reconhecer que é um produto de emprego quase diário e que não se deve desdenhar, porque faz barulho no mundo comercial e consumidor. Será preciso dar uma ideia sumária, porém muito sumária da pirotecnia, somente para distrair o leitor, se for possível.

Os chineses, que são encontrados sempre na origem de todas as invenções, fazem, desde a mais remota antiguidade, grande uso do fogo de artifício; foguetes, dragões, sóis, etc. Os gregos e os romanos não conheciam isto: divertiam-se de dia somente, com as corridas, as lutas e o teatro. É preciso chegar ao século XV para ouvir falar de fogos de artifício na Europa. No século XVI eram já o complemento indispensável de todas as festas que se organizavam em Siena, em Florença e Milão. – Da Itália, o gosto por este divertimento passou à França, onde a arte pirotécnica fez rápidos e brilhantes progressos. Para ter-se uma ideia deles, basta ler a descrição do *fogo real* composto por Jumeau em 1618, pelo aniversário natalício de Luís XIII.

Os *grupos*, os *sóis*, os *foguetes* lançando ao céu numerosas estrelas, serpenteando no ar ou na água, concorriam para o efeito das grandes peças presas, tais como *Júpiter fulminando os Titãs*, *Atlas carregando o globo terrestre*. A moda dos fogos de artifício tornou-se tão geral que estes se queimaram até nos conventos.

Depois desta época houveram-nos esplêndidos, e tais que a história relata a sua magnificência. Entre outros, o do dia 22 de agosto de 1682, pelo nascimento do duque de Borgonha; o de janeiro de 1698, por ocasião de se concluir a paz entre a França e a Alemanha; e o de

1729, solenizando o nascimento do Delfim, um dos mais belos de que há memória.

Os progressos da química, desde o começo de nosso século, têm aumentado ainda os recursos desta arte. Hoje o fogueteiro fabrica segundo sua vontade fogos vermelhos, verdes, azuis, amarelos, cor-de-rosa, roxos por meio de substâncias que compra já preparadas nos armazéns de produtos químicos. É o contramestre quem de ordinário faz todas as preparações. Os operários aprontam os valverdes, e as hásteas colocando papel fino ou cartão ao redor de moldes de madeira, carregando depois estes recipientes por meio de uma colher, de uma varinha de ferro, e de um martelo, ou por meio de uma máquina *ad hoc*. Cheios e fechados os valverdes nada mais resta do que dispô-los sobre bases de pau feitas por carpinteiros ou torneiros, segundo os modelos ordinários ou desenhos especiais.

As matérias-primas principais são pólvora ordinária de guerra, salitre puro, enxofre, carvão, ferro fundido em pó, limagem de aço, cobre e zinco, antimônio, serragem de pau, farelo, sand[á]raca e estopim.

Entre os objetos expostos pelos Senhores North & C. noto a *cascata imperial*, bateria de bombas, girassóis, pistolas, fogos verdes, chuva de ouro e de prata.

Quando se vê um fogo de artifício, sobretudo no tempo do calor, sente-se sede, e assim convido-vos a provar um copo da limonada gasosa, preparada e exposta pelo Senhor Lagarde nas vizinhanças dos produtos pirotécnicos.

Qualidade principal: esta limonada é boa, fresca, agradável, nem muito nem pouco açucarada, e qualidade importante, cada vidro não custa menos de 200 *réis* em grosso, e 240 a retalho. Conforme a vontade do consumidor ela é aromatizada com baunilha, café, chá, chocolate, rum, limão, laranja, etc. O aroma nunca é demasiado porém fino e penetrante. Provei dela a convite do Senhor Lagarde; era, segundo meu modo de ver, o melhor meio de julgá-la. O Senhor Lagarde fabrica também água de Seltz a 120 *réis* em grosso, e 150 a retalho.

Este expositor desejou que eu visitasse a sua fábrica de águas e limonadas gasosas; fui esta manhã e ele teve a bondade de mandar acender expressamente por minha causa a sua máquina de vapor vertical, belo trabalho Hermann – La Chapelle de Paris –, e pôs em movimento todo o aparelho de fabricar água de Seltz, produtor, lavadouros, gasômetros, saturador, coluna de tiragem, etc. Tudo isto trabalha perfeitamente, sem bulha, e produz rapidamente. O asseio, tão necessário em uma fábrica deste gênero, é objeto de particular cuidado do fabricante, que possui dois filtros para a água, e tem toda cautela para que não passe a menor impureza, que possa sujar ou alterar os produtos. Os aparelhos são todos da casa La Chapelle (de Paris), e são tratados pelo próprio *Monsieur* Lagarde. As matérias-primas, greda, ácidos, bicarbonatos, xaropes (uma parte destes preparada por ele mesmo por meio de uma caldeira a vapor de dois fundos) alcoolatos, etc., são todos escolhidos e experimentados pelo expositor antes de os empregar. O *Senhor* Lagarde atualmente prossegue em uma série de experiências interessantes e úteis para conseguir a regeneração da cerveja alterada por meio do gás ácido carbônico. As amostras que mostrou-me, e que são de uma cerveja toldada, quase decomposta de uma fábrica de Petrópolis, tornaram-se em suas mãos e pelo sistema empregado, em cerveja muito mais clara, límpida, gasosa, porém, conservando um gosto estranho, que novas experiências farão desaparecer, como espera o *Senhor* Lagarde, e eu me inclino a crer. A aplicação deste processo teria uma imensa vantagem para os fabricantes de cerveja, e seria de verdadeira utilidade.

Permita, meu caro, que uma vez invada os seus privilégios, e que termine a minha carta por algumas novidades, que talvez os seus leitores não conheçam; quero falar da exposição de Paris, por cuja causa teve lugar a do Brasil.

Todos os povos vão lutar em trabalho, ardor e magnificência neste Campo de Marte da indústria humana. *Sua Alteza* o vice-rei do Egito consagra um milhão de francos à instalação dos produtos da indústria do seu país no palácio da Exposição Universal. A Turquia faz construir um soberbo minarete ou torre de mesquita e uma casa à turca.

Sua Majestade o Xá da Pérsia gasta três milhões de francos e manda construir quiosques, fábricas de ópio, e, finalmente, faz reproduzir, em um pavilhão especial, a sala do trono da Pérsia com suas pinturas e todos os seus ornatos. A China consagra 500.000 taels, e edifica, no Campo de Marte, uma torre de porcelana, um bazar, uma casa de bebidas, etc.

Por intermédio do Banco franco-japonês, o Japão mandou construir uma casa de bambus e reproduzir exatamente o célebre pavilhão de caça do príncipe Stazomz, uma das maravilhas da terra do *Nippon*.

Mas, uma das maravilhas que convido os brasileiros a ir ver na Exposição Universal, a visitar como ela merece, é a imensa ponte da praça da Europa em Paris; essa ponte, cheia de praças, tem 55 metros em sua menor largura, e 150 na maior; sua largura em linha reta é de 110 metros, e em diagonal de 180; sua superfície é de 9.000 metros quadrados.

Por hoje paro aqui: brevemente ocupar-me-ei das cervejas, dos licores, das máquinas, e depois dos produtos naturais.

Entretanto, caro *Senhor* Machado de Assis, renovo os protestos de meus sentimentos de estima.

CONDE DE LA HURE.

[Carta publicada em 10/11/1866.]

---

1 ◦ *Raser le bois*, é uni-lo, endireitá-lo, e aplainá-lo com um instrumento que se chama cepilho. (CDLH).

2 ◦ Texto truncado por erros de imprensa. Possivelmente, "o vento deve ser usado (ou aproveitado)". (SPR).

[55 B]

> De: CONDE DE LA HURE
> *Fonte:* Fundação Biblioteca Nacional. *Diário do Rio de Janeiro*, 1866. Setor de Periódicos. Microfilme do original impresso.

VI

Rio de Janeiro, 10 de novembro de 1866.

Meu caro *Senh*or Machado de Assis.

Desta vez peço-lhe a palavra para um *fato pessoal*, como se diz em todos os parlamentos do mundo. Chegaram-me aos ouvidos certos boatos e eu quero que não continuem nem tomem incremento. Quero crer que no seu país, como no meu, acredite-se na imparcialidade e na sinceridade da maior parte dos escritores, e que só por exceção e com provas é que se suspeite do seu desinteresse e boa-fé. Por isso nada mais desagradável para um escritor que ouvir dizer, quando ele acha alguma coisa incompleta, inútil e má: "Ah! é ofício dos escritores acharem tudo mau!" ou então, quando assinala conscienciosamente um belo trabalho ou uma invenção que surge, ver-se descomposto assim: "Quanto lhe pagam por esse anúncio?" Dificilmente se imagina quanta retidão, e obstinação, quanto colóquio, quanto jantar recusado, não são precisos a um homem a fim de passar aos olhos do público por escritor consciencioso. Ora, eu quero que se saiba, como garantia da imparcialidade do que tenho escrito e do que tenho de escrever – não recebo nada de pessoa alguma, de nenhum expositor, pelo que eu julgo conveniente de justo dizer dos seus produtos. Como eu não creio nas trombetadas, nos cartazes, nem nos anúncios dos jornais, vou às vezes procurar na sua obscuridade laboriosa os homens que gastam em trabalho o tempo que outros gastam em *puffs*. Permita que eu acrescente também que se nada recebo dos expositores, também não recebo nada do *Diário do Rio*, e que ao contrário sou eu quem lhe estou obrigado pelo bom agasalho que essa folha dá à prosa de um visitante amador da exposição nacional, que não é jornalista e sente uma viva gratidão pelos membros da comissão por causa da faculdade que lhe deu de visitar tudo à sua vontade.

Aproveito a ocasião para lembrar aos expositores que estou pronto a ouvir as suas obsequiosas explicações e a retificar-me cada vez que reconhecer ter cometido um esquecimento ou um erro.

Vou começar pela reparação de um esquecimento.

O *Senhor* Domingos da Feira Soares é fabricante de calçado para homem, e expôs belos trabalhos – a maior parte é calçado envernizado, algum de bezerro. Há entre outros um par de botinas de cabrito, cujas costuras são tão habilmente dissimuladas, que é preciso um olhar atento para descobrir-lhes vestígios. Recomendo-lhe também algumas belas botas envernizadas, *à mineira*, de um lindo trabalho e cotadas a 30$000, botas de montar igualmente bonitas; há botinas de polainas falsas, podendo-se tirá-las e pô-las à vontade; sem as polainas é um lindo par de sapatos; com as polainas é um par de botinas gaspeadas. Se a polaina se ajustar tão bem no pé como na vitrina, o trabalho é perfeito. O preço dessa espécie de calçado é 15$000. Tudo o que o *Senhor* Domingos da Feira Soares expôs é cosido à mão; ele mo afirmou, e eu acrescento que é feito com limpeza e perfeitamente trabalhado.

Venha agora admirar comigo [,] na sala de pinturas, a bela cruz de mármore branco, tendo em acima uma coroa de flores perfeitamente esculpida com gosto, simplicidade e elegância. Cruz e coroa são de um só pedaço de mármore. É uma obra do *Senhor* Bolgiano, de quem lhe falei na minha carta anterior.

Voltando à outra sala, paremos diante da vitrina que fica no meio das outras. É de pinho e evidentemente é trabalho francês. Contém um vestido de seda azul, obra elegante de alguma costureira parisiense, que reside no Rio, sem dúvida; é exposto por *Madame* Adèle Muret. Entretanto, diante desse vestido, tão bem feito e tão profusamente ornado de pérolas brancas feitas de vidro, pergunto-me a mim mesmo, – sobretudo quando olho para ele, não de frente, mas do outro lado, – a que é destinado esse vestido? Será um vestido de corte. Mas na corte também é preciso assentar-se, e com aquele vestido é impossível, porque esmagar-se-iam as pérolas; e mesmo quando não se assenta a pessoa que o vestir, como lá não se vai a pé com um vestido de cauda, é preciso ir de carro e assentar-se. Será um vestido de baile? Mas ninguém dança com um vestido de cauda. Que é então? *That is the question.* É provavelmente um belo prospecto, e eu receio que ele não tenha saído de oficinas nacionais. Será um produto vendável? Talvez para o teatro. E mesmo que não seja, há sempre ainda que seja alguma dessas mulheres que vivem das suas fraquezas, quem possa pagar caro uma luxuosa fantasia.

É também prospecto de verde e ouro o colete de Madame Charavel, porque ela só expõe esse colete que não pode servir a ninguém; é um colete de tabuleta. Engano-me, há um colete de chamalote cor-de-rosa, que é gentil e pode ser usado. Provavelmente são espécimes e não produtos de costura e de bordado de ouro. Será que Madame Charavel exponha (*sic*) bordados a ouro? Nesse caso dou-lhe as minhas felicitações pela perfeição desse trabalho emblemático.

Os Senhores Fernandes Leite e Carneiro, vestimenteiros, expõem alfaias de igreja, ricas, bem feitas e bem bordadas. É uma especialidade que não se lhes disputará, porque eles são, creio eu, os únicos expositores do Rio de Janeiro para esse gênero de produtos.

Perto dessas vitrinas acham-se as de cutelaria e dos instrumentos de cirurgia – dois expositores, o Senhor Blanchard e os Senhores Marino e Lauzeau.

A arte da cutelaria é antiga, porque os gregos e romanos praticavam-na. Faziam facas e garfos, mas não colheres. A ausência de colheres nos monumentos antigos espantou por muito tempo os arqueólogos, que nunca puderam, apesar disso, persuadir-se de que em Roma se comesse sopa com faca inglesa de lâmina larga e fina. Seja como for, os cuteleiros de hoje fazem muitíssimas coisas mais, e os dois expositores, especialmente, fazem-nas com muita perfeição; resulta isto de ter-se juntado à arte da cutelaria a do fabricante de instrumentos de cirurgia.

Deve o bom cuteleiro não só saber trabalhar os metais: como prata, platina, cobre, etc., mas também as madeiras de ébano, acaju, palissandra, buxo, pau-santo, etc., o chifre, a tartaruga, o marfim, o nácar.

Os dois fabricantes expuseram, como prova de sua habilidade, os produtos mais difíceis de sua arte, e lamento a ausência de produtos usuais. Visitei com interesse a oficina do Senhor Blanchard e sei que ele tem, no seu armazém, cutelaria de todas as espécies: de cozinha e de mesa; cizelaria de todo gênero, tesouras de costura, para cabeleireiro, para cortar crinas de cavalos, tesouras de chapeleiro, de alfaiate, de algibeira, de mil outras coisas; e também produtos análogos aos que expõe. Tudo que está em casa dele ou na Exposição é feito com gosto, com amor à sua arte: as soldas[1], os ligamentos[2] são bem feitos; a amolação[3] o afiamento[4] o polimento[5] e o ajustamento nada deixam a desejar. Todos os instrumentos de cirurgia são feitos, aperfeiçoados ou inventados com uma perfeita *entente* das necessidades do operador e do paciente.

O fabrico dos instrumentos de cirurgia exige conhecimentos extensos e estudos sérios. O bom fabricante desses instrumentos deve estudar e seguir com cuidado os trabalhos cirúrgicos; deve transportar-se aos hospitais e adquirir os conhecimentos que podem ajudá-lo no fabrico de uma classe de instrumentos em que a vida humana é tão altamente interessada desde o nascimento até a morte. São estes estudos que fazem a superioridade reconhecida e incontestada dos fabricantes de Paris e Montpellier, o de que o Senhor Blanchard é uma prova, ele que foi premiado como operário contramestre de uma das mais importantes fábricas de Paris, e que por sua vez tornou-se mestre na sua profissão.

Nesta Exposição devo citar-lhe especialmente [1.°] um aparelho ortopédico que funciona por meio de articulações diversas, para as diversas deformidades dos pés e das pernas, trabalho todo de invenção do Senhor Blanchard. Este aparelho aplica-se à vontade do cirurgião e modifica-se para todos os casos possíveis de deformidade; é munido de um borzeguim de talão móbil; esse borzeguim, trabalhado nas oficinas do Senhor Moriamé, por indicação do Senhor Blanchard, encerra uma mola que por meio de uma chave, dá a posição necessária ao talão descalçado, e por consequência, regula a direção do pé; 2.º um litótomo, instrumento para dividir a pedra na bexiga; 3.º um amigdalótomo, aperfeiçoado segundo o método do *Doutor* Bustamante; 4.º uma faca cirúrgica para amputação, abrindo-se e fechando-se por segredo. Não posso dar-lhe a nomenclatura de todos os objetos expostos, não bastaria esta carta; mas repito, tudo é bem feito. Recomendo-lhe ainda as agulhas de coser metálicas, de invenção do *Senhor* Blanchard; agulhas universalmente adotadas agora pelos mais hábeis cirurgiões.

Tenho elogios iguais para os *Senhores* Marino e Lauzeau, pelos seus aparelhos ortopédicos, pelos seus litótom[o]s, amigdalótom[o]s, agulhas, tesouras, navalhas, etc. São trabalhos bem-acabados; as guarnições são bem feitas, as bacias[6], as platinas[7] estão ajustadas com perfeição notável.

Não posso abandonar a cutelaria sem falar de uma dúzia de facas e outros tantos garfos com cabos de cornalina, expostos em um canto da sala, com uma grande faca mineira de cabo de prata cinzelada e capa de pele de cobra. A lâmina das facas traz a marca Hornung, que é sem dúvida o nome do expositor. Só é notável o cabo de cornalina, pedra difícil de trabalhar, e se a cornalina foi apanhada no Brasil, o interesse do produto é ainda maior.

Ia eu abaixo ver trabalhar o secador de café do *Senhor* Charollais e acabava de atravessar a sala que contém um espécime de floresta virgem, engenhosa e tocante ideia do *Senhor* comendador Lagos, quando ao lado desse calmo asilo de uma família indígena e da maior parte dos animais selvagens, encontrei uma exposição de armas feitas pela Whitworth Company Limited de Manchester.

Não amo a guerra, e não o oculto; esse apelo à força, à destreza, ou à superioridade de armas para a resolução de um direito parece-me essencialmente inumano. Quanto à superioridade de armas de um povo sobre outro, faço esta reflexão. Que se dirá de dois duelistas dos quais um tenha apenas um pau e o outro uma espada; ou de um que tenha uma espingarda de pedra e outro uma espingarda de agulha? Afinal de contas, no fim da luta, os adversários vão entender-se; não era melhor começar por aí? Hoje a guerra existe, é um fato; nesse ponto de vista as armas são necessárias e eu não vejo armas sem pensar nesta máxima romana, mas pouco cristã: *si vis pacem para bellum*[8].

A Whitworth Company Limited expõe sete armas de fogo e mais um canhão raiado. Para conhecer o valor desses instrumentos de morte será preciso ensaiá-los, porque não é pelos olhos que se pode julgar do mérito deles. Há uma espingarda de munição, uma carabina de mira móbil, uma espingarda de dois tiros, dois mosquetes diferentes, uma carabina de guerra, e um *spencer rifle* dando, diz o rótulo, doze tiros por minuto e carregando-se pela culatra com sete cartuchos a um tempo. Há também cartuchos, modelos de balas, granadas de diversos calibres, *schrapnels* e bombas.

Mas, em vez de experimentar essas armas, do que sou incapaz, prefiro contar-lhe algumas histórias do tempo passado, que mostram que algumas invenções novas são às vezes bem antigas.

A profissão de armeiro é provavelmente a mais antiga do mundo; porque antes de ser agricultor, o homem foi caçador e guerreiro e forçosamente fabricante de armas. As suas primeiras armas eram apenas galhos de árvores, paus, chuços, fundas, machados de pedra, arcos, flechas. As armas defensivas foram peles de cobra, couros de boi, cascas de árvore, tecidos. Tudo isso fez progressos com o curso das idades, a ponto que no tempo dos primeiros imperadores romanos haviam (*sic*) aríetes, balistes, catapultas, torres girantes. A Idade Média mostra-nos o apogeu das antigas armas ofensivas e defensivas na armadura completa dos cavaleiros desse tempo.

Depois, repentinamente, operou-se uma revolução no armamento e na defesa; a pólvora acabava de vir da Ásia ou fora inventada na Europa; não se sabe.

Então veio a época dos canhões, dos arcabuzes, mosquetes, espingardas de mecha e de fechos. Bem sabe que o fecho da espingarda é o conjunto do mecanismo com ajuda do qual deita-se fogo à carga da arma. É uma invenção devida aos franceses, e os alemães chamam-na *französiche* (sic).

Breve achou-se que era pouco dar um só tiro cada espingarda e que era longa a operação de carregá-la. Desde 1537, no tempo de Francisco I, houve um arcabuz de sete peças, gravado à mourisca; a gravura representava uma salamandra e um Vulcano[9]. Abra a coleção de poesias diversas de Jean de la Fontaine (1671, in-12, t. III, pág. 316) e terá uma nota que acompanha uma balada dirigida ao conde de Saint-Aignan, e assim concebida: "Tendo o conde de Saint-Aignan sido atacado por quatro ladrões e servindo-se de uma pistola que dava três tiros, matou dois desses ladrões, feriu outro e fez fugir o último. A balada foi-lhe enviada com um mosquete que dá sete tiros." Em 1654 havia um canhão-revólver. Eis o que diz Loret, na sua *Musa histórica*:

Jeudy, Ladite Magesté,
Vid' l'incroyable nouveauté
D'un certain canon ou machine
D'invention subtile et fine,
Qui sans le charger qu'une fois,
Et non quatre, ni deux ni trois,
Tire cinquante coups de suite.
(Tant elle est rarement construite!)
Et mesmement dix d'un seul coup,
Chose qu'il admira beaucoup
Et par un obligeant langage
Loua l'ouvrier et l'ouvrage
Et cet ouvrier est, ma foy,
Lecouvreur, armurier du Roy.[10]

Eu, que habitei Donai, posso assegurar-lhe que em 1704 fundiram-se ali peças de três tiros, inventadas por um frade chamado Agostinho, a quem o rei deu uma pensão de 6.000 libras. O marechal de Villeroy empregou muitos desses canhões. Cada peça tinha três balas e três almas diferentes e em triângulo; essas peças eram carregadas sem bucha, e tão leves como uma peça ordinária do mesmo calibre. A carga introduzia-se pela culatra com uma boceta contendo a pólvora e a bala. Achará na Gazeta de França e no Mercúrio de maio de 1704 a confirmação do que lhe acabo de contar.

Em 1810 o Senhor Pauly inventou uma espingarda que se carregava pela culatra. Essa arma deu lugar em 1812 a um relatório do Senhor barão de Delessert e em 1814 a outro relatório do Senhor Brillat de Savarin. Neste último documento, vê-se que uma espingarda Pauly, comprada pelo Imperador da Rússia, deu no ensaio que se fez, quinhentos tiros, sem ficar fora de serviço.

Na ordem da importância, as fábricas de armas de hoje são Birmingham, Saint-Etienne, Paris, Liège, etc. As armas fabricadas em Paris conservam o primeiro lugar pela precisão, beleza, finura do trabalho e segurança dos canhões empregados.

Até breve.

Renovo-lhe, meu caro Senhor, os protestos dos meus especiais sentimentos de estima.

CONDE DE LA HURE.

[Carta publicada em 14/11/1886.]

---

1 ↬ Só a platina e o ferro podem soldar-se, isto é, reunir-se sob a influência de uma alta temperatura, sem intervenção de outro metal. (CDLH)

2 ↬ O ligamento é a solda de dois fragmentos do mesmo metal, por meio de uma mistura de ferro e de zinco. O ligamento de ouro faz-se com ouro, prata e cobre. (CDLH)

3 ↬ Com a amolação dá-se a um instrumento o primeiro corte, por meio de pedras circulares. (CDLH)

4 ↬ O afiamento é o meio de tirar os vestígios deixados pela pedra de amolar. (CDLH)

5 ❧ O polimento opera-se tanto por moinho, como à mão, como por escova; é a operação que dá ao instrumento o último fio e o polido brilhante. (CDLH)

6 ❧ Chama-se bacia à guarnição colocada na extremidade do cabo. (CDLH)

7 ❧ A platina compõe-se de duas peças de lata ou outro metal, colocadas paralelamente no cabo, reunidas por pregos e destinadas a receber a mola e a lâmina. (CDLH)

8 ❧ "Se amas a paz, prepara-te para a guerra." (SPR)

9 ❧ O documento existe nos arquivos da França e foi publicado nos *Arquivos da Arte Francesa*, tomo III, pág. 360. (CDLH)

10 ❧ "Na quinta-feira, a dita Majestade / Viu a incrível novidade / De um certo canhão ou máquina / De invenção sutil e fina / Que sendo carregado só uma vez / E não quatro, duas ou três / Dispara cinquenta tiros em seguida. / (De tal modo é bem construída!) / E mesmo dez de uma só vez / Coisa que ele admirou muito / E numa linguagem amável / Louvou o obreiro e sua obra / E esse obreiro é, pela fé, / Lecouvreur, o armeiro do rei." (SPR)

[56 A]

De: CONDE DE LA HURE
Fonte: Fundação Biblioteca Nacional. *Diário do Rio de Janeiro*, 1866. Setor de Periódicos. Microfilme do original impresso.

VII

Rio de Janeiro, 12 de novembro de 1866.

Meu caro *Senhor* Machado de Assis.

Entre os produtos expostos, há os bonitos e muito úteis; há mesmo, relativamente falando, um grande número deles. Se, apesar disso, algumas profissões deixaram de expor, deve esse fato resultar de que a utilidade, a necessidade mesmo das exposições do trabalho humano não foi ainda compreendida por uma boa porção de produtores, aliás inteligentes e laboriosos; resulta também de que o ensino profissional não está ainda bem desenvolvido e animado.

Li há dias, com prazer no *Diário do Rio*, o anúncio da abertura próxima de umas conferências, em toda espécie de assuntos, sem distinções, feita[s] por homens de reconhecido talento. É uma ideia para a qual todo o apoio e propaganda são poucos, e se a realizarem não será essa a menos bela e a menos frutuosa do nosso tempo. Chame os ouvintes, empregue para isso todos os argumentos que a sua pena, melhor do que a minha, pode eloquentemente encontrar e traçar; empregue mesmo a força, segundo a expressão do Evangelho: *Compelle intrare*[1]; a força moral entenda-se. Comecem e tenham perseverança. Horácio diz-nos que começar é ter acabado metade da obra, *Dimidium facti, qui coepit, habet*[2]; e Horácio tem razão.

O que me faz falar-lhe desta necessidade atual de popularizar o ensino industrial e científico, de todas as classes da sociedade, e sobretudo da classe operária, é que eu sei que a comissão da Exposição, de quem partem boas ideias, também já pensou nisso; para prova basta-me o título da 24.ª classe dos produtos admitidos à Exposição: *Métodos e material de ensino*. Desgraçadamente pouco efeito teve o apelo da sábia comissão: alguns cadernos de alunos, em que mais se procura o esquisito e o difícil que o usual e o útil, algumas pinturas (chamo pinturas para dar o nome à coisa), alguns desenhos, etc. É tudo; salvo a exposição dos trabalhos especiais dos surdos-mudos, de cegos e dos doidos.

Como ainda se admitem produtos à exposição, haja vista o sapateiro que expôs há dias algum calçado de tarraxa, vou inscrever-me também na 2.ª categoria, 1.ª seção da 24.ª classe. É verdade que eu não estou certo se me admitirão, pois que não exponho senão o que se segue, o que já fiz e o que farei. Enfim, vou aventurar; a comissão apreciará, pois há de ter visto que estas cartas que eu dirijo ao senhor são uma verdadeira série de conferências sobre a Exposição nacional, um ensaio profissional, especial e geral a um tempo.

Vasto é o campo da ciência, e nem todos podem entrar nela sem risco de transvio. É por isso que se devem indicar os meios práticos de estudar com fruto, e, sobretudo, com ordem, com método.

A primeira coisa que se deve fazer é inspirar aos moços, caixeiros, operários ou empregados, *o gosto da leitura*. Quando se quer inspirar esse gosto às crianças atua-se sobre a imaginação delas, antes de falar-lhe à razão. Dá-se-lhes contos de fadas, cujo maravilhoso imaginário apodera-se imediatamente do seu espírito, e cujas quiméricas aventuras têm, como todas as narrações possíveis, o dom de cativar e de sustentar a atenção até o desenlace esperado.

Não farei aos operários nem aos empregados a injúria de tratá-los como crianças e propor-lhes contos de fadas. É pelo maravilhoso que se deve tornar-lhes atraente a leitura, mas por um maravilhoso real, o da natureza por aventuras, mas verdadeiras e dramáticas, as dos homens corajosos que exploram o nosso planeta à custa das mais rudes fadigas, às vezes da própria vida.

Substituo assim os contos de fadas por narrações de viagem, porque essa leitura será além disso instrutiva. Far-lhes-á conhecer alguns dos fenômenos tão vários da natureza, tal como ela se oferece aos nossos olhos, ao mesmo tempo que os costumes e as instituições, não menos diversos dos povos que enchem o globo.

Estas últimas noções são aquelas a que dou mais apreço, pois concorrem ao fim a que nos propusemos, pondo à vista dos alunos, sem sair do tempo presente, um quadro completo da civilização nos diversos períodos do seu desenvolvimento: a infância das sociedades em uma porção da América, na África e nos arquipélagos da Oceania, a mocidade em muitos estados da América, a idade madura na Europa, a estagnação ou a senilidade na Ásia.

Impressionado por estas desigualdades, contristado pelos males de que a espécie humana em todas as latitudes oferece em desolador espetáculo, o leitor tomará a peito indagar as causas, e a reflexão há de sugerir-lhe isto: Deus, que deu aos homens o instinto imperioso da sociabilidade, não pode tê-los condenado a viver juntos para se fazerem mal; essa Providência que estabeleceu os princípios em que repousa a harmonia universal, desde o movimento dos astros até o organismo do mais ínfimo inseto, não pode ter deixado as sociedades humanas fora dessa lei geral; há, portanto, princípios harmônicos aí como no resto das coisas; e, se os homens sofrem é que os ignoram ou os desprezam. Mas quais são esses princípios? É isso que o operário terá curiosidade de saber para compreender o estranho espetáculo que um rápido exame do mundo acaba de oferecer-lhe.

Se desde o primeiro dia tivessem-lhe dado um tratado elementar de economia política, é provável que não o lesse até o fim. O livrinho parecer-lhe-ia pouco recreativo, difícil e fatigante para a sua atenção ainda indócil; parecer-lhe-ia talvez inútil, porquanto, aceitando como evidentes a mor parte das verdades que ele encerra, não suspeitaria que, apesar da sua evidência, essas verdades são incompletamente aceitas e praticadas no mundo. A tentativa, na maior parte das vezes, nada mais conseguiria do que fazer encarar a leitura como um trabalho onde [é] aborrecido. Depois do que, o operário ou o caixeiro voltaria ao café, ao Alcazar, ou quando muito à frívola leitura dos romances.

Supondo-o estudioso e perseverante até o fim, é provável que não compreendesse a influência dos princípios econômicos no bem-estar dos indivíduos e dos povos, porque os vê em ação nas nossas cidades, onde recebem fecunda aplicação embora muito incompleta.

Para fazer uma ideia da sua importância, seria preciso que o leitor descesse aos últimos degraus da civilização, até aos povos primitivos, que ainda se pode estudar neste país, até os selvagens, para dar-lhes o nome próprio, cuja miserável existência atesta a ausência completa de noções econômicas. É aplicando este escalão do estado selvagem às sociedades civilizadas, e mostrando os pontos de contato que infelizmente ainda existem entre esses dois extremos, que se conhece melhor o que falta a estas últimas.

Parece-me pois que o caminho indicado por mim deve ter em resultado, primeiramente dar ao homem de trabalho o gosto da leitura, o que, na minha opinião, é um ponto capital; depois diminuir a sua repugnância pelos estudos econômicos sempre áridos no começo, e fazer-lhe apreciar a utilidade.

Resta um terceiro para transpor. Temos uma ideia da humanidade debaixo do ponto de vista social nos diversos pontos do globo e das leis que lhe são indispensáveis para ser feliz. Agora voltemos os nossos olhos para a sociedade no seio da qual vivemos. Acompanhemo-la nos períodos que ela atravessou desde a infância até a maturidade, que é o seu estado atual, e examinemos o que lhe falta ainda para satisfazer o que se deve esperar das leis econômicas. Mas a história do Brasil, como de toda a América, está ligada à da Europa inteira e especialmente à Europa ocidental; é por aí que devemos começar.

Aqui farei ainda observar que se tivéssemos começado neste ponto, se tivéssemos entrado no estudo dos fatos históricos, sem que a nossa marcha fosse alumiada pelo facho da ciência social, o leitor ou auditor interpretaria mal os fatos, e não saberia tirar as numerosas lições que estes, a cada passo, oferecem. Também não teriam o atrativo que têm, quando se pode aproximá-los do ideal já formado e do qual podemos servir-nos como de uma bússola. O próprio ideal recebe pelo estudo da história a experiência que se deve modificá-lo ou justificá-lo; é esse um novo estímulo nos estudos.

As pessoas que, em matéria de história, só conhecem a dos personagens que vivem na imaginação dos romancistas, e que acham entretanto interesse nessas existências fantásticas, essas pessoas, profetizo-lhes eu, hão de interessar-se mais por personagens reais que, no fim das contas, são os seus antepassados, e a história por demais dramática das gerações que nos precederam na via do progresso.

O atrativo dos estudos históricos nada é comparado à sua imensa utilidade. Porquanto a história é o resumo da experiência dos séculos, e há nada que possa valer e substituir a experiência? É porque os povos e os governos recorrem raramente a essa fonte que os vemos girar eternamente no círculo dos mesmos erros; e os que souberam evitá-los, ao menos em parte, e levantar-se acima dos outros, são exatamente os que aproveitaram as lições do passado. Pelo contrário, os povos cujo nível social parece sujeito a uma lei fatal de estagnação, de servidão, nos imensos continentes da Ásia e da África, são os povos cuja história é mal ou incompletamente escrita, ou que nem mesmo têm história.

De par com esses estudos ou conferências, recomendo os que têm por fim o ensino da aplicação das ciências, tais como a geometria, a mecânica, a física, a química[;] às artes, aos ofícios, à higiene pública e privada, etc.

Tal é, em resumo, o plano das leituras que indico aos operários, aos empregados e mesmo às mulheres, a todos quantos desejam pertencer realmente a esta parte da humanidade que põe a sua glória no progresso. Não vos assusteis, dir-lhes-ia eu, com a extensão do caminho, porquanto não vos peço estudos profundos, mas algumas leituras escolhidas. Não quero tornar-vos sábios, mas não ignorantes.

Não me objeteis que vos falta o tempo. Acha-se sempre tempo para os prazeres; e a leitura, que é um dos prazeres mais vivos que o homem pode ter, porque a cada instante abre-nos horizontes novos, torna-se pelo hábito uma necessidade invencível.

Querereis vós dar razão aos pessimistas que me dizem que eu prego no deserto, que o amor do *far niente* e o império do hábito prevalecerão no vosso espírito sobre o sentimento do dever para com a pátria, para com a família e para com o vosso próprio interesse?

Mãos à obra, pois, e antes de pouco, afirmo-vos que sabereis mais em muitas matérias do que muito sábio por diploma ou por faculdade.

É isto, meu caro senhor, o que eu diria, se tivesse voz autorizad[a] para falar ao público. Agora que lhe dei conta das minhas ideias, voltarei amanhã ao estudo dos fatos.

As visitas que devo fazer a diversos estabelecimentos particulares não me permitiram dizer-lhe outra coisa hoje.

Renovo-lhe, meu caro senhor, os meus especiais sentimentos de estima.

CONDE DE LA HURE.

[Carta publicada em 17/11/1866.]

---

1 ∾ "Obriga-os a entrar" (Lucas 14, 23). (SPR).

2 ∾ A passagem completa é *Dimidium facti qui coepit habet; sapere aude.* (Horácio, *Epístolas*, I, 2, verso 40). "Quem começa já tem metade da obra realizada; ousa saber." *Sapere aude* foi o lema da Ilustração, segundo Kant. (SPR)

[57 A]

De: CONDE DE LA HURE
Fonte: Fundação Biblioteca Nacional. *Diário do Rio de Janeiro*, 1866. Setor de Periódicos. Microfilme do original impresso.

VIII

[Rio de Janeiro, 22 de novembro de 1866.]

Meu caro *Senho*r Machado de Assis.

Certamente não deixou de notar um belíssimo e muito elegante diadema de flores e folhas de ouro não polido entremeado de brilhantes maiores ou menores, mas todos da melhor água.

É um objeto de grande luxo, e também de muito gosto que faz honra ao expositor, o *Senho*r Carlos Hjorth. Ao lado deste diadema está um lindo alfinete, depois um par de botões de ouro simples, encastoado a dois brilhantes pretos. Tudo está feito com tal perfeição, como se costuma trabalhar em Paris, a cidade do mundo em que se fabricam os mais lindos objetos de joalheria.

Todos os leitores do *Diário* têm por muitas vezes ouvido falar desses esplendores incomparáveis que se chamam brilhantes, e que constituem uma das riquezas especiais do Brasil. Eu não quero narrar-lhes aqui a maneira de descobri-los, nem o trabalho do lapidário; poderiam todos saber mais do que eu nesta matéria. Mas o que eu lhes posso dizer é que de todas as espécies de minerais, o brilhante é a que possui maior soma de qualidades pelas quais é procurado como objeto de adorno e de luxo: – raridade, transparência, brilho e solidez. É o mais duro dos minerais, pode ferir a todos e nenhum o corta; porém, conquanto seja o mais rijo, nem por isso deixa de ser muito frágil, pois, basta uma leve pancada para o quebrar.

Não se conhecem outros terrenos diamantinos além dos da Índia, Brasil, Sibéria e ilha de Bornéu. Foi em começo do século XVIII que se descobriu a terra que produz o brilhante, o Brasil, onde conserva o nome de *cascalho*; hoje é o país fornecedor de quase todos os brilhantes entregues ao comércio.

O brilhante é conhecido há tempos imemoriais; os antigos prestavam a esta pedra uma veneração especial; os gregos chamavam-na *adámas*, palavra que significa indomável, e que indica a extrema rigidez do brilhante[1]. Além dos brilhantes incolores, são ainda conhecidos os verdes, amarelos, cor-de-rosa, azuis, fuscos e pretos; estes são os mais procurados.

Em 1476 foi quando Luís de Berquem imaginou que se podia lapidar o diamante por meio de uma roda e do próprio pó desta pedra preciosa. O 1.º brilhante, assim lapidado, foi comprado a de Berquem por Carlos, o Temerário, duque de Borgonha.

Existem dois modos principais de lapidar: o 1.º formando o *brilhante*, o 2.º cortado em *roseta*. Lapidar da 1.ª forma é dar ao lado superior uma face espaçosa a que se chama *praça*, rodeando-a de facetas muito oblíquas; é a lapidagem reservada às pedras espessas. Cortar em *roseta* é produzir sobre o diamante uma espécie de pirâmide, cortada em facetas, ficando chata a parte inferior. Em Paris e na Holanda é onde existem as maiores oficinas de lapidários. Há bem poucos brilhantes de peso superior a 70 quilates (quase 15 gramas). Os mais célebres nesse sentido são 1.º, o d[o] Rajá de Maltan em Bornéu, 367 quilates (80 gramas); 2.º, o do Grão-Mogol, 279 quilates e do tamanho do ovo de uma galinha partido ao meio, e é avaliado em 80.000 contos de réis; 3.°, o do imperador de Marrocos, 270 quilates; 4.°, o do Nigam, que está bruto e pesa 400 quilates; 5.°, a *Estrela do Sul*, achada no Brasil em 1853, e cuja história todo mundo sabe, mas que eu ignoro onde para, 254 ½ quilates; 6.°, o brilhante do imperador da Rússia, 195 quilates, infelizmente foi mal lapidado; 7.°, o do imperador da Áustria, 139 quilates; 8.° o *Regente* da coroa de França, 135 quilates; pesava 410 antes da lapidação, e nesse trabalho se gastaram 2 anos, não é de todo o maior, mas é com certeza o melhor trabalhado. Desejaria indicar o número e o peso dos brilhantes da coroa do Brasil, que deve ser uma das mais ricas sob este ponto de vista, mas não tive os dados necessários para isso. Sei que a coroa de França possui perto de 65.000 brilhantes no valor aproximado de 120 mil contos de réis!

As formosas leitoras destas linhas quererão talvez saber como se formam na terra estas riquezas, estas joias que montes de ouro não chegam a pagá-las. Pois bem, saibam-no é pela aglomeração, associação de milhares de átomos de carbono (substância elementar do carvão) ligados entre si por uma natural e subterrânea cristalização. Isoladas, essas moléculas são sem valor, mais ínfimas que os grãos de areia. Reunidas, agregadas pela química natural, formam estas inapreciáveis joias que brilham na fronte das damas e dos soberanos.

Alguns anos há que certos químicos franceses acharam o meio de fabricar artificialmente o brilhante, isto é, cristalizar o carbono, porém os cristais obtidos por essa forma são tão pequenos, tão microscópicos que é impossível fazer deles um objeto comercial.

Nestes últimos dias, o *Senhor* Domingos Moutinho expôs também joias enriquecidas por brilhantes: brincos, um bracelete, broches, medalhões, etc. Está tudo muito bem feito e bonito, mas quanto a mim, quanto ao meu gosto, há um defeito a notar, é cingir-se muito à moda que vai acabando, como acabando vão os balões: a moda *Benoiton*. E depois, foi má ideia ter exposto estas joias todas sobre seda escarlate, e de um escarlate de tal modo singular que não produzem bom efeito.

É pequena a exposição dos Senhores Costa Real & Pinto, mas é trabalho escolhido. Admiram-se aí as dragonas destinadas a Sua Majestade o Imperador; o bordado é excelente, muito bem começado e acabado; os canotões são de notável regularidade e grande perfeição; são dignas do augusto soberano a quem se destinam. Há também dragonas de marechal do exército, de capitão do Estado maior, de capitão de cavalaria, bandas, etc. De todas estas obras nada mais posso dizer senão que são iguais às melhores da Europa.

Se não me engano, a fabricação dos ornamentos dourados é muito antiga; aos operários desta profissão davam os Romanos o nome, não sei por que, de *barbaricarii*, enquanto que os outros fabricantes de objetos feitos de ouro chamavam *aurifices*.

Muitas vezes tenho parado para admirar as lindas flores de cera expostas em um vaso branco e azul, com frisos de papel dourado, pela Senhora Dona Belmira Amélia Silva. As flores estão bem coloridas, semelhantes às naturais, e grupadas com gosto e elegância.

Quando era criança, lembro-me de ter visto fazer flores de cera por este modo:

Usava-se de moldes, à semelhança de colheres, por meio das quais se colhiam, nos banhos de cera derretida, pequenas escumas da cor escolhida, tomando estas o feitio de molde; isso é, das diferentes partes da flor; chamava-se a este trabalho, *moldar em formas perenes (mouler à creux perdu)*. Prendiam-se essas escamas com precaução, e serviam-se de pincel senão para as peças que não deviam ter uma cor uniforme; porém como a cor não pega bem na cera, aplicava-se-lhe antes uma camada de sulfato de alumínio dissolvido em água. Ignoro se hoje está em prática esse processo, que requeria muito cuidado, habilidade e destreza.

As flores de escamas de peixe que estão ao lado das de cera, constituem no Brasil um importante objeto de comércio. A província de Santa Catarina é particularmente afamada por este gênero de trabalho, assim como pelas flores de conchas. São muitas vezes lindos os ramalhetes que dali vêm, e muita gente os envia para a Europa onde são bastante procurados. Ao ramalhete exposto, e do qual trato, falta-lhe graça; as flores são bem feitas, mas estão muito amassadas, muito conchegadas umas às outras. O mérito do trabalho é o mesmo, mas perdeu o encanto por mal arranjado.

Os italianos foram os primeiros que na Europa se ocuparam do fabrico das flores artificiais. Empregaram ao princípio fitas, depois penas, escumilhas, casulos de bicho da seda, etc. Da Itália essa arte passou à França onde se aperfeiçoou extraordinariamente, e hoje as floristas de Paris mostram seu talento superior na execução das flores que espalham por todo o mundo. – As damas chinesas também fazem bonitas flores com o âmago do bambu, e com a medula de um sabugueiro chamado *tong-zao*. Creio que as flores de cera figuraram pela I.ª vez na exposição de Paris em 1823, depois na de 1827, ocasião em que um expositor recebeu menção honrosa por este gênero de indústria.

O *Senhor* Chastel, expositor de chapéus para homens, desejou mostrar-me detidamente os trabalhos que exibira. Seus chapéus de fantasia são bem feitos, bem preparados; os chapéus cilíndricos são leves, o forro aderente, e bastante sólidos. O preço de 10$000 me parece razoável porquanto a matéria é de excelente qualidade e o trabalho bem executado. Os chapéus brancos cilíndricos, de 16$000, são igualmente bem trabalhados, e há um, sobre todos, cuja cor uniforme encanta a vista, e cujo feitio é lindo. Os chapéus dobradiços estão acabados, com gosto.

A exposição é boa e bonita; e, mérito principal, não são os produtos muito caros principalmente porque o expositor se empenha em fabricar da mesma qualidade para todos os compradores, sendo os preços os dos chapéus expostos.

Já que estou falando de chapéus... continuo, mas para não tratar mais dos nossos vou observar os que *Madame* Rivière expõe para senhoras e um para criança. É hoje uma simples maneira de falar e dar nomes de chapéus a estes objetos, porque nada corresponde menos à ideia a que o termo se refere. É um quadrado de fazenda pelo alto da cabeça, depois flores e fitas. Estas coisas só têm preço em razão da graça e do bom gosto com que são feitas. A pouca fazenda que neles se emprega me faz lembrar de um marido ao receber a conta de certa modista: "Estes chapéus, dizia ele, são coisa nenhuma na cabeça, entretanto são enormes nas contas."

Nada mais variável do que a forma e a moda dos penteados de senhoras, e mesmo do que a diversidade infinita de certa moda em momento dado. Todavia nossas damas atuais não chegaram ainda ao ponto a que atingiram suas belas avós gregas e romanas na época do nascimento de Cristo. No primeiro ano de nossa era, Ovídio, que tinha 45 anos de idade, publicou a *Arte de Amar*, na qual diz, livro III, 149, que as mulheres tinham inventado então tantas maneiras de se pentear, que ele preferiria contar as bolotas de um carvalho a fazer a enumeração de todas essas modas. Cento e cinquenta anos antes, Terêncio afirmava que havia senhoras romanas que levavam um ano a toucar-se[2]. Mas creio que Terêncio era má-língua, e exagerou muito, porque naquela ocasião já as moças, não digo as senhoras, só usavam da *taenia* ou da *fascia*, simples fita que atava os cabelos no alto da cabeça. No tempo mesmo de Ovídio, Horácio fala do penteado das mulheres[3]. Os melhores e mais curiosos dados a esse respeito são os que fornece Juvenal, no começo do século II[4], depois Tertuliano no século III[5] e enfim Prudêncio[6]. O denominado *príncipe dos poetas cristãos* no século IV[7].

Na Idade Média, as damas continuam a experimentar toda a espécie de penteado, até chegar ao século XIV em que sustentam a gigantesca armação chamada *henniu* que tinha muitas vezes três pés de altura.

Mais perto de nós, por ocasião do célebre combate da fragata *Belle-Poule*, as mulheres colocaram em suas cabeças uma fragatinha com o competente material, velas e pavilhões, e a este penteado se deu o nome do navio que lhe deu origem.

As variedades dos penteados das senhoras têm sido tão frequentes que é [im]possível mencioná-los aqui. Hoje a simplicidade e a elegância, que deveriam rimar nesta parte de seus adornos, estão substituídas pelo desejo imoderado de chamar a atenção, seja por que meio for.

Em face dos objetos de moda, e de muitos outros expostos, cuja perfeição iguala aos de Paris, ocorre involuntariamente uma reflexão; é que estes objetos são preparados no Brasil, é verdade, mas com produtos franceses e pela mão de operários de Paris e de outras cidades de França. Os que estão na presente Exposição têm de nacionais unicamente o haver sido fabricados no Brasil. Ora se estas indústrias são úteis e lucrativas, por que não se institui a aprendizagem de costureiras modistas, de operários brasileiros, capazes de realizar os mesmos trabalhos? Talvez haja alguma lei para regular as condições de aprendizagem, eu ignoro-as.

Se não há, conviria preparar alguma conforme as necessidades da indústria nacional, ao caráter da população, satisfazendo o mestre e o aprendiz, garantindo com eficácia os direitos de um e outro, e estabelecendo claramente seus respectivos deveres. Se existe a lei é preciso que ela corresponda a estas condições, a estas exigências e haverá brevemente operários de ambos os sexos. Quem sabe se o que digo não desagradará!

Eu possuo o talento de agradar a mui pouca gente. Muitos indivíduos, cujos produtos gabo como merecem, acham que eu não disse bastante; outros [,] a quem digo moderadamente minha maneira de pensar ou de apreciar, zangam-se. Não será isto razão para que pare. No colégio Terêncio me tinha ensinado que a franqueza produz inimigos, e a lisonja amigos. *Veritas odium parit obsequium amicos*[8]. Só hoje sei o que então não compreendia, mas apesar de tudo ter-lhe-ia respondido como agora, com estas palavras do Juvenal: *Vitam impendere vero*[9]. Deve-se dar a vida pela verdade.

Por hoje, meu caro *Senhor* Machado de Assis, renovo-lhe os protestos de meus melhores sentimentos de estima.

CONDE DE LA HURE.

Post Scriptum. Mostram-me hoje no *Jornal do Comércio* uma reclamação do *Senhor* Tarquínio Teotônio de Abreu Guimarães a respeito da apreciação que fiz das botas que ele expôs. Graças à benevolência do *Senhor* Comendador Lagos, conheci o meu engano e prometi retificá-lo, o que esperava fazer quando tratasse dos objetos de selaria. O *Senhor* Abreu Guimarães lê o *Diário do Rio*, isso me lisonjeia muito, mas sinto que não tenha lido o que hei dito muitas vezes (com o que economizaria a sua publicação a pedido), isto é, que estou sempre disposto a escutar os expositores, e a emendar os erros que porventura cometa. Não tenho vergonha de confessá-los, porque sou homem, e nenhum vexame em retificá-lo, porque só desejo a exatidão e a justiça.

[Carta, sem indicação de data, publicada em 22/11/1866.]

---

1 ❧ Em inglês – *Diamond, adamant stone*; em francês, holandês, alemão e dinamarquês, *diamant*; em espanhol e italiano, *diamante*; em russo, persa, turco e árabe – *almas*; em sueco, *demant*; em polaco, *dyamant*; em hindu, *hira*. (CDLH)

2 ❧ *Heautontim*, II. I, I. (CDLH)

3 ❧ *Sátiras*, liv. I, Sat. 2. (CDLH)

4 ❧ *Tot premit ordinibus tot adhuc compagibus altum aedificat caput.* Sat. VI. (CDLH). Trata-se do verso 502 da sátira citada pelo conde de la Hure. Eis uma tradução aproximada: "Tantas são as camadas e andares empilhados sucessivamente em sua elevada cabeça!" (SPR)

5 ❧ *Nunc in galeri modum, nunc in cervicem retro suggestum.* (*De cultu Foeminarum*). (CDLH). "Ora à maneira de barrete, ora unido atrás do pescoço." Tertuliano. (SPR)

6 ❧ *Aelius Clementius Prudentius*. (CDLH)

7 ❧ *Turritum tortis caput accumularat in altum, / crinibus, extractos augeret ut addita cirros / congeries, celsumque apicem frons ardua ferret.* (Psychomachia). (CDLH). Tradução feita, a meu pedido, pelo Professor Evanildo Bechara: "Juntara (a Soberba) seus cabelos trançando-os até em cima, formando como que uma torre em sua cabeça, de tal forma que esse topete acrescido aumentara a altura de seus cachos e sua testa altiva trazia um cume sublime." (SPR)

8 ❧ "A verdade gera o ódio, o obséquio, amigos." (SPR)

9 ❧ "Dedicar a vida à verdade". Juvenal, *Sátiras*, 4.91. (SPR)

[59 A]

De: CONDE DE LA HURE
Fonte: Fundação Biblioteca Nacional. *Diário do Rio de Janeiro,* 1866. Setor de Periódicos. Microfilme do original impresso.

IX

Rio de Janeiro, 25 de novembro de 1866.

Meu caro *Senhor* Machado de Assis.

A cerveja tão recentemente introduzida no Brasil e cujo consumo vai tendo uma importância cada vez mais considerável é uma das mais antigas bebidas.

Há razão para crer que ela foi levada da Índia para o Egito pelos *palli* ou pastores, também denominados *fony*, isto é, partidários da predominância do princípio fêmea sobre o princípio másculo. Heródoto atribui a Ísis, mulher de Osíris, a invenção da cerveja e diz que os habitantes da Pelusa (cidade do Baixo Egito cujas ruínas têm hoje o nome Tineh) faziam grande consumo dela, o que explica o motivo pelo qual a cerveja foi por muito tempo conhecida pelo nome de bebida pelusiana; diz também (L II Euterpe 77) que os egípcios que bebiam cerveja eram, como os libianos (*sic*), os homens de mais perfeita saúde.

De Pelusa, o uso da cerveja generalizou-se prontamente no Egito, depois na Grécia. Todavia alguns historiadores pretendem que Baco ensinou aos gregos a comporem, com cevadinha e água, uma bebida que pela força e pela bondade, aproximava-se do vinho. Aristóteles fala de cerveja, e Tirtome, seu sucessor no Liceu, que chamamos mais geralmente Teofrasto (isto é *que fala como um deus*), chama a essa bebida vinho de cevadinha. Plínio, o antigo, conta que fazia-se nas Gálias e na Germânia um grande uso de cerveja, que se chamava *cerovisia* ou *cervisia*, dom de Ceres; acrescenta ele que o grão que servia para prepará-la chamava-se *brance*. A cerveja dos cartagineses chamava-se *Aummo*[*d*]. Por intermédio de Cartago os povos da Índia conheceram uma bebida que fabricavam e fabricam ainda em nossos dias os negros do interior da África, e que obtêm pela fermentação dos grãos de *holcus spicasus*.

Deve-se crer entretanto que a cerveja não era uma bebida de que todos gostassem, porque o imperador Juliano, que habitou Paris durante seis anos no meio de uma população gaulesa, cuja bebida favorita era a cerveja, exclama: "Não, tu não és a verdadeira filha de Baco; o hálito do filho de Júpiter cheira a néctar, e o teu cheira a bode."

Atualmente os dois terços da população da Europa consomem cerveja; é também, com diferentes formas e produzida com diversos grãos, arroz, trigo, etc., a bebida de mais de metade do império chinês; o uso dela é geralmente comum nos Estados Unidos, e começa a generalizar-se na América do Sul.

Esta bebida é chamada *cerovisia*, *cervitia*, *cerevisia*, e *cervisia*, pelos autores latinos. No francês antigo chamava-se *cervoise*. Voltaire mesmo serviu-se dessa expressão. Hoje chama-se *bière*. (Esta palavra vem do céltico *bere*, que quer dizer cevadinha)[1]. A maior parte das bebidas fermentadas a que se dá o nome de cerveja e que é de natureza diversa têm geralmente por base a cevadinha fermentada. Era igualmente a cevadinha e às vezes a área que servia ao fabrico de cerveja branca; haja vista este passo de Udalric: *Potus qui ex aquae, ordei sive avenae permixionem confertus, vulgo cervisia dicitur (sic)*[2]. O milho, o trigo, o arroz podem servir de sucedâneos à cevadinha. O lúpulo também representa um grande papel no fabrico da cerveja.

Vou expor muito sumariamente os principais atos deste fabrico, a fim de que se possa julgar melhor do valor das cervejas fabricadas no Brasil, da maior ou menor perfeição dos processos operados, e por consequência, do mérito dos fabricantes de que falarei.

Não podendo, só pela vista das garrafas das cervejas expostas, julgar do líquido que elas contêm, visitei quatro fábricas de cerveja na ordem seguinte: Leiden, Independência, Bastos, Glória.

Como não há geralmente designações portuguesas especiais para as matérias ou operações de fabrico de cerveja, eu empregarei os termos franceses explicando-os.

Dá-se o nome de *brasseur* ao fabricante de cerveja. Esta palavra vem de *brance* ou *brace*, significando em céltico, grão de cevadinha ou trigo preparado. Desta palavra os latinos tinham feito *braciator, braxiator*, isto é *brasseur*; depois *braxatoria domus* e *brasserie*, lugar onde se faz a cerveja.

Os fabricantes do Rio de Janeiro fazem vir da Europa e principalmente de Hamburgo a cevadinha germinada e dissecada que, a esse estado, chama-se *malt*[3]. O *malt* é a cevadinha que se faz mexer n'água, germinar artificialmente e depois suspensa a germinação expondo-a à ação do calor, num forno chamado *touraille*, e cujos germens foram depois separados. Toda a operação chama-se *maltage*. Tem por fim transformar a fécula da cevadinha em matéria sacarina; efeito que se produz por uma subtração de carbono. Para fabricar o *malt* é preciso que a cevadinha não seja mesclada e seja da última colheita.

Distingue-se (*sic*) três espécies de *malt*: 1.ª, o *malt* pálido destinado ao fabrico das cervejas finas e claras, e para cuja preparação empregam-se os maiores cuidados na dissecação da cevadinha para que ela não fique escura; 2.ª, o *malt* escuro, para as cervejas pretas e o porter; 3.ª, o *malt ambré* para as cervejas amarelas e ordinárias. É vantajoso que o *malt* se faça em países abundantes em cereais. O transporte, a economia da mão de obra, a escolha das matérias-primas, tudo ganha com isso. É por isso que se a cerveja tornar-se no Brasil uma bebida mais generalizada, será preciso animar a produção de cevadinha por toda a parte onde ela possa crescer com sucesso.

Antes de empregar o *malt*, ele é metido em um moinho ou entre cilindros para esmagar o grão. O *malt* assim esmagado toma o nome de *grist*, posto que as mais das vezes conservam-lhe o mesmo nome de *malt*. Depois dessa operação colocam-no numa bacia especial, chamada *cuve-matière*, munida inteiramente de um aparelho para mexer o *malt* e misturam-no com água, a fim de produzir a dissolução da matéria açucarada. As *cuve-matière* têm um fundo falso, furado, pelo qual entra a água necessária, elevada a uma temperatura conveniente nas caldeiras de terra cozida. Essas bacias podem ser de grande capacidade; cita-se na Alemanha, em França, e particularmente na Inglaterra, algumas tão vastas que cinquenta pessoas podem assentar-se dentro e jantarem à roda de uma mesa colocada no fundo da bacia.

Dá-se o nome de *brassin* ao conjunto das matérias — água, cevadinha, açúcares ou xaropes, lúpulo — trabalhadas ao mesmo tempo para produzir uma quantidade determinada de cerveja. O conjunto do produto é também designado pelo nome de *brassin*.

Esgotado o malte pela água, isto é, dissolvidas todas as partes maceradas, o resíduo toma o nome de *drèche*, e serve para alimento de animais, principalmente vacas-leiteiras; emprega-se também como estrume na terra. O líquido obtido chama-se *moût*.

A água necessária para esta operação é aquecida em *bacias de barro cozido*, colocadas em um lugar mais alto que a *cuve-matière*. As bacias de barro servem igualmente à decocção do lúpulo, às vezes à sua concentração e à clarificação.

O lúpulo[4] é uma planta trepadeira cujos cones ou frutos são empregados para dar à cerveja o gosto amargo e aromático, sem o que esta bebida não seria agradável. A parte ativa do lúpulo, a única útil, consiste em uma poeira amarela, granulada, aromática, que se forma na base das akenes [dos aquênios] do cone e que se chama *lupulina*. Para experimentar o lúpulo e apreciar-lhe o valor, os fabricantes têm o hábito de esfregá-lo nas mãos e avaliar aproximativamente a quantidade de matéria amarela que se desprende, e avaliando também a intensidade do cheiro da *lupulina*.

A Alemanha, a Inglaterra, a Bélgica, a França, especialmente nos arredores de Mulhouse, e de Luneville, de Strasbourg e no Norte, os Estados Unidos, sobretudo a Luisiânia, são as regiões que possuem melhores lúpulos.

Creio que os lúpulos dos Estados Unidos são os mais empregados no Rio. São misturados com uma grande quantidade de destroços de palha e de hastes, o que provém do pouco cuidado na colheita. Os lúpulos da Flandres francesa nem sempre são bem colhidos; a este respeito, os de Luneville são preferíveis, são bons e contêm poucas matérias estranhas.

O lúpulo deve não só ser colhido com cuidado e asseio, mas enfardado com atenção. Os fardos devem ser feitos por prensa, fortemente ligados, o que assegura melhor conservação do lúpulo, com a condição de que tenha sido seco antes de enfardado.

Em casa do fabricante, os fardos devem ser conservados em um lugar fechado ao abrigo do calor e da umidade, que lhe são igualmente nocivos porque o calor faz evaporar o aroma, e a umidade desenvolver o miasma.

Na Inglaterra, substitui-se no fabrico de certas cervejas, o lúpulo por óleos essenciais extraídos das cascas de árvores resinosas.

Depois da mistura do lúpulo, resfria-se o *moût* expondo[-o] a uma corrente de ar frio, em vastos tachos com bordas pouco elevadas, feitos de madeira bem ligada ou guarnecida internamente de zinco ou de chumbo, chamados refrescatórios ou refrigerantes.

Num país como o Brasil e como todas as regiões quentes onde as causas produtoras de toda fermentação nascem, crescem, multiplicam-se, sucedem-se com grande rapidez e transformam-se não menos depressa, é preciso processar os meios de retardar a fermentação, impedi-la mesmo durante o resfriamento da cerveja. Não é possível para isso pensar no gelo natural ou artificial cujo emprego seria demasiado dispendioso. Os refrescatórios ordinários, chatos, expõem o *moût* à ação do ar em grandes superfícies; os germens da fermentação, ácido, e de todas as alterações que se devem temer no fabrico da cerveja são depositados em toda a superfície por um ar constantemente renovado produzindo novas causas de alteração. É aí que está o perigo. Existe já na Europa, porque eu vi em Paris e no departamento do Norte, em França, refrigerantes de água fria. Esses aparelhos são dispostos de tal maneira que o *moût* quente, colocado em várias bacias profundas, é percorrido em todos os sentidos pela água fria circulando em tubos enroscados ou de outra forma e distribuídos em toda a capacidade da bacia.

Por este meio, a água que chega sempre fria aos tubos, apodera-se rapidamente de todo calórico, de *moût* e leva-o logo a uma temperatura igual à da mesma água fria. Deste modo a cerveja que pôde ser coberta e mantida fora do contato de ar, é subtraída às causas de alteração mais importantes.

Depois do resfriamento do *moût*, é ele levado para as bacias *guilloires*, onde por uma quantidade convenientemente de *lecure* provoca-se a fermentação, isto é a transformação do açúcar em álcool. Na Europa põe-se muitas vezes xarope de fécula ou melaços de açúcar para aumentar a matéria açucarada no *moût*. Quando se faz uso dos melaços deve-se clarificá-los antes de os empregar. No Rio serve-se para o mesmo fim do açúcar preto chamado açúcar mascavo.

Quando a cerveja está fermentada, é posta em tonéis onde uma ligeira fermentação ainda se manifesta. É depois disso que ela é clarificada e posta em garrafas ou barris.

Para todas essas preparações é preciso o maior asseio; tem-se visto estragar-se o *moût* só por estar mal limpa a bomba que serve para transvazá-lo.

É também necessário, sobretudo no Brasil, empregar o menos ferro possível no estabelecimento dos aparelhos que devem conter a cerveja. Não se pode evitar esse metal, mas uma porção demasiada é nociva. As bacias, os aparelhos, devem ser isolados uns dos outros o mais possível que seja. A bacia *guilloire* especialmente precisa de estar bem separada do chão e das paredes. Sabe-se que certos estados elétricos da atmosfera e do solo fazem parar a fermentação, que, ficando inerte mais ou menos tempo, produz cervejas viscosas, gordurosas, que é difícil muitas vezes regenerar. Pode-se remediar esse defeito por uma adição de lúpulo (cerca de 1 quilograma por 100 litros), que se retira sucessivamente da primeira ebulição dos melhores *moûts*; depois ajunta-se cerca de 180 gramas por 100 litros, grão de mostarda, e em pouco tempo a cerveja está boa. Se a operação não der resultado por falta de cuidado ou outra coisa, o *brassin* só pode servir para fazer vinagre. A mistura de uma cerveja velha com cerveja nova produz às vezes uma cerveja má.

(*Continua*).

[Carta publicada em 29/11/1866.]

1 ✧ Inglês, *beer, ale*; alemão e holandês, *bier*; dinamarquês, *ôtt*; sueco, *ôt*; russo e polaco, *piwo*; italiano, *birra, cervogia*; espanhol, *cerveza*. Francês, *orge*; inglês, *barley*; alemão, *gerst, garst*; italiano, *orzo*; espanhol, *cebada*; dinamarquês, *byg*; sueco, *biugg*; polaco, *jeeynien*; russo, *jalishinierv*; zeni e sânscrito, *yard*; grego, *key, keithé*; etrusco, *fordsum*; latim, *hordeum*. (CDLH)

2 ✧ A citação está desfigurada por vários erros tipográficos, mas o sentido geral é claro: "Chama-se vulgarmente de cerveja a bebida preparada pela mistura de água, cevada e aveia." (SPR)

3 ✧ Latim, *maltum*; inglês, *malt*; alemão, *maly, malk*; holandês, *mouat*; italiano, *malto*; russo, *solod*. (CDLH)

4 ✧ Francês, *houblon*; latim, *humulus, lupulus*; inglês, *hops*; alemão, *hopfen*; holandês, *hoppe*; dinamarquês, *humble*; sueco, *humla*; italiano, *luppoli, bruscandoli*; espanhol, *oblon*; russo, *schmel*; polaco, *chmiel*. (CDLH)

[59 B]

De: CONDE DE LA HURE
Fonte: Fundação Biblioteca Nacional. *Diário do Rio de Janeiro*, 1866. Setor de Periódicos. Microfilme do original impresso.

IX

(*Continuação*)

[Rio de Janeiro, 25 de novembro de 1866.]

A cerveja é sujeita a outros gêneros de alteração a que os fabricantes dão diferentes nomes; tais são:

A cerveja *escura* que não se pode clarear;

A cerveja *pardacenta* que não tem limpidez suficiente;

A cerveja *turvada* que é fortemente perturbada;

A cerveja *evaporada*, que perde a força por não ter tido fermentação suficiente;

A cerveja *picante* que fica assim por não conter bastante lúpulo, ou por ser já velha, ou por ser bastante elevada a temperatura do ambiente.

A cerveja torna-se tanto melhor quando (*sic*) é mais forte; as cervejas preparadas com xarope de batatas são mais secas, isto é, não umedecem a boca tanto como as outras.

Em suma, a cerveja bem preparada é uma bebida salubre, refrigerante e até alimentícia. Entretanto a embriaguez produzida pela cerveja é muito mais perigosa que a que resulta do abuso do vinho.

Faz-se na Europa um enorme consumo desta bebida. A Inglaterra, a Alemanha, a Bélgica ocupam o primeiro lugar. Só a cidade de Londres consome anualmente mais de trezentos milhões de litros de cerveja, enquanto que em Paris apenas se consomem vinte milhões de litros; é verdade que o vinho, *filho do sol*, segundo a expressão do meu mui prezado tio, preenche larga e vantajosamente a diferença.

O consumo de cerveja nacional no Rio eleva-se anualmente a mais de dois milhões e meio de litros, cerca de quatro milhões de garrafas.

A diversidade dos processos de fabrico, a diferença das qualidades de matérias-primas empregadas produzem grande variedade nas espécies de cerveja.

Depois das cervejas inglesas, que são as mais usadas de todas, o que não quer dizer as melhores, conhece-se na Europa:

O *Meun* de Brunswick, cerveja muito alcoólica, com bastante lúpulo, e que se exporta para lugares remotos.

O *Bryan*, deliciosa cerveja que se faz em Halberstadt, na Baixa-Saxônia.

A *Junquerubier*, preparada em Hamburgo e muito agradável ao paladar.

O *Duckestein*, cerveja afamada e excelente de Konigsbutter.

A *Blanquette*, de Flandres e de Holanda, que é muito boa, sem ser alcoólica.

O *Ambock*, cerveja branca, agradável e forte, que se bebe em Munique.

As cervejas de Baviera em geral.

O *Faro* e o *Loubick* de Bruxelas.

As cervejas de Lille e Arras.

O *Mutzmatz*, que se faz em Teschen com trigo e cevadinha.

O *Kwasse*, cerveja russa preparada com centeio.

Entre as cervejas inglesas:

O *Porter*, assim chamada porque os ingleses consideram-na como excelente bebida para os *porters* (carregadores).

O *Ale*, a mais antiga cerveja inglesa; é (na Inglaterra ao menos) leve, tem pouco lúpulo, e o sabor é doce. Galeno, no tempo de Antonino o Pio, e Dioscoride, favorito de Marco Antônio, conheceram o *Ale*.

O *Strangler* de Londres, cerveja forte e demasiado amarga.

As cervejas do Brasil são inferiores às cervejas estrangeiras; provém isso de não se terem ainda os processos de fábrica adaptados perfeitamente às condições climáticas do país. É provavelmente a única razão.

Vende-se geralmente a 20$ o barril de 36 medidas e 200 réis a garrafa, tomadas na fábrica.

Classifico as cervejas nacionais que conheço, do modo seguinte:

1.ª *Leiden*, cerveja agradável, não mui alcoólica, com suficiente lúpulo, e de fácil conservação.

2.ª *Independência*, boa cerveja, com um pouco de álcool demais, amarga quando é nova, e um pouco doce no fim de algum tempo.

3.ª *Glória* e *Bastos*, fabrico pouco regular, isto é, ora boa, ora sofrível.

4.ª As cervejas das outras fábricas.

É inútil dizer que o meu gosto não pode nada prejulgar sobre o mérito e o valor dessas bebidas no espírito dos consumidores ou dos apreciadores. É apenas uma questão de gosto, único critério que posso usar. *De gustibus et coloribus non est disputandum.*[1]

A fábrica do Senhor Leiden é a todos os respeitos muito notável. O Senhor Leiden mostrou-me graciosamente todas as suas dependências e minúcias. A *cuve-matière*, munida de um aparelho para compor o líquido, as caldeiras de cozer, os refrigerantes, as *guilloires*, tudo é bom e de notável asseio. Vê-se que um olhar inteligente vigia tudo; que um espírito ávido de trabalho preside aos trabalhos que se operam na fábrica.

Um locomóvel põe em movimento a maior parte dos aparelhos da fábrica. O emprego do vapor em uma fábrica de cerveja é conveniente debaixo de todos os pontos de vista, e oferece uma economia notável numa fábrica importante como a do *Senhor* Leiden. O engarrafamento faz-se por meio de um aparelho mecânico especial; a limpa das garrafas, com escova e água, é feita igualmente por um processo mecânico muito engenhoso, e cuja descrição não cabe aqui por não ser objeto da Exposição. Seja-me porém lícito falar do aparelho de Hermann La Chapelle, de Paris, para produzir o gás ácido carbônico destinado à regeneração da cerveja. A propósito das excelentes limonadas do *Senhor* Lagarde, falei-lhe, no outro dia, daquela espécie de aparelho e disse-lhe em que usos diversos podem eles ser empregados[2]. O *Senhor* Leiden, que possui um aparelho superior aos do *Senhor* Lagarde, serve-se dele para a gaseificação da cerveja, e sobretudo das cervejas defeituosas. Não se veja nisto um processo nocivo, ao contrário; o ácido carbônico introduzido na cerveja restitui-lhe, na maior parte dos casos, um elemento que lhe falta e torna-a leve, transparente, agradável, espumante. Ajunte às qualidades da cerveja, as qualidades da água de Seltz, cujo uso está hoje tão espalhado. Este meio de restituição do ácido carbônico às cervejas que o não têm é, pois, dos mais úteis, e eu não posso dispensar-me de um elogio para o jovem e inteligente fabricante que faz uso dele; aquele que no começo encontrou obstáculos e lutou de perseverança para chegar ao que é, isto é, a ocupar o primeiro lugar.

A fábrica *Independência* está perfeitamente montada, tem todos os utensílios, e mostra um luxo raro no Brasil, o que dá bom testemunho em favor dos capitais empregados nesta empresa.

O *Senhor* Logos, proprietário, quando eu fiz a visita ao estabelecimento fez-me o obséquio de mandar-me acompanhar por um dos seus empregados.

A *cuve-matière* é notável por sua capacidade e seu aparelho de movimento duplo, contrário [e] simultâneo. O aparelho de lavar as garrafas por meio de chumbo de caça é muito engenhoso; receio somente que fiquem alguns grãos desse chumbo no fundo de um certo número de garrafas, o que seria para a cerveja uma causa de alteração. Todos os aparelhos brilham pelo maior asseio; é uma preciosa qualidade que eu dou-me por feliz em declará-lo publicamente.

A fábrica do Senhor Bastos não pode ter os mesmos elogios. Apesar do bom agasalho que recebi aí de um empregado principal da casa, não posso impedir-me de deplorar o pouco cuidado com que o fabrico é tratado. Os aparelhos são completamente primitivos, o que não prejulga nada debaixo do ponto de vista da qualidade da cerveja; mas faltam os cuidados. Vi lavarem-se garrafas a mão, com pouca precaução e por operários que pela maior parte fumavam durante o trabalho. O que há de melhor no estabelecimento é uma cova subterrânea onde a cerveja se conserva bem fresca; ainda assim é de lamentar que haja no chão muitos pedaços de garrafas quebradas. A cerveja é de boa qualidade ou sofrível; a que foi exposta foi fabricada *ad hoc*. Há grandes aperfeiçoamentos a fazer no fabricar para colocá-la ao nível das necessidades da sua produção. Bem administrada e bem provida, não há razão para que seja inferior às outras.

A fábrica da Glória é também do antigo sistema. O que há de pior é a má localidade. É uma empresa mal começada, e é preciso toda a energia do Senhor Teixeira, toda a boa vontade daqueles que o ajudam, para produzir tanto com os instrumentos insuficientes e defeituosos. Merece elogios no que toca ao asseio. Quanto à cerveja, atinge às vezes ao nível das melhores cervejas do Senhor Leiden ou da *Independência*, mas como o fabrico só dá produtos irregulares, é-me impossível dar-lhe outro lugar senão o que lhes dei. Nem por isso essa cerveja deixa de ser procurada por estabelecimentos de primeira ordem, porque é talvez um preço mais barato e produz de tempos a tempos boas qualidades. O que mais aconselho a esses senhores é que modifiquem, melhorem os seus aparelhos, e sobretudo procurem um lugar mais próprio às exigências de uma fábrica importante.

O Senhor Leiden, além da sua fábrica de cerveja, é também vinagreiro. Produz, por meio de cervejas estragadas, um vinagre cor de âmbar, muito agradável ao paladar e suficientemente forte. Sabe o senhor que como a acetificação é a subtração do oxigênio por um animá[l]culo, basta propagar e desenvolver a produção desse ente para obter vinagre.

A matéria gelatinosa especial que se nota em todos os líquidos que azedam, é também a que serve para produzir a acetilicação, e que se chama *mãe* do vinagre.

O desenvolvimento do animá[l]culo exige uma temperatura de 12° centígrados no mínimo. Li, não me lembra onde, que há na China um polvo especial, conhecido dos chineses desde tempos imemoriais, que tem a propriedade de absorver uma parte do oxigênio dos líquidos fermentados e, por consequência, de produzir a acetificação.

Empresta-se e aluga-se o polvo entre vizinhos, segundo as necessidades de casa, e faz cada um com ele todo o vinagre de que precisa. O *Senho*r Leiden utiliza tudo, aproveita todos os resíduos da sua fábrica, para produzir vinagre, que não tem pretensão de rivalizar com os vinagres franceses de Orléans, mas que pode ser considerado como um produto bom e útil.

O *Senho*r Leiden fabrica vinagre de duas qualidades: a qualidade superior, mais forte, mais límpida, custa 70$ cada pipa, 200 *réis*, a garrafa; a segunda qualidade, que é um pouco menos forte, vale 45$ a pipa, e 140 *réis* a garrafa.

O *Senho*r Leiden tem mais de uma corda no seu arco, como se diz em francês; além da fábrica de cerveja e da vinagraria, é também produtor de gelo.

Relativamente falando, a arte do geleiro é moderada, ao menos pelos processos atuais. Quanto aos processos antigos, são pouco variados. Salomão, que gostava de bebidas frescas e provavelmente as suas trezentas mulheres legítimas, sem contar todas as outras, servia-se, dizem as legendas himer[enses] e árabes, de escr[avizar] etíopes para fazer o gelo durante a noite. Não saberíamos qual era o processo empregado se hoje ainda os ricos indianos e mesmo os agentes britânicos na Índia, não fizessem gelo pelo processo bíblico. Para isso têm vastos tachos, delgados, leves, de madeira ou metal, o menos fundos possível, móveis e suspensos. Há escravos encarregados de os agitar depois de cobertos de uma fina camada de água: a agitação faz-se durante as noites frescas, de preferência nas horas de antemanhã, e sobre as colinas; forma-se uma ligeira camada de gelo que é logo tirada, logo [a] segunda que é também tirada, e assim por diante. A acumulação dessas camadas tão finas como uma folha de papel, acaba por formar uma massa assaz consistente, que se concentra durante muitos dias para as necessidades do consumo.

Debaixo deste ponto de vista, o *Senho*r Leiden sabe mais que Salomão e os habitantes da Índia, graças ao aparelho imaginado pelo *Senho*r Carré. Uma inteligente aplicação de importantes princípios químicos e físicos fez com que o *Senho*r Carré estabelecesse industrialmente a produção do frio artificial, isto é, do gelo.

Nesse aparelho o agente produtor do frio é o amoníaco líquido; é pela vaporização, pela liquefação, e de novo pela transformação desse líquido em vapor, que se produz o frio num grau mais que suficiente para congelar a água, porquanto pode-se congelar o próprio mercúrio. Eu poderia entrar na explicação dos fenômenos físicos e químicos que são a base desta produção, mas os leitores do *Diário*, em geral, achariam isso muito técnico.

Um hábil e inteligente contramestre, o *Senho*r Peegaer, dirige perfeitamente essa fábrica completamente nacional porque a matéria-prima é água brasileira. Basta saber que o gelo custa apenas 2$ por arroba; 30 *réis* a libra; que é preferível ao gelo natural porque não contém impureza alguma, sendo filtrada a água, e cuido que o *Senho*r Leiden pode produzir tanto gelo quanto seja necessário ao consumo do Brasil.

Além do aparelho Carré de grande dimensão, o *Senho*r Leiden possui outros mais pequenos, por meio dos quais pode-se, em alguns minutos, gelar a água contida em uma garrafa. Este aparelho é baseado:

Na subtração necessária do ar contido na água;

Na evaporação e congelação da água no vácuo;

Na absorção dos vapores da água pelo ácido sulfúrico.

Dois desses elegantes aparelhos funcionaram uma noite destas na Exposição na presença de Suas Majestades Imperiais, da corte e do público. Em presença de Sua Alteza o *Senho*r conde d'Eu, a experiência deu bom resultado; mais tarde diante de Suas Majestades não ficou acabada.

Os pequenos aparelhos de produzir gelo são de grande utilidade nas famílias, é por isso que falo deles.

Depois do que, meu caro S*enho*r Machado de Assis, renovo-lhe as expressões dos meus especiais sentimentos de estima.

CONDE DE LA HURE.

ERRATUM.

Na parte desta carta publicada ontem onde se lê: *caldeira de terra (chaudière de cuité)* leia-se — *caldeira de cozer*.

[A continuação da carta IX foi publicada em 30/11/1866.]

---

1 ～ "Não se deve disputar sobre gostos e cores." (SPR)

2 ～ Consinta que, a propósito do Sr. Lagarde, lhe diga que as limonadas gasosas desse senhor obtêm um sucesso inesperado, e lutam vantajosamente com as da França. Dizem-me que o último paquete comprou-lhe muitas centenas de garrafas. (CDLH).

[62 A]

De: CONDE DE LA HURE
Fonte: Fundação Biblioteca Nacional. *Diário do Rio de Janeiro*, 1866. Setor de Periódicos. Microfilme do original impresso.

X

Rio de Janeiro, 19 de dezembro de 1866.

Meu caro S*enho*r Machado de Assis.

Um dos mais notáveis estabelecimentos da cidade do Rio de Janeiro é sem contestação o do S*enho*r José Maria dos Reis; visitamo-lo juntos, e o senhor há de lembrar-se quanto nos admirou a ordem perfeita que reina naquela casa[1]. Vimos trabalhar os operários e podemos dizer que fomos testemunhas de que ali se fazem objetos de óptica semelhantes aos que estão na exposição. É inútil lembrar todas as recompensas e distinções concedidas no Brasil, em Londres e em Portugal ao Senhor J. M. dos Reis; são os gloriosos brasões das suas campanhas passadas; examinemos os objetos que ele expôs este ano.

Paremos diante da elegante vitrina onde estão as lunetas, os *pince-nez*, etc., em tão variada quanto rica profusão. Todos esses objetos, diferentes um do outro, estão hábil e artisticamente trabalhados; as suas diversas faces simbolizam a agricultura, as artes, o comércio, a fé, a esperança, a caridade, a indústria, a música, o progresso, as ciências, etc.; tudo isso em alto-relevo e de perfeito acabado. Há alguns de mosaico de ouro de 3, 4 ou 5 cores diferentes; veem-se neles flores e plantas; os perfis de Suas Majestades Imperiais, o de D. Pedro I, as armas imperiais, enfim um luxo de diversidade que fascina. Todo o *Diário do Rio* é pouco para publicar de uma vez a descrição detalhada do que expôs o Senhor J. M. Reis, nesta vitrina, que é de si mesma uma obra-prima.

Prefiro passar aos instrumentos científicos, tanto os matemáticos, como os de física e os de marinha.

Vejamos em primeiro lugar um teodolito repetidor, invenção do Senhor J. M. dos Reis. Aos leitores que não conhecem, direi que se dá o nome de teodolito (palavra que quer dizer *ver longe*) a um instrumento de geodesia, formado pela combinação de dois círculos, e que serve para levantar planos e reduzir ângulos no horizonte, isto é, tirar ao mesmo tempo os ângulos vertical e azimutal. A luneta, que entra na construção do aparelho, é apenas um acessório dos círculos graduados e serve apenas para dirigir o raio visual.

Os teodolitos construídos segundo os métodos ordinários têm todos os defeitos que é dever dos fabricantes fazer desaparecer. Os que fazem uso desses instrumentos sabem que entre o círculo e o nônio existe sempre uma pequena excentricidade que só se consegue eliminar lendo dois nônios opostos. Estas leituras fazem perder tempo por causa da mudança da posição do olho que, depois de ter levantado o sinal da luneta, é constrangido a uma deslocação para olhar perpendicularmente ao centro vertical dos círculos, e esta perda do tempo repete-se frequentemente. Demais, a gente é obrigada a rodear o aparelho, com risco de esbarrar nos pés, para ler os dois nônios azimutais. Mas o inconveniente principal dos teodolitos encontra-se sobretudo na quantidade de parafusos que prendem todos os elementos de que se compõe o instrumento, e que se conta ordinariamente às dúzias. Um teodolito é um instrumento destinado a viajar muito; os abalos da viagem fazem sacolejar os parafusos nas suas porcas; destacam-se às vezes, e às vezes chegam a perder-se, em sítio onde é impossível substituí-los. Na maior parte dos casos, ficam apenas bambos e mudam as posições que todos os observadores, todos os viajantes terminam à sua vontade, uma vez por todas, e depois de numerosas observações. Além disso, para regular o nível, perde-se maior tempo, às vezes, que o necessário para a observação, para a leitura e para a transcrição de uma série de ângulos. A causa disso é porque o parafuso que regula os níveis é dos mais móveis; quanto mais se deseja centralizar perfeitamente o nível, tanto mais se gasta o parafuso e tanto mais se lhe tira a primeira qualidade, que é a de conservar uma posição invariável.

    Vejo que no seu aparelho o *Senho*r J. M. dos Reis substituiu o parafuso regulador por dois níveis. Se os dois níveis foram previamente retificados pelo artista, centralizados perfeitamente de acordo, permitiram nivelar depressa e sem desvio, e verificar, tantas vezes quantas são precisas, a posição de zênite do círculo vertical e do eixo da luneta. Releve-me, porém, o *Senho*r Reis uma pequena observação, — (ele é mais competente do que eu), — não era melhor que os dois níveis fossem maiores e colocados exatamente em cruz, a uma menor distância um do outro? Os parafusos não poderiam ser suprimidos na fixação dos dois níveis, sobretudo depois de rigorosa retificação, de modo que fiquem a coberto de qualquer desarranjo ulterior? Esta questão de parafuso parece-me muito importante para obrigar os artistas a estudar o meio prático de substituir a maior parte por cavilhas. As peças mais delicadas dos cronômetros e as mais maciças das máquinas de vapor são ligadas por cavilhas; é uma vantagem que se deve aproveitar para os outros instrumentos, porque um parafuso perdido substitui-se dificilmente, enquanto que o operário menos hábil pode sempre substituir uma cavilha por outra.

Há muito que fazer para chegar a construir um instrumento capaz de dar satisfação aos legítimos desejos dos observadores e dos sábios. O teodolito em particular oferece a reunião de muitas causas de erros, e exige, da parte da pessoa que se serve dele, minuciosas e incessantes precauções, sobretudo quando se emprega níveis *à bulle d'air*. Uma imperceptível variação de temperatura produz nesses níveis, por causa da grande dilatabilidade do líquido, efeitos mui sensíveis e complicados. A desigual distribuição do calor no nível e na luneta é também uma causa oculta e perigosa que afeta a presteza dos resultados da observação.

É preciso, portanto, que a sagacidade dos artistas se exerça para achar um aparelho do qual se excluam todos os inconvenientes, e que ao mesmo tempo permita contar com a força atrativa das montanhas ou das massas terrestres, em cuja vizinhança se opera.

Entrego estas observações ao *Senho*r J. M. dos Reis sem que haja de minha parte nenhuma pretensão de dizer-lhe nada que ele não saiba melhor do que eu.

Aponto-lhe, meu caro senhor, na vitrina do mesmo expositor, uma prancheta muito bem feita e própria, se me não engano, para tudo quanto se exige de tais aparelhos, depois um eclímetro, construído pelo coronel francês Bichot; mas com uma suspensão diferente, e que me parece preferível.

Seguem-se quatro bússolas, agulhas ou compassos (usam-se os três nomes) para a marinha militar ou mercante. Não posso apreciar essas bússolas na Exposição, porque há só um meio de saber o que elas valem, é utilizá-las a bordo. Elas são feitas, — ao menos uma delas, — para uso dos navios de ferro ou couraçados. É preciso bússolas especiais aos navios de ferro, onde o desvio da agulha torna-se um assunto de considerável importância; porque, nesse gênero de navios há um acréscimo no desvio e na irregularidade aparente das suas leis. A bússola deve estar ao abrigo das influências magnéticas do navio, influências que variam muito durante o primeiro ano depois da construção, e que sentem frequentes modificações quando o navio está exposto aos choques ou abalos. A causa disto é que o magnetismo está apenas subpermanente no casco ou nos revestimentos metálicos.

Estas considerações foram poderosas (em teoria ao menos) para decidir que os navios de ferro não devem ser empregados no transporte dos passageiros senão depois de uma ou duas longas viagens. Com o tempo, o ferro tem menos ação sobre as bússolas, torna-se menos suscetível de magnetização, provavelmente depois de uma mudança de estado molecular proveniente do contato com a água, da pressão e do atrito que o ferro recebe, e que ocasionam alguma coisa análoga às modificações moleculares dos trilhos debaixo da pressão e do atrito das rodas. Um dos principais meios preventivos do desvio das bússolas nos navios couraçados consiste em construir esses navios em proa ao Sul e encouraçá-lo na posição contrária. Não entrarei na exposição técnica dos motivos disto; seria longo e talvez sem interesse para a generalidade dos leitores. Falo de passagem, a propósito das bússolas, e talvez por ter pensado nos modelos dos navios encouraçados que estão na exposição.

O *Senho*r J. M. dos Reis expõe também um giroscópio, instrumento de física, variando suas formas por mil modos diversos, e que é destinado à demonstração do movimento dos corpos celestes.

Há igualmente duas máquinas de graduar círculos. Ambas se baseiam em sistemas conhecidos, e as modificações que os fabricantes aplicam a essas máquinas recaem sempre nas peças acessórias.

Enfim, o *Senho*r J. M. dos Reis é expositor de uma alça de mira de artilharia, cuja construção mereceu no Porto muito elogio. A descrição desse instrumento só poderia interessar a homens especiais; entretanto é ele bem acabado, como tudo quanto exibe o *Senho*r Reis. Quanto ao mérito do aparelho, só a experiência o pode confirmar.

À vista dos objetos de que acabo de falar, vê-se que o fabricante de tais instrumentos pode facilmente executar todos quantos lhe forem encomendados, e fazê-los tão bem como os melhores artistas da Europa, e que não há, quanto a mim, nenhuma diferença entre os aparelhos expostos e os que vi em Paris, nas casas dos fabricantes mais afamados.

Uma vez que trato de instrumentos científicos, mencionarei o exposto pelo Senhor Despujols. É um *calculador marítimo* destinado a determinar a distância percorrida por um navio de velas ou vapor. O inventor me disse que o aparelho construído para a Exposição é unicamente a tradução material da ideia que concebeu, e que irá modificando à proporção das necessidades demonstradas pelo uso. O aparelho se introduz em um tubo vertical, comunicando com a água por meio de uma abertura praticada na parte arredondada do navio entre a quilha e a linha d'água, de maneira que a hélice do calculador fica inteiramente submergida. Este calculador pode ser levantado de forma que seja lícito ver-se a hélice funcionar bem. Coloca-se um quadrante na câmara do comandante; e as agulhas indicatórias postas em movimento pela hélice do calculador dão continuadamente o número de milhas percorridas. Se em consequência de manobras, ou por outras causas, o navio cai para trás, o calculador desconta por si mesmo o caminho retrógrado, de sorte que não indica senão a distância percorrida para a frente. Este instrumento tem outra vantagem, é sua construção simplicíssima, e portanto o seu preço módico.

O único inconveniente que lhe reconheço é exigir uma abertura no costado do navio. Logo que se fizer alguma experiência, poder-se-á julgar de todas as vantagens, e também dos inconvenientes deste calculador marítimo.

Devo falar também de um elipsógrafo ou compasso para traçar elipses, inventado pelo R*everendíssi*mo Francisco João de Azevedo (de Pernambuco)[2]? – Muitos elipsógrafos têm sido inventados por diversas vezes; em geral são bons e correspondem todos muito bem ao fim a que se propõem. Conheço um que foi há poucos anos inventado pelo S*enho*r Carmien, mecânico em Suz[ ][3], departamento da Haute-Saône, em França. É como sempre uma espécie de pantógrafo que tem uma parte feita de propósito para descrever no ar um círculo em um plano inclinado em relação ao horizonte, enquanto um ponteiro traça em um papel colocado horizontalmente, a projeção vertical desse círculo, que é uma elipse. O movimento elipsoidal do aparelho do *Reverendíssimo* F. J. de Azevedo se produz pela transformação de dois movimentos retilíneos perpendiculares um ao outro e completados simultaneamente por duas réguas chanfradas que se cruzam exatamente a certa distância uma da outra.

Eis a Exposição em breve terminada, e tenho o prazer de dizer ainda uma vez que muitas profissões deixaram de expor seus produtos. Algumas podiam fazê-lo, outras não. Entre as primeiras cito os douradores, bronzeadores, esmaltadores, curtidores, alfaiates, fabricantes de papel e papelão, etc.

Entre os segundos os padeiros, lavadeiros e outros. Os padeiros não podem expor, mas se poderiam declarar expositores, e creio que a comissão teria feito examinar os produtos nas respectivas fábricas como se estivessem no palácio da Exposição.

A arte de padejar é de tal sorte útil que merece animação, e interessa muito a toda a população sob o ponto de vista da boa fabricação do pão, da higiene e da saúde pública.

Sei bem que em França os padeiros não expõem; mas há uma *Sociedade de Animação para a indústria nacional*, que distribui recompensas a todas as classes industriais, e fabricantes cujos produtos, consumidos no mesmo dia da sua preparação, não são próprios de figurar em uma Exposição pública.

Os lavadeiros de fazenda branca mereceriam animação quando empregassem métodos que dessem em resultado o perfeito asseio, e a conservação da roupa que lhes fosse confiada. Lamentamos bastante o hábito inveterado de métodos que estragam rapidamente para não procurar a propagação de outros que economizam.

Devemos louvar a comissão que, escutando a opinião pública, mandou fazer (segundo consta) duas medalhas de prata, e é, uma de primeira, e outra de segunda classe.

Isto permite recompensar com mais equidade os expositores que, sem merecer completamente a medalha de ouro, entretanto fizeram bastante para ser julgados dignos de uma distinção entre as de prata.

Por hoje, meu caro S*enho*r Machado de Assis, renovo-lhe os protestos de meus melhores sentimentos de estima.

CONDE DE LA HURE.

[Carta publicada em 19/12/1866.]

I ∾ Interessante referência às relações de Machado de Assis com de la Hure. Tinham amigos comuns – Ladislau Neto* e Augusto Emílio Zaluar – e mais, o modo sentencioso, repleto de minúcias e referências enciclopédicas, permitiria associar de la Hure ao autor das cartas abertas de um correspondente até hoje não identificado: **"o amigo da verdade"**. Este defendera a intervenção de Napoleão III no México, argumentando em favor da legitimidade do império mexicano como aspiração nacional (ver em [35] e [38], tomo I). Ora, recentemente, localizamos referências ao livro *Le Méxique. Résumé géographique, statistique, industriel et social à l'usage des personnes qui veulent avoir des notions exactes, récentes ... par V. L. Baril, Comte de la Hure*. Douai: V[euv] e Céret-Carpentier, sem indicação de ano. Nada mais oportuno e condizente com a política imperialista de Napoleão III no país americano. Baril viveu em Douai, norte da França (ver em [55 b]). Já publicara *Colonisation. Principes pour la fondation des colonies au Brésil* (1859) e teria pesquisado, em São Francisco do Sul, Santa Catarina, os sambaquis, objeto de outro volume, *Les peuples du Brésil avant la découverte de l'Amérique* (1861). Sua editora, a viúva Céret-Carpentier, também proprietária de *Le Courrier Douaisien*, nesse ano despedia o *"sieur de la Hure"*, empregado na redação daquela folha, porque este se apresentara como redator--chefe (Visse, 2004). *Sieur* (Senhor) é uma referência irônica; e *hure*, em francês, designa cabeça de javali, de porco ou de peixe avantajado: seria *Comte de la Hure* mero pseudônimo ou um falso título? V. L. Baril não se deu por vencido. Com maior audácia apresentou-se como *protegido* de D. Pedro II, num livro alentado, *L'Empire du Brésil, ouvrage dédié à S. M. I.* (Paris: Ferdinand Sartorius, 1862), exemplo titânico de sua capacidade de compilação ao longo de 576 páginas. Diz a dedicatória aqui traduzida:

"Senhor / As benévolas e encorajadoras palavras que Vossa Majestade dignou-se a me dirigir, ao receber meu [trabalho] *Colonisation du Brésil*, fizeram-me prosseguir o estudo das informações mais convenientes para tornar conhecido este vasto e rico Império. A ideia desse trabalho concebido sob os auspícios de Vossa Majestade, Vos pertence inteiramente, e a dedicatória da obra onde ela se encontra desenvolvida é uma homenagem que Vos é devida. Vossa Majestade verá nesta obra o meu desejo de servir aos interesses do Brasil, e de provar ao Seu Augusto Soberano minha profunda gratidão."

De la Hure reproduz dados históricos, geográficos e econômicos no alentado volume. A contribuição pessoal restringe-se aos comentários favoráveis à vinda de imigrantes europeus e a algumas críticas reacionárias sobre organização social brasileira. Cabe acrescentar que o conde de la Hure foi objeto de cinco pareceres publicados na *Revista do Instituto Histórico e Geográfico Brasileiro* (1865 e 1866). Enérgicos ou delicadamente cautelosos, nenhum deles dá crédito ao autor das cartas abertas a Machado de Assis, publicadas no *Diário do Rio de Janeiro*. V. L. Baril, desde a sua pretensão a um financiamento para pesquisas, passando por arqueólogo "descobridor" de sambaquis no litoral de Santa Catarina, e defensor de uma teoria sobre inscrições fenícias existentes em suposta cidade do interior da Bahia, foi rejeitado pelo IHGB. Nas cartas dirigidas a Machado de Assis pelo "**amigo da verdade**" (1865) e nas que descrevem a Exposição Nacional de 1866, o leitor poderá encontrar algumas semelhanças: a aptidão para detalhar e explicar a necessidade de impérios, bem como as minúcias ao descrever chapéus, ou formas (ô) de sapatos. Essa figura pitoresca estaria implícita no Rubião de *Quincas Borba*? (IM)

2 ∞ Francisco João de Azevedo (1814-1880), sacerdote paraibano, conhecido como inventor da máquina de escrever de madeira (1861), semelhante a um piano. Conta-se que essa máquina, que obteve medalha de ouro na Exposição Industrial de Pernambuco e impressionou D. Pedro II, teve seu projeto pirateado por um agente de negócios e este o repassou a um tipógrafo norte-americano. Ver tb. nota 4. (IM)

3 ∞ Pierre Carmien (1834-1907), inventor francês nascido em **Luze**. Aos 14 anos criou o ancestral da máquina de escrever, batizado como "piano de escrever" (1848), proporcionando aos cegos o acesso à escrita; desprezado na França, o invento se tornou a famosa *writing machine* dos norte-americanos. Dentre suas 61 patentes, destacam-se a máquina de costura com lançadeira e acionada por pedais (1868), patente depois comprada pela família Peugeot, o elipsógrafo citado nesta carta, o medidor de água, a corrente de bicicleta, a embreagem automática, o *parapluie-canne* — guarda-chuva cujo cabo tem forma de bengala, uma batedeira de maionese e o saca-rolha em hélice (peça metálica helicoide). Carmien morreu esquecido. (IM)

[77 A]

Para: SALVADOR DE MENDONÇA
Fonte: Manuscrito Original. Arquivo-Museu da Literatura Brasileira, Fundação Casa de Rui Barbosa.

Rio, 8 de agosto de 1868.

Meu Salvador[1].

O portador desta carta é o *Senho*r Alexandre Júlio Primo da Costa[2], que vai aí com intenção de fazer-se artista dramático. É uma questão de vocação. Como figura proeminente da imprensa, tens direito a que eu to apresente; sê pois dele, e anima-o no teu *Ipiranga*[3].

Teu do *Coração*
Machado de Assis

Post Scritpum
Ia escrever ao Meneses[4], e deixo por falta de papel. Dize-lhe que esta carta é comum. Ao mesmo tempo dá-lhe os parabéns pela volta ao *Ipiranga*, donde, aliás, eu não sabia que houvesse saído.
Mach. de Assis.

---

1 ∾ Carta inédita, da qual só se conhecia menção no catálogo da *Exposição Comemorativa do Sexagésimo Aniversário do Falecimento de Joaquim Maria Machado de Assis*. (Fundação Biblioteca Nacional, 1868). (IM)

2 ∾ Primo da Costa (1839-1896), ator português que prestou provas públicas ao Teatro D. Maria II em 1867. Veio para o Brasil em 1868, atuando como tradutor, ensaiador dramático e jornalista. (IM)

3 ∾ Jornal fundado e dirigido por Salvador de Mendonça, quando este retornou a São Paulo para concluir o curso de direito. Órgão do Centro Liberal, representava a efervescência política do final da década de 1860, pugnando contra a escravidão e o clericalismo. Segundo Nelson Werneck Sodré (1966), "os redatores trabalhavam com armas de fogo ao lado de suas mesas". Lúcio de Mendonça*, irmão mais moço de Salvador, lá estava, com apenas 14 anos, anotando os editoriais; entre os colaboradores, Joaquim Nabuco*, Rui Barbosa e outros estudantes das Arcadas, ao lado de José Bonifácio o Moço e do notável abolicionista negro Luís Gama. (IM)

4 ∾ O jornalista Ferreira de Meneses*, grande amigo de Machado (ver tomo I), também diretor de *O Ipiranga*. (IM)

෴ Correspondentes no período 1870-1889

Cartas de MACHADO DE ASSIS: [100], [107], [108], [109], [111], [112], [113], [115], [119], [121], [123], [128], [130], [133], [135], [136], [140], [142], [144], [145], [146], [147], [148], [151], [154], [159], [162], [164], [165], [173], [176], [179], [180], [184], [186], [190], [196], [204], [207], [208], [215], [221], [223], [228], [230], [231], [232], [233], [235], [236], [242], [243], [246], [247], [248], [250], [253], [259], [260], [263], [265], [266], [271], [276], [277], [279] e [77 A]. Estas cartas também estão indicadas nos perfis biobibliográficos dos respectivos correspondentes.

ABREU, João CAPISTRANO Honório DE. (1853-1927). Nascido nos arredores de Maranguape, província do Ceará, era o primogênito de Jerônimo Honório de Abreu e Antônia Vieira de Abreu. Estudou em Fortaleza, mas acabou por não concluir os estudos que lhe permitiriam tentar os preparatórios para a Faculdade de Direito de Olinda. Em 1871, já em Fortaleza, iniciou-se nas atividades literária e jornalística ainda um tanto esporadicamente, oscilando entre a história e a literatura. Em 1875, por influência de José de Alencar*, transferiu-se à corte, onde desempenhou ao longo dos anos diversas atividades. Capistrano foi professor, jornalista e pesquisador, ganhando renome sobretudo como historiador rigoroso. Na década de 1880, juntamente com Alfredo do Vale Cabral reuniu edições (parciais e duas completas) da então esquecida *História do Brasil* de frei Vicente do Salvador. Após um longo trabalho de cotejamento, apesar da morte prematura de Vale Cabral, Capistrano publicou a primorosa edição comentada da obra em 1918. No presente volume, na carta [134], Joaquim Serra apresenta Capistrano de Abreu, delimitando o início da amizade que o ligará a Machado de Assis. [176], [177], [179], [185] e [245].

AFFLALO, JOÃO DALLE. (1857-1885). Nasceu e viveu em Itajubá, Minas Gerais. Do pai, o imigrante italiano Luís Dalle Afflalo, herdou o gosto pelas letras e a facilidade para ensinar. Aos dezoitos anos, casou-se com Presciliana Schumann, sobrinha-neta do compositor Robert Schumann. Lecionou em diversos colégios e realizou seu desejo de ter o próprio estabelecimento de ensino, em janeiro de 1884, fundando, com seu irmão Aires, o Externato São Luís. Foi articulista do jornal *O Itajubá*, subdelegado de polícia de 1879 a 1883 e juiz municipal em 1885, sem nunca abandonar o magistério. Com os amigos Cristiano Pereira Brasil, Frederico Schumann Sobrinho e Geraldino Campista, fundou a Biblioteca Machado de Assis, em janeiro de 1883, oferecendo aos sócios os livros que os quatro iniciadores possuíam. Tal homenagem, que muito sensibilizou o escritor, tem breve referência de Lúcia Miguel Pereira (1988) e escapou a outros biógrafos e pesquisadores. Nas cartas de Afflalo, inteiramente inéditas, pode-se verificar o empenho do homenageado em incentivar a primeira biblioteca brasileira com seu nome, intermediando uma significativa doação do amigo, editor e livreiro B. L. Garnier. Em 1884, a biblioteca foi transferida para a municipalidade, que garantiria a sua manutenção, e a função de bibliotecário coube a Sebastião Maggi Salomon*. Até o momento desta publicação, ignora-se o destino do acervo e das cartas de Machado de Assis a Afflalo, sempre registradas pelo correspondente. Acrescente-se que este faleceu jovem, e sua viúva, mulher de temperamento forte e criada na dura vida de uma família imigrante, educou e formou os quatro filhos do casal – depois destacadas personalidades em Itajubá – sendo reconhecida como uma das mais importantes professoras de sua cidade. [220], [224], [225], [227] e [237].

ALBUQUERQUE, José Joaquim Campos de Medeiros e. Ver CAMPOS DE MEDEIROS, Joaquim.

ALMEIDA, CARLOS LEOPOLDO DE. Companheiro de trabalho de Machado de Assis, a quem, segundo Lúcia Miguel Pereira (1988), o escritor anunciou, em carta hoje desaparecida, estar "caminhando a passos largos para uma tísica mesentérica." Carlos Leopoldo de Almeida ocupou o cargo de praticante no Ministério da Agricultura, na 3.ª Diretoria, da qual Machado era, em 1878, um dos chefes de seção. [162].

ALMEIDA, L. DE. (1849-1902). Identificado como Laurindo de Avelar e Almeida, abastado cafeicultor da província do Rio de Janeiro, na região de Vassouras, onde a família Avelar, de origem portuguesa, deitou suas raízes na primeira metade do século XIX. Foi agraciado com o título de barão de Avelar em 1881. Casou-se em primeiras núpcias com a sobrinha Maria José de Avelar, filha do fazendeiro José de Avelar e Almeida Júnior; em segundas núpcias, casou-se com outra sobrinha, Laurinda de Avelar Werneck, filha de Inácio José de Sousa Werneck e Bernardina de Avelar e Almeida; em 1880, esposou Maria Ursulina Peçanha da Silva. Os dados que favoreceram a identificação de L. de Almeida acham-se nas notas do convite dirigido a Machado de Assis. [150].

ALVIM, Constança. Ver CORREIA, Constança Alvim.

AMARAL, ÂNGELO TOMÁS DO. (1822-1911). Jornalista, escritor e político, foi presidente das províncias do Amazonas (1857), de Alagoas (1858-1859) e do Grão-Pará, (1860-1861). Proprietário do *Jornal da Tarde* entre 1869-1872; tinha sua base familiar e política em Petrópolis. Deixou uma rica coleção de *ex-libris* brasileiros, que leva o seu nome e que hoje faz parte do acervo do Museu Imperial de Petrópolis. Ângelo Tomás do Amaral casou em segundas núpcias com Maria Francisca Álvares de Azevedo, irmã do poeta romântico Álvares de Azevedo. Com ela, teve Inácio Manuel Azevedo do Amaral (1883-1950), engenheiro e matemático de renome, professor de cálculo infinitesimal da Escola Politécnica e reitor da Universidade do Brasil a partir de 1945. [100].

AMIGO E COLEGA. Funcionário de confiança da seção em que trabalhava Machado de Assis, cuja identidade o escritor não revelou. [184].

AMORIM, Francisco GOMES DE. (1827-1891). Nasceu na província do Minho, Portugal, de família modesta. Em 1837 decide emigrar para o Brasil, com seu irmão mais velho, desembarcando em Belém do Pará. Aí trabalha por algum tempo e, segundo própria confissão, aprende a ler aos doze anos de idade. Penetra na Amazônia, exerce atividades rudes e adquire conhecimentos de linguagens indígenas. A descoberta de um exemplar de *Camões*, de Almeida Garrett, modifica-lhe a vida: cheio de admiração, escreve para o grande autor português. A resposta chega um ano depois. O jovem resolve voltar à pátria, encontra Garrett em 1846, toma-o como mestre, estreitando-se entre ambos uma forte relação intelectual e de amizade. A formação tardia dá frutos notáveis. Dedica-se às *Memórias Biográficas* de Garrett, falecido em 1854, a colaborações eruditas para sociedades e academias, ao teatro e à ficção (contos e romances inspirados na experiência brasileira), à poesia e ao jornalismo. Em 1866, Machado de Assis comentou em artigos no *Diário do Rio de Janeiro* dois livros de poemas de Gomes de Amorim: *Cantos Matutinos* e *Efêmeros*. A admiração por Machado se prolongará até os seus últimos dias. [240]. Ver tb. [48], tomo I.

ARAÚJO, Joaquim Aurélio Nabuco de. Ver NABUCO, Joaquim.
ARAÚJO, José FERREIRA DE. Ver "LULU SÊNIOR".

ARAÚJO, JOSÉ TITO NABUCO DE. (1832-1879). Advogado e homem de letras, era tio de Sizenando* e Joaquim Nabuco*. Escreveu os romances *Zaira* e *Mimi*, várias peças teatrais, biografias e *Máximas e Pensamentos*, obra sentenciosa que não escapou aos comentários irônicos da *Semana Ilustrada*. Dirigiu-se a Machado de Assis, redator dessa revista, visivelmente com o fim de divulgar o drama *Os Filhos da Fortuna* e a comédia *A Casta Susana*. Dois anos depois, escreveu uma carta um tanto indignada, pedindo a Machado que, na qualidade de censor do Conservatório Dramático, conseguisse a liberação da peça *Os Maridos*, que fora proibida. [103], [106] e [122].

ARAÚJO, MANUEL DE. Português, membro da Arcádia Fluminense, recitou o poema "Esperança" no primeiro sarau dessa associação, em 14 de outubro de 1865. Suas relações com Machado devem ter sido muito pessoais, a julgar pelo tom da carta de 18 de setembro de 1868, em que desabafou com o amigo, confessando seu sofrimento com a partida da mulher amada, e na carta seguinte, que informou do agravamento da doença de Faustino Xavier de Novais*, sugerindo que ambos visitassem naquele mesmo dia o amigo comum. Na última carta conservada, de 15 de maio de 1871, Araújo comunica o nascimento de uma filhinha. [104]. Ver tb. [78] e [79], tomo I.

ARAÚJO PORTO-ALEGRE. Ver PORTO-ALEGRE, Araújo.

AZEREDO, Carlos MAGALHÃES DE. (1872-1963). Bacharel em direito pela Faculdade de São Paulo (1893), ingressou na carreira diplomática em 1895. Foi também jornalista, poeta, contista e ensaísta, com produção constante em diversos periódicos brasileiros, embora tenha passado a maior parte de sua vida fora do Brasil, mesmo depois de aposentar-se da carreira. Na biografia machadiana, Magalhães de Azeredo e Mário de Alencar são considerados interlocutores privilegiados do escritor, aos quais Machado de Assis votou grande afeição e confiança, e com os quais se correspondeu por largo espaço de tempo. As cartas do presente volume são as que inauguram a vasta correspondência entre os dois. No momento em que as escreveu, Carlos Magalhães de Azeredo contava dezesseis anos e Machado, cinquenta. Azeredo acabara de ingressar na prestigiosa Faculdade de Direito do largo de São Francisco. Fundador da Cadeira 9 da Academia Brasileira de Letras. [274], [275], [279].

AZEVEDO, CIRO Franklin DE. (1858-1927). Natural de Sergipe, formou-se em direito, ingressando cedo no jornalismo. Foi ensaísta e diplomata. Colaborou em *A Semana*, periódico de Valentim Magalhães*. Publicou *Estudos Sociais e Literários* (1880), *Um Ano de Imprensa* (1887), *Alma Dolorida* (1904) e *Literatura Brasileña* (s.d.). [254].

AZURARA, JOSÉ JOAQUIM PEREIRA DE. (1832-?). Fundou e dirigiu *O Espectador* (Rio, 1876), *O Escolar* (Campos, 1878) e foi colaborador de *A Tribuna do Povo* (Macaé, 1869-1876). Começou a vida como ator dramático, dedicando-se depois ao magistério. Romancista, contista e teatrólogo, publicou *Angelina ou Dois Acasos Felizes* e *Contos de Paquetá*, mencionados na sua correspondência, e também *A Filha da Viscondessa*, *O Poder da Virgem* e *José, Filho de Israel*. Machado de Assis, oculto pelo pseudônimo de "Dr. Semana", na revista *Semana Ilustrada*, divertiu-se com Azurara, que só veio a identificar o cronista em sua quarta carta. Ver notas à sua correspondência. [91], [94], [96], [98] e [116].

BAHIA JÚNIOR, JOSÉ LOPES PEREIRA. O que se apurou encontra-se nas notas à carta [187].

BARÃO DE SANTO ÂNGELO. Ver PORTO-ALEGRE, Araújo.

BARIL, V. L. Ver HURE, Conde de la.

BARROS, Antônio José VITORINO DE. (1824-1891). Fez Escola Militar, mas dedicou-se ao funcionalismo administrativo, sendo diretor de seção da Secretaria de Estado do Ministério da Justiça. Poeta e jornalista, foi redator da *Semana Ilustrada*, de Henrique Fleiuss*, e membro do

Conservatório Dramático Brasileiro, na primeira fase, onde ingressou em 1856; na segunda fase da instituição, em 1871, foi nomeado secretário. Era irmão do almirante Joaquim José Inácio de Barros (1808-1869), ministro da Marinha no gabinete de 3 de março de 1861 e que, posteriormente, organizou e dirigiu a Secretaria de Agricultura do Ministério da Agricultura, Comércio e Obras Públicas, na qual Machado de Assis ingressou em 1873. O almirante recebeu o título de visconde de Inhaúma em 1868. [153].

BISPO CAPELÃO-MOR. Ver LACERDA, Pedro Maria de.

BOM RETIRO, VISCONDE DO. Ver FERRAZ, Luís Pedreira do Couto.

BRAGA, GENTIL Homem de Almeida. (1835-1876). Nascido em São Luís do Maranhão, cedo decidiu estudar engenharia no Rio de Janeiro, mas, mudando de ideia, foi estudar direito em Olinda. Foi secretário de governo no Rio Grande do Norte e promotor público no Maranhão. Publicou *Clara Verbena* (1866) e *Entre o Céu e a Terra* (1869), usando o pseudônimo de "Flávio Reimar". Este último foi comentado por Machado de Assis em crônica de 1870, na *Semana Ilustrada*. Gentil Braga era um dos redatores do *Semanário Maranhense*, responsável pelos comentários de política interna e externa, que Machado de Assis apreciava muitíssimo ler. Era um homem de grande cultura e sensibilidade, sobre cuja morte Machado escreveu no *Diário do Rio de Janeiro*, em 1876. No artigo "Instinto de Nacionalidade", Machado de Assis menciona-o entre os poetas surgidos nos anos 1860–1870, ao lado de Castro Alves e Luís Guimarães Júnior*. [95], [99] e [114].

BRÍGIDO dos Santos, JOÃO. (1858-1921). Nascido em São João da Barra, na província do Rio de Janeiro, radicou-se no Ceará, onde se elegeu deputado geral. Foi também jornalista, muito combativo, para não dizer panfletário, especializando-se em destruir reputações alheias. Foi diretor e proprietário de dois jornais cearenses, *O Libertador* e *O Unitário*. Machado de Assis foi uma de suas vítimas. Na qualidade de chefe de secção do Ministério da Agricultura, Comércio e Obras Públicas, Machado se pronunciara a favor da pretensão de Joaquim da Cunha Freire, barão de Ibiapaba, de obter uma concessão para a exploração de minas de cobre descobertas num município cearense. Acontece que havia outro pretendente, Antônio Rodrigues Carneiro, cliente de João Brígido. Em artigo publicado em *O Libertador* de 20 de agosto de 1890, Brígido acusava implicitamente Machado de ter sido subornado para prejudicar seu cliente, e apontava entre as provas da irregularidade o fato de que numa certidão, assinada pelo predecessor de Machado, figurava como advogado de Ibiapaba o conselheiro Tristão de Araripe, e em outra, relativa ao mesmo documento, e assinada pelo próprio Machado, aparecia como advogado o filho do conselheiro, o engenheiro Artur Araripe. Machado respondeu ao artigo difamatório, que reproduzia o texto integral de uma troca de cartas entre ele e João Brígido, na seção de apedidos da *Gazeta de Notícias*, e o assunto morreu. [273] e [277].

BUARQUE, LÍDIA CÂNDIDA DE OLIVEIRA. (1841-1924). Esposa do ministro Manuel Buarque de Macedo*, de quem Machado de Assis foi oficial de gabinete, e que morreu em 29 de agosto de 1881, durante uma visita oficial a São João Del Rei. Lídia e Manuel casaram-se no Recife em fins de 1856 e, a 21 de junho de 1857, Buarque de Macedo, que fora nomeado adido de 2.ª classe à Legação Imperial, seguindo sozinho para Paris e deixando a mulher com o patriarca da família Buarque. Lídia morou com o sogro até a volta do marido em fins de 1859. Em 1861, já no Recife, nasceu-lhes o primogênito, Carlos. Em dezembro de 1873, a família transferiu-se ao Rio de Janeiro, quando Buarque assumiu o cargo de chefe da Diretoria da Secretaria de Estado dos Negócios da Agricultura, Comércio e Obras Públicas. Lídia Cândida, como a maioria das mulheres de seu tempo, dedicou-se à educação dos filhos e aos cuidados do lar. Quando o ministro morreu, Lídia manteve-se firme à frente da família, sustentando os filhos e amparando a mãe de Buarque de Macedo, no Recife. [196].

CAMPOS, MONSENHOR Joaquim PINTO DE. (1819-1887). Nascido em Pajeú de Flores, na província de Pernambuco, faleceu em seu exílio voluntário de Lisboa. Homem de índole afeita a lutas qualquer que fosse o campo em que surgissem, Pinto de Campos envolveu-se vida afora em inúmeros conflitos, inclusive algumas vezes pegando em armas, como por ocasião da Revolução Praieira, em 1848, na qual lutou ao lado das forças legalistas, capitaneadas pelo presidente da província Manuel Vieira Tosta (1807-1896), prestando eminentes serviços na manutenção da unidade do Império. A partir desse episódio, Pinto de Campos tornou-se figura proeminente na província, angariando a confiança dos primeiros chefes conservadores. Entrou na vida política, tornando-se representante de Pernambuco por várias legislaturas, provinciais e gerais, participando sempre de forma incisiva nos debates e controvérsias nas assembleias. Monsenhor Pinto de Campos sustentou ardentes discussões de caráter religioso, quase sempre em defesa de valores ultraconservadores, como, por exemplo, na incandescente polêmica com o líder militar Abreu Lima, anticlerical exaltado; polêmica na qual os dois foram pródigos nos excessos verbais e na violência da frase. Em 1864, sugeriu publicamente ao diretor do Gabinete Português de Leitura do Recife, que queimasse os livros de Ernest Renan (1823-1892) depositados naquela instituição, com argumento de que eram nocivos à formação religiosa e moral. No *Diário do Rio de Janeiro*, Machado de Assis reagiu profundamente indignado, escrevendo uma crônica em que fez a defesa cerrada do livre-pensamento. Os biógrafos machadianos, de modo geral, sublinham a incompatibilidade entre os dois, afirmando que Machado não tivera vínculo algum com o monsenhor; entretanto, na carta de 18 de agosto de 1880, há dados textuais que permitem algumas especulações. Nela, Pinto de Campos diz ter recebido duas cartas anteriores a esta e, desabrido como sempre, diz também que ambas continham apenas desculpas para não ser atendido em seu pedido. Duas cartas machadianas cheias de explicações sobre o mesmo assunto escritas a um homem com o qual Machado não tinha vínculo algum? Ou se os tinha, eram vínculos meramente formais? Pouco provável. O outro dado textual é a frase em que o monsenhor lamenta não mais fazer parte das *memórias íntimas do coração* de Machado. Memórias íntimas de Machado de Assis? A esse respeito consultar as notas à sua carta. [182].

CAMPOS DE MEDEIROS, JOAQUIM. Provavelmente trata-se do pai de Medeiros e Albuquerque (1867-1934), que foi fundador da Cadeira 22 da Academia Brasileira de Letras. O pai do acadêmico foi colega de turma de Franklin Dória* (1836-1906) na Faculdade de Direito de Olinda, portanto da mesma geração de Machado de Assis (1839). [208].

CASTRO, FRANCISCO DE. (1857-1901). Nasceu em Salvador, filho do negociante Joaquim de Castro Guimarães e de Maria Heloísa de Matos. Depois de uma estadia em Paris, para onde o pai o enviara a fim de aperfeiçoar seus estudos, matriculou-se na Faculdade de Medicina da Bahia. Veio para o Rio de Janeiro em 1877, cidade que não mais deixou, e onde adquiriu fama tanto na medicina como na literatura. Foi professor da cadeira de clínica propedêutica e, em 1901, diretor da Faculdade de Medicina do Rio de Janeiro; ao assumir esse cargo, fez que questão de ter Machado de Assis ao seu lado. Influenciado pelo romantismo, reuniu seus poemas no livro *Harmonias Errantes* (1878), com prefácio de Machado de Assis, que o incluiria entre as promessas da poesia brasileira no ensaio "A Nova Geração". Eleito para a Academia Brasileira de Letras, faleceu no dia seguinte ao marcado para a sua posse, deixando, porém, o discurso – um longo e primoroso elogio do Visconde de Taunay*, a quem sucedia. O discurso teve publicação póstuma (1902), prefaciada emocionadamente por Machado de Assis. Rui Barbosa, designado para receber o novo acadêmico, também teve seu discurso publicado e considerou-o "a mais peregrina expressão de cultura intelectual" que jamais conhecera. Segundo ocupante da Cadeira 13 da Academia Brasileira de Letras. [159].

CASTRO, LUÍS PEDREIRA MAGALHÃES. É possível que seja um dos filhos do advogado, político e desembargador do Supremo Tribunal (1881) José Antônio de Magalhães Castro (1814-1891). Ver notas à carta [173].

CHARDRON, ERNESTO. (1840-1885). Nascido na França, fundou em 1869 a Livraria Internacional, que transformou numa casa de prestígio, editando grande parte das obras de Camilo Castelo Branco e as de Eça de Queirós*. Preocupado com as edições piratas e com as adaptações teatrais não autorizadas dos livros de Eça, Chardron teve a ideia de confiar a Machado de Assis a defesa dos interesses do romancista português no Brasil, transferindo-lhe para isso a propriedade literária no Brasil de *O Primo Basílio* e dos livros subsequentes de Eça. A iniciativa era pelo menos curiosa, porque as relações entre os dois escritores não eram das melhores, pois Machado atacara *O Primo Basílio*, poucos meses antes, e acusara *O Crime do Padre Amaro* de ser um plágio de *La faute de l'abbé Mouret*, de Zola. Eça respondeu com uma carta muito elegante [156], mas não há nenhum indício de que tivesse superado o ressentimento contra Machado. A iniciativa de ceder a Machado a propriedade literária no Brasil das obras de Eça deve ser, portanto, inteiramente de Chardron. De resto, Machado não parece ter movido uma palha para defender os interesses do confrade português no Brasil. De todo modo, a segunda edição de *O Primo Basílio* e a primeira de *A Capital* trazem na folha de rosto a declaração pedida por Chardron. [158].

CLUBE BEETHOVEN. Informações sobre essa sociedade musical acham-se em [230], [231], [243] e [266].

COELHO, Luís Cândido Cordeiro Pinheiro FURTADO. (1831-1900). Ator português, estudou na Escola Politécnica de Lisboa, mas não concluiu o curso em função da revolução de 1847-1848, período conturbado em toda a Europa, de reação aos regimes autocráticos. Entre 1846-1855, ainda em Lisboa, trabalhou como burocrata no Ministério dos Negócios da Guerra. Oriundo de uma tradicional família portuguesa, encontrou grande reação à sua escolha profissional. Desejando liberdade para realizar a sua arte, acabou emigrando para o Brasil em 1856. Estreou num teatro de Porto Alegre, Rio Grande do Sul; mas logo transferiu-se definitivamente à corte. Machado de Assis, que respondia pela coluna de teatro no *Diário do Rio de Janeiro*, teve por ele desde o começo grande entusiasmo. Admirava a sua forte presença e o seu domínio da cena; reconheceu nele o melhor representante da estética realista, da qual ambos eram ardorosos defensores. Furtado Coelho, bonito, elegante e bem-nascido, fazia grande sucesso com o público feminino; eram muitas as suas ligações amorosas, mas ainda assim a atriz portuguesa Eugênia Câmara trocou-o pelo poeta Castro Alves. [146]

CORREIA, CONSTANÇA ALVIM. (1853-1942). Filha do comendador Miguel Cordeiro da Silva Torres e Alvim e Josefa Rodrigues Torres e Alvim; era neta, pelo lado paterno, do visconde de Jerumirim, Francisco Cordeiro da Silva Torres e Alvim (1775-1856), militar português que assessorou D. João VI no projeto de transformação do Rio de Janeiro em corte portuguesa, e auxiliou D. Pedro I no processo de constituição da nacionalidade brasileira. Além disso, foi ministro da Guerra no período da Regência e o primeiro presidente do IHGB. Pelo lado materno, Constança era neta da 1.ª baronesa de Taquari, Maria da Conceição Rodrigues (1786-1866), a mesma que deu abrigo a Faustino Xavier de Novais*, irmão de Carolina Novais*, no período derradeiro de sua vida. Constança casou-se em primeiras núpcias com o advogado português Henrique Correia Moreira; os dois foram os pais do pintor pré-modernista Henrique Alvim Correia (1876-1910). Viúva em 1883, voltou a casar-se com o também viúvo José Mendes de Oliveira Castro, futuro barão de Oliveira Castro (1889), tornando-se ela baronesa. Com o fim da monarquia, o casal foi viver na Europa, onde teve quatro filhos. Constança não voltou mais ao Brasil falecendo em Nice. Segundo Lúcia Miguel Pereira (1988), o escritor correspondia-se com Constança por esnobismo de *parvenu*, ansioso por cultivar amizades aristocráticas; mas a explicação parece ser outra, mais simples. Certamente Machado encontrou-a menina nas visitas que fez a Faustino Novais, quando este a partir de 1861 morou em casa da baronesa de Taquari, avó da pequena Constança. Machado possivelmente afeiçoou-se a ela e, mais tarde, tornaram-se de fato amigos. [149] e [239].

CORREIA, RAIMUNDO da Mota de Azevedo. (1859-1911). Nascido no Maranhão, o poeta estudou no Colégio Pedro II, no Rio de Janeiro, e depois na Faculdade de Direito de São Paulo, onde se formou em 1882. Desenvolveu uma bem-sucedida carreira na magistratura, nas províncias do Rio de Janeiro e de Minas Gerais, tornando-se especialista em direito criminal. Teve uma breve passagem pela diplomacia brasileira, entre abril e dezembro de 1897, como 2.º secretário à Legação em Paris e depois em Lisboa. Na literatura, estreou com *Primeiros Sonhos* (1879), coleção de poemas ainda de inspiração romântica, e que Machado de Assis, mesmo reconhecendo um poeta promissor, considerou versos de adolescência. Em janeiro de 1883, veio a lume o seu segundo livro, *Sinfonias*, com prefácio de Machado, sendo muito bem recebido tanto pela crítica quanto pelo público. Na sessão preparatória da Academia Brasileira de Letras, em 28 de janeiro de 1897, foi um dos nomes escolhidos para completar o quadro de fundadores. Em 1911, enfermo, partiu para Paris, onde viria a falecer no mesmo ano. Em 1920, seus restos mortais, juntamente com os do acadêmico Guimarães Passos, que também morrera na capital francesa, foram transladados para o Brasil, por iniciativa da ABL. Fundador da Cadeira 5 da Academia Brasileira de Letras. [255] e [260].

CRESPO, Antônio Cândido GONÇALVES. (1846-1883). Nascido no Rio de Janeiro, filho de português e de mãe mulata, foi para Portugal aos dez anos de idade. Formado em direito por Coimbra, naturalizou-se português, condição para que exercesse a advocacia. Casou-se, em 1874, com a escritora Maria Amália Vaz de Carvalho, fato que lhe facilitou a entrada no meio intelectual lisboeta. Crespo fez carreira na política, chegando a deputado às Cortes (1879). Nas letras, foi poeta parnasiano; publicou *Miniaturas* (1871) e *Noturnos* (1882). Na carta do presente volume, Crespo envia um exemplar de *Miniaturas* e, entre outros comentários, alude à *secreta simpatia* que nutria por Machado depois que soube que também este era um homem de cor, como ele. Machado menciona o poeta em "A Nova Geração" e dedicou-lhe o poema "A Volta do Poeta", por ocasião do seu falecimento em 1883. [105].

CRUZ, José LUDGERO. O que se apurou a respeito deste correspondente encontra-se nas notas à carta [175].

CUNHA, PEDRO W. MELO E. Secretário da *Imprensa Acadêmica*, jornal dos estudantes da Faculdade de Direito de São Paulo, no ano de 1870, quando em 14 de junho enviou carta a Machado de Assis solicitando a sua colaboração. Ver tb. Imprensa Acadêmica*. [101].

DINARTE, SÍLVIO. Pseudônimo de TAUNAY, Alfredo d'Escragnolle. Ver cartas [262] e [263].

DÓRIA, FRANKLIN Américo de Meneses. (1836-1906). Barão de Loreto. Nascido na fazenda do Loreto, Ilha dos Frades, província da Bahia, filho de José Inácio de Meneses Dória e Águeda Clementina de Meneses Dória, estudou os preparatórios no Colégio São Vicente de Paulo (1852-1853), sob a orientação do beneditino Arsênio da Natividade Moura, e foi aluno de Junqueira Freire, a quem posteriormente biografou (*Estudo sobre Luís José Junqueira Freire*, 1868). Em 1854, já na Faculdade de Olinda, estreou como poeta na *Gazeta dos Estudantes*; em 1858, publicou o livro de poemas *Enlevos*. Em 1860, tornou-se promotor interino em Salvador; depois promotor público na comarca de Cachoeiras. Liberal, vinculou-se aos conservadores dissidentes em oposição ao gabinete Caxias (1861). Em 1862, elegeu-se deputado provincial. Em fevereiro de 1864, foi nomeado presidente do Piauí, retornando em 1866 à Bahia depois de eficiente administração. Nesse mesmo ano, embarcou no *Extremadure* para a corte; em 03/10/1867, foi nomeado presidente do Maranhão. Com a queda dos liberais em 1868, dedicou-se à banca de direito e à literatura. Dória tornou-se assíduo nos saraus do paço que, parece, Machado de Assis também frequentou. Em 1874, defendeu no Supremo Tribunal o velho desembargador Pontes Visgueiro, que em São Luís, assassinara a jovem amante *Dorinha Devassa* a golpes de facão. O desembargador escapou à forca, sendo condenado a 14 anos de prisão no Forte do Barbalho. Dória ganhou ainda mais projeção, agora como advogado. Em 1880, presidiu a província de Pernambuco mergulhada numa grande crise, que soube resolver com grande eficiência. Quando foi proclamada a República, era ministro do Império do gabinete Ouro Preto. Os Dória acompanharam a família imperial ao exílio. Fundador da Cadeira 25 da Academia Brasileira de Letras. [128], [129], [130], [163], [164], [165], [215] e [228].

FERRAZ, Fernando Francisco da COSTA. (1838-1907). Nasceu no Rio de Janeiro, onde se formou em medicina, ganhando fama como clínico, legista e, sobretudo, embalsamador. O processo de embalsamamento por ele criado era de extraordinária eficácia e sempre foi guardado em segredo. Membro da Academia de Medicina, contribuiu para o atendimento e a educação da chamada "infância desvalida"; atuou, também, em questões ligadas à saúde pública, tendo publicado o trabalho *Da Regulamentação da Prostituição* (1890). Vereador e um dos iniciadores do turfe no Brasil durante o regime monárquico (ver em [170]); com o advento da República tornou-se florianista exaltado. Era uma figura extremamente original, como se expõe em nota ao cartão por ele dirigido a Machado de Assis. [213].

FERRAZ, LUÍS PEDREIRA DO COUTO. (1818-1886). Barão e visconde de Bom Retiro. Foi advogado, deputado em sete legislaturas, senador, duas vezes presidente de província e ministro de estado. Educador infatigável, responsável por reformas do ensino primário, secundário e superior, sob a orientação de D. Pedro II, conduziu a fundação do Imperial Instituto dos Meninos Cegos, atual Instituto Benjamin Constant. Em 1872, presidiu a comissão encarregada de erigir uma estátua a José Bonifácio, inaugurada em 7 de setembro, no largo de São Francisco. Neste dia, Machado de Assis publicou no *Jornal do Comércio* o poema "À Inauguração da Estátua de José Bonifácio". [117].

FLEIUSS, HENRIQUE. (1824-1882). Nasceu em Colônia, na Alemanha. Foi pintor de aquarelas, desenhista e caricaturista. Veio para o Brasil em 1858, a convite de von Martius, percorrendo logo ao chegar várias províncias, cujas paisagens e costumes fixou em aquarelas. Em 1859, já no Rio de Janeiro, fundou uma oficina tipolitográfica, que se tornaria depois o Imperial Instituto Artístico. Fleiuss deve ser considerado o criador da imprensa humorística brasileira, graças à *Semana Ilustrada*, revista por ele fundada em 1860 e que só se extinguiria em 1876. Fundou nesse ano uma nova revista, *A Ilustração Brasileira*, publicação de alta qualidade, mas que foi um fracasso financeiro. Fleiuss ainda tentou ressuscitá-la, sob o nome de *Nova Semana Ilustrada* (1880), recordando a revista a que dedicara 16 anos de sua vida, mas os resultados foram decepcionantes. Dois anos depois morreria no Rio de Janeiro. Machado de Assis colaborou regularmente na *Semana Ilustrada* desde o início, e também em todos os números de *A Ilustração Brasileira*. Fleiuss caricaturou Machado de Assis e ilustrou *Ressurreição*. [97].

GALVÃO, ENEIAS. (1863-1916). Nascido em São José do Norte, na província do Rio Grande do Sul, era filho do visconde de Maracaju,

Rufino Eneias Gustavo Galvão, militar e político de grande destaque. Formou-se na Faculdade de Direito de São Paulo. Foi promotor, chefe de polícia e ministro do Supremo Tribunal Federal. Também pertenceu a várias associações literárias. Ainda estudante, publicou um pequeno livro de poemas, *Miragens*, com prefácio de Machado de Assis. Posteriormente, publicou *Poema Íntimo*, *Galeria das Crianças* e *Galeria Romântica*, além de obras jurídicas. Faleceu em Teresópolis, no estado do Rio de Janeiro. [246].

GUIMARÃES JÚNIOR, LUÍS Caetano. (1845-1898). Nasceu no Rio de Janeiro, filho de um abastado português, Luís Caetano Pereira Guimarães, e da brasileira Albina de Moura Guimarães. Desde cedo manifestou seu talento literário e um espírito romântico que contrariavam o austero temperamento paterno. Aos 17 anos, conhece Machado de Assis, a quem dedica uma "tentativa dramática" – *Cena Contemporânea* –, conquistando-lhe a amizade que perdurou por toda vida. Parte para São Paulo, onde faz os preparatórios e ingressa na Faculdade de Direito (1862-1864). Escreve comédias, *Um Pequeno Demônio*, *Amores que Passam* e *O Caminho Mais Curto*, e colabora na imprensa paulistana, sob o pseudônimo "L. de Ataíde". Em 1865 transfere-se para Recife, onde conclui o curso jurídico e publica o volume de poesias *Corimbos*, no final de 1869. De volta ao Rio de Janeiro, torna-se ativo jornalista. Publica, sucessivamente, *A Família Agulha*, *Curvas e Zig-zags* (prosa humorística), *Noturnos*, *Contos sem Pretensão* e perfis biográficos; decidido a se casar com Cecília Canongia, abandona a vida boêmia, para ingressar no serviço diplomático. Postos na Bolívia, no Chile, na Grã-Bretanha, na Itália, onde publica *Sonetos e Rimas* (1880), e Portugal, entre 1872 e 1890, quando é removido para a Venezuela, como ministro de 2.ª classe. Posto em disponibilidade (1892), retorna a Lisboa. Viúvo, enfermo e desiludido, queima uma imensa quantidade de poemas inéditos. Porém, criada a Academia Brasileira de Letras, manifestam-se o carinho e o apreço de Machado que, por certo, o quis como um dos fundadores. Guimarães Júnior, poeta romântico de clara orientação parnasiana, faleceu em

Lisboa, sem presenciar os primeiros momentos da Casa que guarda a sua copiosa correspondência, conservada por Machado de Assis. Fundador da Cadeira 31 da Academia Brasileira de Letras. [124], [131], [132], [155] e [252]. Ver tb. [5], [6], [9], [10], [12], [14], [15], [21], [24], [37], [39], [44] e [46], tomo I.

HURE, CONDE DE LA (dito). Seu nome verdadeiro era V. L. Baril. Francês, interessou-se pelo Brasil, onde veio a residir. Publicou *Colonisation. Principes Pour la Fondation de Colonies au Brésil* (1859), *Les Peuples du Brésil Avant la Découverte de l'Amérique* (1861), com pesquisas relativas aos sambaquis do litoral de Santa Catarina, *Voyage Sur le Rio Parahyba* (1861), *Le Méxique, Résumé Géographique, Statistique, Historique et Social* (1862) e *L'Empire du Brésil* (1862), volume de mais de 500 páginas, dedicado a D. Pedro II. Teve comunicados aceitos pelo Instituto Histórico e Geográfico Brasileiro que, entretanto, rejeitou seu pedido de recursos financeiros para a realização de pesquisas. Seu trabalho sobre a descoberta de inscrições fenícias no sertão nordestino foi considerado fraudulento. Escreveu, no *Diário do Rio de Janeiro*, dez cartas a Machado de Assis, comentando a Exposição Nacional de 1866. Sobre aspectos polêmicos da biografia desse correspondente, ver notas em [52 A] e [62 A], bem como a "Apresentação" do presente tomo. [53 A], [53 B], [53 C], [54 A], [55 A], [55 B], [56 A], [57 A], [59 A], [59 B] e [62 A].

IMPRENSA ACADÊMICA. Jornal dos estudantes da Faculdade de Direito de São Paulo (1864-1871), de orientação liberal, e para o qual Machado de Assis contribuiu como correspondente na década anterior. Ver em [101] e tb. em [25], tomo I.

LACERDA, PEDRO MARIA DE. (1830-1890). Conde de Santa Fé. Bispo em 1868 e último capelão-mor do Rio de Janeiro. Em 1872, suspendeu o uso de ordens sacras ao padre Almeida Martins por ter proferido discurso em homenagem ao visconde do Rio Branco*, grão-mestre maçom, desencadeando reações contrárias de parte do clero, que resultaram na célebre "Questão Religiosa" (1873). Extirpou abusos nas celebrações religiosas (sobre o assunto, ver em [3], tomo I), advogou a causa abolicionista, participou do Concílio Vaticano, em Roma, e da Conferência Episcopal de São Paulo, tendo assistido à queda do Império brasileiro. [148].

LACOMBE, DOMINGOS LOURENÇO. (1860-1943). Nascido no Rio de Janeiro, foi registrado na Embaixada da França como cidadão francês, em virtude da sua ascendência. Tinha, portanto, dupla nacionalidade. Estudou em Paris, no Lycée Condorcet, onde foi colega de Henri Bergson e discípulo de Stéphane Mallarmé, que o premiou como melhor aluno de inglês da sua turma. Terminados os estudos secundários, transferiu-se para a Inglaterra, onde fez cursos de finanças e comércio internacional. Voltando ao Brasil, dedicou-se à exportação de café. Era também tradutor juramentado de inglês e francês. Tinha como *hobby* a música, embora não tocasse nenhum instrumento. Durante muitos anos integrou a diretoria do Clube Beethoven*, tornando-se amigo de Machado de Assis, que era o bibliotecário da agremiação. Lacombe conheceu sua futura esposa, Isabel Jacobina, no famoso baile da Ilha Fiscal, última festa do Império brasileiro, antes da proclamação da República. Neta do conselheiro Albino José Barbosa de Oliveira, que tinha sido presidente do Supremo Tribunal de Justiça, Dona Belinha fundou o Colégio Jacobina, importante educandário feminino do Rio de Janeiro. Filho mais moço do casal, o historiador e acadêmico Américo Jacobina Lacombe (1909-1993), nomeado presidente da Casa de Rui Barbosa em 1939, conduziu essa Fundação exemplarmente até seu falecimento. [243].

LEMOS, EDUARDO DE. (?-1884). Português radicado no Brasil, foi um dos mais importantes incentivadores do Gabinete Português de Leitura, no Rio de Janeiro. Começou a colaborar como secretário, ocupando outros cargos até assumir a presidência, em 1878. Trabalhador excepcional, foi responsável pelo lançamento da pedra fundamental da sede atual, na rua Luís de Camões, antiga rua da Lampadosa. Para os festejos comemorativos do terceiro centenário da morte de Camões, em 1880, Machado escreveu a peça *Tu Só, Tu, Puro Amor...*, recebendo, como agradecimento, medalha do Gabinete, que o fez sócio honorário em 1881. Eduardo de Lemos morreu em Viana do Castelo, sua terra natal, três anos antes da inauguração do belo edifício pelo qual lutou incansavelmente. [180].

LIMA JÚNIOR, Manuel Buarque de Macedo. Ver MACEDO, Manuel Buarque de.

LOPES NETO, Felipe de. (1814-1895). Barão de Lopes Neto. Diplomata e político pernambucano, formou-se em direito pela Universidade de Pisa, na Itália. Comprometeu-se na sufocada Revolução Praieira (1848), sendo condenado à prisão na ilha de Fernando de Noronha. Posteriormente anistiado, elegeu-se deputado geral em 1864. Entrou na diplomacia em 1866, partindo como plenipotenciário em missão especial na Bolívia, onde chegou em fevereiro de 1867 e iniciou a negociação de um tratado de amizade, limites, navegação, comércio e extradição, assinado e ratificado no mesmo ano. A fixação de limites, considerada depois como prejudicial ao Brasil, foi desfeita pelo barão do Rio Branco através do Tratado de Petrópolis (1903). Foi ministro plenipotenciário no Uruguai, servindo também nos Estados Unidos e no Chile; seu último posto foi em Roma. Escreveu sobre política e diplomacia e publicou *Relatório Acerca do Sistema Penitenciário*. Em 1864, Machado de Assis fez críticas mordazes ao deputado Lopes Neto em "Ao Acaso" (*Diário do Rio de Janeiro*); oito anos depois, atendeu ao seu pedido de comentar a poesia do chileno Guillermo Matta, em longa carta aberta. [115].

LUÍS Pereira de Sousa, PEDRO. (1839-1884). Nascido em Araruama, província do Rio de Janeiro, educou-se no Colégio de São Vicente de Paula, em Friburgo. Formado pela Faculdade de Direito de São Paulo (1860), estabeleceu-se como advogado na corte. Deputado liberal em duas legislaturas (1864-1866 e 1878-1881), revelou-se orador fluente. Foi ministro dos Negócios Estrangeiros em 1880 e interino da Agricultura, Comércio e Obras Públicas, substituindo Buarque de Macedo*; foi também Presidente da Bahia (1882) e faleceu quando estava para ser designado senador (1884). Como poeta, Pedro Luís foi precursor da escola condoreira. O poema *Terribilis Dea* (1860) tornou-se conhecido no Brasil inteiro. No mesmo estilo, publicou também "Os Voluntários da Morte" (1864). Machado conheceu-o quando ambos, na qualidade de repórter, faziam a cobertura do Senado; Pedro Luís pelo *Correio Mercantil*, e Machado pelo *Diário do Rio de Janeiro*. Em 1881, Machado foi seu oficial de gabinete no ministério interino. As cartas reproduzidas neste volume atestam a confiança que o ministro depositava no funcionário, e o zelo com que esses dois literatos desempenhavam as suas funções. Pedro Luís é patrono da Cadeira 31, da Academia Brasileira de Letras. [183], [189], [192], [193], [194], [195], [197], [198], [199], [200], [201], [203].

"LULU SÊNIOR". Pseudônimo de José FERREIRA DE ARAÚJO (1848-1900). Nascido no Rio de Janeiro, formou-se em medicina, optando, entretanto, pelo jornalismo, que o absorveu integralmente. Em 1875, estava entre os fundadores da *Gazeta de Notícias* (ver em [147]), tendo sido seu diretor e o responsável por inovações que fizeram dessa folha um marco na imprensa brasileira. Reunindo colaboradores de alto nível, ele próprio se distinguiu como redator dotado de fino estilo e deliciosa veia humorística. Machado de Assis entrou a colaborar na *Gazeta* em 1881. Inicialmente, publicou contos; as primeiras crônicas aparecem na seção "Balas de Estalo" (1883) e logo Araújo lhe confia seções fixas, que culminam com "A Semana". Arrolam-se 479 crônicas, além de 48 contos e outros trabalhos. Ferreira de Araújo foi grande amigo de Machado, e este viveu intensamente sua participação no legendário jornal, que, aliás muito o homenageou, a exemplo da comemoração pelos 22 anos de *Crisálidas* (ver em [254]). Diversas cartas, neste volume, referem-se ao jornalista, autor de *Coisas Políticas*. Seu falecimento inspirou uma carta aberta machadiana (para Henrique Chaves, em 21 de setembro de 1900), na qual se estampa o melhor retrato do velho companheiro "Lulu Sênior". [232].

MACEDO, Manuel BUARQUE DE. (1837-1881). Filho de Manoel Buarque de Macedo Lima e Lourença Buarque de Macedo Lima, nasceu no Recife. Era bacharel em matemáticas pela Escola Central e doutor em ciências jurídicas e administrativas pela Universidade de Bruxelas. Ocupou vários cargos públicos: foi adido de 2.ª classe à Legação do Brasil em Paris, engenheiro-ajudante da estrada de ferro D. Pedro II e, a partir de 1873, chefe da Diretoria de Obras Públicas, do Ministério de Agricultura, Comércio de Obras Públicas. Deputado por Pernambuco, foi nomeado titular daquela pasta em 28 de março de 1880, no gabinete de José Antonio Saraiva. Buarque de Macedo passou mal repentinamente, no trem para São João Del Rei, quando na companhia do Imperador seguia para a inauguração da estrada de ferro Oeste de Minas. Macedo foi autor de obras de caráter técnico e administrativo, como o *Relatório Sobre o Abastecimento de Água à Cidade do Rio de Janeiro* (1875) e *O Império do Brasil na Exposição Universal de 1876 em Filadélfia* (1876). Machado de Assis conheceu-o quando este era encarregado da inspeção das estradas de ferro, e foi seu subordinado no Ministério de Agricultura, Comércio e Obras Públicas. [138], [139], [167] e [174].

MACEDO SOARES, Antônio Joaquim de. (1838-1905). Nascido na vila de Maricá, na província do Rio de Janeiro, fez os preparatórios no Seminário Episcopal do Rio de Janeiro (1855), transferindo-se a São Paulo, onde se graduou bacharel em ciências jurídicas e sociais (1861). Advogado por curto tempo, logo passou à magistratura como juiz municipal e de órfãos dos termos de Saquarema e Araruama (1862). Em 1874, foi nomeado juiz de direito das comarcas de São José e Campo Largo, na província do Paraná. Em 1876, foi transferido para a comarca de Mar de Espanha, Minas Gerais, onde ficou por seis anos, até ser removido para a de Cabo Frio (1882) e, depois, para a comarca da corte do Império (1886). Na República, com a reorganização do judiciário, passou a desembargador na Corte de Apelação e, por fim, ingressou no Supremo Tribunal Federal (1892). Como juiz, teve atuação firme em favor da liberdade dos escravizados, notabilizando-se pela aplicação da Lei Eusébio de Queirós, de 7 de novembro de 1831, aos casos em que os africanos fossem mantidos fraudulentamente em servidão, não tendo jamais lavrado sentença que atentasse contra os seus direitos. Escreveu diversas obras de referência em matéria jurídica; mas paralelamente à sua intensa atividade profissional, manteve também produção constante como linguista, crítico, ensaísta e livre-pensador. As suas contribuições no campo da lexicografia e da etimologia ainda despertam interesse entre pesquisadores da área. Teve também produção bissexta como romancista e poeta. Registre-se a longa amizade que o uniu a Machado de Assis. Jovens, ambos tiveram posições opostas sobre uma questão que ainda suscita polêmicas – a proteção governamental às artes cênicas, tese machadiana, *versus* teatro entregue às leis do mercado, tese sustentada por Macedo Soares (1861). Em 1880, este manifestou-se de maneira importante a respeito das *Memórias Póstumas*, lembrando a influência de Almeida Garrett na forma do romance. [178].

MACHADO, JÚLIO CÉSAR. (1835-1890). Publicista português de prestígio na geração situada entre a de Camilo e a de Ramalho Ortigão, escreveu na mocidade alguns romances realistas, como *Cláudio* (1852), *A Mulher Casada* (1852) e *A Vida em Lisboa* (1858), este último uma descrição quase queirosiana de certos meios sociais da capital portuguesa. O exemplo mais amadurecido do seu talento encontra-se em *Contos ao Luar* (1861). Escreveu também para o teatro: *O Anel da Aliança*, *O Tio Paulo* e *Amor às Cegas*. Em março de 1871, publicou num jornal de Lisboa uma crítica elogiosa às *Falenas*, que deu ensejo a uma das cartas deste volume. Na outra carta a Júlio César, Machado de Assis agradece o encontro com o médico brasileiro, notabilidade do tempo e radicado em Portugal,

Pedro Francisco da Costa Alvarenga, conhecimento intermediado pelo jornalista português. [108] e [119].

MAGALHÃES, Antônio VALENTIM da Costa. (1859-1903). Nasceu no Rio de Janeiro e iniciou sua vida de escritor, jornalista e boêmio em São Paulo, quando cursava a Faculdade de Direito. Nesse período publicou *Cantos e Lutas* e tornou-se amigo de Raimundo Correia*, Raul Pompeia, entre outros estudantes escritores. Formado, voltou ao Rio, ingressando no jornalismo. Fundou e dirigiu *A Semana*, acolhendo e projetando literatos jovens, mais tarde nomes consagrados da literatura brasileira. Propagandista do abolicionismo e do regime republicano, foi muito criticado, mas, também, vigorosamente defendido nas polêmicas que provocava. Incluiu-se entre os organizadores do banquete comemorativo dos 22 anos da publicação das *Crisálidas* (ver em [254]). Participante das duas reuniões preparatórias para a fundação da Academia Brasileira de Letras e ausente da terceira, a 28 de dezembro de 1886, enviou nessa ocasião um exemplar do seu romance *Flores de Sangue*, livro inaugural da futura Biblioteca Acadêmica. Machado considerava, com alguma reserva, o valor literário da obra de Valentim, mas dedicou-lhe fiel amizade e ficou extremamente abalado com seu falecimento. Fundador da Cadeira 7 da Academia Brasileira de Letras. [242], [247] e [248].

MEDEIROS, JOAQUIM CAMPOS DE. Ver CAMPOS DE MEDEIROS, Joaquim.

MELO, JOAQUIM DE. (1831-?). Nascido em Aveiro, Portugal, veio para o Brasil em 1845, para dedicar-se ao comércio. A casa em que morava com o irmão, o filólogo e culto Manuel de Melo, era frequentada por artistas e intelectuais. Machado era muito próximo de ambos. A peça *Quase Ministro*, de Machado de Assis, foi representada pela primeira vez, em 1863, na residência dos irmãos Melo, na rua da Quitanda 6. [161], [229] e [261].

MENDONÇA, LÚCIO Eugênio de Meneses e Vasconcelos Drummond Furtado DE. (1854-1909). Nasceu em Piraí, província do Rio de Janeiro, sexto filho de Salvador Furtado de Mendonça e de Amália de Meneses Drummond. Órfão de pai aos cinco anos, e tendo sua mãe contraído segundas núpcias, foi criado por parentes em São Gonçalo de Sapucaí, Minas Gerais. Em 1871, a chamado do irmão mais velho, Salvador de Mendonça*, partiu para São Paulo, onde ingressou na Faculdade de Direito e trabalhou no jornal *O Ipiranga*, dirigido por Salvador. Participante de um protesto estudantil contra os professores, foi suspenso da Faculdade por dois anos, período que passou na corte, integrando a redação de *A República*. Ali conviveu com Quintino Bocaiúva*, Joaquim Serra* e outros republicanos, entre os quais ele próprio se destacaria como propagandista e defensor do regime. Retornou a São Paulo para concluir os estudos jurídicos, colando grau em 1878. A vocação literária se manifestou desde a juventude, a par do jornalismo político atuante e da cultura jurídica, que também o consagrou como magistrado; coerência e independência foram suas marcas. Exerceu a advocacia em São Gonçalo de Sapucaí, onde se casou com D. Marieta, filha do solicitador João Batista Pinto. Transferindo-se para Vassouras, passou a colaborar no *Colombo*, de Campanha, sempre empenhado na pregação republicana. Lá se aproximou de Raimundo Correia*. Em 1885, escrevia regularmente para *A Semana*, de Valentim Magalhães*. Nessa época advogava em Valença. Em 1888, mudou-se para o Rio de Janeiro e entrou na redação de *O País*. Proclamada a República, foi secretário do ministro da Justiça, passando, em janeiro de 1890, a Curador Fiscal das Massas Falidas no Distrito Federal. Depois de exercer outros cargos na magistratura e na alta burocracia, aos 41 anos, foi nomeado ministro do Supremo Tribunal Federal, sem, no entanto, deixar o jornalismo. Sob o pseudônimo de "Juvenal Gavarni", escreveu para a *Gazeta de Notícias* sátiras políticas de fino humorismo. Publicou poesia, prosa ficcional e memorialística, bem como vasta produção jurídica. Em 1872, Machado de Assis prefaciou-lhe o livro de versos *Névoas Matutinas*. Nessa carinhosa apresentação do jovem poeta, há uma advertência sobre o excesso de melancolia – herança nitidamente romântica (não foi à toa que Lúcio escolheu Fagundes Varela como patrono da Cadeira 11 da ABL) – e há também manifesto apreço por Salvador de Mendonça, amigo ao longo de cinquenta anos. O mesmo sentimento de amizade uniu Machado e Lúcio. Este admirou sem reservas *Dom Casmurro*, e sugeriu a Alcindo Guanabara, diretor da *Tribuna*, que seu jornal organizasse um concurso para completar o soneto que Bentinho, naquele romance, deixara inacabado. Lúcio de Mendonça teve um papel decisivo na criação da Academia Brasileira de Letras, da qual ele é, por depoimento unânime dos primeiros acadêmicos, o verdadeiro fundador. Em novembro de 1896, publicava em folhas do Rio e de São Paulo, artigos anunciando fundação de uma academia literária, sob auspícios do poder público, a 15 de novembro, aniversário da República. Apesar do seu prestígio, tal patrocínio falhou. Mas, na redação da *Revista Brasileira*, então dirigida por José Veríssimo*, a iniciativa prosperou. Reunidos em torno de Machado de Assis, escritores republicanos e monarquistas fiéis ao deposto Império, como Nabuco* e Taunay*, abraçaram a ideia. A 15 de dezembro se realizou a primeira reunião preparatória presidida por Machado que, a 28 de janeiro de 1897, seria eleito presidente da instituição. Vivendo seus últimos anos em Teresópolis e já com a perda definitiva da visão, Lúcio não deixou de dirigir cartas ao mestre gravemente enfermo, e em bilhete, confessou a Mário de Alencar sua tristeza de não poder levar "ao grande e querido Machado de Assis" o derradeiro abraço. Fundador da Cadeira 11 da Academia Brasileira de Letras. [113], [123], [250], [256] e, [259].

MENDONÇA, SALVADOR de Meneses Drummond Furtado DE. (1841-1913). Nascido em Itaboraí, província do Rio de Janeiro, filho de Salvador Furtado de Mendonça e de Amália de Meneses Drummond, frequentou a escola pública em sua cidade natal; aos 12 anos transferiu-se à corte, a fim de completar seus estudos. Em 1859, foi para a Faculdade de Direito de São Paulo. Com a morte dos pais, voltou antes de concluir o curso, assumindo a criação de oito irmãos. Iniciou-se no jornalismo fazendo crítica teatral no *Jornal do Comércio* e, no *Correio Mercantil*, a semana lírica. Em 1861, casou-se com Amélia Clemência Lúcia de Lemos. Voltando a São Paulo para terminar o curso, passou a escrever no jornal liberal *O Ipiranga*, dedicando-se à propaganda republicana. De volta ao Rio de Janeiro, juntamente com Saldanha Marinho e Quintino Bocaiúva*, fundou o Clube Republicano, e integrou a equipe do jornal *A República*. Em 1875, já viúvo, foi nomeado cônsul-privativo em Baltimore e depois cônsul-geral em Nova York. Em 1877, casou-se com a norte-americana Mary Redman. Proclamada a República no Brasil, Salvador na função de cônsul-geral empenhou-se pelo reconhecimento do novo regime por Washington. Posto em disponibilidade em 1898, dedicou-se a escrever publicando o romance *Marabá* (1875), vários artigos sobre diplomacia brasileira e as suas memórias – *Coisas do Meu Tempo* (1913). Vítima de glaucoma, terminou a vida cego. Salvador foi talvez o mais próximo dos antigos amigos de Machado; em 1857, os dois rapazes frequentavam as reuniões diante da loja de Paula Brito, no Rocio. Da correspondência entre eles, destaque-se, entre tantas, a carta aberta a Salvador de Mendonça, em que Machado comenta a atuação de Ernesto Rossi no teatro, oferecendo de forma apaixonada as suas ideias sobre estética teatral; há também a deliciosa carta em que Salvador revela o seu namoro com Mary Redman, e aquela, talvez a última que Machado tenha escrito, de 7 de setembro de 1908, em que praticamente se despede do amigo e da vida. Fundador da Cadeira 20 da Academia Brasileira de Letras. [107], [133], [137], [140], [141], [142], [143], [145], [151], [154], [190] e [77 A]. Ver tb. [51], tomo I.

MIRANDA, Antônio da ROCHA. Um dos mais antigos amigos de Machado de Assis. Em sua casa realizavam-se saraus musicais, dos quais participava o pianista português Artur Napoleão*. Foi um dos fundadores da Arcádia Fluminense. Em 1895, Rocha Miranda e mais seis amigos de Machado cotizaram-se para presenteá-lo com um quadro do pintor Fontana, "A Dama do Livro", que pode ser admirado na Biblioteca Lúcio de Mendonça da Academia Brasileira de Letras. Ver notas sobre os demais destinatários da carta em forma de soneto mandada por Machado. [112].

NABUCO de Araújo, JOAQUIM Aurélio Barreto. (1849-1910). Filho do senador José Tomás Nabuco de Araújo, passou a infância na propriedade dos padrinhos, o engenho de Massangana, que ele imortalizaria em *Minha Formação*. Em 1859, sua educação foi confiada ao barão Tautphoeus, dono de um célebre colégio em Nova Friburgo e também seu professor no Colégio Pedro II, onde Joaquim se bacharelou em letras. Aos 15 anos agradecia palavras de estímulo publicadas por Machado, que era íntimo amigo de Sizenando Nabuco*, irmão mais velho do literato estreante. Com 16 anos, iniciou os estudos jurídicos na Faculdade de Direito de São Paulo, concluindo-os na Faculdade de Recife. Formado, trabalha no escritório de advocacia do pai, e escreve no órgão do partido liberal, *A Reforma*. Durante a primeira viagem à Europa (1873), visita Renan e George Sand. De volta ao Rio de Janeiro, funda a revista quinzenal *A Época* (1875), que teve quatro números publicados e Machado de Assis entre seus colaboradores. Nomeado adido em Washington (1876), um ano depois é removido para Londres. Atraído pela política, retorna ao país, sendo eleito deputado geral por sua província. Defende a liberdade religiosa e, tenazmente, a emancipação dos escravos. Sem conseguir a reeleição, viaja pela Europa entre 1881 e 1884. A maior parte do tempo, reside em Londres, onde publica *O Abolicionismo*. Da capital britânica, envia correspondências para o *Jornal do Comércio*, do qual já era colaborador. Retornando ao Brasil, e novamente eleito, retoma sua posição de liderança na campanha abolicionista, que seria coroada de êxito em 1888. Proclamada a República, mantém as convicções monárquicas e se recolhe num ostracismo autoimposto durante uma década. Nessa fase, vive no Rio de Janeiro, exerce a advocacia, faz jornalismo e escreve livros que o consagrariam. Participa das reuniões na redação da *Revista Brasileira* de José Veríssimo*, onde, em 1895, lê o primeiro capítulo de *Um Estadista do Império*, e assinará a histórica ata da primeira sessão preparatória para a fundação da Academia Brasileira de Letras, a 15 de dezembro de 1896. Empenha-se nesse projeto, é eleito secretário-geral em janeiro de 1897. Na sessão inaugural de 20 de julho do mesmo ano, após a alocução do presidente Machado de Assis, pronuncia um admirável discurso. Em 1899, Campos Sales o convence a representar o Brasil na questão de limites com a Guiana Inglesa. Enquanto prepara sua defesa, reside em Londres, primeiro como chefe de missão especial relativa à questão da Guiana e depois acumulando essa função com a de chefe da Legação brasileira. Apesar dos intensos esforços, o laudo do árbitro escolhido para decidir a disputa com a Inglaterra, o rei da Itália, não foi favorável à pretensão brasileira. Tal revés não abala o seu prestígio. Removido para os Estados Unidos, é nomeado embaixador, o primeiro do Brasil (1905), torna-se amigo pessoal dos Presidentes Theodor Roosevelt e Taft, bem como do Secretário de Estado Elihu Root, que consegue trazer para a 3.ª Conferência Pan-Americana, de 1906, realizada no Rio de Janeiro. Quatro anos depois, faleceu. Com honras excepcionais, seu corpo foi transportado num navio de guerra americano para o Rio, antes de ser levado para o Recife num navio da marinha brasileira. Nabuco publicou livros em francês e português, em campos tão diversos como a poesia (*Amour et Dieu*, 1874), o ensaio literário (*Camões e os Lusíadas,* 1872), o ensaio histórico-sociológico (*O Abolicionismo*, 1883) e a biografia *(Balmaceda*, 1895). Mas foi, sobretudo, o autor de duas obras fundamentais, *Um Estadista do Império* (1897) e *Minha Formação* (1900). Durante suas longas permanências no exterior, a amizade com Machado de Assis, consolidada a partir da década de 1870, sustentou-se por cartas, que estão entre as mais interessantes da correspondência machadiana. O presidente da Academia e seu primeiro secretário-geral se reencontraram em 1906, por ocasião da Conferência Pan-Americana, realizada no Rio de Janeiro. Foi a Nabuco que Machado dirigiu uma das últimas cartas, enviando o *Memorial de Aires*, em 1.º de agosto de 1908. Fundador da Cadeira 27 da Academia Brasileira de Letras. [120], [204], [207] e [221]. Ver tb. [31], tomo I.

NAPOLEÃO dos Santos, ARTUR. (1843-1925). Nasceu no Porto. Menino-prodígio, deu o primeiro recital de piano aos sete anos de idade. É o que ele conta nas suas preciosas *Memórias*, inéditas. Talvez isso tenha ocorrido um pouco antes (ver nota à carta [168], fundamentada em um depoimento de Carolina*, esposa de Machado de Assis). Fato é que o menino pianista desde cedo apresentou-se na Europa, colhendo os maiores elogios, bem como na América, empresariado por seu pai, Alexandre Napoleão, professor de piano nascido na Itália e estabelecido em Portugal. Veio ao Brasil pela primeira vez em 1857, obtendo um sucesso fantástico, que se repetiu na segunda turnê, em 1862, quando firmou sua amizade com o jovem Machado de Assis, merecendo deste um elogioso artigo nas páginas de *O Futuro*. Não só no Rio de Janeiro, mas em outras cidades brasileiras, assim como no Uruguai e na Argentina, o jovem virtuose fascinou plateias em suas turnês até 1868. Nesse ano, Artur, amigo desde infância da família Novais, no Porto, acompanhou Carolina em viagem ao Rio para cuidar de Faustino*, o mais velho dos seus irmãos. Este fato foi decisivo, embora mal exposto por Sanches de Frias (1913), que antecipou para 1866 a viagem de Napoleão e Carolina. Tal erro, infelizmente, ainda se repete em cronologias machadianas. Artur deve ter contribuído para o conhecimento de Carolina e Machado em 1868 e foi padrinho de casamento do escritor, em 1869. Apaixonado por Lívia, filha do abastado Miguel de Avelar, decidira fixar-se no Brasil e enfrentar a resistência do futuro sogro, que não via com bons olhos o pianista de fama internacional, rapaz brilhante e de bela aparência, cujas aventuras românticas eram notoriamente conhecidas. Para provar seu desejo de estabilidade, Artur se associou a Narciso Braga, que fundara um estabelecimento de venda de pianos e músicas, obtendo muito sucesso. Casou-se com Lívia em 1871, já estimado pela família da noiva, apesar da oposição de Miguel de Avelar, que por fim capitulou. Na sociedade com Narciso e nos empreendimentos seguintes, prosseguiram os êxitos financeiros, e Artur se destacou, sobretudo, na edição e no comércio de partituras, sem jamais abandonar sua arte de virtuose. Apresentaria ao público carioca as 32 sonatas de Beethoven, empreitada de fôlego incomum. Outro talento excepcional, manifestado desde a juventude, foi o de enxadrista. Artur Napoleão promoveu torneios e manteve seções especializadas na imprensa e publicou o livro *Caissana Brasileira*, dedicado a complexos problemas de xadrez. Como compositor, deixou um bom repertório de peças líricas, orquestrais e instrumentais, notabilizando-se pela série de estudos para piano, de incontestáveis riqueza musical e complexidade técnica. Da obra publicada, faz parte a serenata "Lua da estiva noite", para canto, flauta e piano, com versos de Machado de Assis. A música, a viva inteligência e a paixão pelo xadrez ligaram, por cinco décadas, o pianista amigo de Carolina e o autor de *Dom Casmurro*. [168], [169], [170] e [171].

NETO, LADISLAU de Sousa Melo. (1838-1894). Nascido em Maceió, província de Alagoas, filho do comerciante português Francisco de Sousa Melo Neto e da brasileira Maria da Conceição de Sousa Melo Neto, educou-se no povoado de Piranhas (a partir de 1939, Marechal Floriano), com o padre João Cordeiro Barbosa, estudando português, latim, retórica e moral. Politicamente militante e literato, o padre Barbosa propiciou-lhe vigoroso estímulo intelectual, artístico e espiritual que lhe permitiu desenvolver os seus múltiplos talentos. Em 1854, embarcou para a corte sem autorização paterna. Com inequívoco talento para o desenho, usou-o a fim de garantir o sustento, trabalhando em jornais e tipografias. Em 1857, ingressou na Imperial Academia de Belas-Artes, permanecendo até 1859, quando se tornou o desenhista e cartógrafo da Comissão Astronômica e Hidrográfica de Estudos e Exploração do Litoral de Pernambuco, chefiada pelo engenheiro astrônomo, geógrafo, geólogo e botânico francês Emmanuel Liais, contratado pelo governo para estudar o rio São Francisco. Liais iniciou-o na pesquisa científica. A botânica e a arqueologia foram seus objetos de interesse, surgindo então as primeiras publicações em revistas científicas da Europa. Em 1864, Ladislau Neto recebeu bolsa de estudos do governo imperial para estudar na Sorbonne, passando frequentar o centro de estudos do Jardin des Plantes de Paris e a Sociedade de Botânica da França. Ladislau Neto publicou em Paris diversos trabalhos ilustrados por ele, e que eram conhecidos como os do "sábio botânico brasileiro". Depois da Europa, viajou à África estudando não apenas a flora, mas também os homens e a cultura. Ali, o arqueólogo uniu-se ao naturalista. Em 1866, voltando ao Brasil, com o título de Doutor em Ciências Naturais pela Sorbonne, foi convidado para integrar os quadros do Museu Nacional, onde dirigiu a seção de botânica. Em 1871, tornou-se diretor interino do museu e depois efetivo. Trabalhou ali por 27 anos, aposentando-se em 28/12/1893, vindo a falecer três meses depois. [110] e [111].

NOVAIS, MIGUEL Joaquim Xavier DE. (1829-1904). Nascido no Porto, irmão de Carolina Augusta* e Faustino Xavier de Novais*, Miguel veio para o Brasil um pouco depois da irmã, em fins de 1868, juntamente com a outra irmã, Adelaide. Estabeleceu-se inicialmente como fotógrafo na rua da Quitanda 44 e depois foi trabalhar no consulado de Portugal. Pouco se sabe da sua vida no Rio de Janeiro entre a sua chegada e 1876, quando se casou com a viúva do 1.º conde de São Mamede, Joana Maria Ferreira Felício (1835-1897), vivendo no solar dos São Mamede até 1881, quando o casal fixou-se em Lisboa e não voltou a morar no Brasil. Segundo os biógrafos de Machado de Assis, as relações iniciais entre Miguel de Novais e o escritor não teriam sido auspiciosas, já que Miguel teria feito oposição ao casamento da irmã. Essas fontes afirmam que nem tanto por racismo, mas por considerar uma união socialmente desigual; entretanto as mesmas fontes garantem que cedo as relações entre os dois tornaram-se francamente amigáveis. Após o retorno a Portugal, a correspondência entre os cunhados foi intensa por cerca de três décadas. Não se sabe o que ocorreu com as cartas de Machado a Miguel, mas as de Miguel a Machado foram preservadas pelo escritor e pela herdeira, D. Laura Leitão de Carvalho, neta de Emília Cândida, outra irmã de Carolina. Miguel estudou pintura e escultura na Academia Portuense de Belas-Artes, atual Faculdade de Belas-Artes da Universidade do Porto, e tinha sensibilidade artística desenvolvida e habitual. Fotógrafo profissional, o seu estúdio foi o primeiro a existir no Porto e frequentado, inclusive, pelo rei D. Pedro V (1837-1861). Homem com interesses culturais variados, artista plástico com obras guardadas em acervo de museus portugueses e brasileiros, colecionador judicioso de obras de arte, leitor assíduo dos textos machadianos, excelente observador e dotado de grande senso de humor, Miguel de Novais era bem relacionado na sociedade portuguesa, inclusive difundindo a obra de Machado junto a escritores de prestígio, como Gomes de Amorim* e Ramalho Ortigão, ambos seus amigos pessoais, e, por outro lado, repassando a Machado as novidades políticas e literárias havidas em Portugal. Miguel de Novais foi tradutor para o português e editor de *Cuore*, de Edmondo De Amicis, obra de formação moral para jovens muito em voga no século XIX e no começo do XX, com tradução em várias línguas. Miguel enviuvou de Joana em 1897, casando-se novamente com Rosa Augusta de Paiva Gomes. Novais deixou testamento cerrado em favor de suas irmãs Emília e Carolina, mas ambas morreram antes dele, e os bens foram passados a Henrique, Adelaide e aos filhos de Emília. As cartas de Miguel se revestem de grande interesse, pois, sendo alguém espiritualmente muito próximo ao escritor, com uma personalidade acolhedora, tornou-se um interlocutor privilegiado de Machado de Assis. [157], [191], [202], [205], [206], [209], [214], [216], [218], [222], [226], [234], [238], [241], [249], [267], [268], [269], [270] e [278].

OCTAVIO de Langgaard Meneses, RODRIGO. (1866-1944). Nasceu em Campinas, São Paulo, onde seu avô materno, o médico dinamarquês Teodoro Langgaard, constituiu vasta clínica, e seu pai, o escritor e político liberal Rodrigo Octavio de Oliveira Meneses, era delegado de polícia. Com a transferência da família para o Rio de Janeiro, estudou nos Colégios Pedro II, S. Pedro de Alcântara e concluiu os preparatórios no Colégio Alberto Brandão. A morte prematura do pai (1882) e, pouco depois, a perda do avô dinamarquês definiram-lhe um senso de responsabilidade familiar – era o mais velho de seis irmãos – que foi uma constante ao longo da vida. Formado pela Faculdade de Direito de São Paulo, em 1886, durante o período estudantil, cultivou a poesia e estabeleceu grande amizade com Raul Pompeia e Olavo Bilac*; de volta ao Rio, acolhido por Valentim Magalhães*, na redação de *A Semana* conheceu Raimundo Correia*, Lúcio de Mendonça* e outros escritores. Mas as letras não o desviaram da carreira jurídica. Foi promotor, juiz, procurador e depois Consultor Geral da República. Exerceu a advocacia até ser nomeado ministro do Supremo Tribunal Federal (1929), aposentando-se, a pedido, em 1934. Foi catedrático da Faculdade de Ciências Jurídicas e Sociais do Rio de Janeiro, secretário da Presidência da República no governo Prudente de Morais e subsecretário das Relações Exteriores com Epitácio Pessoa. Secretariou a delegação chefiada por Rui Barbosa na Conferência da Paz em Haia (1907), e foi delegado plenipotenciário do Brasil em importantes conferências na Europa e nos Estados Unidos, signatário do Tratado de Versalhes, vice-presidente da Liga das Nações e também árbitro de questões internacionais. Deu cursos e fez conferências em Paris, Roma, Haia, Varsóvia e Montevidéu; recebeu o título de Doutor *Honoris Causa* de várias universidades. Presidiu o Instituto dos Advogados, o Instituto Histórico e Geográfico Brasileiro e a Academia Brasileira de Letras, à qual se dedicou incansavelmente desde a primeira reunião preparatória. Conhecera Machado de Assis num banquete em homenagem a Guimarães Júnior* e, logo depois, mereceu do mestre uma resenha de sua estreia poética – *Pâmpanos* –, publicada em *A Estação* (março de 1886). Daí por diante, ligou-se a Machado, tornando-se uma espécie de braço direito em tudo o que dissesse respeito à implantação e ao desenvolvimento da Academia, que o elegeu primeiro secretário em janeiro de 1897. Seu escritório de advocacia, na rua da Quitanda 47, tornou-se o pouso estável para a realização de sessões acadêmicas – ou melhor, "sede da Secretaria" –, de 1901 até a instalação no Silogeu Brasileiro, em 1905. Cartas e bilhetes de Machado a Rodrigo atestam o empenho do primeiro e a operosidade do segundo em busca de soluções para a vida institucional; as atas acadêmicas registram constantes iniciativas de Rodrigo Octavio, que propôs a criação da Biblioteca em 1905, passando a dirigi-la, e que transmitiu o desejo do mestre de que seus "papéis" – fonte principal desta *Correspondência* – fossem entregues à Academia. Ele estava entre os companheiros fiéis que acompanharam os derradeiros dias e assistiram à morte de Machado de Assis. Nas páginas de *Minhas Memórias dos Outros* (1934, 1935 e 1936), desenham-se vivos perfis de amigos como Nabuco* e Rio Branco; e, sobretudo, os capítulos "Machado de Assis" e "Clube Rabelais e a Panelinha" oferecem irretocáveis e documentados depoimentos sobre a personalidade machadiana e as origens da Academia. De 1904 a 1908, dirigiu, com Henrique Bernardelli, a *Renascença*, revista mensal ilustrada de letras, ciências e artes, cujo último número homenageia o mestre recém-falecido. Sua extensa bibliografia abrange poesia, prosa, estudos históricos, destacando-se os trabalhos jurídicos e a vocação de memorialista, iniciada com o volume *Coração Aberto* (1928). Fundador da Cadeira 35 da Academia Brasileira de Letras. [266] e [271].

OLIVEIRA, Antônio Mariano ALBERTO DE. (1857-1937). Nascido na província do Rio de Janeiro, diplomou-se em farmácia em 1884 e cursou até o terceiro ano a Faculdade de Medicina. Seu livro de estreia foi *Canções Românticas*, obra que como indica o título ainda é tributária da estética romântica. Já nas *Meridionais* (1884) e, sobretudo, nas quatro séries de *Poesias* (1900, 1905, 1913 e 1928), filia-se claramente à escola parnasiana, da qual constituiria um dos grandes representantes no Brasil, lado a lado com Olavo Bilac e Raimundo Correia*. No artigo "A Nova Geração" (1879), Machado de Assis refere-se às *Canções Românticas*, publicadas naquele ano. No prefácio das *Meridionais* (1884), considera o poeta um dos melhores de sua geração. Classificou de "deleitosos" os poemas de *Versos e Rimas* (1895). Machado tornou-se amigo pessoal do poeta. Fundador da Cadeira 18 da Academia Brasileira de Letras. [257].

OLIVEIRA, ARTUR DE. (1851-1882). Nasceu em Porto Alegre, filho de João Domingos de Oliveira e Maria Angélica de Oliveira. Depois dos estudos primários em sua cidade natal, veio para o Rio, e daí foi estudar no colégio Caraça, em Minas Gerais. Deixou o colégio sem terminar o curso e decidiu estudar direito em Recife, mas, reprovado em matemática, desistiu de tentar novamente. Seguiu em 1870 para a Europa, onde resolveu fazer observações sobre a guerra franco-prussiana, que não terminara ainda. De Paris seguiu para Berlim, de onde foi expulso pelas autoridades prussianas. Voltou a Paris e ali permaneceu até 1872, estabelecendo relações com Théophile Gautier e sua filha Judith, Catulle Mendès e Leconte de Lisle. De regresso ao Brasil, concorreu ao cargo de professor substituto de retórica, poética e literatura nacional no Colégio Pedro II por duas vezes. Mais tarde foi nomeado professor substituto de português e história literária. Era um conversador brilhante, com viva imaginação, pródigo em histórias fantásticas, com uma clara propensão à mitomania. Machado de Assis, que fora defendido pelo jovem Artur por ocasião de uma polêmica com Pires de Almeida (1869), sempre teve a maior estima pelo jovem gaúcho, mas não tinha ilusões sobre sua estabilidade intelectual. Ele o chamava "saco de espantos", e retratou-o no conto "O Anel de Polícrates", bem como em outros contos em que põe em cena personagens incapazes de dar continuidade aos seus projetos: "Um Erradio" e "Dona Benedita". De fato, em sua vida breve Artur publicou pouquíssimos escritos, e o conjunto destes só veio à luz postumamente, em *Dispersos* (1936). Foi escolhido como patrono da Cadeira 3 da Academia Brasileira de Letras. [92], [127], [160], [186], [210], [211] e [212].

OTAVIANO de Almeida Rosa, FRANCISCO. (1825-1889). Nascido no Rio de Janeiro, formou-se pela Faculdade de Direito de São Paulo, tornando-se figura notavelmente respeitada na vida pública do Império. Jornalista, poeta, cronista, deputado e senador (1866), a partir de 1858, Otaviano foi redator-chefe do *Correio Mercantil*, jornal pertencente a seu sogro Joaquim Francisco Alves Branco Muniz Barreto. De 1858 ainda, data o conhecimento entre Machado de Assis e Otaviano, ano em que aquele ingressou no jornal como revisor, dando início a uma longa amizade. Durante a Guerra do Paraguai, Francisco Otaviano teve atuação importante como ministro plenipotenciário e enviado extraordinário à Argentina e ao Uruguai; aliás, foi em sua casa, na cidade de Corrientes, que Remígio de Sena Pereira, inspiração para o conto machadiano "Um Capitão de Voluntários" (1906), morreu em 1866. Machado frequentou todas as residências nas quais se sabe que Otaviano morou, encontros que se amiudaram depois que Otaviano mudou-se para o Cosme Velho, tornando-se vizinho do escritor. Machado nutriu por ele uma grande admiração e, quando da morte do senador, escreveu uma crônica emocionada, em que fala do seu temperamento e generosidade, da doença terrível que o avelhantou, mas, sobretudo, fala do fim de uma época da história brasileira que também se despedia com a morte de Otaviano. [188].

OTÁVIO, RODRIGO. Ver OCTAVIO, Rodrigo.

PARANHOS, JOSÉ MARIA DA SILVA. (1819-1880). Visconde do Rio Branco. Nasceu em Salvador, filho de Agostinho da Silva Paranhos e Josefa Emerenciana Barreiro Paranhos. Frequentou a Escola Naval e a Escola Militar, diplomando-se em ciências matemáticas, e logo se dedicou ao magistério. Colaborou na imprensa política e literária do seu tempo. Foi deputado provincial no Rio de Janeiro e deputado geral em várias legislaturas. Foi ministro de Estado nas pastas da Marinha, dos Negócios Estrangeiros, da Guerra e da Fazenda. Presidente do Conselho de Ministros, atuou fortemente para a aprovação da Lei do Ventre Livre, de 28 de setembro de 1871. Ocupava o cargo quando ocorreu a "Questão Religiosa" (1873), que envolveu parte do clero, em ferrenha oposição à maçonaria, da qual o visconde era grão-mestre. Na diplomacia, exerceu a função de secretário na missão especial ao Rio da Prata, sob as ordens do marquês do Paraná (1851) e depois como chefe de legação e enviado especial na Argentina, Uruguai e Paraguai. Neste último país, teve a incumbência de organizar o governo provisório que assumiria o poder depois da conclusão da guerra com o Brasil (1870). Deixou obras relacionadas com os cargos que exerceu, além das "Cartas ao Amigo Ausente", interessante depoimento sobre a vida no Rio de sua época, publicadas em folhetim no *Jornal do Comércio*, de dezembro de 1850 a dezembro de 1851. Sob o pseudônimo de "Manassés", Machado de Assis elogiou na *Ilustração Brasileira* (1.º de outubro de 1876) a Lei do Ventre Livre e seu autor. Em carta logo a seguir, enalteceu nos termos mais enfáticos os serviços prestados à nação pelo visconde do Rio Branco, patrono da Cadeira 40 da Academia Brasileira de Letras. [144].

PAZ, FRANCISCO RAMOS. (1838-1919). Português, nascido em Afife, Viana do Castelo, Ramos Paz emigrou para o Brasil com 12 anos de idade. Semianalfabeto ao chegar, o rapazinho, empregado como caixeiro, estudou com afinco e adquiriu, como autodidata, uma boa formação cultural. Em 1855 empregou-se numa casa de comissões, em Petrópolis, onde mais tarde colaboraria no *Paraíba*, jornal de Emilio Zaluar. Ajudou a traduzir o *Brasil Pitoresco*, do exilado francês Charles Ribeyrolles. Voltando à corte, dedicou-se a vários empreendimentos e adquiriu independência financeira. Sempre ligado à imprensa, foi intermediário de Elísio Mendes no convite para Machado de Assis colaborar na *Gazeta de Notícias*. Viajou muito. Grande amante dos livros, reuniu uma imponente biblioteca. Cedeu ao editor de Eça de Queirós* todos os jornais de sua coleção em que apareciam contribuições do escritor português, com isso tornando possível a publicação de boa parte da obra póstuma de Eça. Seus livros foram adquiridos por Arnaldo Guinle, que os doou à Biblioteca Nacional, compondo a Coleção Francisco Ramos Paz. Foi amigo fiel de Machado de Assis. No início dos anos 1860, ambos moraram num sobrado da rua Matacavalos. Em várias ocasiões, ajudou o amigo financeiramente, sobretudo no período do noivado. Quando Alfredo Pujol preparava suas conferências sobre Machado, Ramos Paz forneceu-lhe material biográfico, como comprova a correspondência conservada na Biblioteca Nacional. [147], [230], [233] e [276]. Ver tb. [83], [85], [87], [88], [89] e [90], tomo I.

PINHEIRO, CÔNEGO Joaquim Caetano FERNANDES. (1825--1876). Nascido no Rio de Janeiro, foi poeta e historiador. Estudou teologia em Roma e ordenou-se sacerdote em 1848. Lente de retórica e poética no Colégio Pedro II e de teologia moral no Seminário São José, destacou-se como sócio e dirigente do Instituto Histórico e Geográfico Brasileiro. Também foi membro do Conservatório Dramático, nomeado em 1858. Deixou, entre outras obras poéticas, *Carmes Religiosos* (1850), *Melodias Campestres* (1851) e *Menandro Poético* (1864). Como historiador, escreveu *História do Brasil* (1870) e *Estudos Históricos* (1876). Distinguiu-se, sobretudo, por seus trabalhos de história literária, entre os quais *Curso Elementar de Literatura Nacional* (1862) e *Resumo de História Literária* (1873). Machado dispensou alguns elogios aos seus trabalhos e se mostrou grato pelo recebimento de uma coleção das revistas publicadas pelo IHGB. Em *O Novo Mundo*, publicado em Nova York, o Cônego fez uma resenha de *A Mão e a Luva*, que não primava pelo entusiasmo, e Machado disse em crônica que faltava a seu crítico talento criador. [109].

PORCIÚNCULA, José TOMÁS DA. (1854-1901). Formou-se em medicina em 1877; em farmácia em 1884; era um dos diretores da Casa de Saúde São Sebastião, na rua da Pedreira da Candelária (atual Bento Lisboa), e que ainda hoje existe no mesmo lugar. Porciúncula foi também um dos fundadores da Sociedade Médica e Cirúrgica do Rio de Janeiro. Casou-se com Luzia de Melo Franco. Foi deputado provincial de 1881 a 1884 e de 1884 a 1887; republicano, foi governador por breve período do estado Maranhão (de 4 a 7 de setembro de 1890), e do Rio de

Janeiro (1892-1894); deputado federal de 1895 a 1897 e senador de 1897 a 1901. [136].

PORTO-ALEGRE, Manuel José de ARAÚJO. Barão de Santo Ângelo. Nasceu no Rio Grande do Sul. Em 1826 veio para o Rio estudar pintura com Debret, na Academia de Belas-Artes. Em 1831, graças à proteção de Evaristo da Veiga e dos Andradas, foi para a Europa, a fim de aperfeiçoar-se como pintor. Ligado a Almeida Garrett, orientou os brasileiros chegados a Paris na direção do romantismo. De volta ao Rio, colaborou com Gonçalves de Magalhães na criação da revista *Niterói* e fundou com Joaquim Manuel de Macedo e Gonçalves Dias a revista *Guanabara*, publicações que acolheram os primeiros românticos do Brasil. Em 1835 ingressou na carreira consular, servindo em Berlim, Dresden e Lisboa, onde veio a falecer. Machado de Assis conheceu-o em 1857, nas reuniões realizadas diante da livraria de Paula Brito. Autor de dramas e estudos históricos, Porto-Alegre notabilizou-se sobretudo por seu poema épico *Colombo*, em dois tomos na edição original (1866), que Machado de Assis elogiou em crítica publicada no *Diário do Rio de Janeiro*. [102] e [135].

QUEIRÓS, José Maria EÇA DE. (1845-1900). Nascido em Póvoa do Varzim, Portugal, era filho de José Maria Teixeira de Queirós e de D. Carolina de Eça. Depois de passar algum tempo em colégios do Porto, estudou direito na Universidade de Coimbra, formando-se em 1866. Foi depois para Leiria redigir um jornal político, mas não tardou que viesse para Lisboa, onde residia o pai, e em 1867, estabeleceu-se como advogado na capital. Mas positivamente a advocacia não era sua vocação. Participou, em 1871, das famosas conferências do Cassino, discursando sobre "O realismo como nova forma de expressão na arte". Fez concurso para ingressar na carreira consular, obtendo o primeiro lugar. Foi nomeado, sucessivamente, para Havana, Newcastle on Tyne, Bristol, e finalmente Paris, onde viria a falecer. Era casado com Emília de Castro Pamplona, irmã do conde de Resende. É autor, entre outros, dos romances *O Crime* do *Padre Amaro* (1875), *O Primo Basílio* (1878), *O Mandarim* (1880), *A Relíquia* (1887), *Os Maias* (1888), *Correspondência de Fradique Mendes*, *A Ilustre Casa de Ramires*, e *A Cidade e as Serras*, os três últimos publicados postumamente. Sobre as críticas de Machado de Assis a Eça de Queirós, em *O Cruzeiro* (16 e 30 de abril de 1878), leia-se a nota 1 à carta de Eça a Machado, de 29 de junho de 1878. Quanto ao mais, não há indícios de que Eça tivesse superado seu ressentimento com os artigos de Machado, sobretudo no que diz respeito à acusação de plágio, nem que Machado houvesse digerido o "troco" que lhe deu Eça por ocasião da segunda edição do romance: só "uma obtusidade córnea ou má-fé cínica", escreveu Eça, poderia assemelhar seu livro ao de Zola. A secura da dedicatória no exemplar de *Quincas Borba* que Machado enviou a Eça equivalia a um insulto. E de parte de Eça, não há notícia de que tenha oferecido a Machado qualquer exemplar de suas obras. As palavras simpáticas a Machado que teriam sido pronunciadas em Paris pelo escritor português podem ter sido ditadas em parte pela boa vontade dos admiradores de ambos, como Eduardo Prado, Domício da Gama ou Magalhães Azeredo*, que tudo faziam para aproximar os dois maiores romancistas da língua. De todo modo, não há por que duvidar da sinceridade de Machado quando escreveu, por ocasião da morte de Eça, que era "como se perdêssemos o melhor da família, o mais esbelto e o mais valido." [156].

ROCHA de CAMPINAS. Possivelmente, Manuel Jorge de Oliveira Rocha, jornalista e fundador de *A Notícia*. João do Rio dedicou-lhe um capítulo em *As Religiões do Rio*. Considerações sobre a identificação em notas ao seu bilhete de congratulações. [258].

RODRIGUES, JOSÉ CARLOS. (1844-1923). Nascido em Cantagalo, na província do Rio de Janeiro, foi advogado e autor de obras jurídicas, como a *Constituição Política do Império do Brasil* (1863). Emigrou para os Estados Unidos em 1867, depois de se ver envolvido em um escândalo, no qual foi acusado de tentativa de fraude e corrupção. Em Nova York, fundou a revista *O Novo Mundo*, na qual publicou em 1872 um ensaio crítico sobre *Ressurreição* e propôs a Machado um vínculo de colaborador eventual. Na revista, Machado escreveu um dos seus mais importantes ensaios – "Instinto de Nacionalidade" (1873). Aliás, numa das cartas, pode-se surpreender o ajuste que resultará no artigo. De volta ao Brasil, Rodrigues adquiriu o *Jornal do Comércio*, que dirigiu de 1890 a 1915. Para esse jornal, solicitou dois artigos a Machado de Assis, que os publicou anonimamente. [118] e [121].

ROSA, Francisco Otaviano de Almeida. Ver OTAVIANO, Francisco.

SALOMON, SEBASTIÃO MAGGI. (1861-192?). Nasceu em Itajubá, sul de Minas Gerais. Neto de cristão-novo francês, que se fixara no incipiente arraial de Boa Vista de Itajubá (1836) e que muito contribuiu para o seu desenvolvimento, recebeu o nome de Sebastião Maggi, possivelmente em honra do santo homônimo italiano. Bom estudante, formou-se contador e, em 1886, colaborava no novo jornal itajubense, *A Verdade*. Abolicionista, celebrou em versos a Lei Áurea. Foi o segundo bibliotecário da Biblioteca Machado de Assis, fundada por João Dalle Afflalo* em 1883 e depois transferida para a municipalidade. Escrivão de órfãos e do júri, passou a funcionário da administração dos correios na cidade natal, em Ouro Preto e em Belo Horizonte, onde conviveu com poetas, companheiros de sua vocação literária. Ligado ao conterrâneo Wenceslau Brás, quando este assumiu a presidência de Minas, tornou-se seu secretário particular (1909) e oficial de gabinete, acompanhando-o, já presidente da República, na chefia interina de sua Secretaria, entre 1916 e 1919. Nomeado vice-cônsul em Vera Cruz, México, não chegou a assumir o cargo, tornando-se cônsul-geral do Brasil na cidade do Porto. Segundo seu neto e biógrafo Délcio Vieira Salomon, veio a falecer no Rio de Janeiro, na década de 1920. Publicou *Peregrinas* (1888), com prefácio do escritor e futuro acadêmico Augusto de Lima. A Academia Itajubense de Letras, fundada em 1964, tem-no como patrono da Cadeira 19. [251] e [264].

SANTO ÂNGELO, BARÃO DE. Ver PORTO-ALEGRE, Araújo.

SANTOS, ARTUR NAPOLEÃO DOS. Ver NAPOLEÃO, Artur.

SANTOS, JOÃO BRÍGIDO DOS. Ver BRÍGIDO dos Santos, JOÃO.

SERRA Sobrinho, JOAQUIM Maria. (1838-1888). Jornalista, professor, político e teatrólogo, nasceu em São Luís do Maranhão, onde fez as primeiras letras e humanidades; entre 1854 e 1858, estudou na Escola Militar do Rio de Janeiro, onde foi companheiro de Benjamin Constant, mas acabou por desistir do curso, para dedicar-se às letras, voltando ao Maranhão. Na capital, começou a dar aulas de português no Liceu de São Luís e a escrever no *Publicador Maranhense*, dirigido por Sotero dos Reis. A partir de 1862, quando o *Publicador* se torna diário, passa a usar o pseudônimo de "Pietro de Castellamare". Em 1862, junto com Gentil Braga* e Belfort Roxo, funda o *Ordem e Progresso* e, em 1867, o *Semanário Maranhense*. Em 1868, transferiu-se para o Rio de Janeiro, onde foi redator dos jornais *A Reforma*, *Gazeta de Noticias* e *O País*. Serra foi também deputado geral pelo Maranhão (1864-1868; 1878-1881) e secretário de governo da Paraíba, na presidência de Sinval Odorico de Moura. Os primeiros contatos entre Machado de Assis e Joaquim Serra se deram em 1858, por meio do debate proposto por Paula Brito em *A Marmota*, em torno de saber quem seria mais infeliz: o cego de nascença (posição defendida por Machado) ou o cego por acidente (posição defendida por Serra). Não há evidências de que tenham se conhecido pessoalmente neste período; só mais tarde, aparentemente esquecidos da "Polêmica dos Cegos", conheceram-se oficialmente. Machado citou-o no *Diário do Rio de Janeiro* de 24 de outubro de 1864, quando da morte do poeta e tradutor Odorico Mendes. Da Paraíba, Serra agradeceu, começando assim uma amizade que se fortaleceu com a vinda deste para a corte e se estenderia até a sua morte, cinco meses depois da Lei Áurea. Quando da fundação da Academia Brasileira de Letras, Serra foi escolhido patrono da Cadeira 21. [93], [126], [134], [172], [217] e [244]. Ver tb. [29], [32], [57], [65], [66], [69], [73] e [84], tomo I.

SILVA, JOAQUIM ARSÊNIO CINTRA DA. Neto pelo lado materno do poderoso Elias Cupertino Cintra (armador, traficante de escravos, negociante de grosso trato, proprietário rural e empresário no Recife) e de Úrsula Maria das Virgens, da família Sousa Leão, Joaquim Arsênio nasceu no Recife, primogênito de Arsênio Fortunato da Silva (empresário, armador e inventor de carros e guindastes) e de Mariana Alexandrina Coelho Cintra. Segundo o *Almanaque Laemmert*, o comendador Joaquim Arsênio Cintra da Silva fazia parte do corpo diplomático e consular estrangeiro acreditado na corte, no posto de cônsul-geral da Bolívia, Paraguai e Venezuela. Comercialmente, dedicava-se à importação e exportação no porto do Rio, com escritório na rua Primeiro de Março, 95; e na área industrial, era sócio de Clemente Castelo Branco e Aurélio Vieira na Companhia de Fiação Industrial Campista, com escritório na rua de São Pedro, 3. Joaquim Arsênio era irmão do pintor Arsênio Cintra da Silva (1833-1883), o introdutor da pintura a guache no Brasil e cujas telas são muito valorizadas no mercado de arte; era também cunhado do 1.º conde de Wilson, já que sua irmã, Felisbela Ernestina Cintra da Silva (1840-1912), casou-se com Edward Pellew Wilson Junior (1832- -1899), empresário britânico-brasileiro que ficou conhecido como *o rei do carvão* depois de assinar um contrato de fornecimento aos navios da armada imperial brasileira durante a Guerra do Paraguai, além de ser sócio em diversos empreendimentos no Brasil, na França e na Inglaterra. Joaquim Arsênio Cintra da Silva casou-se três vezes. Primeiramente com a filha do 1.º barão de Matoso, Laura Rodrigues Lopes, com quem teve Zulmira Cintra da Silva, mais tarde casada com Cristiano Benedito Ottoni Júnior. Enviuvando de D. Laura, casou-se com Mariana Teixeira Leite e Sousa, com quem teve Raul Teixeira Leite Cintra e, por fim, enviuvando uma segunda vez, casou-se com Guilhermina Reis, sem descendência. A carta de Joaquim Arsênio neste volume é de fevereiro de 1879, quando estava casado com Mariana Teixeira Leite e, aliás, em [205], de 19 de janeiro de 1882, Miguel de Novais lamentará com Machado a morte de Marianinha, que parece, era muito querida dos Assis, sobretudo de Carolina*. Ver tb. [204]. O casal Cintra da Silva morava no n.º 13 da praça Duque de Caxias, atual largo do Machado, e o casal Assis no n.º 206 da rua do Catete. [166].

SOARES, Antônio Joaquim de Macedo. Ver MACEDO SOARES.

SOUSA, Pedro Luís Pereira de. Ver LUÍS, PEDRO.

TAUNAY, ALFREDO Maria Adriano d'Escragnolle. (1843- -1899). Visconde de Taunay, em 1888, nome literário que o consagrou. No jornalismo, usava o pseudônimo "Sílvio Dinarte". Nascido na rua do Resende, 87, no Rio de Janeiro, era filho de Félix Emílio Taunay (1795-1881) e de Gabriela d'Escragnolle Taunay. Seu pai era diretor da Academia de Belas-Artes, fundador do Instituto Histórico e Geográfico Brasileiro, e foi também um dos preceptores de D. Pedro II. O seu avô, o pintor Nicolau Antônio Taunay, foi integrante da Missão Artística Francesa, vinda a partir de 1815 e responsável pela introdução do estilo neoclássico no Brasil. O Visconde de Taunay foi criado num ambiente culto, no qual desenvolveu o gosto pelas artes, especialmente pela pintura, literatura e música. Estudou no Imperial Colégio Pedro II (1855) e, depois, na Escola Central (1859-1864), onde se bacharelou em ciências físicas e matemáticas (1859-1862), e estava no penúltimo ano de engenharia militar, quando estourou a Guerra do Paraguai (1865). Ainda assim foi incorporado à comissão dos engenheiros militares das tropas do exército formadas para repelir a invasão do Mato Grosso. Participou da Retirada de Laguna, episódio que descreveu mais tarde no livro que o tornou famoso. Após a guerra, terminou o curso de engenharia e tornou-se professor da Escola Militar. Ligou-se ao Partido Conservador, elegendo-se representante da província de Goiás, em diversas legislaturas. No gabinete de Caxias, de 25 de junho de 1875, foi nomeado presidente da província de Santa Catarina (1876-1877). Em 1885, da província do Paraná. Em 1878, afastou-se da vida pública e viajou à Europa, voltando somente em fins de 1879. Na Câmara, defendeu a libertação gradual dos escravos, a imigração e a naturalização automática dos estrangeiros, e o casamento civil. Monarquista convicto, tinha uma incondicional admiração por D. Pedro II, permanecendo-lhe fiel até a morte. A par da vida militar, do magistério e da vida política, desenvolveu importante atividade literária, tendo escrito romances, memórias, livros técnicos e pedagógicos. O seu romance *Inocência* (1872) é considerado um clássico da literatura brasileira. Além de se dedicar às letras, foi também pintor e compositor de qualidade. Machado de Assis deve ter conhecido Taunay por volta de 1871, quando ambos eram censores do Conservatório Dramático Brasileiro. Machado considerava *A Retirada de Laguna* uma joia e se comovia com a qualidade literária de *Inocência*. Além do amor às letras, os dois comungavam da paixão à música, sendo sócios assíduos do Clube Beethoven* e colaboradores entusiasmados na revalorização da obra do padre José Maurício. Fundador da Cadeira 13 da Academia Brasileira de Letras. [125], [262], [263] e [272].

UM AMIGO. Possivelmente o português Luís de Faro e Oliveira (1847-1906), visconde de Faro e Oliveira, em 1888. Ainda muito novo, e com instrução elementar, veio para o Brasil, iniciando a vida comercial como caixeiro no Rio Grande do Sul. Transferiu-se para o Rio de Janeiro, onde foi guarda-livros de uma casa bancária e estudou com afinco. Operoso e ilustrado, começou a atrair as maiores simpatias, e logo se tornaria um notável colaborador do progresso dos portugueses no Brasil. Trabalhou intensamente em favor do Liceu Literário Português, do Retiro Literário Português e da Beneficência Portuguesa do Rio de Janeiro. Nesta cidade, fundou a Livraria Contemporânea, efervescente ponto de encontro de escritores e políticos, dividindo a sociedade de sua casa editora com outro destacado português, Lino de Assunção. Foram ambos muito amigos de Machado de Assis. De volta a Portugal, Faro continuou suas atividades empresariais, a par de intensa vida intelectual. Ver notas em [235].

UMA SENHORA. Ver BUARQUE, Lídia Cândida de Oliveira. [196].

VERÍSSIMO de Matos, JOSÉ. (1857-1916). Nascido em Óbidos, Pará. Em 1869, transferiu-se para o Rio de Janeiro, ingressando na Escola Central (depois, Escola Politécnica), cujo curso interrompeu por motivo de saúde. Em 1876, de regresso ao Pará, dedicou-se ao magistério e ao jornalismo, a princípio como colaborador do *Liberal do Pará* e, posteriormente, como fundador e dirigente da *Revista Amazônica* (1883-1884) e do Colégio Americano. Em 1880, viajou pela Europa. Em Lisboa, tomando parte de um congresso literário internacional, defendeu brilhantemente os escritores brasileiros que vinham sofrendo censuras feitas pelos interessados na permanência do livro brasileiro na retaguarda da literatura em língua portuguesa. Em 1889, participou do X Congresso de Antropologia e Arqueologia Pré-Histórica, realizado em Paris, apresentando uma comunicação sobre o homem de Marajó e a antiga história da civilização amazônica. Em 1891, mudou-se para o Rio, sendo nomeado professor e depois diretor do Ginásio Nacional (Colégio Pedro II). Em 1895, fundou a terceira série da *Revista Brasileira*, que se tornaria o mais influente periódico cultural do país. É conhecido, sobretudo, por sua atividade como crítico literário em vários jornais e revistas, especialmente no *Correio da Manhã*. Seus artigos e ensaios foram enfeixados em *Estudos da Literatura Brasileira* (1901-1907). Sua obra principal é *História da Literatura Brasileira*, publicada no ano de sua morte (1916). Veríssimo recusou a crítica sociológica de Sílvio Romero, preferindo uma avaliação imanente da obra, segundo critérios estéticos. Essa preferência certamente está entre os fatores que o aproximaram de Machado de Assis, cuja obra tinha sido atacada por Sílvio Romero à luz de considerações em grande parte extraliterárias. Veríssimo foi o crítico mais lúcido de Machado de Assis. Seu ensaio sobre *Quincas Borba* (1892) encantou-o. O que em geral se ignora é que veio de Veríssimo a primeira percepção de que o relato de *Dom Casmurro* talvez não fosse inteiramente confiável, antecipando, nisso, uma suspeita de Lúcia Miguel Pereira e, sobretudo, a tese de Helen Caldwell sobre a inocência de Capitu. Com efeito, no mesmo ano do aparecimento do romance, em 1900, José Veríssimo observou no *Jornal do Comércio* que Dom Casmurro escrevera "com amor e com ódio, o que pode torná-lo suspeito." Machado considerava-o o maior crítico do Brasil e um dos seus melhores autores. O volume de contos *Cenas da Vida Amazônica* mereceu dele, na *Gazeta de Notícias,* uma resenha consagradora (1899). Com a fundação da Academia Brasileira de Letras na redação da *Revista Brasileira*, o convívio entre os dois se estreitou. Viam-se quase diariamente, na Garnier e no Ministério da Viação, onde Veríssimo costumava visitar o amigo. Quando não se viam, correspondiam-se. Aliás, em carta de 21 de abril de 1908, Machado autorizava Veríssimo a que lhe publicasse as cartas. Uma das últimas lhe foi destinada em 1.º de setembro de 1908. Fundador da Cadeira 18 da Academia Brasileira de Letras. [219] e [223].

VIANA, Antônio FERREIRA. (1833-1903). Nascido em Pelotas, Rio Grande do Sul, foi jornalista, advogado militante, deputado, ministro da Justiça e do Império, destacando-se na vida pública nacional. Orador que se impunha pela substância de seus discursos e pelo espírito democrático. Grande melômano, presidiu o Clube Beethoven* numa diretoria de que Machado participava como bibliotecário; nessa ocasião convidou-o para o cargo de censor do novo Conservatório Dramático. Dotado de fino senso de humor, certamente esta qualidade contribuiu para a aproximação com o escritor. [265].

VISCONDE DE TAUNAY. Ver TAUNAY, Alfredo d'Escragnolle.

VISCONDE DO BOM RETIRO. Ver FERRAZ, Luís Pedreira do Couto.

VISCONDE DO RIO BRANCO. Ver PARANHOS, José Maria da Silva.

∾ Posfácio

Este segundo tomo da *Correspondência de Machado de Assis* reitera a excepcional qualidade e a relevância da pesquisa coordenada por Sergio Paulo Rouanet e desenvolvida por Irene Moutinho e Sílvia Eleutério.

Trabalho relevante por agregar ao *corpus* machadiano textos inéditos ou quase inteiramente esquecidos. Excepcional pela seriedade metodológica da pesquisa, cujos critérios de seleção, de organização, de notas explicativas e de tratamento textual são exemplares.

Em sua preciosa "Apresentação", Rouanet mapeia o amplo território coberto pela epistolografia de Machado de Assis nas décadas de 1870 e 1880, período que vê nascer a chamada "segunda fase" machadiana. No total, 188 documentos, dos quais um terço de correspondência ativa. Para quem gosta, como escreveu Machado, *"de catar o mínimo e o escondido"*, estas cartas se constituem num tesouro ainda pouco explorado. Conforme sugere o coordenador, elas abrem novas perspectivas de compreensão não só da biografia do autor, mas também do panorama literário e cultural do Segundo Reinado.

É, portanto, uma honra para a Academia Brasileira de Letras a publicação da correspondência, pela primeira vez completa, de Machado de Assis, ainda mais numa edição com a chancela do *ostinato rigore* de Sergio Paulo Rouanet, Irene Moutinho e Sílvia Eleutério.

ANTONIO CARLOS SECCHIN, 2009

Bibliografia

ACADEMIA BRASILEIRA DE LETRAS. "Cartas de Joaquim Serra a Machado de Assis". *Revista da Academia Brasileira de Letras*, III, Rio de Janeiro, 1911.

_____. *Revista da Academia Brasileira de Letras*, XXI, Rio de Janeiro, 1929.

_____. *Revista Brasileira*, fase VII, 55, Rio de Janeiro, abril-junho, 2008. Edição comemorativa 1908-2008.

AGUIAR, Cláudio. *Franklin Távora e o seu Tempo*. Rio de Janeiro: Academia Brasileira de Letras, 2005.

ALENCAR, José Martiniano de. *O Gaúcho*. Rio de Janeiro: B. L. Garnier, 1870. Fundação Biblioteca Nacional. Setor de Obras Raras.

_____. *O Nosso Cancioneiro*. Rio de Janeiro: São José, 1962.

ALFIERI, Vittorio. *Otávia*. Rio de Janeiro: Villeneuve & Cia, 1869. Fundação Biblioteca Nacional.

ALMEIDA, Renato. *História da Música Brasileira*. 2.ª ed. Rio de Janeiro: R. Briguet & Comp., 1942.

AMICIS, Edmondo De. *Coração*. São Paulo: Teixeira & Irmão, 1891.

ANDRADE, Joaquim de Sousa. *Obras Poéticas de Sousa-Andrade*. New York: [s.ed.], 1874. Fundação Biblioteca Nacional.

_____. *Guesa*. São Luís: SIOGE, 1979. Edição Fac-similar. Coleção Gonçalves Dias.

ARANHA, José Pereira Graça. *Machado de Assis e Joaquim Nabuco — Comentários e Notas à Correspondência Entre Estes Dois Grandes Escritores*. São Paulo: Monteiro Lobato, 1923.

AZEREDO, Carlos Magalhães de. *Memórias*. Rio de Janeiro: Academia Brasileira de Letras, 2003. Introdução e comentários de Afonso Arinos, filho. Coleção Afrânio Peixoto.

AZEVEDO, Artur. *Teatro de Artur Azevedo*. Rio de Janeiro: INACEN, 1987. vol. III.

AZEVEDO, José Afonso Mendonça. *Vida e Obra de Salvador de Mendonça*. Brasília: Seção de Publicações do Ministério das Relações Exteriores, 1971. Coleção Documentos Diplomáticos.

AZEVEDO, Manuel Duarte Moreira. *O Rio de Janeiro, sua História, Monumentos, Homens Notáveis, Usos e Curiosidades*. Rio de Janeiro: B. L. Garnier, 1877. 2 v.

BLAZE, Henri. "Théâtre Italien: Le Nozze di Figaro". *Revue des Deux Mondes*, XVII, Paris: 1839.

BLUTEAU, Rafael. *Vocabulário Português e Latino*. Rio de Janeiro: Dinfo-Uerj, 2000. CD-ROM. 8 v.

BOSI, Alfredo. *História Concisa da Literatura Brasileira*. 2. ed. São Paulo: Cultrix, 1979.

BRAGA, Gentil; CARVALHO, Trajano Galvão; RODRIGUES, Antônio Marques. *Três Liras*. Rio de Janeiro: Laemmert & Comp., 1862. Fundação Biblioteca Nacional. Arquivo Geral.

BROTEL, Jean-François; MASSA, Jean-Michel. *Études Luso-Brésiliennes*. Paris: Presses Universitaires de France, 1966.

CAMÕES, Luís de. *Os Lusíadas*. Rio de Janeiro: Xerox-BN-MinC, 1995. Edição Fac-similar de 1572.

CARVALHO, José Murilo de. *D. Pedro II*. São Paulo: Companhia das Letras, 2007. Coleção Perfis Brasileiros.

CARVALHO, Maria Alice Rezende de. *O Quinto Século, André Rebouças e a Construção do Brasil*. Rio de Janeiro: Revan, 1998.

CARVALHO, Pérola de. "O Reflexo no Espelho". Cartas de Miguel de Novais a Machado de Assis. In: *Suplemento Literário, O Estado de S. Paulo*, 385, 20 de junho de 1964. p. 2. Col. 6.

CASTRO, Aluísio de. "Machado de Assis e Francisco de Castro". *Revista da Sociedade dos Amigos de Machado de Assis*, V, Rio de Janeiro, 1960.

CASTRO, Francisco de. *Harmonias Errantes*. Rio de Janeiro: Maximino & Cia, 1878. Exemplar da Fundação Casa de Rui Barbosa.

CAVALCANTI, José Cruvello. *Nova Numeração dos Prédios da Cidade do Rio de Janeiro*. Coleção Memória do Rio, 4.º Centenário. Prefeitura do Rio de Janeiro, 1965. Edição Fac-similar de 1878.

CERNICCHIARO, Vicenzo. *Storia Della Musica nel Brasile dai Tempi Coloniali Sino ai Nostri Giorni*. Milano: Fratelli Riccioni, 1926.

CORDEIRO, Francisca de Basto. *Machado de Assis na Intimidade*. Rio de Janeiro: Pongetti, 1965. Exemplar da Academia Brasileira de Letras.

_____. *Machado Que Eu Vi*. Rio de Janeiro: São José, 1967.

FERREIRA, Aurélio Buarque de Holanda. *Novo Dicionário Aurélio da Língua Portuguesa*. 3. ed. Curitiba: Positivo, 2004.

FONSECA, Herculano Borges da. "O Pequeno Mundo de Machado de Assis". *Revista da Sociedade dos Amigos de Machado de Assis*, III, Rio de Janeiro, 1960.

FRIAS, Sanches de. *Artur Napoleão, Resenha Comemorativa da Sua Vida Pessoal e Artística*. Lisboa: Pereira, 1913. Edição por amigos e admiradores.

_____. *Memórias Literárias: Apresentações e Críticas*. Lisboa: Empresa Literária, 1907a.

FUNDAÇÃO BIBLIOTECA NACIONAL. *Anais da Biblioteca Nacional*. Rio de Janeiro: Biblioteca Nacional, 1870.

_____. *Catálogo da Exposição Machado de Assis, 1839-1939*. Rio de Janeiro: Ministério da Educação e Saúde, 1939.

_____. *Exposição Comemorativa do Sexagésimo Aniversário de Falecimento de Joaquim Maria Machado de Assis*. Rio de Janeiro: Biblioteca Nacional, 1968.

_____. *O Espelho*. Revista semanal de literatura, modas, indústria e artes. Rio de Janeiro: Biblioteca Nacional, 2008. Edição Fac-similar de 1859-1860.

GABINETE PORTUGUÊS DE LEITURA. *Livro de Ouro*. Rio de Janeiro: Gabinete Português de Leitura, 1884.

GALVÃO, Eneias. *Miragens*. Rio de Janeiro: G. Leuzinger & Filhos, 1885. Fundação Biblioteca Nacional. Setor de Obras Raras.

GUIMARÃES, Armelim. *História de Itajubá*. Belo Horizonte: Imprensa Oficial, 1987.

GUIMARÃES, Hermínia Buarque de Almeida Pinto. *Buarque de Macedo, Escorço Biográfico*. Rio de Janeiro: C. Mendes Júnior, 1937. Edição comemorativa do centenário de nascimento.

HALLEWELL, Laurence. *O Livro no Brasil*. São Paulo: T. A. Queiroz; Edusp, 1985.

HOUAISS, Antônio. *Dicionário Eletrônico da Língua Portuguesa*. São Paulo: Objetiva, 2009. Instituto Antônio Houaiss.

INSTITUTO HISTÓRICO E GEOGRÁFICO DE SÃO JOÃO DEL REI. *Revista do IHG*, IX, São João Del Rei, 1981.

JUNQUEIRA, Ivan. (Coord.). *Escolas Literárias do Brasil*. Rio de Janeiro: ABL, 2004. Coleção Austregésilo de Athayde. Tomo I.

LASCELLES, George Henry Hubert. *Kobbé, O Livro Completo da Ópera*. Rio de Janeiro: Zahar, 1991.

LICEU LITERÁRIO PORTUGUÊS. *O Liceu Literário Português* (1868-1884). Rio de Janeiro: Maximino e Cia, 1884. Edição comemorativa da inauguração da nova sede.

LIMA, Manuel de Oliveira. *O Império Brasileiro* (1821-1889). Belo Horizonte: Itatiaia; São Paulo: Edusp, 1989.

LUCCHESI, Marco; RÊGO, Raquel Martins. *Machadiana da Biblioteca Nacional*. Rio de Janeiro: Fundação Biblioteca Nacional, 2008.

MACHADO, Ubiratan. *Bibliografia Machadiana, 1959-2003*. São Paulo: Edusp, 2005.

_____. *Dicionário de Machado de Assis*. Rio de Janeiro: Academia Brasileira de Letras, 2008.

MACHADO DE ASSIS, Joaquim Maria. *Desencantos*. Fantasia Dramática por Machado de Assis. Rio de Janeiro: Paula Brito, 1861. Fundação da Biblioteca Nacional. Setor de Obras Raras.

_____. *Teatro de Machado de Assis*. Rio de Janeiro: Diário do Rio de Janeiro, 1863. vol. I. Fundação da Biblioteca Nacional. Setor de Obras Raras.

_____. *Crisálidas*. Rio de Janeiro: B. L. Garnier, 1864. Fundação da Biblioteca Nacional. Setor de Obras Raras.

_____. *Americanas*. 1875. Rio de Janeiro: B. L. Garnier, 1864. Fundação da Biblioteca Nacional. Setor de Obras Raras.

_____. *Obra Completa*. Rio de Janeiro: W. M. Jackson, 1937.

_____. *Obra Completa*. Rio de Janeiro: Nova Aguilar, 2008.

MAGALHÃES, Domingos José Gonçalves de. *A Confederação dos Tamoios*. 3. ed. Rio de Janeiro: Secretaria de Estado de Cultura do Rio de Janeiro, 1994.

MAGALHÃES JR., Raimundo. *Vida e Obra de Machado de Assis*. Rio de Janeiro: Record, 2008. 4 v.

MASSA, Jean-Michel. *Dispersos de Machado de Assis*. Rio de Janeiro: INL, 1965.

_____. *A Juventude de Machado de Assis*. Rio de Janeiro: Civilização Brasileira, 1971.

MATTOS, A. de Campos. (Org.). *Dicionário de Eça de Queirós*. 2. ed. Lisboa: Caminho, 1988.

MENDONÇA, Lúcio Drummond Furtado de. *Névoas Matutinas*. Rio de Janeiro: Frederico Thompson, 1872. Exemplar da Fundação Biblioteca Nacional

MENDONÇA, Salvador de. "Coisas do Meu Tempo". *Revista do Livro*, 20, Rio de Janeiro, 1960.

MONTELLO, Josué. *O Presidente Machado de Assis nos Papéis e Relíquias da Academia Brasileira de Letras*. 2. ed. Rio de Janeiro: José Olympio, 1986.

NABUCO, Carolina. *A Vida de Joaquim Nabuco*. São Paulo: Companhia Editora Nacional, 1928.

NERY, Fernando. (Org.). *Correspondência de Machado de Assis*. Rio de Janeiro: Américo Bedeschi, 1932.

NORONHA, José Feliciano de Castilho Barreto e. *Novo Almanaque de Lembranças Luso-Brasileiro Para o Ano de 1880*. Rio de Janeiro: Castilho, 1880. Exemplar do Real Gabinete Português de Leitura.

OCTAVIO, Rodrigo. *Coração Aberto*. Rio de Janeiro: Civilização Brasileira, 1934. Nova edição.

_____. *Minhas Memórias dos Outros*. Rio de Janeiro: José Olympio, 1935. Nova série.

OLIVEIRA, Artur. *Dispersos*. Rio de Janeiro: Academia Brasileira de Letras-Civilização Brasileira, 1936. Organizado por Luís Felipe Vieira Souto.

OLIVEIRA, Mário Alves de. "Duas Cartas Inéditas de Machado de Assis". *Revista Brasileira*, fase VII, 50, Rio de Janeiro, janeiro-março, 2007.

ORTIGÃO, José Duarte Ramalho. *Obras Completas*. Lisboa: Clássica, 1944.

OVÍDIO. *Metamorfoses*. São Paulo: Hedra, 2006.

PALEOLOGO, Constantino. *Eça de Queirós e Machado de Assis*. Rio de Janeiro-Brasília: Tempo Brasileiro-INL, 1979.

PEREIRA, Lúcia Miguel. *Machado de Assis*. 6. ed. Belo Horizonte: Itatiaia; São Paulo: Edusp, 1988.

PINHEIRO JÚNIOR, Luís Leopoldo. *Tipos e Quadros, Sonetos*. Rio de Janeiro: [s. ed.], 1886. Fundação Casa de Rui Barbosa.

PONTES, Elói. *Machado de Assis, Páginas Esquecidas*. Rio de Janeiro: Mandarino, 1939.

_____. *A Vida Contraditória de Machado de Assis*. Rio de Janeiro: José Olympio, 1939.

PORTO-ALEGRE, Manuel de Araújo. *Colombo*. Rio de Janeiro: B. L. Garnier, 1866. Fundação Biblioteca Nacional. Setor de Obras Raras.

PUJOL, Alfredo. *Machado de Assis* – Curso de Literatura em Sete Conferências na Sociedade de Cultura Artística de São Paulo. Rio de Janeiro: Academia Brasileira de Letras-Imprensa Oficial, 2007. Apresentação de Alberto Venancio Filho.

ROCHA, João Cezar de Castro. "Machado de Assis, leitor (autor) da Revista do Instituto Histórico e Geográfico Brasileiro". *In:* JOBIM, José Luís. (Org.). *A Biblioteca de Machado de Assis*. São Paulo: Academia Brasileira de Letras-Topbooks, 2001.

ROUANET, Sergio Paulo. *Riso e Melancolia*. São Paulo: Companhia das Letras, 2007.

_____ (Org.). *Correspondência de Machado de Assis*. 1860-1869. Rio de Janeiro: Academia Brasileira de Letras-Fundação Biblioteca Nacional, 2008. Reunida, organizada e comentada por Irene Moutinho e Sílvia Eleutério. Tomo I.

SACRAMENTO BLAKE, Augusto Victorino Alves. *Dicionário Bibliográfico Brasileiro.* Tipografia Nacional, 1883-1902. 7 v.

SALOMON, Délcio Vieira. *Retrato na Parede*. São Paulo: LivroPronto, 2009. No prelo. Em cópia gentilmente cedida pelo autor.

SANDRONI, Cícero. *Os 180 Anos do Jornal do Commercio: 1827-2007.* São Paulo: Quorum, 2007.

SCHUELER, Alessandra Frota Martinez de. "A Associação Protetora da Infância Desvalida e as Escolas de São Sebastião e São José: Educação e Instrução no Rio de Janeiro do Século XIX". *In:* MONARCHA, Carlos. (Org.). *Educação da Infância Brasileira, 1875-1983*. Campinas: Autores Associados, 2001.

_____. "No Tempo da Palmatória". *Revista de História*. Rio de Janeiro: Biblioteca Nacional, 2007.

SCHWARCZ, Lilia Moritz. *As Barbas do Imperador*. D. Pedro II, um Monarca nos Trópicos. 2. ed. São Paulo: Companhia das Letras, 2004.

SECCHIN, Antônio Carlos; ALMEIDA, José Maurício Gomes de; SOUZA, Ronaldes de Melo e. (Org.). *Machado de Assis, Uma Revisão*. Rio de Janeiro: In-Fólio, 1998.

SENNA, Ernesto. *O Velho Comércio do Rio de Janeiro*. Rio de Janeiro: G. Ermakoff, 2006.

SERRA, Joaquim de Almeida. *O Abolicionista Joaquim Serra*. Rio de Janeiro: Presença, 1986.

SERRÃO, Ruth. "Artur Napoleão dos Santos". *Brasiliana*, X, janeiro-abril, 2002.

SHAKESPEARE, William. *Hamlet*. São Paulo: Abril, 1976. Tradução de Péricles Eugênio Silva Ramos.

SILVA, Alberto da Costa e (Org.). *O Itamaraty e a Cultura Brasileira*. Rio de Janeiro: Francisco Alves, 2002. Realização do Instituto Rio Branco, Ministério das Relações Exteriores.

SIMONSEN, Roberto. *Aspectos da História Econômica do Café*. Rio de Janeiro: Imprensa Nacional-Instituto Histórico e Geográfico Brasileiro, 1942. Separata dos Anais do III Congresso de História Nacional.

SOCIEDADE DOS AMIGOS DE MACHADO DE ASSIS. *Revista da Sociedade dos Amigos de Machado de Assis*, I-VII, Rio de Janeiro, 1958-1961.

SODRÉ, Nelson Werneck. *História da Imprensa no Brasil*. Rio de Janeiro: Civilização Brasileira, 1966.

SOUSA, José Galante de. *Bibliografia de Machado de Assis*. Rio de Janeiro: INL, 1955.

_____. *Machado de Assis: Poesia e Prosa*. Rio de Janeiro: Civilização Brasileira, 1957.

_____. *O Teatro no Brasil*. Rio de Janeiro: INL, 1960.

TAUNAY, Visconde de. *Dias de Guerra e de Sertão*. São Paulo: Revista Brasil, 1920.

_____. *Reminiscências*. Rio de Janeiro: Melhoramentos, 1923.

_____. *Homens e Coisas do Império*. Rio de Janeiro: Melhoramentos, 1924.

_____. *Memórias*. Rio de Janeiro: Melhoramentos, 1946.

UNIVERSIDADE FEDERAL DO MARANHÃO. *Semanário Maranhense*. São Luís: SIOGE, 1979. Edição fac-similar.

VAL, Waldir Ribeiro do. *Vida e Obra de Raimundo Correia*. Rio de Janeiro: Ministério da Educação e Cultura-Instituto Nacional do Livro, 1960.

VANUCCI, Alessandra. (Org.). *Uma Amizade Revelada*. Correspondência entre o Imperador dom Pedro II e Adelaide Ristori. Rio de Janeiro: Biblioteca Nacional, 2004.

VENANCIO FILHO, Alberto. *Das Arcadas ao Bacharelismo: 150 anos de Ensino Jurídico no Brasil*. 2. ed. São Paulo: Perspectiva, 1982.

VERÍSSIMO, José. *História da Literatura Brasileira*. Rio de Janeiro: Francisco Alves, 1916.

_____. *Estudos de Literatura Brasileira*. Belo Horizonte: Itatiaia; São Paulo: Edusp, 1976. 7 v.

VIANA, Hélio. *Capistrano de Abreu*. Rio de Janeiro: Ministério da Educação e Cultura, 1953.

VIANA FILHO, Luís. *A Vida de Machado de Assis*. Rio de Janeiro: Martins, 1965.

VILELA, Iracema Guimarães. *Luís Guimarães Júnior, Ensaio Biobibliográfico*. Rio de Janeiro: Academia Brasileira de Letras, 1934.

VISSE, Jean-Paul. *La Presse du Nord et du Pas-de-Calais au Temps de L'Écho du Nord*. Villeneuve d'Ascq: Presses Universitaires Du Septentrion, 2004.

WEHRS, Carlos. *Machado de Assis e a Magia da Música*. 2. ed. Rio de Janeiro: Carlos Wehrs, 1997.

MANUSCRITOS ORIGINAIS

- *Acervo Cartográfico*, Arquivo Nacional
- *Arquivo Machado de Assis*, Academia Brasileira de Letras
- *Arquivo-Museu da Literatura Brasileira*, Fundação Casa de Rui Barbosa
- *Coleção Adir Guimarães*, Fundação da Biblioteca Nacional
- *Coleção Barão Loreto*, Instituto Histórico e Geográfico Brasileiro
- *Coleção Baronesa de Loreto*, Instituto Histórico e Geográfico Brasileiro
- *Coleção Francisco Ramos Paz*, Fundação da Biblioteca Nacional
- *Coleção Rodrigo Octavio*, Arquivo Particular

PERIÓDICOS CONSULTADOS

Originais

- *A Manhã*, 1942. Fundação Casa de Rui Barbosa
- *A Semana*, 1885-1888. Fundação Casa de Rui Barbosa
- *Jornal do Brasil*, 1958. Fundação Biblioteca Nacional
- *Jornal do Comércio*, 1869-1881. Biblioteca da Associação Comercial do Rio de Janeiro
- *Semana Ilustrada*, 1860-1873. Fundação Casa de Rui Barbosa

Microfilmados

- *A Crença*, 1875. Fundação Biblioteca Nacional
- *A Reforma*, 1869-1871. Fundação Biblioteca Nacional

- *A República*, 1871. Fundação Biblioteca Nacional
- *Almanaque Laemmert*, 1855-1889. Fundação Biblioteca Nacional
- *América Brasileira*, 1921. Fundação Biblioteca Nacional
- *Correio Mercantil*, 1870. Fundação Biblioteca Nacional
- *Diário do Rio de Janeiro*, 1860-1867. Fundação Biblioteca Nacional
- *Gazeta de Noticias*, 1875-1900. Fundação Biblioteca Nacional
- *Ilustração Brasileira*, 1976-1878. Fundação Biblioteca Nacional
- *Jornal da Tarde*, 1869-1872. Fundação Biblioteca Nacional.
- *Jornal do Comércio*, 1870-1889. Fundação Biblioteca Nacional
- *O Globo*, 1874-1878. Fundação Biblioteca Nacional
- *O Libertador*, 1890. Biblioteca Pública de Fortaleza
- *O Novo Mundo*, 1870-1879. Fundação Biblioteca Nacional

Caderno de Imagens

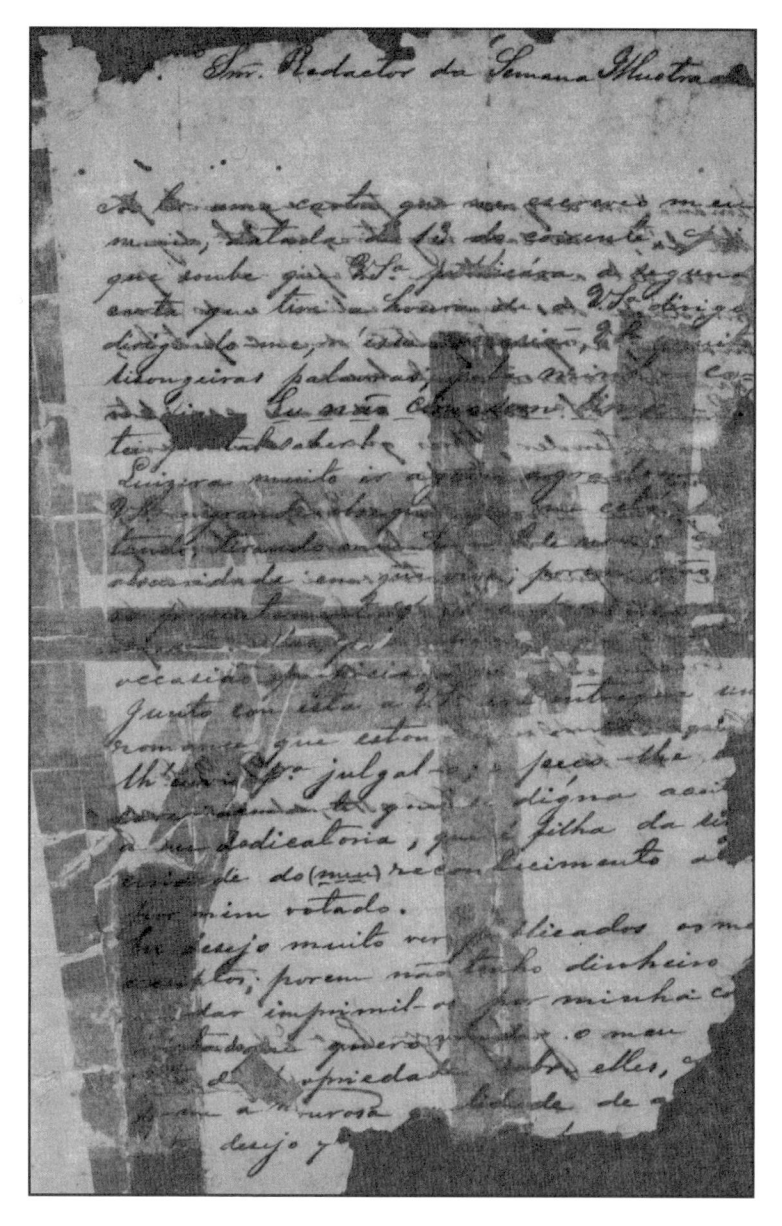

Carta [96] de Joaquim José Pereira de Azurara. Manuscrito Original, Arquivo ABL.

Carta [96] de Joaquim José Pereira de Azurara. Manuscrito Original, Arquivo ABL.

Carta [185] de Capistrano de Abreu. Manuscrito Original, Arquivo ABL.

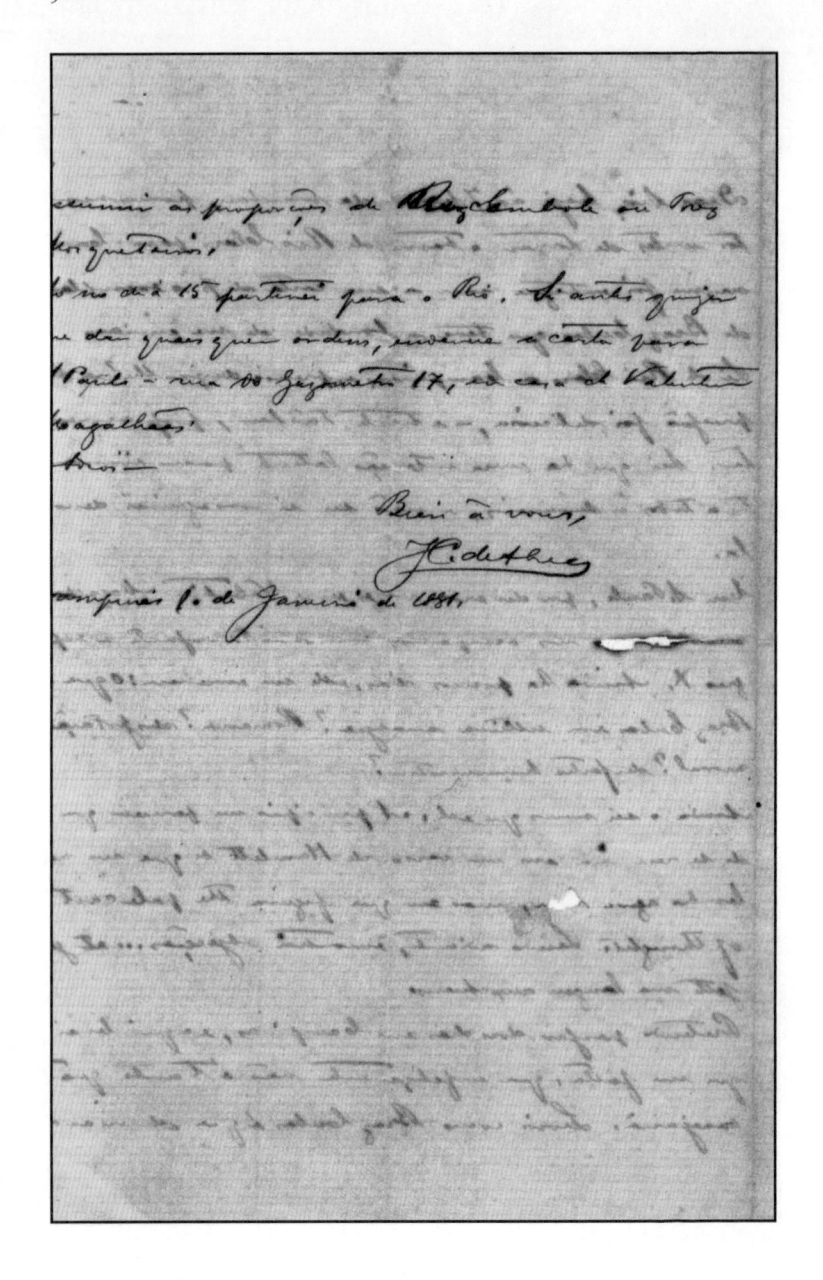

ꝏ Carta [185] de Capistrano de Abreu. Manuscrito Original, Arquivo ABL.

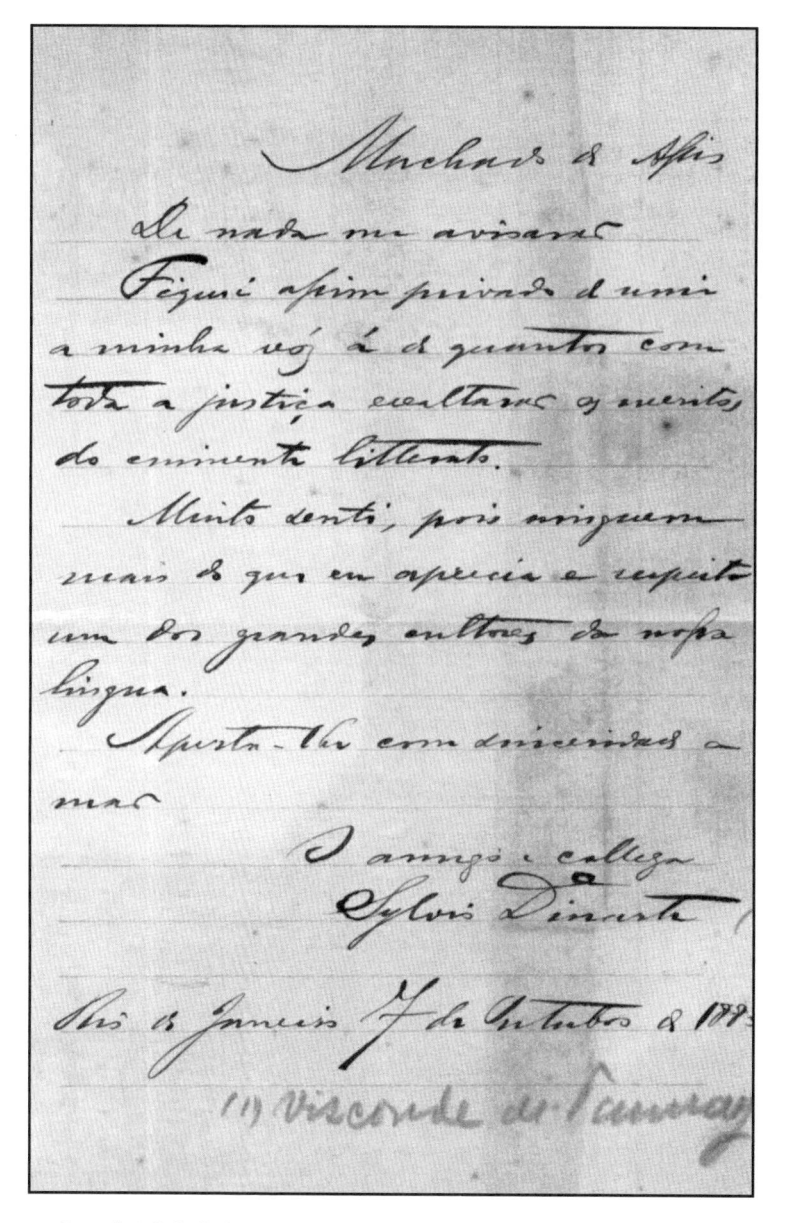

Carta [263] de "Sílvio Dinarte", pseudônimo de Alfredo D'escragnolle Taunay. Manuscrito Original, Arquivo ABL.

Leia também:

Machado de Assis – Um Autor em Perspectiva

A série *Um Autor em Perspectiva*, coeditada pela Global Editora em parceria com a Academia Brasileira de Letras, traz, em seu primeiro volume, este acurado estudo sobre Machado de Assis. A partir de um seminário realizado na Universidade de Salamanca, uma série de artigos de vários especialistas, brasileiros e espanhóis, lança novas luzes sobre a já vastamente estudada obra deste que é um dos maiores autores nacionais.

Machado foi talvez o mais eclético homem de letras do Brasil, atuando em todas as modalidades literárias, com maestria notável no romance e no conto, formas nas quais é simplesmente insuperável, mas também sem menor garbo na poesia, teatro, ensaio, crítica, crônica e mesmo sua epistolografia pessoal, que é estudada por um dos acadêmicos que contribui nesta coletânea de estudos.

Ana Maria Machado, responsável pela apresentação da obra, contribui com um interessante ensaio sobre os diálogos machadianos. Há também uma saborosa análise, por Antônio Maura, da personagem Capitu, do romance *Dom Casmurro*, correspondente direta e irmã literária de Ana Karenina, Emma Bovary e da Luísa de *O Primo Basílio*. O mais extravagante romance de Machado, *Memórias Póstumas de Brás Cubas*, é analisado por Javier Prado em estudo comparativo histórico que garimpa as influências de Sterne, Xavier de Maïstre, Fielding e Cervantes na obra do autor carioca.

Mesmo tantos anos passados de sua morte, a obra de Machado de Assis segue atual e imprescindível para se compreender a alma do povo brasileiro. Este livro, tanto para iniciados nos estudos sobre o bruxo do Cosme Velho quanto para neófitos, é obra de agradável leitura, didática e elucidativa, que lança um inusitado olhar ibérico sobre a obra de um de nossos melhores escritores.

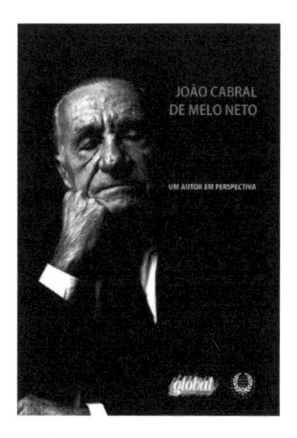

João Cabral de Melo Neto — Um Autor em Perspectiva

Um Autor em Perspectiva, série coeditada pela Global Editora em parceria com a Academia Brasileira de Letras, a partir de estudos realizados pela Universidade de Salamanca, Espanha.

A escolha do poeta pernambucano ao início da coleção dá-se pelo fato de ser o mais espanhol dos autores brasileiros, haja vista que, diplomata, João Cabral trilhou substancial parte de sua carreira em solo espanhol, em cidades como Barcelona, onde viveu por duas ocasiões, a primeira em plena ditadura franquista, Sevilha, Madri, Andaluzia e Castela. Com esta última, João Cabral traçou um paralelo, por peculiaridades climáticas e geográficas, com o sertão do Nordeste.

A poesia de João Cabral de Melo Neto é contida, não se presta a arroubos emotivos, antes se trata de um tributo à técnica, à meticulosidade, deixando entrever a emoção em suaves nuanças que perpassam a construção criteriosa do verso. É antológica a comparação que o poeta faz de sua arte à do célebre toureiro Manolete, a frieza e a minúcia no esquivar-se da fera e golpeá-la com virtuosismo.

Diversos intelectuais espanhóis brasileiros dedicam-se ao peculiar estudo da obra deste grande poeta brasileiro, que só encontra paralelos contemporâneos em Manuel Bandeira e Carlos Drummond de Andrade, com quem forma a tríade suprema do século XX, sem se poder afirmar qual o mais fundamental para nossa literatura em verso. Há obviamente estudos acurados sobre sua obra-prima, *Morte e Vida Severina*, sobre o belíssimo "Tecendo a Manhã", mas também referências aos livros escritos durante esse período de serviço em Espanha.

Este livro é particularmente em deleite por evidenciar uma faceta multicultural do poeta nordestino, seu caráter de cidadão do mundo, enquanto diplomata e homem de letras, que tornou universal o drama do árido sertão.